Cofiant

HEDD WYN

1887–1917

ALAN LLWYD

y Lolfa

Argraffiad cyntaf: 2014

Dymuna'r cyhoeddwyr gydnabod cymorth ariannol
Cyngor Llyfrau Cymru

Cynllun y clawr: Y Lolfa

Rhif Llyfr Rhyngwladol:
978 1 78461 042 5

Cyhoeddwyd, rhwymwyd ac argraffwyd yng Nghymru gan
Y Lolfa Cyf., Talybont, Ceredigion SY24 5HE
gwefan *www.ylolfa.com*
e-bost ylolfa@ylolfa.com
ffôn 01970 832 304
ffacs 832 782

Cofiant
HEDD WYN
1887–1917

Cyflwynedig i Dafydd a Camille

Cynnwys

Rhagair

Cyhoeddwyd ffurf arall ar y cofiant hwn ym 1991, dan y teitl *Gwae Fi Fy Myw: Cofiant Hedd Wyn*. Trwy gydol y blynyddoedd oddi ar i'r cofiant gwreiddiol ymddangos, ac yn enwedig ar ôl i'r ffilm *Hedd Wyn* gyrraedd y sinemâu a'r sgrin deledu, bu galw arnaf i ddarlithio ar y ffilm ac ar Hedd Wyn y bardd i ysgolion a chymdeithasau. Yn hytrach na dibynnu ar yr un hen ddeunydd, bûm yn chwilota am ddeunydd newydd am Hedd Wyn drwy'r amser, ac mae'r cofiant newydd hwn – nad ailargraffiad mohono – yn cynnwys llawer iawn o wybodaeth newydd a llawer iawn o ffeithiau newydd am Hedd Wyn, am Eisteddfod y Gadair Ddu ac am sawl agwedd arall ar hanes ei fywyd byr.

Gwae Fi Fy Myw oedd fy nghofiant cyntaf. Y mae'r fersiwn newydd hwn o'r cofiant wedi rhoi cyfle gwych i mi i gael gwared â rhai o'r arferion drwg a gafwyd yn y cofiant gwreiddiol, fel cyfeirio ataf fy hun yn uniongyrchol yn y testun, er enghraifft. Dylai cofiant fod mor wrthrychol ag sydd bosibl.

Cafwyd lluniau ar gyfer cofiant 1991 o sawl ffynhonnell. Nodir y ffynonellau hynny i gyd yn y cofiant gwreiddiol, ond gan Gerald Williams a'i frawd, y diweddar Ellis Williams, y cafwyd y rhan fwyaf o'r lluniau a geir yn *Gwae Fi Fy Myw* ac yn y cofiant newydd hwn.

Dymunaf ddiolch i Lefi Gruffudd, Y Lolfa, am ddangos diddordeb yn y fersiwn newydd hwn o'r cychwyn cyntaf, ac am bob cymorth a chyngor a gefais ganddo yn gyffredinol. Diolch i Meleri Wyn James am ofalu am glawr y gyfrol, a diolch hefyd, fel arfer, i Nia Peris am gribinio drwy'r gwaith â'r fath ofal a thrylwyredd, ac am gynnig sawl awgrym gwerthfawr, awgrymiadau a gwelliannau a dderbyniwyd yn ddibetrus. Yn wir, hoffwn ddiolch i staff y Lolfa yn gyffredinol am eu gwaith ynglŷn â'r cofiant hwn.

Dylid esbonio mai argraffiad 1931 o *Cerddi'r Bugail* a ddefnyddir fel ffynhonnell yma, nid argraffiad 1918, gan fod argraffiad 1931 yn gywirach o ran orgraff na'r argraffiad gwreiddiol. Hefyd ceir llawer o hepgor y sillgoll mewn rhai testunau gwreiddiol y dyfynnir ohonynt, er enghraifft, 'or' (o'r), 'ir' (i'r), ac yn y blaen. I osgoi amwysedd a dryswch, cynhwyswyd y sillgoll wrth ddyfynnu o'r testunau hyn, ond dyna'r unig ymyrryd a wnaed â hwy.

Alan Llwyd
Hydref 2014

1

Eisteddfod y Gadair Ddu:
Medi 1917

Ymhell cyn i'r Prif Weinidog gyrraedd, roedd y maes yn orlawn. Roedd dau brif atyniad yr Eisteddfod i ddigwydd yn ystod y prynhawn dydd Iau hwnnw: araith y Prif Weinidog a defod cadeirio'r bardd buddugol yng nghystadleuaeth y Gadair. Roedd hi bellach yn fis Medi 1917 ac roedd y rhyfel wedi bod yn llusgo ymlaen ers tair blynedd. Roedd angen araith a defod ar y dorf enfawr, i gadw'r ysbryd rhag marw'n llwyr ac i godi'r galon. Yn anffodus, roedd un papur newydd eisoes wedi awgrymu na fyddai cadeirio yn Eisteddfod Genedlaethol Birkenhead, ond un o bapurau de Cymru oedd hwnnw, ac nid oedd pawb yn ei ddarllen, yn enwedig y miloedd o eisteddfodwyr o ogledd Cymru a oedd wedi heidio i'r maes. Ar ôl siom y diwrnod blaenorol, roedd y maes yn ferw o gyffro ac yn fwrlwm o ddisgwylgarwch. Yr oedd uchafbwynt yr Eisteddfod ar fin digwydd.

Eisteddfod Birkenhead oedd y drydedd Eisteddfod Genedlaethol i gael ei chynnal yn ystod blynyddoedd y Rhyfel Mawr. Trwy rym ewyllys a dyfalbarhad di-ildio y llwyddodd swyddogion a charedigion y Brifwyl i sicrhau y câi'r Eisteddfod ei chynnal yn ystod blynyddoedd dyrys a cholledus y rhyfel. Bwriadwyd cynnal Eisteddfod Genedlaethol 1914 ym Mangor yn ystod ail wythnos Medi 1914, ond bu'n rhaid ei gohirio oherwydd bod Prydain wedi cyhoeddi rhyfel yn erbyn yr Almaen ar Awst 4. Llwyddwyd, drwy ymdrechion taer ar ran y Pwyllgor Lleol, i gynnal Eisteddfod ohiriedig 1914 ym Mangor ym 1915, ond cwtogwyd ar nifer y gweithgareddau y bwriadwyd eu cynnal yn wreiddiol, a chynhaliwyd yr Eisteddfod am bum niwrnod ar ddechrau Awst, Awst 2–6, flwyddyn gyfan ar ôl i Brydain gael ei thynnu i mewn i'r rhyfel. Llwyddwyd hefyd i gynnal Eisteddfod Genedlaethol 1916, yn Aberystwyth, ond am dridiau yn unig, Awst 15–17, gyda Chymanfa Ganu, am y tro cyntaf erioed yn hanes y Brifwyl, yn dilyn ar Awst 18.

Cwtogwyd ar weithgareddau Eisteddfod 1917 yn ogystal, a'i chyfyngu i ddeuddydd, gyda'r Gymanfa Ganu yn dilyn ar y trydydd dydd. Cynhaliwyd defod y coroni ar y dydd Mercher agoriadol hwnnw, ond siom enfawr i'r dorf oedd absenoldeb y prifardd buddugol, Wil Ifan. Dyfarnwyd ei bryddest, ar y testun 'Pwyll, Pendefig Dyfed', yn fuddugol o blith 12 ymgais gan y tri beirniad, Cadvan, Elfed a Gwili, ond nid oedd Wil Ifan yn bresennol, a bu'n rhaid coroni ei gynrychiolydd, Llew Wynne, yn ei le. 'Rhaid dyweyd i absennoldeb "Wil Ifan," dynu ymaith lawer oddi w[r]th ddyddordeb y seremoni o goroni – mewn gair, fe syrthiodd yn bur fflat,' meddai adroddiad ar yr ŵyl yn *Y Faner*.[1] Gyda diwrnod y coroni wedi'i ddifetha i'r fath raddau, nid oedd dim byd amdani ond edrych ymlaen yn eiddgar at ddiwrnod y cadeirio, gan obeithio y byddai'r bardd buddugol, y tro hwn, yn bresennol.

Yr oedd defod y cadeirio i'w chynnal brynhawn dydd Iau, Medi 6, ar ôl araith y Prif Weinidog. Arweinydd yr Eisteddfod y diwrnod hwnnw oedd Llew Tegid, sef Lewis Davies Jones, un o arweinwyr eisteddfodol mwyaf poblogaidd ei ddydd a gŵr a fu'n arwain yn yr Eisteddfod Genedlaethol bron yn ddi-dor rhwng 1902 a 1925. Ni wyddai Llew Tegid ar y pryd y byddai ef a'i briod yn ymuno â'r miloedd o rieni galarus y cymerwyd eu meibion oddi arnynt yn ystod blynyddoedd y Rhyfel Mawr. Lai na deufis ar ôl Eisteddfod Birkenhead, cwympodd mab Llew Tegid, Gwilym Arthur Tegid Jones, yn Fflandrys, ar Hydref 25. Canodd y tad englynion tyner a dwys wedi iddo ef a'i wraig ymweld â'r bedd ar ôl y Rhyfel Mawr:

> O! Gwilym, wyt ti'n gweled – ein galar?
> Neu'n gwylio ein colled?
> A oedd cri holl wledydd cred
> Yn werth dy aberth, tybed?

> Dy fyd oedd y dyfodol – ac yn llawn
> Cynlluniau delfrydol;
> Ond Ow! gadewaist o d'ôl
> Hir gynnydd ar ei ganol ...

Caled yw gorfod cilio, – a'th adael
   Lle'th ddodwyd i huno;
    Yn araf rhaid cyfeirio
    Tua'n gwlad, a thi tan glo ...[2]

Yn ystod gweithgareddau'r bore, cyhoeddodd Llew Tegid o'r llwyfan fod un o filwyr y ffosydd yn bresennol yn y gynulleidfa, a galwodd arno i ddod ymlaen. Gwelwyd milwr cloff yn hercian ei ffordd tua'r llwyfan, a'r cadfridog enwog Syr Owen Thomas yn ei ddilyn. Hwn oedd yr Owen Thomas yr aeth Lloyd George ag ef at Arglwydd Kitchener i drafod y posibilrwydd o godi byddin Gymreig ar ddechrau'r Rhyfel Mawr. Cytunodd Kitchener â'r bwriad, a dyrchafwyd Owen Thomas yn gadfridog yn y fan a'r lle. Yr oedd Syr Owen Thomas eisoes yn un o'r tadau a gollasai fab yn y rhyfel. Claddwyd yr Is-gapten D. O. Evans, y canodd Hedd Wyn iddo fwy nag unwaith, yn ymyl bedd mab ieuengaf Syr Owen Thomas.

Daeth y ddau i'r llwyfan. Cyhoeddodd Llew Tegid mai'r Is-gorporal Samuel Evans, o Rosllannerchrugog, oedd y milwr cloff, arweinydd un o'r corau buddugol yn Eisteddfod Bangor ym 1915. Aelodau o 17eg Bataliwn y Fyddin Gymreig oedd holl aelodau'r côr hwnnw, ac yn fuan ar ôl y fuddugoliaeth hon, anfonwyd y bataliwn i Ffrainc. Erbyn 1917, yr oedd pob aelod o gôr 1915 wedi ei ladd, pawb ac eithrio'r arweinydd, a oedd wedi ei anafu am oes. Gosodwyd dau rosét, a oedd wedi eu hanfon gan deuluoedd dau o'r bechgyn a laddwyd, ar fynwes Samuel Evans gan Syr Owen Thomas, un gwyn ac un du, gwyn i ddynodi anrhydedd dilychwin y bechgyn hyn, a du i arwyddo galar gwlad ar eu hôl, ac ar ôl y miloedd eraill o fechgyn o Gymru a gollasid eisoes yn y Rhyfel Mawr. Collwyd llawer o ddagrau yn ystod y ddefod ddwys hon. Fodd bynnag, profwyd yn ddiweddarach mai stori ffug oedd y stori am dynged y côr buddugol yn Eisteddfod Bangor – stori wedi'i chreu, o bosibl, i baratoi'r gynulleidfa ar gyfer yr hyn a oedd i ddilyn.

Roedd David Lloyd George, Llywydd y prynhawn, i draddodi ei araith am chwarter i dri o'r gloch, a defod y cadeirio i ddilyn ar unwaith. Ymfalchïai'r Cymry yn y ffaith mai Cymro Cymraeg oedd Prif Weinidog Prydain, ac roedd yn ffefryn mawr gydag eisteddfodwyr. Ymhell cyn i Lloyd George gyrraedd, roedd y babell enfawr yn fwy na llawn. Bu'n rhaid tynnu tair ochr i lawr, a gosod rhagor o gadeiriau a meinciau y tu allan, ar ymylon y babell. Cyrhaeddodd Lloyd George y pafiliwn am hanner awr wedi dau, ac fe'i croesawyd yn orfoleddus frwd gan y gynulleidfa fawr. Gydag ef, yn ogystal â'i briod a'i ferch, Megan, yr oedd Llywydd yr Eisteddfod, y Gwir Anrhydeddus Arglwydd Leverhulme, sef William Hesketh, y gŵr busnes hynod lwyddiannus a chynhyrchydd y 'Sunlight Soap' enwog ('Heulwen' oedd yr enw gorseddol a roddwyd arno pan dderbyniwyd ef i'r Orsedd yn Birkenhead!); hefyd James Merritt, Maer Birkenhead, a'i briod; Syr Owen Thomas; a nifer o Gymry blaenllaw eraill. Cyraeddasant y llwyfan ac eistedd ar y blaen, Lloyd George yn y canol a'r lleill o boptu iddo. Cyflwynwyd y Prif Weinidog i'r gynulleidfa eiddgar gan Llew Tegid. 'Pwy ryfygai gymryd arno gyflwyno hwn i dorf o Gymry eisteddfodol?' gofynnodd.[3] Safodd Lloyd George ar ei draed, a dechreuodd draddodi ei araith ar 'Y Cenhedloedd Bychain'.

Dechreuodd trwy gyfarch y dorf yn Gymraeg fel ei 'Gydwladwyr'. Cydnabu mai anodd a chwithig oedd siarad unrhyw iaith ac eithrio'r Gymraeg yn yr Eisteddfod, ond gan fod llawer o Saeson caredig yn y gynulleidfa, dymunai gael ei esgusodi am y tro, a chyflwynodd weddill ei araith yn Saesneg. Dywedodd ei fod yn falch o'r cyfle i ddianc i'r Eisteddfod am ddeuddydd o ganol y gofalon a'r gofidiau, dianc i fyd y pethau tawel, a dyfynnodd yr hen ddihareb 'Ymhob rhyfel y mae gofalon'. Bu'r hen sefydliad hwn yn gyfarwydd â llawer rhyfel yn y gorffennol, meddai, a'r bobl yn ffoi i'w gynteddoedd i chwilio am dawelwch rhag y storm ym mhethau arhosol llên a chelfyddyd a chân. Yr Eisteddfod oedd ei ddinas noddfa. Hefyd:

> Yr oedd gan yr Eisteddfod ei gwersi arbennig ar gyfer yr awr ofnadwy hon. Y gyntaf ydoedd "undeb cenedlaethol i amcanion cenedlaethol". Pa beth ydoedd ystyr y gofyniad a glywir oddiar lwyfan yr Wyl "A oes heddwch?" Nid heddwch rhyngom a gelynion oddiallan, eithr heddwch yn ein plith ein hunain. Yr ystyr ydyw y rhaid inni suddo pob gwahaniaeth taleithiol ac adrannol tra yn ymwneud â gwaith cenedlaethol yr Wyl ...[4]

Cyfeiriodd at y rhwygiadau diweddar, crefyddol, gwleidyddol ac economaidd, yng nghymoedd de Cymru, ond bu'r Eisteddfod, meddai, yn gaer o undod drwy bob anghydfod, ac yn noddfa y ceid ynddi awyrgylch o heddwch a brawdoliaeth. Cystwywyd ganddo'r bobl ffôl, ddrwgdybus hynny

a ddyrchafai eu hegwyddorion personol hwy eu hunain ar draul cydweithio
â phersonau o ddaliadau gwahanol iddynt, er lles cenedlaethol mewn cyfnod
o argyfwng.

Nid fel endid ar wahân yr ystyriai Gymru. Roedd yn rhan hanfodol o'r
Ymerodraeth Brydeinig. Yn naturiol, ac yntau'n Brif Weinidog Prydain Fawr,
Prydeiniwr ac ymerodraethwr a anerchai'r dorf yn Birkenhead y prynhawn
hwnnw. A wyddai Lloyd George am yr hyn a fyddai'n digwydd ar ôl ei araith?
Roedd cyfran sylweddol o'i anerchiad yn ymdrech i gyfiawnhau rhan Cymru
yn y rhyfel, ac i gyfiawnhau aberthu Cymry ifainc ar feysydd y gwaed:

> Y mae yr eisteddfod yn dysgu i ni wers fawr arall. Beth yw hono? Fod cariad
> dwfn at Gymru yn gydnaws a, ac yn cynnyrchu gwladgarwch Prydeinig o'r fath
> oreu. Darllener llenyddiaeth yr eisteddfod. Y mae yn fyw o gariad at Gymru – ei
> mynyddoedd hi, ei dyffrynoedd, ei hafonydd, ei moroedd – ei llenyddiaeth a'i
> thraddodiadau, ei beirdd, ac yn bendiffaddeu ei gwroniaid ... Ond yn gymmhleth
> a hyny chwi gewch bob amser y teyrngarwch mwyaf diwyro at Brydain yn y
> cyfan o honi, neu o leiaf er pan dd[e]chreuodd p[e]nau coronog Seisnig ymddwyn
> gyda pharch at ein cenhedlaetholdeb. Y mae yn hyn yna wers i'r sawl sydd yn
> pryderu ynghylch diogelwch a pharhad yr Ymherodraeth. Y mae'r syniad nas gellir
> cael amryw genhedloedd yn yr ymherodraeth hono yn marw yn ei ffolineb ef ei
> hun. Un Weriniaeth yw yr Ymherodraeth Brydeinig, ond yn cynnwys lliaws o
> genhedloedd.[5]

Roedd yr Almaen, meddai, eto i deimlo pwysau terfynol y rhyfel,
a phan ddigwyddai hynny, byddai'n sylweddoli gwir arwyddocâd a gwir
ystyr heddwch. Byddai serch y cenhedloedd a wladychwyd gan Brydain
yn chwyddo at eu mamwlad, yn dwysáu ac yn dyfnhau fel y treiglai'r
blynyddoedd rhagddynt. Dydd gogoneddus i'r Ymerodraeth oedd
y dydd hwn. Ni welodd y byd erioed cyn hyn y fath wrthdaro rhwng
ymerodraethau cryfion, a'r rheini yn wynebu ei gilydd ac yn rhwygo'r
ffurfafen â ffyrnigrwydd eu hymladd. Beth a ddigwyddai i ryddid y
cenhedloedd pe na bai am yr Ymerodraeth Brydeinig? Pan ddôi terfyn ar y
rhyfel, byddai'r ddynoliaeth oll yn cydnabod ei dyled i Brydain, a byddai'r
ymerodraeth honno'n rymusach nag erioed. Tynnodd ei anerchiad i'w
derfyn yn rhethregol huawdl:

Gwneir yr Ymherodraeth Brydeinig i fyny o lawer cenedl, rhai mawr, rhai bach, ond heddyw un pobl [*sic*] ydym, un mewn amcan, un mewn gweithred, un mewn gobaith, un mewn penderfyniad, un mewn aberth, ac yn fuan, byddwn yn un mewn buddugoliaeth.[6]

Derbyniodd Lloyd George gymeradwyaeth fyddarol.

Araith Brydeingar, ystrydebol felly oedd hi. Clywyd ei thebyg filoedd o weithiau yn ystod blynyddoedd y rhyfel, ond dyma'r union fath o areithio a oedd wrth fodd y dorf o eisteddfodwyr. Yn union ar ôl araith y Prif Weinidog, paratowyd y llwyfan ar gyfer defod y cadeirio, a gosodwyd y gadair dderw hardd a chywrain ar ganol y llwyfan. Rhoddwyd y cleddyf i orffwys ar freichiau'r gadair. Galwyd ar T. Gwynn Jones i draddodi'r feirniadaeth. Derbyniwyd 15 o awdlau i'r gystadleuaeth, ar y testun 'Yr Arwr'. Roedd y tri beirniad, Dyfed, sef yr Archdderwydd ar y pryd, J. J. Williams a Gwynn Jones ei hun, yn unfryd gytûn mai awdl o eiddo bardd yn dwyn y ffugenw *Fleur-de-lis* oedd yr awdl orau o ddigon, ond ei bod yn awdl ddyrys, aneglur mewn mannau. Er hynny, 'ni welaf fi yn fy myw nad oes mawredd yn y gerdd hon, ac wedi ei darllen hi a'r tair ereill ddwsin o weithiau, yr wyf yn sicr mai hi yw'r oreu, a'i bod yn deilwng o'r wobr,' meddai T. Gwynn Jones yn ei feirniadaeth swyddogol.[7]

Wedi i T. Gwynn Jones draddodi'r feirniadaeth, gofynnodd Dyfed i *Fleur-de-lis* sefyll ar ei draed, ond ni safodd neb. Galwodd eilwaith: neb yn sefyll; galwodd am y trydydd tro, ac erbyn hyn yr oedd yn amlwg nad oedd neb am godi. Daeth gŵr, nad enwir mohono yn adroddiadau'r papurau, o gefn y llwyfan, a sibrwd yng nghlust Dyfed. Hysbysodd Dyfed y dorf, mewn llais crynedig:

… fod y bardd wedi syrthio yn aberth i gelanedd Rhyfel yn yr amser byr cydrhwng dyddiad yr anfoniad ac adeg yr Eisteddfod. Amlygwyd mai "enw priod" "Fleur-de-Lis" oedd Private E. H. Evans (Hedd Wyn), 6117, C. Company, 15th Battalion Royal Welsh Fusiliers (First London Welsh), British Expeditionary Force, a'i fod wedi cwympo yn yr ymladd erchyll yn "rhywle yn Ffrainc."[8]

Ar ôl datganiad yr Archdderwydd, symudwyd y cleddyf oddi ar freichiau'r gadair ac fe'i gorchuddiwyd â chwrlid du. Erbyn hyn yr oedd y beirdd a oedd i fod i gyfarch y prifardd buddugol wedi llunio hanner cylch y tu ôl i'r gadair. Galwodd Dyfed ar Madame Laura Evans-Williams ymlaen i ganu Cân y Cadeirio. Yn hytrach na chanu'r gân gadeirio arferol, canodd yr hen alaw bruddglwyfus 'I Blas Gogerddan', un o hoff ganeuon Hedd Wyn, ac yr oedd hithau hefyd dan gryn deimlad. Erbyn hyn yr oedd dwyster mawr wedi cydio yn y gynulleidfa. Prin, yn ôl adroddiadau'r papurau, fod yno lygad sych. Tro'r beirdd oedd hi wedyn i annerch y gadair wag, a daeth nifer o feirdd ymlaen i adrodd eu cerddi a'u henglynion: Dyfed, Elfed, R. Silyn Roberts, gŵr a adwaenai Hedd Wyn yn dda, a gŵr a wnaeth lawer i sicrhau coffâd teilwng iddo ar ôl yr Eisteddfod; hefyd Dewi Emrys, Madryn, Penar, Crwys a Chadvan, a chyfaill arall i Hedd Wyn, Bryfdir, sef Humphrey Jones. Cyflwynodd Silyn ei bedwar englyn ef er cof am Hedd Wyn gan gyfeirio yn esgyll y pedwerydd englyn at gwpled yn awdl fuddugol y bardd, 'Ac ar fy rhydd, gywir fron/Mae gwaed pob Armagedon':

> Ystryw galanastr gelynion – gwympodd
>   Brif gampwr y ceinion;
>   Dan y llaid mae'r llygaid llon,
>   A marw yw prydydd Meirion.

> A derw y ddôl yn gadair ddu, – trosti
>   Mantell tristwch Cymru!
>   Cenedl wâr yn galaru
>   Na bai coedd ei wyneb cu!

> Tros y gwir rhag treisio gwerin, – Hedd Wyn
>   Rodd ei waed yn ddibrin;
>   A'i fedd gloddiodd y fyddin
>   Yn nhir Ffrainc, bro'r gainc a'r gwin.

> Drwy ystryw ar dir estron – i orwedd
>   Rhoed ein 'Harwr' ffyddlon,
>   Ac ar ei friw wlatgar fron
>   'Mae gwaed yr Armagedon'.[9]

Dyma englyn Dewi Emrys:

Ymhell o'i frodir dirion, – yn ei waed
    Mae nerth gwlad ei galon;
    Ac er ei briw ceir i'w bron
    Haul o garol ei gwron.[10]

Teyrnged ddigon tebyg i'r lleill a gafwyd gan Crwys:

Er galw, a galw, y bardd ni ddaw,
Chwilio yn ofer wna'r llawryf am law,
Mor felys, mor felys rhaid fod yr hedd,
Nas gedy y prydydd mo'r fro am ein gwledd.

Ofer yw galw, Hedd Wyn ni ddaw
O'r wlad sydd ymhellach na'r ffosydd draw;
A'r deigryn a roem ar y bedd dros y don
Ei dywallt yr wyf ar y gadair hon.[11]

Serch hynny, penillion coffa Dyfed, y bardd cyntaf i annerch y gadair wag, a afaelodd ddyfnaf yng nghof a chalon y genedl:

I gylch yr Eisteddfod o gynnwrf y byd,
I gwrdd â'r awenydd daeth cenedl ynghyd;
Fe ganwyd yr utgorn a threfnwyd y cledd,
Ond gwag ydyw'r Gadair a'r Bardd yn ei fedd.

Anfonodd ei 'Arwr' i brifwyl ei wlad,
A syrthiodd yn arwr ei hun yn y gad;
Oferedd yn awr yw bloeddiadau o hedd,
Mae'r awen yn weddw a'r Bardd yn ei fedd ...

Bugeiliodd ei ddefaid heb rodres na ffug,
Yn feudwy'r encilion yng nghanol y grug;
Fe groesodd y culfor â'i law ar ei gledd,
Mae'r praidd ar y mynydd a'r Bardd yn ei fedd ...[12]

Clowyd y ddefod trwy ganu'r emyn 'Bydd Myrdd o Ryfeddodau', ac ar hynny, daeth i ben y ddefod enwocaf a rhyfeddaf yn holl hanes yr Eisteddfod

Genedlaethol. Cyffyrddodd hanes y Gadair Ddu â chalonnau'r Cymry oll, o Fôn i Fynwy, o Went i Wynedd. Roedd y Prif Weinidog, hyd yn oed, yn ei ddagrau. Yn ôl un a fu'n llygad-dyst i'r holl ddigwyddiad, 'yr oedd y Prif Weinidog a dagrau yn llithro yn lladrataidd o gil ei lygaid yn awr ac yn y man'.[13]

Fel pe bai swyddogion yr Eisteddfod wedi sgriptio'r holl ddigwyddiad yn gyffrous o ddramatig, y person cyntaf i eistedd yn y Gadair Ddu yn union ar ôl y 'cadeirio' oedd Mrs Mair Morgan, sef Mair Taliesin, merch Taliesin o Eifion (Thomas Jones), y bardd a enillodd 'Gadair Ddu' Eisteddfod Genedlaethol Wrecsam ym 1876. Cynhaliwyd defod y cadeirio yn yr eisteddfod honno ar ddydd Iau, Awst 24, a dyna'r union ddiwrnod, ddeugain mlynedd a rhagor yn ddiweddarach, y bu i fam a thad Hedd Wyn dderbyn gan y fyddin yr hysbysiad swyddogol fod eu mab wedi'i ladd. Bu farw Taliesin o Eifion ar Fehefin 1, 1876, a gorchuddiwyd y gadair â hugan ddu y mis Awst dilynol. Cynrychiolwyd teulu'r Ysgwrn yn yr Eisteddfod gan R. W. Edwards, sef Rolant Wyn, cefnder i fam Hedd Wyn, a oedd yn byw yn Birkenhead ar y pryd. Aeth Mair Taliesin ato, a'i chyflwyno ei hun iddo, er ei bod 'a'i dagrau yn hidl'.[14]

Ond 'Cadair Ddu' 1917 yw'r wir Gadair Ddu. Marwolaeth naturiol a oedd yn gyfrifol am Gadair Ddu 1876, ond syrthio'n aberth ac yn ysglyfaeth i'r militarwyr a'r propagandwyr yn y rhyfel erchyllaf a welwyd hyd at y cyfnod hwnnw a wnaeth Hedd Wyn, ar awr ei anterth ac ym mlodau ei ddyddiau. Yr oedd ei gwymp yn symbolaidd: yn symbolaidd o'r ieuenctid a ddifawyd ac a wastraffwyd ar faes y gad. Yr oedd cadair wag Birkenhead yn cynrychioli'r cadeiriau gwag yng nghartrefi galarus Cymru. Nid rhyfedd i'r dorf ymateb mewn modd mor emosiynol ddwys i ddefod y cadeirio. Effeithiwyd yn ddwys ar bawb, bron yn ddieithriad. Fel y dywedwyd yng nghyfrol Cyfansoddiadau'r Brifwyl honno:

> ... Nid oes eisiau i ni ymdroi gyda seremoni "y gadair ddu" – i'r rhai fu'n dystion ohoni yr oedd yn un o'r pethau mwyaf angerddol o deimladwy a welsant erioed, ac yn rhywbeth na anghofiant tra fônt byw.[15]

A dyna godi cwr y llen ar Eisteddfod Genedlaethol Birkenhead. Yr oedd yn ddigwyddiad teimladol, yn sicr, a daeth, gyda threigl y blynyddoedd, yn ddigwyddiad hanesyddol yn ogystal. Yr oedd yn foment ddiffiniol ac yn ddechreuad myth ar yr un pryd. Ac eto, nid yw pob adroddiad yn y papurau yn cyfateb i'w gilydd. Dryslyd, braidd, yw adroddiad *Y Faner*.

> Yna cymmerodd golygfa hynod anghyffredin le, a golygfa a barodd i ddagrau y gynnulleidfa redeg am yr ail waith y diwrnod bythgofiadwy hwn. Ar ymyl y llwyfan safai Dyfed, gyda'i fraich dde yn estynedig i gyfeiriad y gynnulleidfa. "Y mae cynrychiolydd y buddugwr yn bresennol," meddai yr Archdderwydd mewn llais crynedig, "ond y mae genyf y newydd prudd iawn i'w gyhoeddi fod y buddugwr ei hun wedi syrthio yn y rhyfel, ac yn gorwedd yn ei ddistaw fedd er's wythnosau mewn gwlad estronol."
>
> ... Syrthiodd y newydd yn drwm ar galonau y rhai oedd yn bresennol. Ac meddai yr Archdderwydd yn mhellach – "Nid ydym am gadeirio ei gynnrychiolydd, a'r oll a wneir yw rhoddi y Fantell ddu dros y gadair wag."[16]

Roedd Dyfed yn sôn am gadeirio cynrychiolydd i Hedd Wyn i ddechrau, ac yna'n newid ei feddwl, fel petai, yn y fan a'r lle, yn ôl adroddiad *Y Faner*. Yn ôl *Y Tyst* wedyn:

> Deallwyd fod rhywbeth anghyffredin i gymryd lle, yr hyn a sylweddolwyd pan gyhoeddodd yr Archdderwydd, ar ol ymgynghori â chofnodion y Pwyllgor, mai Ellis Evans, Trawsfynydd oedd y buddugwr ... Nis gellid meddwl am arwisgo unrhyw gynrychiolydd, ac yn lle y ddefod arferol ynglŷn â'r cadeirio, ynghanol distawrwydd angheuol gwisgwyd y gadair â brethyn elor.[17]

Ymhlith y gynulleidfa wylofus yr oedd John Williams, Brynsiencyn, Syr Henry Jones a'r Athro John Morris-Jones. Eisteddai'r tri yn ymyl ei gilydd, a threiglai'r dagrau i lawr eu gruddiau. Ac eto, y mae rhywun yn wfftio at ragrith y gwŷr hyn. Yr oedd y tri ymhlith helgwn rhyfel mwyaf y cyfnod. John Williams, Brynsiencyn: dyma ŵr a fu'n gyfrifol am anfon miloedd o Gymry ieuainc i'w tranc. Bu iddo ran flaenllaw yn y gwaith o sefydlu'r Fyddin Gymreig ar ddechrau'r rhyfel, ac fe'i gwnaethpwyd yn gaplan mygedol iddi. Bu'n tramwyo'r wlad yn ceisio annog bechgyn ifainc i ymuno â'r fyddin. Ceisiai godi cywilydd arnynt, ac edliw iddynt eu llwfrdra. Bu Syr Henry Jones ar daith 'ymrestru' gydag ef yn Sir Fôn yn Nhachwedd 1915. Ceisiwyd gan y ddau ddarbwyllo ieuenctid Môn i gyrchu maes y gad.

Nodweddiadol o'i arddull wrth areithio yw'r darn rhethregol, ymfflamychol canlynol:

> Chwi fechgyn gwridgoch Môn, wnewch chwi adael i fechgyn gwyneblwyd y
> trefi aberthu eu bywydau i'ch cadw chwi yn groeniach? Wnewch chwi adael i'ch
> brodyr groesi y weilgi o'r America a Chanada ac Awstralia, a chwithau yn trigo yn
> ddiofal yn ymyl? Gaiff yr Indiaid melynddu ddod yma wrth y miloedd i ymladd
> dros eich rhyddid a'ch iawnderau chwi, a chwithau'n ymdorheulo mewn cysur a
> chlydwch? Byddwch ddynion. Sefwch i fyny yn eofn dros eich gwlad, dros eich
> rhyddid a thros eich Duw.[18]

Un arall o gefnogwyr y rhyfel oedd John Morris-Jones, ac yr oedd ei drafodaethau ar bwnc y rhyfel yn llawn digofaint a chas yn erbyn yr Almaen 'ymffrostfawr dreisgar', fel y dywedodd yn ei ysgrif 'At y Cymry', a apeliai, ar ddechrau'r rhyfel, at fechgyn ifainc Cymru i ddwyn arfau yn erbyn 'Germani'.[19] Apêl Brydeingar, ymerodraethol oedd honno hefyd:

> Y mae Ymerodraeth Prydain Fawr heddyw yn allu o blaid popeth sy'n fwyaf
> annwyl i ni – o blaid rhyddid a chyfiawnder, ac yn enwedig o blaid iawnderau
> cenhedloedd bychain. Y mae i ni le anrhydeddus yn yr Ymerodraeth; fe wnaeth
> Cymry eu rhan i'w seilio a'i saernio, a diau y gwna'r Cymry eu rhan i'w
> hamddiffyn rhag ei gelynion, a thrwy hynny amddiffyn popeth sydd yn fwyaf
> cysegredig i ni fel cenedl.[20]

Fodd bynnag, ni allai T. Gwynn Jones ymuno yn y rhagrith na cholli dagrau uwch y gadair wag. Ffieidd-dod i'w anian heddychlon oedd araith Lloyd George, a dauwynebogrwydd ar ran rhyfelgwn fel John Williams oedd eu dagrau rhwydd. Rhuthrodd allan o'r babell ar ganol araith Lloyd George:

> Do, bûm yn Birkenhead. Go ddi-hwyl oedd. Sentimentalwch oedd llawer o'r hyn
> a gyhoeddwyd am y gadair wag, er bod yr amgylchiadau'n ddigon trist. Dywedai
> dynion trigain oed, a fu wrthi fel diawliaid yn hela hogiau i'r fyddin, eu bod yn
> methu peidio ag wylo, ond nid oedd deigryn yn fy llygaid i, ac eraill, a'u peryglodd
> eu hunain dros beidio ag aberthu'r bechgyn. Pan gododd y dyn bach cegog i siarad,
> euthum allan i gael mygyn. Ond nid oedd *matches* gennyf, na lle hwylus i fynd i
> gael rhai. Gan mai mwg oedd arnaf ei eisiau, euthum i mewn yn fy ôl a chlywais

y druth – truth ymhonfawr, anonest a thwyllodrus, ond methiant fu, diolch
am hynny. Darfyddai'r gymeradwyaeth fel clindarddach drain. Ni eill dwyllo'r
cynulleidfaoedd mwy. Y mae'r codwm eisoes wedi dechreu. Y mae'r werin
Gymreig yn dyfod i'w phwyll eto.

Dyma ddechrau cân newydd –

Ond ydi braidd yn biti
Dy fod ti'n drigain oed?
'Does fawr o obaith iti
Fyth golli llaw na throed;
Cei eistedd yn dy hafod,
A sôn am garu'th wlad,
A throi a thrin dy dafod
A gyrru'r lleill i'r gad.[21]

Un arall a oedd ar y llwyfan yn ystod seremoni'r cadeirio yn Birkenhead
oedd E. Tegla Davies, ac yn ymyl T. Gwynn Jones y safai. Meddai yn ei
hunangofiant, *Gyda'r Blynyddoedd*:

Eisteddfod Birkenhead, 1917, oedd fy [Eisteddfod Genedlaethol] nesaf, wedi
cymryd fy mherswadio gan Gadvan, er mwyn yr enwad, i adael i Ddyfed rwymo
rhuban gwyn am fy mraich a dweud wrth y dyrfa oddi ar y maen llog beth oedd
fy enw. Yna talu chweugain yn onest a chilio'n ôl i ddinodedd, a Chadvan wedi
ei fodloni. Safwn yn ymyl T. Gwynn Jones ar y llwyfan yn rhinwedd y rhuban a'r
chweugain, ychydig cyn iddo fynd ymlaen i draddodi beirniadaeth y gadair ddu,
ef yn wynias o gynddaredd wrth wrando ar araith jingoaidd Lloyd George. Methu
dal, ac allan ag ef am fygyn nes i Lloyd George orffen, yna dychwelyd i draddodi ei
feirniadaeth gan resynu oherwydd gorfod byw yn y fath oes. Eisteddfod ddagreuol
iawn oedd honno. Cyhoeddwyd oddi ar y llwyfan gan Lew Tegid, yng nghyfarfod
y bore, fod pob aelod o gôr meibion a gystadleuai y flwyddyn gynt wedi ei ladd
erbyn hynny, a galarwyd yn briodol. Yn ddiweddarach ar y dydd daeth gair nad
oedd y stori ond celwydd noeth gan rywun.[22]

A phwy arall a oedd yn bresennol yn y babell fawr ar y dydd Iau rhyfedd
hwnnw? Yn ôl William Morris: 'Yn ei hymyl hithau [y gadair] 'roedd tad a
mam Hedd Wyn yn sefyll'; ac eto: 'Hysbysodd [Dyfed] fod tad a mam y bardd
yno, mai hwy oedd y ddau a safai yn ymyl.'[23] Nid oedd rhieni Hedd Wyn yn
bresennol yn y babell y prynhawn hwnnw. Nid aethant ar gyfyl yr Eisteddfod.

Yn ôl Enid Morris, chwaer Hedd Wyn, roedd ei rhieni dan ormod o deimlad i fynd i'r Eisteddfod.

Gwyddai swyddogion yr Eisteddfod fod y bardd buddugol wedi cwympo yn y rhyfel. Cefnder i fam Hedd Wyn, R. W. Edwards – Rolant Wyn – a oedd yn byw yn Birkenhead, oedd Ysgrifennydd Pwyllgor yr Orsedd yn Eisteddfod 1917, a hwn oedd y gŵr canol rhwng swyddogion yr Eisteddfod a theulu Hedd Wyn. Trwy Rolant Wyn y daeth swyddogion yr Eisteddfod i wybod am farwolaeth Hedd Wyn. Mae'n debyg hefyd mai Rolant Wyn a ddaeth o gefn y llwyfan i sibrwd yng nghlust Dyfed pan alwodd yr Archdderwydd ar *Fleur-de-lis* i sefyll ar ei draed. O leiaf, dyna'r awgrym a geir yn y geiriau 'Wedi i Rolant Wyn ateb dros ei garennydd ...' yn yr ysgrif 'Y Ddwy Gadair Ddu', a gyhoeddwyd yn rhifyn Medi 15 o'r *Rhedegydd*.[24] Roedd swyddogion yr Eisteddfod ac aelodau mwyaf blaenllaw'r Orsedd wedi penderfynu ymlaen llaw mai 'Eisteddfod y Gadair Ddu' y gelwid Eisteddfod 1917. Ddwyawr cyn y ddefod, lluniodd un o ohebwyr y *Cambria Daily Leader*, 'Awstin', yr adroddiad byr canlynol, ac ymddangosodd yr adroddiad yn rhifyn Medi 6 o'r papur, sef union ddyddiad y cadeirio:

> It is rumoured in bardic secret circles that the chairing to-day is likely to be a startling and very sad ceremony, known as "Y gadair ddu" (the chair of mourning), as the winner is expected to be declared to be "Hedd Wyn," the bard who stood second for last year's chair at Aberystwyth, who has recently paid the great sacrifice in the trenches on the Western front. He was formerly a farmer at Trawsfynydd, Merionethshire. As I am writing this a couple of hours before the adjudication, it must be, however, regarded more as a prediction than an announcement.[25]

Lladdwyd Hedd Wyn ar Orffennaf 31, 1917, ar ddiwrnod agoriadol Trydydd Cyrch Ypres, neu Ymgyrch Passchendaele, fel y galwyd yr ymgyrch maes o law, yn gamarweiniol braidd. Buan y cyrhaeddodd y si ei fod wedi'i ladd ardal Trawsfynydd, ac ar Awst 24 derbyniodd teulu'r Ysgwrn air swyddogol gan y fyddin fod eu mab wedi cael ei ladd. Clywodd Rolant Wyn gan deulu'r Ysgwrn, yn fuan ar ôl Awst 24, am farwolaeth Hedd Wyn. Ni wyddys yn union pa eiriau a fu rhwng Rolant Wyn a swyddogion yr Eisteddfod, ond gwyddom i Isaac Davies, un o ddau ysgrifennydd yr Eisteddfod, anfon y llythyr canlynol at Evan Evans, tad Hedd Wyn, ar Awst 26, 1917, ddeuddydd wedi i'r teulu glywed am farwolaeth Hedd Wyn:

> Annwyl Syr
>
> Y mae Awdl i mewn dan y ffugenw "Fleur de-lis" – ond nid wyf fi wedi agor yr un Envelope eto, ac nid oes genyf hawl i wneyd ond yr un fyddo'n fuddugol.
>
> Piti fod rhywun wedi anfon i'r Wasg i ddweyd fod "Hedd Wyn" yn cystadlu – pan oedd y cyfansoddiadau yn nwylo'r Beirniaid. Dylesid ei gadw yn gyfrinach.

A cheir yr ôl-nodyn amwys canlynol:

> Gofid i mi oedd clywed am drychineb eich mab – ond gobeithio'r goreu – gan nad ydych wedi clywed dim yn swyddogol. Efallai y cewch newydd da cyn bo hir, a cheisiwch gadw eich calon i fynu.[26]

Erbyn Awst 26, wrth gwrs, roedd y teulu wedi derbyn y newyddion swyddogol am farwolaeth Hedd Wyn. A oedd Isaac Davies yn ceisio cysuro'r teulu trwy awgrymu mai Hedd Wyn a fyddai'n ennill y gadair? Ai dyna ddiben y llythyr? Anfonodd Rolant Wyn lythyr at y teulu ar Fedi 6, diwrnod y cadeirio. Rhwng llythyr Isaac Davies a Medi 6, roedd rhieni Hedd Wyn wedi derbyn brys-neges yn eu hysbysu ynghylch buddugoliaeth eu mab yn y Brifwyl. Cyfrifoldeb Rolant Wyn oedd gofalu am y gadair ar ôl yr Eisteddfod, a threfnu, yn y man, y byddai'n cyrraedd yr Ysgwrn yn ddiogel. Dyma'i lythyr:

> Annwyl Gefnder a Chyfnither,
>
> Mi obeithiaf i chwi gael y telegram yn eich hysbysu am wrhydri eich anwyl Hedd Wyn.
>
> Nid oes genyf ond deng munud i ysgrifenu ac i redeg i'r post.
>
> Mae y Gadair yn dod yma heno, ac y mae y wobr o £10 yn ddiogel genyf fi. Anfonaf etto lythyr cyflawn o'r hanes.[27]

Rhaid bod y dyddiad a roir mewn amryw ffynonellau fel dyddiad derbyn y newyddion swyddogol ynghylch ei ladd, sef Awst 24, yn gywir. Ceir yr adroddiad hwn yn *Y Rhedegydd*, Medi 1, 1917, adroddiad y ceir ynddo un frawddeg frawychus o eironig:

Yr oedd si ar led er's tro bellach fod y cyfaill hynaws a mwyn Hedd Wynn wedi cwympo, ond dydd Gwener fel y nodwyd y daeth y newydd yn swyddogol ... Pwy wyr, os cawsai fyw, na fuasai yn wr peryglus am y gadair genhedlaethol ...[28]

Dydd Sadwrn oedd Medi 1, ac oherwydd mai papur wythnosol oedd *Y Rhedegydd*, go brin mai cyfeirio at y dydd Gwener blaenorol a wneid yn yr adroddiad, ond yn hytrach y dydd Gwener cyn hwnnw, sef Awst 24. Roedd mwy na si ar led fod Hedd Wyn wedi cwympo ar faes y gad. Dan y pennawd 'Wrth Golli Hedd Wyn', roedd rhifyn Awst 16, 1917, o'r *Brython* wedi datgan yn blwmp ac yn blaen fod Hedd Wyn wedi'i ladd, wythnos a rhagor cyn i'r hysbysiad swyddogol gyrraedd yr Ysgwrn:

O bob llanc a gwympodd yn y rhyfel, dywed y rhai a'i hadwaenai oreu nad oedd yr un hoffach na Mr. Ellis Evans, mab Mr. a Mrs. Evans, Ysgwrn, Trawsfynydd, oedd yng Ngwersyll Litherland yma hyd yn ddiweddar iawn, ac yn fynychwr ar gyngherddau pythefnosol Bankhall. Yr oedd yn un o feirdd ieuanc mwyaf gobeithiol ei genedl; wedi ennill pum cadair – Llanuwchllyn yn un; heb gael dim addysg ond a heliodd mor ddiwyd a chyflym â'i gyneddfau gafaelgar ei hun; a chanddo awdl, ni glywsom, yng nghystadleuaeth y Gadair yn Eisteddfod Birkenhead. A phe honno'n digwydd bod yn fuddugol, dyna "Gadair Ddu" arall at un Wrecsam yn 1876.[29]

A dyna'r gath allan o'r cwd. At *Y Brython* yr oedd Isaac Davies yn anelu ei lid pan ddywedodd fod rhywun wedi cysylltu â'r wasg i ddweud bod Hedd Wyn yn cystadlu.

Anfonodd Rolant Wyn lythyr arall at y teulu ar Fedi 10:

Annwyl Berthynasau

Ni raid i chwi ddiolch i mi am gymeryd gofal Cadair eich Anwyl Hedd Wynn. Y mae'n fraint genyf gael gwneyd. Bwriadaf ddod a hi yna – sef i'r Traws – ddydd mercher nis gwn yn sicr pa dren eto ond y tebyg yw mai efo'r tren 12.55 o Birkenhead cyrhaedd yna 6.20. Diameu y gofelir am rywbeth i'w chludo o'r Orsaf gan ei bod yn anferth o drwm ac y gofalir am le iddi yn y Pentref hyd ar ôl y Cyfarfod, a pheidio gadael i bawb lygad-rythu arni gan y ca'r cyhoedd gyfle i'w gweld yn yr Hall.

Ystyriaf hi yn Gadair gyssegredig yn werth gwaed un o fechgyn mwyaf athrylithgar Cymru. Mi obeithiaf eich gweld a siarad llawer a chwi yng nghylch llawer o bethau pan ddof yna. Yr wyf wedi ysgrifennu at amryw o Blant enwog y Traws i'w hysbysu o'r Cyfarfod ac yn eu plith Syr Vincent Evans.

Mi gredaf y cawn gyfarfod i'w gofio yn hir iawn yn y Traws.

Yr eiddoch

gyda chofion

Rolant Wyn[30]

Sonnir yn y llythyr am y bwriad i gynnal cyfarfodydd coffa i Hedd Wyn yn neuadd Trawsfynydd ym mis Medi. Mae'r llythyrau hyn oddi wrth Rolant Wyn at deulu'r Ysgwrn yn profi cywirdeb tystiolaeth lafar Enid Morris na fu i'w rhieni fynd ar gyfyl Eisteddfod Birkenhead.

Gŵr arall a oedd yn bresennol yn y babell fawr ar ddiwrnod y cadeirio oedd J. Buckland Thomas. Yng ngwersyll hyfforddi Litherland, yn ymyl Lerpwl, y cyfarfu Hedd Wyn â J. B. Thomas, a ffurfiwyd cyfeillgarwch rhwng y ddau. Clerc oedd J. B. Thomas yn y fyddin, a chan fod llawysgrifen gain ganddo, gofynnodd Hedd Wyn iddo lunio copi glân o awdl 'Yr Arwr' o'i gopi ef ei hun, a chydsyniodd J. B. Thomas â'r cais. Yng ngeiriau J. B. Thomas ei hun:

> Pan ddychwelodd i'r gwersyll amlwg oedd ei fod wrth ei fodd, ei ysbryd wedi llonni, a'i obaith wedi'i adfywio. Aethom drwy'r awdl y cyfle cyntaf a gawsom. Un peth a aflonyddai arno yn awr: teimlai yn anfodlon ar ei law-ysgrifen. Gofynnodd i mi a wnawn i ei hysgrifennu drosto, a chydsyniais ar unwaith. Y noson cyn i mi ymadael am ychydig ddyddiau o *leave* aethom dros yr awdl unwaith eto, er mwyn bod yn sicr ohoni. Sylwais nad oedd yr awdl wedi ei hatalnodi o'i dechrau i'w diwedd, a gelwais ei sylw at hyn. "Beth am y *stops*?" gofynnais. "O," meddai "dodwch hwynt i mewn lle bo eisiau."[31]

Roedd J. B. Thomas dan yr argraff mai'r copi yn ei lawysgrifen ef a anfonwyd gan Hedd Wyn i'r Eisteddfod o Ffrainc, ond copi o'r awdl yn llawysgrifen Hedd Wyn a dderbyniwyd gan Ysgrifennydd yr Eisteddfod. Yn wir, roedd yn dal i weithio arni hyd y funud olaf bosibl, fel y prawf y llythyr a anfonodd at Isaac Davies o 'Ffrainc' ar Orffennaf 13, 1917, wrth anfon yr awdl ato:

Annwyl Syr, – Dyma finnau yn anfon rhyw lun o Awdl ichwi ar destyn y Gadair. Drwg o galon gennyf feddwl y bydd hi ar ol ei hamser yn cyrraedd. Yr oeddwn wedi ei gorffen mewn pryd, ond fel bu'r anlwc, y dydd 'roeddwn ar ei phostio ichwi dyma orchymyn i'n symud ac atal y post i fewn ac allan am nifer rai o ddyddiau. Wrth gwrs, nid oedd bosibl cael gwasanaeth y *transports* a'r llythyrau, a ninnau ar y *move*. Ychydig fel yna o eglurhad sy'n gyfreithiol imi roi. Ond drwg iawn gennyf ddeall y bydd fy awdl yn nwylo ein postman ni am 5 diwrnod o leiaf nes y caiff gyfle. Hwyrach, wedi'r cwbwl, ei fod yn ormod imi ofyn ichwi geisio ei chael i mewn i'r gystadleuaeth, ac hefyd gael gwybod rhywdro ymhellach ymlaen gennych pa dderbyniad a gafodd. Y ffugenw, *Fleur-de-lis*; yr enw priod, Pte. E. H. Evans, 611[1]7 (*Hedd Wyn*), C. Coy. 15 Batt. R.W.F., 1st London Welsh, B.E.F. [British Expeditionary Force], France. Dymunaf ichwi Eisteddfod lwyddiannus ymhob ystyr, a phe bâi lwc imi, hwyrach y gallech yrru yma i'm hysbysu ymlaen llaw. – Yr eiddoch yn bur, – HEDD WYN.[32]

Roedd yr awdl, felly, yn hwyr iawn yn cyrraedd y gystadleuaeth, ac oni bai am raslonrwydd a hyblygrwydd Isaac Davies, ni fyddai'r fath beth â Chadair Ddu Birkenhead wedi digwydd. Byddai ysgrifennydd mwy deddfol wedi gwrthod ei derbyn i'r gystadleuaeth. Digwyddodd gwyrth yn Eisteddfod Birkenhead. Llwyddodd Hedd Wyn i orffen ei awdl yn Ffrainc – dan amgylchiadau rhyfeddol o anodd; a thrwy ryw ryfedd ras, cyrhaeddodd yr awdl swyddfa Isaac Davies yn Birkenhead, er gwaethaf pob rhwystr ac anhawster. 'Mor rhyfedd troeon bywyd rhagor coeg-ddyfais y nofelau, ac mor berffaith y cuddia'r Anfeidrol ei gyfrinach!' meddai'r sawl a ysgrifennai golofn y 'Siaced Fraith' yn *Y Brython* wrth ddyfynnu'r llythyr.[33] Roedd hanes y Gadair Ddu yn debycach i ffuglen nag i ffaith.

Yr oedd gan Hedd Wyn ei gopi ef ei hun o'r awdl gydag ef yn Ffrainc, a'r copi hwnnw a anfonwyd at Isaac Davies. Cyn ymadael am Ffrainc o wersyll Litherland, roedd Hedd Wyn wedi gofyn i J. B. Thomas ei gynrychioli yn yr Eisteddfod yn ei absenoldeb pe digwyddai iddo ennill. Aeth J. B. Thomas i'r Eisteddfod yn Birkenhead ar ddydd Iau'r cadeirio:

... croesais afon Miersi yn gynnar, ac ar gae'r Eisteddfod y bore hwnnw clywais y newydd alaethus am ei ladd ar Pilkem Ridge. Ymgynghorais â swyddogion yr Eisteddfod a'r Orsedd, ac o dan yr amgylchiadau trefnwyd i'r gadair fod yn "Gadair Ddu."[34]

Y mae'n honni iddo gynrychioli Hedd Wyn mewn ffynhonnell arall, ond nid yw hynny'n wir: 'at his request before leaving this camp, I acted as his representative at the Eisteddfod'.[35] Yn wir, tipyn o siom iddo oedd amharodrwydd swyddogion yr Eisteddfod i ganiatáu iddo gynrychioli Hedd Wyn yn yr Eisteddfod. Aeth at swyddogion yr Eisteddfod i ddweud ei stori, ond ni chymerwyd sylw ohono, ac er ei fod yn cytuno mai rhoi'r gorchudd du dros y gadair oedd y peth priodol i'w wneud, credai y dylai fod wedi cael sefyll yn ymyl y gadair wag. Ddiwrnod ar ôl y cadeirio, anfonodd J. B. Thomas lythyr at un o chwiorydd Hedd Wyn:

> Hut 80, D Coy.
> 3/R.W.F.
> Litherland
> Liverpool
> 7th Sept. 1917
>
> Dear Miss Evans.
>
> You have heard by now no doubt of the success of your late brother in the Chair Competition at the Birkenhead National Eisteddfod, and I am taking this opportunity of tendering to you as a family my sincerest congratulations. I was present there to represent him but under the circumstances, no chairing took place. The Chair was "y Gadair Ddu" – draped over in loving memory of your dear brother who has made the supreme sacrifice. The scene was most touching & impressive, and the incident will go down in the History of Wales as being the most remarkable on record. To give you a detailed description of it is beyond my power.
>
> Respecting the 'Awdl', the highest praise was given to it by the three adjudicators ... I felt confident all along that it would be the successful one, and I intended writing to you before now as to my opinion of it. "Tu hwnt i bob amgyffred." ...
>
> I now want to ask you a favour. I am very anxious to have one of his photographs, to keep as a treasure, and fond remembrance of your brother. If you have only one of him, I should be glad to borrow it for a short time so as to get a copy from it. I am also proud to tell you that Lord Mostyn who was President in the morning of the Eisteddfod, and is Honorary Colonel in the Royal Welsh Fusiliers, is also keen on possessing one ...[36]

Roedd effaith y rhyfel yn drwm ar y Gadair Ddu mewn mwy nag un ystyr. Lluniwyd y gadair dderw drom, gywrain gan ffoadur o Wlad Belg, Eugeen

Vanfleteren, gŵr a ymsefydlodd yn Birkenhead ar ôl ymadael â'i famwlad orthrymedig. Cyhoeddwyd llythyr o eiddo'r gwneuthurwr yn rhifyn Hydref 13, 1917, o'r *Rhedegydd*, ac yn y llythyr hwn y mae'n cyflwyno ychydig o'i gefndir:

> ... I am a Belgian, chased with wife and family from my home and country, and anxiously awaiting the day when the Huns will be driven back to the other side of the Rhine. Before the war, I lived at Malines, where I had a flourishing business in woodwork of art, – furniture and every kind of work in which carving forms the most particular part.[37]

Ganed Alfred Eugeen Karel Vanfleteren yn Mechelen ar Fedi 29, 1880. Ym 1903 priododd Maria Paulina Buelens, ond bu farw ar enedigaeth eu hunig blentyn, Catherina, ar Ionawr 8, 1905. Priododd Vanfleteren eilwaith ym 1914, â Jema Maria Elisabeth Nees. Bryd hynny, gweithiai gyda'i frawd a nifer o gerfwyr eraill, gan arbenigo mewn llunio a chyweirio dodrefn. Ymadawodd â'i famwlad ar ddechrau'r Rhyfel Mawr, gan dreulio cyfnod yn Antwerp cyn ffoi i Loegr. Arhosodd yn Llundain am gyfnod cyn symud i Birkenhead, ac yno y ganed ei ail blentyn, Theo Vanfleteren, ar Awst 29, 1915. Yn Birkenhead a'r cyffiniau bu'n adfer hen ddodrefn ac yn llunio cerfiadau pren mawr mewn hen gestyll, ac yno, wrth gwrs, y comisiynwyd ef i lunio cadair yr Eisteddfod Genedlaethol. Dychwelodd i Wlad Belg ym 1919, ac yno, yn Mechelen, y bu farw, ar Chwefror 16, 1950.[38]

Ceir disgrifiad o gerfiadau cywrain y Gadair Ddu yn rhifyn Medi 20, 1917, o'r *Brython*:

> ... dywedir gan wŷr cyfarwydd a'i gwelodd mai dyma'r Gadair Eisteddfod berffeithiaf a harddaf a wnaed erioed. Y mae'n Geltaidd drwyddi draw. Ar y top, gwelir y cyswynair *Y Gwir yn erbyn y Byd*; ac o bob tu iddo lun sarff; ymdrechodd y ddwy orchfygu a dymchwel y gwir; ond sylwch fel y mae'r ddwy'n colynnu eu hunain, yn marw wrth geisio lladd y gwir, ac felly'n cadarnhau gwirionedd y gair. O danodd gwelir *Awdl: Yr Arwr*, ac mor wir am y llanc a'i hynillodd ... Gwelwch y Groes Geltaidd yn y panel, a'r mil cerfwaith oddiyno i freichiau'r Gadair, lle y mae'r Ddraig – arwyddlun mawr cenedlaetholdeb Cymreig yr oesoedd diweddar – yn cael ei bwnio ymlaen gan yr aderyn chwedlonol sydd a'i big yng ngwegil y

Ddraig, a phig y pen arall tua chefn y Gadair, gan arwyddo, mae'n debyg, rhwng y ddeuben, fod raid edrych tua'r gorffennol i gael nerth i droi ac ymwthio ymlaen i'r dyfodol ...[39]

Dywedodd Vanfleteren mai cenadwri'r gadair oedd 'the present day Welshmen honouring the former Celtic Art', a thraethodd ragor ar arwyddocâd ei greadigaeth:

> ... I put in front of it, as a Guard of Honour, two Dragons (Welsh emblem). There stands the Welshmen, full of pride, and inspired or stirred on by the Celtic spirit (which pushes them with his beak in his neck), ready to defend in every attack launched against their Celtic descent.[40]

Un o edmygwyr pennaf y gadair oedd Arglwydd Leverhulme. Gadawodd seremoni'r cadeirio argraff annileadwy arno. 'The Chairing Ceremony was the most im[p]ressive service I have ever witnessed,' meddai.[41]

A dyna hanes yr Eisteddfod ryfeddaf erioed. Y cam nesaf oedd sicrhau y byddai'r gadair yn cyrraedd yr Ysgwrn, cartref y bardd, yn ddiogel.

2

Teulu'r Ysgwrn

Disgrifiwyd yr Ysgwrn yn union fel ag yr oedd pan drigai Hedd Wyn yno gan William Morris:

Saif ei gartref ar yr ochr dde i'r hen ffordd sydd yn arwain o Drawsfynydd i Gwm Prysor. Gellir myned yno yn hwylus mewn ugain munud oddiwrth y Bont sydd yng ngwaelod y Llan. Ar y chwith bydd godre'r Cwm, a'r afon Prysor i'w gweled yn dolennu heibio'r Pandy i gyfeiriad y Bont. Ar y dde, wedi pasio ffermdy neu ddau, nid oes dim ond ffriddoedd a chlogwyni i'w gweled. Tir "tolciog ysgythrog yw." Yng nghesail un o'r clogwyni hyn y llecha hen ffermdy'r Ysgwrn. Mae gwaith pum munud o gerdded hyd ato o'r ffordd. Wrth ddirwyn i fyny at y ty fe welir mwg y mawn wedyn wrth nesu ato. Saif y ty ynghanol llwyn o goed mewn cafn yn y creigiau, a'i wyneb i gyfeiriad y wawr. O'n blaen ymestyn y Cwm hir creithiog i'r pellteroedd, a dacw'r Arennig Fawr yn ei ben draw. Wrth droi'n llygaid i'r chwith gwelwn fryniau Trawsfynydd, y fynwent yn amlwg ar un o honynt, a'r pentre ar y llall. Y tu ol iddynt dacw ol bysedd y Rhufeiniaid ar Domen y Mur; a thu draw i honno drachefn dacw ol bysedd Duw hyd ardal ramantus Ffestiniog. Dacw'r Manod, a'r Moelwyn ... Fe welwn Foel Siabod hefyd, ac heibio'r Allt Fawr dacw grib y Wyddfa.[1]

I'r ffermdy diarffordd hwn o ryw 166 o aceri y daeth Lewis Evans, taid Hedd Wyn ar ochr ei dad, i fyw ac i weithio gyda'i briod, Mary, ym 1849. Priodwyd y ddau ohonynt un mlynedd ar ddeg ynghynt, ar Fedi 22, 1838, yn Eglwys y Plwyf, Trawsfynydd.

Brodor o Drawsfynydd oedd Lewis Evans. Enw'i dad oedd Evan William(s) ac ar un ystyr bu Evansiaid yr Ysgwrn yn arddel cyfenw anghywir. Enw cyntaf ei dad oedd y cyfenw a roddwyd i Lewis Evans: aeth Lewis Evan neu Lewis ab Ifan yn Lewis Evans, a rhwng y ddau hyn y digwyddodd y trawsnewidiad o William(s) i Evans. Roedd trawsnewid cyfenwau o'r fath yn beth cyffredin yn y cyfnod, ac yn enwedig cyn dechrau'r bedwaredd ganrif ar bymtheg. Yn yr Wyddor, neu 'Rwyddor, llygriad llafar o 'yr Erwddwfr' neu 'yr Erwddwr' – neu efallai Arwydd y Dŵr, ffurf arall ar yr enw a geir mewn rhai cofnodion – y ganed Lewis Evans, ac fe'i bedyddiwyd ar aelwyd yr Erwddwr ar Orffennaf 15, 1810. Enw mam Lewis Evans oedd Sarah, a Lewis oedd ei chyfenw hi cyn priodi. Priodwyd y ddau, Evan William(s) a Sarah Lewis, sef hen-daid a hen-nain Hedd Wyn, ar Hydref 21, 1803. Enw hen-hen-daid Hedd Wyn, tad Evan William(s), oedd Robert William, ac enw'i briod oedd Ann. Bedyddiwyd eu mab, Evan William (a dyna'r union ffurf ar yr enw a geir ar y cofnod bedydd), ar Dachwedd 21, 1784.

Ar y llaw arall, merch i Ellis a Mary Humphreys, y Pandy-bach, plwyf Maentwrog, oedd priod Lewis Evans. Symudodd y teulu i fyw i Goed-cae-du, Trawsfynydd. Priodwyd mam a thad Mary Evans ar Ionawr 16, 1808. Mab Ellis Humphrey Ellis ac Elinor Ellis oedd Ellis Humphreys, ac yn ôl Cofrestr Bedyddiadau Plwyf Maentwrog fe'i bedyddiwyd ar Hydref 24, 1781. Gwelir bod enw bedydd Hedd Wyn, felly, yn debyg iawn i enw ei hen-hen-daid. Ganed nifer o blant i Ellis a Mary Humphreys, a llwyddwyd i ddod o hyd i ddyddiadau geni'r rhan fwyaf ohonynt. Ymddengys mai plentyn cyntaf-anedig Ellis Humphreys oedd Margaret Pugh, ond Margaret Roberts oedd enw'r fam. Mae'n bur sicr, felly, mai y tu allan i briodas y ganed hon, a hynny ar Fehefin 14, 1813. Ganed Mary, nain Hedd Wyn, ar Ragfyr 31, 1815, Elinor (a gafodd enw'i nain) ar Ebrill 12, 1818, Ann Lloyd ar Orffennaf 2, 1820, Ellis wedyn ar Ionawr 12, 1823, a gefeilliaid, Gwen a Sarah, ar Ragfyr 27, 1825. Ceir yn yr Ysgwrn hyd heddiw gopi o ewyllys tad Mary Evans, Ellis Humphreys, a baratowyd ym 1857. Enwir yr holl blant hyn yn yr ewyllys, ond enwir eraill yn ogystal, sef dwy ferch, Catherine a Jane, a mab, Hugh, a cheir hefyd yr enw Ellen yn hytrach nag Elinor. Cydnabyddir Margaret Pugh hefyd yn yr ewyllys.

Ganed naw o blant i Lewis a Mary Evans. Eu cyntaf-anedig oedd merch o'r enw Sarah. Yn ôl cofrestri genedigaeth plwyf Trawsfynydd, fe'i ganed ar Chwefror 4, 1839, yn Nhynyfedwen, Maentwrog, ond yn ôl y cofnodion teuluol a gadwyd gan un arall o blant Lewis a Mary, Robert Evans, Dewyrth

Rhobet Hedd Wyn, ar Chwefror 13, 1839, y'i ganed. Nid yw anghysondebau fel hyn yn beth anghyffredin yn yr oes anllythrennog honno. Yn aml iawn, ni wyddai rhieni beth yn union oedd oedran eu plant, na pha bryd y ganed hwy, a cheir anghysondebau rhwng yr hyn a geir yn y cofrestri plwyf a'r hyn a gredid gan deuluoedd yn bur aml. Bu Sarah farw o'r frech goch yn yr Erwddwr cyn cyrraedd ei dwyflwydd oed, ar Ragfyr 14, 1840, a'i chladdu ddeuddydd yn ddiweddarach. Ganed eu hail blentyn, Ellis, yn yr Erwddwr ar Fai 14, 1840, yn ôl y cofrestri plwyf, ac ar Fai 16, 1840, yn ôl llyfr cofnodion Robert Evans, deuddydd o wahaniaeth. Nid Hedd Wyn oedd yr unig Ellis o fewn y teulu i farw'n ifanc. Bu farw'r Ellis hwn ar drothwy'i 24 oed ym 1864, o ganlyniad i ddamwain yn y chwarel lle gweithiai. Fe'i lladdwyd, yn ôl y cofnodion teuluol, ar Fai 9, ond ar Fai 4 yn ôl cofnodion marwolaethau'r plwyf; y trengholiad ar ei farwolaeth a gynhaliwyd ar Fai 9. Bu farw yn Chwarel yr Oakeley, Blaenau Ffestiniog, pan gwympodd carreg ar ei ben.

Ganed y trydydd plentyn, Lewis, ar Chwefror 11, 1843, yn ôl y cofrestri plwyf, Chwefror 16 yn ôl y cofnodion teuluol, ac yn yr Erwddwr y'i ganed yntau hefyd. Ganed Edmund Evans, Emwnt i'r teulu, ar Dachwedd 10, 1850, ac Evan, tad Hedd Wyn, yn ei ddilyn ar Fedi 3, 1852. Mae'n ddiddorol nodi mai Lewis a Mary Williams a geir fel enwau'r rhieni ar dystysgrif genedigaeth Evan. Ganed dau fab arall iddynt yn ogystal, Morris ar Hydref 20, 1855, a Robert ar Fai 27, 1858. Bu farw Morris yn 9 oed. Ganed dwy ferch arall iddynt hefyd, ond bu farw'r ddwy yn eu plentyndod. Sarah oedd enw un o'r ddwy, fel cyntaf-anedig Lewis a Mary Evans, enw anlwcus i'r teulu yn sicr, fel yr enw Ellis, a bu hi farw yn 4 oed ar Fawrth 4, 1850, o'r dwymyn goch. Bu farw ei chwaer, Mary, o'r un clefyd ryw dair wythnos ar ei hôl, ar Fawrth 25, yn 15 mis oed.

Yn ôl yr ysgrif a ymddangosodd am Mary Evans, nain Hedd Wyn, yn *Y Cronicl* ym 1888, crefydd oedd calon ac enaid y wraig hon. Dywedir 'iddi ymuno â chrefydd pan oddeutu ugain oed',[2] ac am ei bywyd priodasol â Lewis Evans, dywedir:

> ... eu bod wedi ymdaith drwy y byd a'i anhawsderau, gan arfer y byd, heb ei gam-
> arfer; ac er iddynt gael rhan helaeth o ofidiau y byd, dilynasant eiriau y Gwaredwr,
> bod "duwioldeb yn fuddiol i bob peth, a chanddi addewid o'r bywyd sydd yr awr
> hon, ac o'r hwn a fydd".[3]

Yn ôl y deyrnged hon, gwraig grefyddol a chydwybodol oedd nain Hedd Wyn:

> ... yr oedd yn dyner a gofalus am ei theulu, yn gwarchod yn dda, yn ddarbodus gyda'i heiddo; a chyfranai yn llawen at bob achos teilwng, yn neillduol achos crefydd. Defnyddiai amser gyda phriodoldeb, pob peth yn ei amser, a'i le i bob peth; ac anogai y teulu i gadw at yr un rheol. Yr oedd yn dyner wrth y tlawd a'r anghenus, a chyfran[na]i iddynt yn ol ei gallu.
>
> Yr oedd tawelwch a mwyneidd-dra ysbryd yn ei nodweddu ...[4]

Dywedir hefyd y '[p]ryderai lawer dros achos yr Iesu' yng nghapel Ebenezer.[5]

Nid rhyfedd felly fod gwythïen grefyddol gref yn rhedeg drwy ganu Hedd Wyn. Er nad adnabu mo'i nain erioed, mae'n sicr iddo etifeddu rhyw gyfran o'i chrefyddoldeb dwys a difrifol; ac nid crefyddoldeb ei nain yn unig. Aelwyd grefyddol oedd aelwyd yr Ysgwrn yn ystod blynyddoedd babandod a phlentyndod y bardd. Gwyddom mai rhyw bedwar mis oed ydoedd Hedd Wyn pan symudodd Evan Evans a'i briod ifanc Mary o Ben-lan, Trawsfynydd, i'r Ysgwrn, ac mae'n debyg mai symud yn ôl i gynorthwyo'i dad oedrannus gyda'r gwaith o ffermio, ac yn enwedig am fod iechyd ei fam yn prysur dorri, a wnaeth Evan Evans. Bu farw'i fam, Mary Evans, ym 1887, ar Fehefin 3. Symudasant i'r Ysgwrn, felly, ar drothwy marwolaeth yr hen wraig. Bu ei phriod, taid Hedd Wyn, farw ryw chwe blynedd ar ei hôl, ar Orffennaf 22, 1893, yn 83 oed, a phan oedd Hedd Wyn yn chwech oed. Yn ôl J. D. Richards, gweinidog y teulu, 'glin ei daid ydoedd orsedd Hedd Wyn pan yn blentyn'.[6] Meddai ymhellach am ei daid:

> Yr oedd Lewis Evans yn ddarllenwr dyfal yn ei ddydd, yn bennaf, o gyhoeddiadau ei enwad y perthynai iddo, sef yr Annibynwyr: ac, meddai ei fab Evan, a thad Hedd Wyn ... "fe wyddai'n nhad am bob hysbysiad oedd yn llyfre'r enwad y pryd hwnnw": a chredwn mai craffu ar lythyren a llun oddiar lin ei daid felly, a fu y deffroad meddyliol cynharaf yn hanes Hedd Wyn.[7]

Priododd Evan Evans forwyn ifanc o'r enw Mary Morris yng Nghapel Gilgal, Maentwrog, ar Dachwedd 16, 1886. Ar y pryd roedd Mary Morris yn gweini yng Nghae'n y Coed, Maentwrog. Roedd Evan Evans yn hŷn na'i briod ifanc o ryw ddeng mlynedd. Ganed eu cyntaf-anedig, Ellis Humphrey Evans, Hedd Wyn, ryw ddeufis yn ddiweddarach, ar Ionawr 13, 1887.

Merch David a Catherine Morris o Ben-lan, Trawsfynydd, oedd Mary. Adwaenid taid Hedd Wyn ar ochr ei fam fel 'Morgrugyn Eden', ac yr oedd yn enwog yn y fro fel gŵr llengar a hynafiaethydd. Ar aelwyd y rhain, rhieni ei fam, y ganed Hedd Wyn, ac yno hefyd y bedyddiwyd ef gan y Parch. Bennett Jones o Sir Ddinbych, ond a oedd ar y pryd yn weinidog gyda'r Annibynwyr yn Nhrawsfynydd, ym mis Mawrth 1887. Ar aelwyd ei daid a'i nain y treuliodd Hedd Wyn bedwar mis cyntaf ei fywyd hefyd.

Mab oedd David Morris i Humphrey ac Ann Morris. Claddwyd ei rieni, sef hen-daid a hen-nain Hedd Wyn, ym mynwent Penystryd, Penstryd ar lafar. Bu Humphrey Morris farw ar Chwefror 9, 1870, yn 85 oed, a'i briod ar Ebrill 28, 1888, yn 98 oed, pan oedd Hedd Wyn yn faban blwydd a thri mis oed. Crefft y gof oedd galwedigaeth deuluol y Morrisiaid hyn, ac fe'u gelwid yn y cylch yn 'Ofaint Penstryd'. Nodir ar garreg fedd Humphrey Morris mai gof ydoedd wrth ei alwedigaeth, a dilynodd amryw o'i feibion, brodyr David Morris, yn ôl ei droed.

Ceir ysgrif goffa i David Morris, 'Morgrugyn Eden', gan E. Isfryn Williams yn rhifyn Medi 15, 1901, o *Cymru*. Dywedir ei fod 'yn ddyn siriol a charedig, yn meddu ar dueddiadau cymdeithasgar, ac uwchlaw y cwbl yn berchen crefydd bur', ac yn hynny o beth 'mab ysbrydol i'r Parch. Robert Williams Llanuwchllyn oedd'.[8] Mae'r disgrifiad a geir o 'Morgrugyn Eden' yn gweddu i Hedd Wyn hefyd:

Yr oedd yn llawn o asbri llenyddol, yr oedd nwyf awenyddol lond ei natur a llenwid ef gan ysbryd ymchwilgar i hanes traddodiadau ei genedl, yn neillduol hynafiaethau ei blwyf genedigol. Gweithiwr llengar oedd D. Morris. Ymdrechai lenydda yn wyneb anhawsderau, ymladdai âg anfanteision, yn arbennig diffyg addysg foreuol i ddiwyllio y meddwl. Mae llawer un, fel yntau, pe buasai eu hamgylchiadau yn wahanol, eu cyfleusderau yn fwy manteisiol, ac addysg y dyddiau hyn o fewn eu cyrraedd, fuasent yn sicr o fod yn ser disglaer yn ffurfafen lenyddol ein gwlad.[9]

Ganed 'Morgrugyn Eden' ar Dachwedd 1, 1830, a bu farw ar Fawrth 2, 1900 (yn 68 oed yn ôl carreg ei fedd, ond anghywir yw hynny). Ni chymerodd at grefft draddodiadol y teulu. Yn hytrach, chwarelwr ydoedd wrth ei alwedigaeth.

Ganed i Humphrey ac Ann Morris 15 o blant, pump o feibion a deg o ferched. Un o'r plant hyn oedd Robert Humphrey Morris. Yn ôl ysgrif gan Morris Davies arno yn rhifyn Ebrill 1, 1944, o'r *Cymro*:

> ... yr oedd yn ysgolhaig campus a gallai siarad, ysgrifennu a darllen Groeg, Lladin, Ffrangeg, Saesneg a Chymraeg yn rhwydd. Cymerai ddiddordeb mawr mewn geiriau a'u tarddiad a'u hanes.[10]

Yr oedd hefyd yn hoff iawn o gerddoriaeth a barddoniaeth. Bu Robert Morris yn gweithio yn Ffrainc am ryw bum mlynedd, ac yno y dysgodd Ffrangeg. Mae'n debyg fod brawd arall, William, a symudodd i'r Bala i weithio fel gof, yn canu'r crwth yn fedrus.

Yn ôl Morris Davies yr oedd chwaer arall, Anne Humphreys Jones ar ôl priodi, yn awdures enwog, ond nid oedd mor enwog â hynny. Awdures llyfrynnau esboniadol oedd hon, ac ymhlith ei gweithiau cyhoeddedig ceir *Traethawd ar Ffydd Abraham* (1876) a *Traethawd ar Hanes Ruth* (1877). Bu hi farw ym Mhenmachno ym 1888.

Priodwyd David Morris, 'Morgrugyn Eden', a Catherine Hughes, merch Humphrey a Mary Hugh neu Hughes, o Dy'n y Pistyll, Trawsfynydd, yng Nghapel Peniel ar Chwefror 12, 1858. Dwy ar hugain oed oedd Catherine Hughes ar y pryd. Ganed iddynt hwythau hefyd dyaid o blant. Y pedwerydd plentyn, a aned ar Awst 22, 1864, oedd Mary, mam Hedd Wyn.

Priodwyd Humphrey Hugh(es), chwarelwr wrth ei alwedigaeth, a Mary Williams, rhieni Catherine Hughes (Morris ar ôl priodi) ar Hydref 27, 1827. Un o chwiorydd Catherine oedd Jane Hughes. Hi oedd mam Rolant Wyn, cynrychiolydd teulu'r Ysgwrn yn Eisteddfod Genedlaethol Birkenhead. Priodwyd Rowland Edwards, chwarelwr o Dre-ddôl, Blaenau Ffestiniog, a Jane Hughes, o Fodfuddai, Trawsfynydd, ar Fai 26, 1854, Rowland yn 26 oed ar y pryd, a Jane yn 24 oed. Diddorol nodi mai ym Modfuddai y preswyliai Jane Hughes ar adeg ei phriodas. Yr oedd Bodfuddai, ynghyd â'r Ysgwrn a Hafodwen, yn dair fferm a gydffiniai â'i gilydd, ac a berthynai i'r un meistr tir.

Ceir adfeilion hen eglwys ar dir Bodfuddai, a chanodd Hedd Wyn englyn i'r adfeilion hynny:

> Ei hudol furiau lwydynt; – alawon
>   Ni chlywir ohonynt
>   Namyn dyfngor y corwynt
>   Ac isel gri gweddi'r gwynt.[11]

Ganed Rowland, sef Rolant Wyn, yn Nhŷ Newydd, Llennyrch, Llandecwyn, ar Ragfyr 23, 1865 (Rhagfyr 24 yn ôl rhagair J. W. Jones, Tanygrisiau, i'w gyfrol o farddoniaeth, *Dŵr y Ffynnon*, a gyhoeddwyd ym 1948, ond ymddengys mai anghywir yw hynny). Pan oedd Rolant Wyn yn dair oed, symudodd y teulu o Danygrisiau i Drawsfynydd, a symud yn ôl i ardal Ffestiniog tua'r flwyddyn 1886. Yr oedd Rolant Wyn a Mary Evans, mam Hedd Wyn, yn gefnder a chyfnither o waed cyfan.

Bu Rolant Wyn yn yr ysgol ddydd yn Nhrawsfynydd am saith mlynedd, a phan oedd yn 12 oed aeth i weithio i Chwarel y Llechwedd, Blaenau Ffestiniog. Ar ôl un mlynedd ar ddeg yn y chwarel aeth i weithio i Lerpwl. Trigai yn Birkenhead, a bu'n flaenor yn Eglwys Parkfield, Birkenhead, am bedair blynedd ar hugain. Ac ef oedd Ysgrifennydd Pwyllgor yr Orsedd adeg Prifwyl 1917. Dychwelodd i Drawsfynydd i fyw ar ôl marwolaeth ei briod ym 1943, a bu ef ei hun farw ar Chwefror 6, 1946.

Yr oedd Rolant Wyn, felly, yn barddoni, ac etifeddodd Hedd Wyn y diwylliant a berthynai i deulu'i fam, ar y ddwy ochr. Un o ddeg o blant oedd Rolant Wyn, a rhaid crybwyll un o'i frodyr, sef Robert R. Edwards. Fe'i lladdwyd yn ifanc mewn damwain yn y chwarel lle y gweithiai, Chwarel y Rhiw, ym mynydd yr Allt Fawr, ar Dachwedd 17, 1898. Lluniodd Rolant Wyn bryddest faith er cof am ei frawd, a chyhoeddodd y bryddest honno yn llyfryn ym 1914, dan y teitl *Cofeb fy Mrawd*. Ceir nifer o gyfarchion barddonol ar ddechrau'r llyfryn, gan gynnwys dau englyn gan Hedd Wyn, a luniwyd ar Fawrth 21, 1914:

> I gôf y gerdd ad-gyfyd – wr gwylaidd
>   O ddirgelwch gweryd;
>   A'i oes ferr drwyddi sieryd
>   O gloiau'r bedd ar glyw'r byd.

Hiraeth gwlad o darth y glyn – a su nos
  Yn ei waith a'i delyn
  Yn ddistaw am y "gerdd" estyn
  Arlant o aur i Rolant Wyn.[12]

Ceir esgyll yr englyn cyntaf, gyda pheth amrywiad, wedi'i ieuo wrth baladr gwahanol yn *Cerddi'r Bugail*, y cyntaf o'r ddau englyn dan y teitl 'Gwas Diwyd':

Oes dawel y gwas diwyd – a dreuliodd
  Yn drylwyr trwy'i fywyd;
  A'i oes fer eto sieryd
  O gloriau bedd ar glyw'r byd.[13]

Ceir cyfarchiad gan Bryfdir hefyd. I Bryfdir, yn ôl Rolant Wyn, 'yr ymddiriedwyd y gorchwyl prudd o hysbysu fy mrodyr eraill oeddynt yn yr un Chwarel o'r ddamwain', a chyfeiriodd Bryfdir ei hun at hynny yn ei gerdd gyfarch.[14]

Dyna, felly, frasolwg ar linach aml-ganghennog Hedd Wyn yn ei holl gymhlethdod. Cafodd lawer o gwmni ei ewythredd, brodyr ei dad, yn ystod dyddiau ei blentyndod a'i lencyndod. Am ei ewythr Lewis, dywedwyd mai '"Gwr cadarn" yn yr Ysgrythurau ydoedd ... ac fe'i hystyrrid yn un o'r athrawon galluocaf yn yr Ysgol Sul a fagwyd yn y plwy, gan gryfed ei gof a grym a gafael ei feddwl fel diwinydd.'[15] Bu Lewis Evans, 'Lewis Cefngellgwm' fel y'i gelwid, am gyfnod maith yn hwsmon yng ngwasanaeth teulu'r bonheddwr a'r cyfreithiwr adnabyddus yn ei ddydd, Morgan Lloyd. Bu farw Lewis Evans ar Ebrill 7, 1906, yn 63 oed.

Am Emwnt, y Muriau, Trawsfynydd, dywedodd J. D. Richards mai 'un o fwynderau pennaf Saint y fro' oedd gwrando arno yn gweddïo, 'gan mor wreiddiol y bydd ymadroddion y gweddïwr; a hen iaith ei fam, gyda phob goslef o'i eiddo, yn swyno'r enaid at Orsedd Duw'.[16] Collodd Edmund Evans ei briod ifanc, Margaret, ym 1890, a chollodd fab o'i ail briodas, Robert, ym mis Ebrill 1927, yn 28 oed. Bu farw Edmund Evans ei hun ar Fehefin 13, 1938, yn 87 oed, a bu farw ei ail wraig, Mary, ychydig fisoedd ar ei ôl, ym mis Tachwedd 1938, yn 72 oed.

Ond hoff ewythr Hedd Wyn oedd ei Ddewyrth Rhobet. Cyn iddo symud i Dy'n Llyn ac wedyn i Fryn Idris, bu Hedd Wyn a Rhobet yn rhannu'r un gwely yn yr Ysgwrn. Meddai J. D. Richards amdano:

> Y mae efe yn hysbys yn y fro fel gwr llengar. Y mae'n fedrus fel traethodwr: a phan sieryd yn gyhoeddus (ac yn y gyfeillach grefyddol y gwna hynny fynychaf) y mae ei frawddegau mor llyfn a gloew ac odid ddim a glywsom oddiar fin Cymro.[17]

Englyn a luniwyd ar achlysur priodas ei Ddewyrth Rhobet yw 'Eldorado' yn *Cerddi'r Bugail*:

> Tir hud yw Eldorado, – a'n Rhobert,
>> Wr hybarch, aeth yno;
> A Mair wen, ei gymar o,
> Yw bronfraith y bêr wenfro.[18]

Priodwyd Robert a Mary Morris, Capel Bach, Trawsfynydd, trwy weinyddiad J. D. Richards, ar Ionawr 30, 1912, ac roedd Hedd Wyn yn un o'r ddau was priodas.

Yr oedd Hedd Wyn ei hun hefyd yn aelod o deulu mawr. Yr agosaf ato oedd David, neu Dafydd fel y'i gelwid gan bawb, a aned ar Fai 25, 1888. Bu farw Dafydd ym 1918, rhyw flwyddyn ar ôl Hedd Wyn, yn Seland Newydd, o'r ffliw a ysgubodd drwy'r byd ym mlwyddyn olaf y Rhyfel Mawr. Yr oedd wedi ymfudo i Seland Newydd i weithio rai blynyddoedd ynghynt. Ganed Mary ar Fehefin 15, 1889, Kate neu Cati ar Ebrill 8, 1891, Llywelyn Lewis Evans ar Hydref 10, 1892, wedyn merch arall, Sarah Ann, ar Ebrill 23, 1894, Maggie neu Magi ar Fai 4, 1895, Robert Llywelyn, sef Bob, ar Dachwedd 24, 1898, Evan Morris ar Fehefin 30, 1901, Ann ar Ragfyr 10, 1903, ac, yn olaf, Enid, ar Chwefror 10, 1907.

Cyn colli eu meibion hynaf ym 1917 a 1918, yr oedd Evan a Mary Evans eisoes wedi derbyn mwy na'u cyfran o alar a phoen hyn o fyd. Bu farw Llywelyn Lewis Evans a Sarah Ann Evans o fewn deuddydd i'w gilydd, y bachgen ar Awst 31, 1897, yn bump oed, a'r eneth ar Fedi 2 yr un flwyddyn, yn dair oed. Fe'u claddwyd ar yr un dydd ym mynwent Penystryd. Rhoddodd

Mary Evans enedigaeth hefyd i ddau blentyn marw-anedig, y naill ar Awst 20, 1896, a'r llall ar Ebrill 10, 1900.

Bywyd hunangynhaliol oedd bywyd ar fferm yr Ysgwrn, a bywyd digon caled hefyd. Gartref ar y fferm y treuliodd Hedd Wyn y rhan fwyaf helaeth o'i fywyd byr. Ychydig iawn o addysg a gawsai. Addysg 'fylchog' oedd honno, yn ôl William Morris, oherwydd byddai Hedd Wyn yn colli dyddiau lawer pan fyddai'r tywydd yn ddrwg, gan mor bell oedd yr Ysgwrn oddi wrth y pentref. Dechreuodd fynychu'r ysgol ar Ragfyr 30, 1891, ar drothwy'i bump oed, ac ymadawodd â hi pan oedd yn 14 oed. Gartref ar y fferm y bu wedi hynny, yn helpu'i dad i amaethu'r Ysgwrn, er mai ffermwr a bugail di-lun ydoedd. Ceir sawl stori amdano sy'n dinistrio'r myth ohono fel bugeilfardd. Adroddwyd un stori gan fam y bardd:

> Digwyddodd yng ngwanwyn 1917, ac yntau adref am dro o wersyll Litherland. Sylwodd hi un bore fod yr ŵyn llyweth yn yr egin, a gofynnodd i un o'r genethod redeg yno ar unwaith. Wedi cychwyn, troes hithau yn ei hôl, a dywedwyd wrth ei mam fod Ellis newydd gychwyn i'r Llan, a'i fod yn siwr o hel yr ŵyn o'r egin. Gan nad beth am hynny, a'r ŵyn yn ei ymyl, heibio'r aeth Ellis heb eu gweld o gwbl.[19]

Byddai wrth ei fodd yn gofalu am y defaid allan ar y ffriddoedd, ond yn bennaf er mwyn cael hamdden i fyfyrio a barddoni.

Câi bob llonydd a swcwr gan ei rieni i ddilyn ei lwybr ei hun. Weithiau, ond yn anaml, byddai'n barddoni pan fyddai'r teulu o gwmpas. Pan wnâi hynny, wrth y bwrdd ym mharlwr bach yr Ysgwrn y byddai, o flaen y tân, a'i chwiorydd ieuengaf yn eistedd ar stolion yn ei ymyl, er mwyn cael bod yn agos ato. Byddai yntau weithiau'n difyrru ei chwiorydd trwy adrodd straeon neu benillion. Ond gan amlaf, ar ôl i weddill y teulu fynd i'w gwlâu y byddai wrthi, a barddoni wedyn drwy'r nos hyd at oriau mân y bore. Fe'i gwelwyd yn aml yn cysgu ar ei draed, a'i bapurau ar wasgar i gyd dros y bwrdd, tua chwech o'r gloch y bore, pan fyddai aelodau eraill y teulu yn dechrau codi. Byddai'r fam wedyn yn ei hel i'r gwely i gael ychydig o gwsg. Pe byddai i rywun alw amdano ganol y bore, ac yntau'n ei wely ar ôl noson drom o farddoni, byddai'r fam yn anfon un o'r merched i'w ddeffro heb yn wybod i'r ymwelydd, a byddai Hedd Wyn yn codi, mynd allan drwy ffenestr y bwtri a dod yn ôl drwy'r drws blaen i gyfarch yr ymwelydd, fel pe bai wedi codi ers oriau ac wedi bod allan ar y caeau! Rhaid cyfaddef mai rhieni anghyffredin iawn oedd ganddo, yn gadael iddo farddoni fel y mynnai, a hynny'n aml iawn ar draul cyflawni gorchwylion ar y fferm.

Er mor ddiarffordd oedd yr Ysgwrn, roedd gan y teulu fywyd cymdeithasol llawn. Byddent yn mynd i'r capel yn gyson ddi-dor, i Ebenezer yn bennaf, ac i Benystryd ar achlysuron arbennig, er enghraifft, pan gynhelid cyrddau pregethu mawrion yno. Aent hefyd i'r gwahanol nosweithiau cymdeithasol a gynhelid gan y capeli, ac ar ben hynny, byddai pobl yn galw'n barhaus yn yr Ysgwrn, cymdogion a pherthnasau, a beirdd hefyd erbyn y diwedd, fel yr ehangai Hedd Wyn ei gylch barddol o gyfeillion.

Yn ôl Enid Morris, roedd ei brawd yn grefyddol iawn a darllenai ei Feibl yn gyson. Y mae hynny'n amlwg oddi wrth ei eirfa a'i ddelweddau, yn ogystal â llawer o'i themâu, fel bardd. Cyn i'r Rhyfel Mawr ddechrau plannu amheuon ym meddyliau pobl ynghylch ffydd, a tholcio llawer ar yr hen grefydda cyfundrefnol, yr oedd llawer o fri ar grefydd a llawer o lewyrch ar y bywyd capelyddol yn Nhrawsfynydd, fel ym mhobman arall. Cofiai Mary Puw Rowlands, un o blant Trawsfynydd, am yr adeg honno pan oedd crefydd a chrefydda ar eu hanterth yn y cylch: 'Dyma'r amser pan oedd y Capel Mawr dan ei sang ar ddiwrnod Nadolig a'r bechgyn ifanc yn y seti ôl ac ar dop y galeri, ac Elis 'Rysgwrn yn un ohonynt.'[20]

Bu Hedd Wyn yn aelod ffyddlon o'r Ysgol Sul ac o'r Cwrdd Plant yn Ebenezer, ac ar un adeg bu'n athro Ysgol Sul. Dywedodd J. D. Richards fod Hedd Wyn 'yn grefyddwr ac yn grefyddol',[21] a cheir tystiolaeth gyfatebol gan William Morris: 'Plentyn yr Ysgol Sul oedd Hedd Wyn. Yn ffyddlon i draddodiadau'r teulu, dilynai'r moddion yn gyson'.[22] Ar y llaw arall, tystiolaeth wahanol a gafwyd gan Rolant Wyn. Dywedodd nad oedd Hedd Wyn 'yn gapelwr mawr', ac mai'n anfynych yr âi 'i wrando'r efengyl'.[23] Roedd ganddo ei ddewis bregethwyr, yn ôl Rolant Wyn, ac nid âi i wrando ar neb arall. Os gwir hyn, tua diwedd ei oes fer y dechreuodd Hedd Wyn gilio o'r capel. Yn sicr, cafodd ei feithrin a'i drwytho ym mywyd y capel gan ei fam. Er gwaethaf yr holl helbulon a'r holl brofedigaethau a ddaeth i'w rhan, ni chollodd hi ei ffydd. Ceir un atgof diddorol gan Mary Puw Rowlands yn ei chyfrol *Hen Bethau Anghofiedig*: 'Aeth Hedd Wyn a'i fam i gyfarfod pregethu un tro i Lanuwchllyn pan oedd yn hogyn bach. Cerddodd y ddau bob cam yno o'r Ysgwrn.'[24]

Yr unig un o blith brodyr a chwiorydd Hedd Wyn i ymhél â barddoni oedd ei frawd Evan, ond un gerdd yn unig o'i eiddo sydd wedi goroesi. Lluniodd y gerdd ganlynol, 'Tryweryn', adeg helynt boddi Cwm Celyn, ac fe'i dyfarnwyd yn fuddugol yn Eisteddfod y Capeli yn Nhrawsfynydd:

Llon oedd ymdeithgan
  Dy loyw li
Yn oriau gwynion
  Fy more i.

Ond heddiw ni chlywaf
  Ond aethus gŵyn
Lle bu diddanwch
  Rhwng y grug a'r brwyn.

Daeth cysgod yr estron
  Yn awr ar dy li
A'i fariaeth yn fwrn
  Ar fy nghalon i.[25]

Teulu diwylliedig, felly, oedd teulu Hedd Wyn, sawl cangen ohono. Ond yn Hedd Wyn yn unig y troes y diddordeb hwn mewn llên a chân yn uchelgais ysol ac yn awen angerddol.

3

'Yn Nyddiau Ieuenctid'

Yr unig ddisgrifiad ohono'i hun a gafwyd gan Hedd Wyn yw'r pennill canlynol i ddarlun a dynnwyd ohono, ond rhwng cellwair a chwarae y lluniwyd y rhigwm:

> Dyma fachgen garw iawn
>   O Drawsfynydd;
> Gall dorri gwair a thorri mawn
>   Yn ysblennydd.
> Os nad ydyw ef yn 'ffat'
>   Mae o'n gegog.
> Ar ei ben mae 'Ianci Hat'
>   Fawr gynddeiriog.[1]

Rhaid pwyso ar dystiolaethau ei gyfeillion a'i gydnabod i ddod o hyd i'r gwir Hedd Wyn, a cheisio chwalu rhywfaint ar y mwrllwch o chwedloniaeth a grynhodd o'i amgylch.

Ceir disgrifiad lliwgar, a dweud y lleiaf, o'i nodweddion allanol gan un o'i gyfeillion, Glyn Myfyr:

Rhannai ei wallt toreithiog fwy neu lai yn annhrefnus, ei aeliau yn tueddu at fod yn drymion, ac yn taflu cysgod gwlad Hud dieithr dros ei lygaid annwyl; ei wefus uchaf yn eithriadol gul o'r ffroen i'r genau, yn fwy felly na neb ag y mae gennym gof sylwi arno; ei drwyn yn fain, ac fel yn gwyro ychydig at y rudd dde, a phan ymgomiai, yn arbennig os byddai'r ymgom a gwr feddai gyd-ymdeimlad a'i fyd, hawdd fyddai ganddo gymryd gafael yn ei drwyn, gan ei droi i'r cyfeiriad a nodwyd. Nid ydym yn abl i benderfynu ai trwy ddylanwad yr arferiad yr aethai yr aelod hwnnw i fesur mwy neu lai yn gam ... ymwisgai yn bur agos i fod yn aflêr fel un fuasai wedi ymddilladu mewn ffwdan.

Llanc cymharol eiddil ydoedd yn ei gorff, o daldra cyffredin, ychydig uwchlaw pum troedfedd; nid oedd iddo rymuster corff amaethwr, eithr yn hytrach eiddilwch corff yr efrydydd.[2]

Dyna ddisgrifiad byw iawn, ond i William Morris yr oedd yn '[u]n o'r rhai anhawsaf i'w ddisgrifio'.[3] Beth bynnag am hynny, rhoddodd gynnig arni:

Nid oedd dim neilltuol yn yr olwg allanol arno. Gellid ei basio ar y stryd a thybied mai'r gwas ffarm distadlaf yn y wlad ydoedd. Ond pe siaredid gydag ef, yn enwedig pe llithrai'r sgwrs at farddoniaeth, gwelid yn y man fod ysbryd anghyffredin yn syllu trwy'r llygaid gleision aflonydd rheinny. Hedd Wyn oedd y mwyaf diymhongar a difalais a gyfarfûm erioed; ac eto goris ei symlrwydd a'i naturioldeb yr oedd rhyw feiddgarwch rhyfedd yn llechu fel y graig o dan y grug.[4]

Soniodd Bryfdir hefyd am y beiddgarwch hwn: 'Magodd feiddgarwch, a chadwodd hwnnw dan lywodraeth barn.'[5]

Ceir disgrifiad arall ohono gan William Morris yn ei fyr-gofiant i'r bardd:

Bachgen swil a thawel ydoedd. O daldra cyffredin, o ran ei ddyn oddi allan. Dim byd yn sbon ynddo mewn na gwisg nac osgo. Y mwyaf naturiol o bawb. Gwallt gwineuddu, a dau lygad byw aflonydd, a disglair hefyd pan ddaliai ar rywbeth a'i diddorai'n arbennig. Un chwim ar ei droed, hynod o graff ac effro, yn ganwr da, ac yn ymroi i bob rhyw hwyl o gwmpas ei gartref. Hynny i gyd, wrth reswm, bob yn ail â'i orchwylion ar y ffarm: dilyn yr arad a'r og, gofalu ychydig am y defaid, ac nid oedd dim a hoffai yn fwy na phladurio. Cymeriad rhadlon.[6]

Croniclwyd digon o enghreifftiau o'i 'ymroi i bob rhyw hwyl'. Ceir un enghraifft o'i hiwmor a'i ddireidi yn y *South Wales Daily News*, Medi 11, 1917:

The late Hedd Wyn (writes a correspondent who knew him well) possessed a very keen sense of humour, and frequently displayed it in verse. He loved Wales and the language passionately, and rose to fame by great sacrifice and toil. He penned the following lines on the spur of the moment to two friends from Abergynolwyn, who had gone to Barmouth, returning home hatless ...[7]

A dyma'r gân neu'r rhigwm sy'n cofnodi'r tro trwstan hwnnw, dan y teitl 'Y Daith i Bermo', a'r Anffawd':

Dau wr a aeth o'r Aber
   I'r "Bermo' Bach" am dro,
Mewn hwyl reit dda, fel arfer,
   Gan adael yr hen fro.
Ond pan yn dyfod adref,
   Dychrynodd un ei gol,
Pan gofiodd ado'i benwisg
   Ar lan y mor ar ol.

Ond cofiodd y brawd arall,
   'Rol cyrraedd adre'n wan,
Fod yntau wedi gadael
   Ei het yn yr un fan.
Ond ar ol anfon Postcards,
   Fe gawd y ddwy yn ol.
Wel, peidiwch, boys, byth eto,
   A gwneuthur tro mor ffol.

BYRDWN

Dymunaf i chwi gofio –
   'N enwedig Wil a Joe,
Roi drecsiwn ar eich hetiau
   Pan ewch i ffwrdd am dro.[8]

Sonnir am y symlrwydd a'r naturioldeb hwn a berthynai i Hedd Wyn gan un arall o'i gydnabod, y Parchedig John Jones, a ddywedodd mai 'gwerinwr syml, naturiol, a diddan oedd Hedd Wyn, ac yn casau pob rhodres a bri gosod'.[9] Digon tebyg yw tystiolaeth J. W. Jones, a ddywedodd: 'Nid oes dim ymffrost yn perthyn iddo, mae mor ddirodres a blodyn y grug.'[10] Rhwng 1898 a 1902, bu'r bardd a'r llenor J. Dyfnallt

Owen yn weinidog ar dri chapel cyfagos yn Nhrawsfynydd a'r cyffiniau: Ebenezer, y capel yr addolai teulu'r Ysgwrn ynddo, Penystryd a Jerusalem. Dyfnallt a dderbyniodd Hedd Wyn yn gyflawn aelod o'r capel, ac er mor ifanc ydoedd pan oedd Dyfnallt yn gweinidogaethu yn Nhrawsfynydd, mae'n bur sicr iddo adael ei ôl ar feddwl y llanc. Hwyrach mai ym mhregethau Dyfnallt y clywodd Hedd Wyn am rai o'i hoff feirdd, fel Shelley, Keats, Wordsworth a Browning, am y tro cyntaf. Arferai Dyfnallt gyfeirio'n fynych atynt wrth bregethu. Tuag 11 oed oedd Hedd Wyn pan ddechreuodd Dyfnallt weinidogaethu yn y Traws. Daeth Dyfnallt hefyd i'w adnabod yn dda:

> Yr oedd ei ysgogiad fel un ar wib. Sydyn, sydyn oedd y tarawiad yn ei drem; gwibiai ei lygaid fel un a'i graff ar a welai ymhell, gan ei geisio heb ei ddal. Disymwth oedd ei dro ar ei sawdl, fel un yn clywed ysbryd o'r tu cefn iddo. Plentyn mŵd a hwyl a thymer ac awel ydoedd. Wrth ddilyn ei ddefaid ar grib a thrwyn a chraig yr oedd nwyd, ysbonc, llam a rhuthr yn ei holl ystum.[11]

Ond hyd yn oed pan gais Dyfnallt bortreadu'r bardd, y mae elfen gref o ramantu ac o ddelfrydu yn mynnu cymylu'r gwirionedd:

> Ei gynefin oedd gwib-gwib ar ol ei ddefaid neu ar ol ei freuddwydion; a mwy rial iddo'n fynych y praidd llwyd na'r praidd gwyn. Gwelsom ef yn dianc ar wib yn ol galw yswildod ei dymer, neu yn ol rhybudd disymwth ei nerf. Dro arall, tynnai at bob goleu gwan a chryf, fel y gwyfyn liw nos yng Ngorffennaf. Gwyddai, fel gwenyn y fro, am bob llwyn aroglus a hudolus: a pha ofyn bynnag a fyddai ar fyd, gwibiai tuag ato pan ddelai'r wanc drosto. Weithiau, safai ar fin y ffordd fel meudwy o gell, anghyfarwydd â thrafnidiaeth y byd.[12]

Cafwyd portread manwl iawn ohono, a phortread diffriliau hefyd, i raddau, gan ei weinidog arall, J. Dyer Richards. Pymtheg oed oedd Hedd Wyn pan aeth J. D. Richards i weinidogaethu yn y cylch, yn olynydd i Dyfnallt. Ymadawodd Dyfnallt â'r cylch ym 1902, a rhwng 1903 a 1917 bu J. D. Richards yn fugail ar gapeli Ebenezer, Penystryd a Jerusalem. Yr oedd J. D. Richards yn aelod pwysig o'r cylch barddol lleol y byddai Hedd Wyn yn ymdroi ynddo. Ac yntau'n englynwr ei hun, ac yn fardd pur aml ei gadeiriau, nid rhyfedd iddo ef a Hedd Wyn daro ar gyfeillgarwch. Daeth

J. D. Richards i adnabod Hedd Wyn yn dda iawn, a chanddo ef y ceir un o'r portreadau mwyaf geirwir o'r bardd.

Dyma, i ddechrau, ddisgrifiad J. D. Richards o rai o nodweddion corfforol Hedd Wyn:

> Buom yn darllen ei wyneb yn ofalus lawer gwaith, ac yn siarad â'r dyfnderau hyawdl oedd yn ei lygad; a gwelsom wedi hynny'n glau ddyfod aeddfedrwydd anneffiniol mawredd aruthr i'w dremyn a'i rodiad. Gyda'i wyneb hir a'i drwyn main, lluniaidd, – ei wallt gwineuddu, trwchus, a'i lygaid rhyfedd o effro a disglair ar brydiau, er fod yn ei ddyfnderau hefyd dyrfa deg o freuddwydion dieithr, – gellid, heb inni sarnu dim ar chwaeth oreu cenedl, na'n bod ychwaith yn gwag-ymffrostio, gymharu wyneb Hedd Wyn â'r wynebau a welsom mewn ambell ddarlun o Eben Fardd, Ieuan Gwynedd ac Islwyn.[13]

'Cymeriad rhadlon, siriol, a chwbl naturiol, ydoedd,' yn ôl J. D. Richards.[14] Yr oedd hefyd 'yn gwmnïwr diddan iawn'.[15] Talodd deyrnged i rieni'r bardd am roi pob cyfle i'w mab i ymhél â barddoni a pherffeithio'i grefft:

> Ni *frysiodd* gyda dim erioed. Gwelsom ef, fwy nag unwaith, yn camu'n fras ac yn fuan i ddal y trên; ond fynychaf hamdden ddifyr, ond ddwyfol hefyd, ydoedd bywyd i Hedd Wyn, ac am hynny fe hawliodd *lonydd* i deithio y rhan fwyaf o hono yn ei ffordd ei hun ... Ni roisid ar "Ellis," chwedl hwythau, yr un baich na rhwymyn a dorrai ar ei gyfle i farddoni; ac nid porthi diogi a wnaethant wrth ymddwyn felly ychwaith, eithr erchi i'w serch gynorthwyo modd y llosgai fflam athrylith y mab yn loewach o hyd.[16]

Ond roedd J. D. Richards yn ddigon parod i gydnabod rhai o ffaeleddau Hedd Wyn hefyd: 'gwyddai am lwybrau gwendidau a chyfeiliorni bywyd,' meddai, cyfeiriad yn ddiamau at hoffter Hedd Wyn o'i lymaid yn y dafarn.[17] Yn ôl Rolant Wyn, un o'r pethau a boenai Mary Evans ynghylch ei mab oedd ei lymeitian, a phryderai weithiau ei fod yn cymysgu â rhai israddol iddo. Meddai: 'Gwelid ef weithiau yn y pentref efo bechgyn diofal difeddwl ac ysgafala yn treulio oriau yn eu cwmni, a'r syndod yw y câi ddim pleser yn eu cymdeithas.'[18]

Anaml y collai ei limpin, yn ôl pob tyst. Un llonydd fel llyn llefrith oedd Hedd Wyn, bachgen breuddwydiol, hamddenol na chynhyrfid mohono'n hawdd. Ond cofiai J. D. Richards am un achlysur neilltuol pan gollodd y bardd ei dymer:

> Unwaith y gwelsom ni ef yn tueddu oddiwrth ei wastadrwydd arferol o ran tymer; a bron ar garreg drws ein tŷ ardrethol ni yma y digwyddodd hynny ... "Clawdd terfyn" oedd y pwnc rhyngom y tro hwnnw, a ninnau newydd roddi cyfeiriad i'r amgylchiadau cysylltiedig âg ef, rhag ofn y tynasai'r "clawdd terfyn" mewn dadl, gloddiau eraill llawn mor bwysig i lawr. Gwnaethom y peth doethaf o lawer – hynny o dro, beth bynnag; a bu raid i'r bardd ystormus, am ennyd, gydnabod hynny cyn bo hir. Yn wir, daeth tawelwch drosom eto wrth garreg y drws, pryd yr aeth helynt y "clawdd terfyn" yn angof yn suon ffrydiau peraidd mynydd Parnassus.[19]

Crybwyllodd J. D. Richards wendid arall o'i eiddo hefyd:

> Mynnodd *fyw* llawer o'r rhyddid y canodd gymaint am dano. Yn ein mân gyfarfodydd ni yma weithiau, ac er ein siom, gwelsom y bardd yn "torri ei gyhoeddiad" – "pechod parod" ambell bregethwr mawr ...[20]

Yn ôl llawer o'i gyfeillion a'i gyfoedion, perthynai elfen gref o ddiniweidrwydd iddo. Dywedodd un o'i gyfeillion agosaf, Jacob Jones, craswr yn yr Odyn rhwng pentref Trawsfynydd a'r Ysgwrn, mai un '*simple* iawn, gonest iawn, diniwed iawn' oedd y bardd.[21] Yn ôl ei gyfeillion, symlrwydd a diniweidrwydd oedd y ddwy elfen amlycaf yn ei bersonoliaeth. 'Hoffid ef gan bawb oherwydd ei symlrwydd a'i naturioldeb,' meddai John Morris,[22] a rhoddodd y Parchedig John Jones enghraifft o'r diniweidrwydd hwnnw:

> Yr oedd llawer o ddireidi plentyn ynddo. Medrai yng ngrym direidi ac yn fflach athrylith gael hwyl fawr iddo'i hun trwy chwarae tric ar ieir diniwed ar Galan Ebrill. Galwodd yr ieir yn haid luosog ato i'r lawnt, a than ei gesail yr oedd tyn pobi yn awgrymu gwledd fras iddynt. Lluchiodd y tyn pobi gwag i'r awyr, a mawr oedd yr hwyl a gafodd o weled ieir yn edrych fel ffyliaid.[23]

Ond, yn ôl Bryfdir, yr oedd ystyfnigrwydd yn llechu dan y diniweidrwydd hwn: 'Er ei fod mor ddiniwed â'r golomen, yr oedd ganddo ddigon o wroldeb i dorri llwybr newydd iddo'i hun drwy ffurfafen barddas ei genedl'.[24] Oedd, yr oedd yn benderfynol o dorri'i gŵys ei hun, ac ymladd yn erbyn yr holl anfanteision a oedd yn bygwth llesteirio'i gynnydd; ond er ei fod â'i fryd ar ennill y Gadair Genedlaethol yn y man, nid collwr gwael mohono. Yn ôl J. D. Richards: 'Collodd lawer gwaith, ond ni chwerwodd gymaint ag unwaith am hynny: a phan yr enillai nid ymffrostiai'n hyf yn ei lwydd.'[25]

Dywedodd Bryfdir rywbeth tebyg amdano: 'Ni phetrusai am y canlyniadau, ac ni faliai fotwm corn mewn colli clod na gwobr.'[26] A Bryfdir a roddodd i'r Ellis ifanc ei enw barddol, yn ôl pob tyst. Ar Awst 20, 1910, bwriadai nifer o feirdd o gylch Ffestiniog gynnal gorsedd ac arwest farddonol ar lan Llyn y Morynion yng Nghwm Cynfal ym Meirionnydd, ond oherwydd tywydd anffafriol bu'n rhaid ail-wneud y trefniadau. Yn ôl adroddiad ar yr achlysur yn *Y Rhedegydd*:

> Edrychid yn mlaen gyda dyddordeb mawr am yr Orsedd a'r Arwest hon ddydd Sadwrn diweddaf. Meddylid am ei chynal heb fod yn nepell oddiwrth Lyn y Morwynion, ond troes y tywydd mor anffafriol fel y penderfynwyd cynal yr Orsedd a'r Arwest yn Ffestiniog, y naill ar Fryn-y-maes a'r llall yn y Neuadd Drefol. Trodd yr wyll [*sic*] allan yn llwyddianus, a hyny ar waetha'r bwganod geisid godi yn y Cyngor Dinesig yn y rhagdybiaeth y buasid yn cynal y cyfarfodydd ar y "*catchment area*," chwedl hwythau, ac felly yn llygru dwfr y llyn ... Buasid yn disgwyl i Gyngor Dinesig, a gwyr cyhoeddus y Blaenau a'r Llan (yn arbenig) estyn croesawiad cynes i bob ymgais wneir i godi chwaeth ein pobl ieuainc a thynu dyeithriaid i'n plith. Cawsom eithriadau teilwng, a charaswn eu henwi oni bae fy mod yn gwybod nad er mwyn cronicliad felly y cefnogent ni yn ein hymdrech i sefydlu Gwyl Farddonol yn yr ardal. Bu eu cefnogaeth yn galondid mawr i'r pwyllgor, a bellach y mae Gorsedd ac Arwest Llyn y Morwynion wedi ei sefydlu ar sail dda, gydag argoel o hirhoedledd a defnyddioldeb.[27]

Ynglŷn â chyfarfod yr Orsedd ar y diwrnod, dywedwyd hyn:

> Cynhaliwyd y cyfarfod hwn ar Fryn-y-Maes gerllaw yr Eglwys St. Michael a'r Gladdfa Gyhoeddus. Bryfdir a weithredai fel bardd yr Orsedd, a chynorthwywyd ef gan amryw. Efe ddarllenodd y Rhaglef (*Proclamation*), ac a offrymodd Weddi'r Orsedd.[28]

Cyflwynwyd nifer o feirdd lleol 'am Urddau Anrhydeddus gan Caerwyson a Meirion Wyn, a rhwymwyd y riban am eu braich gan Fardd yr Orsedd, Mrs Bryfdir Jones, a Miss Alice Jones, Dolawel, yn gofalu am y rubanau'.[29] Ac ymhlith y rhai a urddwyd yr oedd 'Ellis H. Evans, Ysgwrn, Trawsfynydd, "Heddwyn"'.[30]

Roedd gan Bryfdir gof byw am yr achlysur, hyd yn oed os oedd wedi camgofio'r lleoliad:

> Hyfryd oedd gweld cynifer wedi dringo i gynefin haul ac awel, ac yn mwynhau'r ddefod ar fin y llyn. Ymhlith y rhai ddaethant i geisio Urdd Bardd yr oedd mab yr Ysgwrn ... Trem y breuddwydiwr oedd iddo, a symudai yn araf a digyffro. Wedi i ni awgrymu "Hedd Wyn" fel ei enw barddol, a gofyn os oedd yntau yn cytuno, ymdaenodd gwên onest dros ei wyneb, er na ddywedodd air. Cafodd ei urddo yn y coleg lle yr enillodd ei radd, sef Coleg Anian; ac mae gwaith yr Arwest eiddil wedi ei gadarnhau gan genedl gyfan.[31]

Bryfdir ei hun oedd y 'ni' a awgrymodd Hedd Wyn fel enw barddol i'r Ellis ifanc, a chafodd y gymwynas honno ei chydnabod gan J. D. Richards:

> Mor araf, onide, y caniatâodd ei gyfarch a'i adnabod fel Hedd Wyn – enw a gysylltwyd yn ddifyr âg ef, ar y cyntaf, gan y bardd Bryfdir ... Fe wnaeth yr awenydd hysbys ac aml-gadeiriog o'r Blaenau wasanaeth cenhedlaethol o radd uchel y tro hwnnw; ac fe hawlia ddiolch bythol ar ran ei gyd-genedl am ei ddawn yn llunio enw mor dlws, ac un lawned o swyn mawredd i'r bugeilfardd o'r Ysgwrn. Ymhen ychydig wedi'r arwest honno gofynnodd y llencyn llengar i mi beth a feddyliwn o'i enw newydd, sef Hedd Wyn, a dyma'n hatebiad – "Fachgen, y mae swn aros am byth ynddo"! Gwenodd yntau'n ddiddig; ac ychydig a dybiem ninnau ar y pryd hwnnw y perthynai i'n sylw rywfath o broffwydo hapus.[32]

Ac eto, y mae dirgelwch yn perthyn i'r mater hwn o roi i Hedd Wyn ei enw barddol. Defnyddiwyd y ffugenw *Hedd Wyn* gan rywun yng nghystadleuaeth yr englyn yng Nghyfarfod Llenyddol Trawsfynydd a gynhaliwyd ar Fedi 18, 1909, bron i flwyddyn gyfan cyn cynnal gorsedd ac arwest Llyn y Morynion. Testun yr englyn oedd 'Y Belen (Shell)', gydag R. Silyn Roberts yn beirniadu.[33] Gosodwyd englyn *Hedd Wyn* yn yr ail ddosbarth. Ai Hedd Wyn oedd yr *Hedd Wyn* hwn? Os felly, sut mai Bryfdir a awgrymodd yr enw iddo? A welodd Bryfdir y ffugenw yn *Y Rhedegydd*, lle y cyhoeddwyd beirniadaeth

Silyn? Neu ai Hedd Wyn ei hun oedd yr *Hedd Wyn* hwn yn y gystadleuaeth, ac iddo awgrymu i Bryfdir y gwnâi enw barddol addas? Ni ellir ond dyfalu.

Blynyddoedd o ymddiwyllio, o ymarfer y grefft o farddoni'n gyson ac o gasglu ato wŷr llengar a chyfeillion o gyffelyb fryd oedd blynyddoedd llencyndod Hedd Wyn. Un o'i gyfeillion barddol agosaf, fel yr awgrymwyd eisoes, oedd ei weinidog, J. D. Richards. Soniodd J. D. Richards am y cyfeillgarwch barddol hwn a oedd rhyngddo a Hedd Wyn:

> ... yn herwydd ein cysylltiad âg Hedd Wyn a'i deulu fel gweinidog crefyddol, fe'n harweiniwyd yn agos iawn at y bardd; ac agosed yr aethom, yn enwedig y pum mlynedd olaf o'i fywyd, fel mai *brodyr* oeddym ein dau yn cwrdd yn ysgol hudol yr Awen: ac oblegid hynny hefyd, gwyddem gymaint o'i gyfrinachau fel bardd ac odid i neb, er nad ein hamcan gyda'r mynegiant yma o'r eiddom ydyw ymwthio i gylch euraidd ei anfarwoldeb ef ychwaith.[34]

Blynyddoedd hefyd o frwydro yn erbyn ei gyfyngderau addysgol oedd y rhain, ac yr oedd ewyllys a phenderfyniad diwyro'r bardd yn ennyn edmygedd ei gyfeillion, gan gynnwys J. D. Richards:

> Nid oedd ddim a ddiangai'r cof grymus oedd gan Hedd Wyn. Cofiai bopeth a glywsai ac a ddarllenasai'n ddi-feth; a bu hynny'n gymorth mawr iawn iddo, canys dyma a'i galluogodd i ymladd yn effeithiol yn erbyn y diwylliant prin a gafodd. Chwiliodd lawer ac yn ddyfal am "eiriau cymeradwy." Cipiai'r cwbl o gynhaeaf ei ymchwil ddi-arbed am danynt hwy yng nghyd a chyfoeth ymadroddion dewiniaid cyntaf Llên. Dyna bwnc ein cyfeillach ninnau â'n gilydd yn aml, – gair neu ymadrodd, heblaw y pennill a'r englyn a phryddestau ac awdlau hen a diweddar.[35]

Un arall o'i gyfeillion barddol agos, a gŵr a roddodd lawer o gefnogaeth a chymorth iddo, oedd William Morris. Un o blant y Manod, Blaenau Ffestiniog, oedd William Morris, lle y cafodd ei eni ar Dachwedd 17, 1889, ac felly yr oedd yn iau na Hedd Wyn o ryw ddwy flynedd. Mae'n debyg mai tua 1913 y dechreuodd ddod i adnabod Hedd Wyn yn dda, pan oedd ar fin mynd yn fyfyriwr i Goleg Diwinyddol y Bala, a bu cyfeillgarwch mawr rhyngddynt hyd nes yr aeth William Morris i weinidogaethu yn Sir Fôn.

Roedd chwaer William Morris, Anne neu Annie Jones, a oedd yn briod â chrydd o'r enw Ellis Jones, yn byw yn Nhrawsfynydd, ac arferai William

Morris alw'n gyson yn nhŷ ei chwaer, a'i chwaer a'i cyflwynodd i Hedd Wyn. Arferai'r ddau gyfarfod â'i gilydd i drafod y cynganeddion, a barddoniaeth yn gyffredinol, un ai yn yr Ysgwrn neu yng nghartref chwaer William Morris. Ac roedd Hedd Wyn yn hoff iawn o chwaer ei gyfaill. Câi lawer o hwyl yn ei chwmni a lluniai ambell rigwm i dynnu ei choes, fel y ddwy linell hyn o ffug-farwnad a ganodd iddi:

> Wedi clywed am farw Ann Jôs
> Mi dorrais fy nghalon, mi sychis fy nghlos.[36]

Yr oedd hefyd yn gyfeillgar â brawd William Morris, John Morris.

Câi ei hudo gan bobl addysgedig, er y byddai'n teimlo'n swil o annigonol ac anghyflawn ac yn ddiymadferth o israddol yn eu cwmni. Gweinidog a bardd arall a oedd yn gyfaill iddo oedd Silyn, R. Silyn Roberts. Symudodd Silyn o Lewisham, Llundain, i Danygrisiau yn ardal Ffestiniog ym 1905, i dderbyn galwad i weinidogaethu Eglwys Tanygrisiau, a thri chapel, Bethel, Dolrhedyn a Chwmorthin, yn y cylch. Bu Silyn yn beirniadu llawer yn adrannau llên a barddoniaeth y mân eisteddfodau a chyfarfodydd cystadleuol a gynhelid yng nghylchoedd Ffestiniog a Thrawsfynydd, ac anochel oedd iddo ddod i gysylltiad â Hedd Wyn. Yn wir, cymerodd at Hedd Wyn yn fawr, ac er iddo ymadael â Thanygrisiau ym 1913 i fynd i Gaerdydd, gwnaeth Silyn fwy na neb i sicrhau coffâd teilwng i Hedd Wyn ar ôl ei farwolaeth. Pan aeth i Danygrisiau, roedd Silyn eisoes yn brifardd coronog, enillydd Coron Eisteddfod Genedlaethol Bangor ym 1902, am ei bryddest 'Trystan ac Esyllt'. Arferai Hedd Wyn a Silyn bysgota yng nghwmni'i gilydd ac efallai mai dylanwad Silyn arno a droes Hedd Wyn 'yn Sosialydd pur groew ei gyffes', chwedl J. D. Richards amdano.[37] A dyma nodweddion y sosialaeth honno o eiddo'r bardd:

> Credai na ddylasai bôd a byw fod yn faich i neb; a gwnai yntau ei ran gymdeithasol drwy ganu pob baich annheg i ffwrdd. Safai dros ryddid ar lwybr bywyd a meddwl dynion.[38]

Sosialydd o argyhoeddiadau dyfnion oedd Silyn, awdur y pamffledyn *Y Blaid Lafur Anibynnol, ei Hanes a'i Hamcan* (1908), ac os dylanwad Silyn ar Hedd

Wyn a'i troes yn sosialydd, yn rhannol y bu hynny, oherwydd y mae ôl llawer o ddaliadau'r bardd Shelley hefyd ar ei sosialaeth. Y mae'n bur sicr hefyd i'r bardd fagu atgasedd at y drefn gymdeithasol annheg a fodolai ar y pryd pan ddôi perchennog yr Ysgwrn a'i gyd-foneddigion i saethu grugieir ar dir y fferm, a thad Hedd Wyn yn gorfod gweithredu fel rhyw fath o gipar iddynt. Mae'n debyg hefyd i'r plant troednoeth tlodaidd a welai ar strydoedd Lerpwl pan oedd yng ngwersyll Litherland achosi cryn dipyn o bryder iddo, yn ôl ei chwaer, Enid Morris.

Ac, wrth gwrs, dôi i gysylltiad â beirdd a gwŷr diwylliedig eraill a drigai yn y cylchoedd cyfagos, fel J. W. Jones, Tanygrisiau, Joni Bardd ar lafar gwlad, ac Elfyn, Robert Owen Hughes, un o feirdd mwyaf adnabyddus cylch Ffestiniog yn ei ddydd. Arferai Hedd Wyn gyfarfod â'r ddau, J. W. Jones ac Elfyn, yng nghartref Elfyn ym Mlaenau Ffestiniog. Yr oedd Elfyn yn fardd eisteddfodol llwyddiannus iawn, ac yn brifardd cenedlaethol yn ogystal. Ef a enillodd Gadair Eisteddfod Genedlaethol Blaenau Ffestiniog ym 1898, gydag awdl ar y testun 'Yr Awen'. Newyddiadurwr oedd Elfyn. Bu'n olygydd ar *Y Rhedegydd* am flynyddoedd, ac ym 1899 penodwyd ef yn olygydd *Y Glorian*, papur arall a gyhoeddid ym Mlaenau Ffestiniog. Cyhoeddwyd llawer iawn o waith Hedd Wyn yn *Y Glorian* ganddo.

Yr oedd Hedd Wyn hefyd yn gyfeillgar iawn â newyddiadurwr arall, sef J. D. Davies, brodor o'r Ponciau, Rhosllannerchrugog. Symudodd i Flaenau Ffestiniog ym 1906, i weithio yn swyddfa'r *Rhedegydd*. Prynodd y papur hwnnw yn fuan wedyn, ac ef oedd ei berchennog hyd at ei farwolaeth, a bu'n olygydd arno am flynyddoedd; ac fel Elfyn yntau, cyhoeddodd lawer iawn o gerddi Hedd Wyn yn ei bapur. Roedd J. D. Davies hefyd yn fardd adnabyddus iawn yn y cylch.

Soniodd J. D. Richards am ddau arall y bu Hedd Wyn yn cyfeillachu â hwy yn aml:

Ar ochr y reilffordd a red o'r Bala i Flaenau Ffestiniog heibio y lle hwn, heb fod nepell o Orsaf Trawsfynydd, y mae caban a swyddfa waith y llenor gwrteithiedig a'r englynwr sicr ei ergyd, Lewis Jones (Glan Edog), sy'n bennaeth, ers llawer blwyddyn bellach, ar adran o weithwyr ar y reilffordd uchod: ac yn nhymor cyntaf ei yrfa loew rhoisai Hedd Wyn aml i dro prysur at gaban Glan Edog; ac ni chafodd neb erioed wr hoffach i'w oleuo a'i arwain yng "Nghyfrinach Beirdd Ynys

Prydein." A chyfaill caredig iddo "yn nydd y pethau bychain" yn ei hanes hefyd, fu Islyn – gorsaf-feistr y G.W.R., Blaenau Ffestiniog.[39]

Dôi hefyd i gysylltiad ag un arall o feirdd y rheilffordd yn awr ac yn y man, sef Gwilym Deudraeth (William Thomas Edwards), a fu'n gweithio ar reilffordd Ffestiniog am gyfnod, a chyn hynny yn chwarel yr Oakeley, Blaenau Ffestiniog. Ym Mlaenau Ffestiniog hefyd y byddai'n dod i gysylltiad â Hugh Lloyd (tad yr englynwr O. M. Lloyd), llyfrgellydd Llyfrgell Rydd y dref, a Glyn Myfyr y bardd, yntau'n fferyllydd ym Mlaenau Ffestiniog.

Un arall o'i gyfeillion barddol oedd Ioan Brothen (John Jones), o Lanfrothen, gŵr a ganodd dri englyn er cof am Hedd Wyn ar ôl ei gwymp:

> I ganol gwaedlyd gynnwr' – Hedd wylaidd
> A alwyd yn filwr;
> A gwarth amlwg oedd galw gŵr
> O brydydd i waith bradwr.

> Yn Ffrainc dlos ceidw noswyl, – yn drwm ei hun
> Draw ymhell o'i breswyl;
> I'w gadair wag wedi'r ŵyl
> Ni ddihuna Hedd annwyl.

> Mae'i awen glodfawr mwyach – yn y glyn
> Tan glo heb gyfeillach;
> Hedd annwyl a fydd wynnach –
> A mawr fydd yng Nghymru fach.[40]

Anfonodd Ioan Brothen lythyr at J. W. Jones ynghylch gallu Hedd Wyn fel bardd ar Chwefror 26, 1917, a'r bardd yn Litherland ar y pryd:

> Bardd gobeithiol ydyw Hedd, mae anadl bywyd yn ei waith ac os dihanga rhag bwledi'r Ellmyn, fe glywir mwy o sôn amdano cyn hir. Gellid meddwl ei fod yn barddoni fel pe yn anadlu.[41]

Yn ôl William Morris, '[g]weision ffermydd y Traws oedd ei gyfeillion pennaf', er cymaint yr atyniad iddo at wŷr dysgedig.[42] Ei gyfaill pennaf ym mro ei febyd, heb unrhyw amheuaeth, oedd Morris Davies neu Moi Plas, o ffermdy Plas Capten, nid nepell o'r Ysgwrn. Creadur hwyliog a direidus, fel Hedd Wyn ei hun, oedd Morris Davies, a châi'r ddau lawer o ddifyrrwch yng nghwmni'i gilydd, yn enwedig uwch ambell wydryn o gwrw. Ymddiddorodd Moi Plas yn hanes ac yn hynafiaethau Trawsfynydd drwy gydol ei fywyd, a chasglodd lawer o ddefnyddiau ynghylch llên a hanes y cylch, defnyddiau a gedwir erbyn hyn yn y Llyfrgell Genedlaethol. Ceir llawer o hanes Morris Davies yn llyfr J. Ellis Williams, *Moi Plas*. Sonnir cryn dipyn yn y gyfrol am gyfeillgarwch y ddau, ac am y gyfeillach y byddai Hedd Wyn yn ymdroi ynddi, sef 'Criw y Groesffordd', 'yr haid ddireidus o feibion a merched ifainc yr oedd Elsyn yn arweinydd iddynt',[43] ac a arferai gyfarfod â'i gilydd 'ar Groesffordd Tŷ'n Coed, ryw filltir o'r pentref'.[44] Dyma, mae'n debyg, y 'bechgyn diofal difeddwl' hynny y cyfeiriodd Rolant Wyn atynt.

Yn ogystal â Moi Plas, yr oedd iddo gyfaill agos arall o blith bechgyn gwerinol Trawsfynydd, sef Ifan neu Evan Price, y Wern Gron, a aeth i Drawsfynydd i fyw o Lanfachreth. Soniodd y cyfaill hwn am y côr meibion byrhoedlog ei rawd hwnnw y bu Hedd Wyn yn arweinydd arno, sef côr y 'Coming Stars'. Bu gan y bardd gyfeillion eraill ymysg gwerin Trawsfynydd hefyd.

Cyfaill mawr arall iddo oedd Jacob Jones, brodor o Gerrigydrudion yn wreiddiol. Bu'n gweithio fel craswr i felinydd o'r enw Ellis Morris yn yr odyn geirch yn Nhrawsfynydd, a gwarchodwyd llawer o englynion a llinellau llafar y bardd ganddo. Lluniodd Hedd Wyn lawer o englynion a chwpledi byrfyfyr yn yr odyn, fel yr englyn a luniasai i Jacob Jones wrth ei weld yn troi'r ŷd un tro:

> Nid anghlod yw gwneud englyn – er croeso
> I'r craswr penfelyn:
> Drwy [y ddaear] dyma'r dyn
> I droi'r ŷd ar yr odyn.[45]

'Drwy'r wlad dyma'r dyn' a lefarwyd gan Jacob Jones yn wreiddiol, a chywirwyd y gynghanedd. Dechreuodd Jacob Jones lunio englyn iddo'i hun fel craswr un tro, ond digon gwachul oedd ei ymdrech:

> Dyna'i le diawel o; – er ceisio
>> Cael cysur, mae hebddo ...[46]

Cwblhaodd Hedd Wyn yr englyn ar amrantiad, ac y mae'r stori am y modd y gorffennodd englyn Jacob Jones yn un o straeon enwog y cylch amdano. Dyma ateb Hedd Wyn:

> Hogyn braf yn gweini bro
> A tunnell o goke tano.[47]

Stori enwog arall yw stori llunio'r englyn i'r lamp a wnaethpwyd o dun triog. Unwaith yn rhagor, methodd perchennog y lamp, Jacob Jones, lunio englyn i'r gwrthrych, a bu'n rhaid i Hedd Wyn gyflawni'r gorchwyl hwnnw iddo. Lluniodd yr englyn hwnnw hefyd ar amrantiad:

> Yn ddiwallau lamp ddillyn – y trowyd
>> Hen dun triog melyn;
>> Ei hwyliog, iach olau gwyn
> Yw anrhydedd yr odyn.[48]

Cadwodd Jacob Jones un 'englyn go hyll', chwedl ef, o eiddo Hedd Wyn, sef ei englyn i ryw ŵr tenau ac annymunol o Drawsfynydd a oedd yn ei blagio byth a beunydd i gael englyn ganddo. Cafodd un o'r diwedd, ond nid yn union y math o beth a oedd ganddo mewn golwg:

> Hen hogyn hynod hagar – a'i [wedd o]
>> Cyn ddued â lantar',
>> A'i ganol fel pry genwa'r,
> A'i dwll din fel padell dar.[49]

Dylid esbonio mai 'a'i wyneb' a geid yn y cyrch gan Jacob Jones, ond mae'n amlwg mai 'a'i wedd o', neu rywbeth cyffelyb, a luniodd y bardd yn wreiddiol.

Jacob Jones, hyd y gwyddys, oedd yr unig un a gadwodd ar lafar yr englyn a luniwyd gan Hedd Wyn pan oedd yn ne Cymru i gyfleu ei hiraeth am Drawsfynydd, sef yr englyn hwnnw y câi ei esgyll yn unig ei ddyfynnu mewn print. Dim ond unwaith y bu iddo fentro o'i gynefin cyn ymuno â'r fyddin. Cymerodd yn ei ben fod modd gwneud bywoliaeth weddol fras yng nglofeydd y De, ac ymunodd â'r minteioedd o ogledd Cymru a oedd yn cyrchu'r De i geisio gwell byd. Yn 21 oed, ac yn fuan ar ôl Nadolig 1908, aeth i Abercynon i weithio, ond ar ôl rhyw dri mis yno dychwelodd i Drawsfynydd. Diddanai ei frodyr a'i chwiorydd ar ôl dychwelyd trwy ddynwared acen a thafodiaith y Deheuwyr. Dyma'r englyn a gadwyd gan Jacob Jones:

> Yn iraidd ŵr fe ddof ryw ddydd – adref
>   I grwydro'r hen fröydd;
> Yn y *South* fy nghorffyn sydd
> A f'enaid yn Nhrawsfynydd.[50]

Goroesodd un cofnod arall o'i arhosiad byr yn y De, sef y cerdyn post a anfonodd at Jane Williams, aelod o'i ddosbarth Ysgol Sul yn Ebenezer, o '46 Glancynon Terr., Abercynon'. Nodweddiadol ohono oedd y cyfarchiad cynganeddol ar ddechrau'r cerdyn:

> Annwyl Jane,
>   Sut yr wyt ti er ys tro? Wyt ti wedi dysgu hanes Samuel bellach? Mi gwadnaf hi yn ol yna yn fuan.
>   Gyda chofion at wlaw a gwynt Trawsfynydd.
>   Yr eiddot,
>   Ellis.[51]

Mae'r unig ddau gofnod a gadwyd o'i gyfnod byr yn y De yn mynegi ei hiraeth angerddol am ardal ei febyd a'i anniddigrwydd o fod yn trigo mewn man anghydnaws ac estron iddo.

Câi Hedd Wyn lawer o ddiddanwch yng nghwmni beirdd a chyfeillion diwylliedig, ac mae'n debyg mai ef oedd y cyflymaf a'r parotaf i lunio cynghanedd o'u plith. Cynganeddai ar lafar yn aml, gan lunio llinellau a chwpledi ar amrantiad. Ceir enghraifft neu ddwy gan William Morris, fel y llinell a luniodd amdano ef ei hun, 'Hedd Wyn, y dyn barddonol',[52] a'r llinell a luniodd wrth i'r ddau sefyll gyda'i gilydd ar ddiwedd haf 1915, ryw ganllath o ffermdy'r Ysgwrn, pan gofiodd William Morris am gwpled a oedd gan Hedd Wyn yn ei awdl 'Eryri':

A gweld draw o'm briglwyd drig
Fynwes yr Wyddfa unig.

Edliwiodd William Morris i'w gyfaill na ellid gweld mynwes yr Wyddfa o'r
Ysgwrn, ac ar drawiad amrant, newidiodd Hedd Wyn y llinell: 'Ryw gorun
oer o gerrig.'[53] Rhoddwyd eisoes enghreifftiau o'i waith byrfyfyr yng nghwmni
Jacob Jones. Cofiai'r gŵr hwnnw hefyd am Hedd Wyn yn dweud ei fod am
'roi cwrben i Mr Kirby', gŵr a gasglai, yn ystod blynyddoedd y Rhyfel Mawr,
fechgyn ifainc cylch Trawsfynydd i'r fyddin.[54] Cofiai Jacob Jones am gwpled
byrfyfyr arall yn ogystal, i'r rhaw fawn:

Y rhaw fawn, mae hi'n rhy fer,
A rhy union o'r hanner.[55]

Cadwodd J. W. Jones gwpled byrfyfyr arall o eiddo Hedd Wyn yn ei lyfr
nodiadau bychan a gedwir yn Llyfrgell Prifysgol Bangor. Cwpled a luniwyd
i'r llyfrbryf a'r prydydd Cybi (Robert Evans) ydoedd, 'Pan oedd yn Cricieth
yn gwerth[u] ei lyfrau':

Cebyst o ddyn yw Cybi
E lwybrai'r hewl fel Librari.[56]

Goroesodd un cwpled ar lafar yn unig, ac fe'i priodolir iddo, heb brawf
pendant mai ef a'i piau, er mai ei sŵn ef sydd ynddo. Yn ôl y stori, roedd
Hedd Wyn a rhai o'i gyfeillion yn cadw reiat ac yn eu mwynhau eu hunain
uwch eu cwrw yng Ngwesty'r Baltic, Blaenau Ffestiniog. Cawsant rybudd
i gadw'n dawel gan wraig y dafarn, ac os na fyddent yn ymddwyn yn well,
byddai'n eu taflu allan. Llefarodd Hedd Wyn y cwpled hwn wrth y lleill dan
ei anadl:

Rhyfedd yw na rôi'r Duw dig
Beltan i wraig y Baltig.[57]

Roedd yr Hedd Wyn ifanc yn fwrlwm o gynghanedd, ond nid cwpledi
byrfyfyr yw pob un o'r cwpledi unigol o'i eiddo sydd wedi goroesi. Ceir, er

enghraifft, gwpled trawiadol ganddo i 'Huodledd', ond methodd ddod o hyd i baladr i'w asio wrth y cwpled i lunio englyn llawn. Dyma'r cwpled hwnnw:

> Llafar y tafod arian,
> A storm y gwefusau tân.[58]

Benthyciai lyfrau gan bawb, cymaint oedd ei awch am addysg a'i syched am ddiwylliant. 'Prin oedd ei lyfrau, ac nid oedd ganddo hyfforddwr. Bu iddo garedigion lawer; ond yn ei gyfeiriad arbennig ei hun, yr oedd Hedd Wyn ar y blaen i bawb oedd o'i gwmpas.'[59] Geiriau Bryfdir amdano. Meddai J. D. Richards: 'Ac megis am danom ni'n bersonol, felly am eraill, y mae ambell gyfrol a fenthyciodd Hedd Wyn yn werthfawr iawn yn ein golwg yn awr, am fod olion ei fysedd ymchwilgar ef arni.'[60] Un arall o'r rhai a fenthyciai lyfrau iddo oedd William Morris, a bu un o'i gyfrolau, *Homes and Haunts of the British Poets* gan William Howitt, yn nwylo Hedd Wyn am fisoedd lawer. Rhoddodd gŵr o'r enw William Jones, Caeringhylliad, gyfrol o holl weithiau Shakespeare ar fenthyg i'r bardd. Daeth y gyfrol honno i ddwylo D. Tecwyn Lloyd ym 1984. Yr oedd Hedd Wyn wedi darllen o leiaf un o ddramâu Shakespeare, sef *The Life and Death of King Richard II*, oherwydd roedd 'llinellau a pharagraffau wedi eu marcio ganddo'.[61] Fel y dywedodd Tecwyn Lloyd, 'ei ddewis annibynnol ei hun yw'r darnau a nododd yn y ddrama', a'r hyn a barodd syndod iddo oedd y ffaith i Hedd Wyn ddewis 'sylwi'n arbennig ar rai o'r darnau enwog y byddai pob myfyriwr hyffordd yn eu dewis; prawf go bendant o'i chwaeth lenyddol gynhenid a'i ymdeimlad sicr o fawredd ymadrodd barddonol'.[62]

Trwy fenthyca llyfrau fel hyn a darllen yn helaeth y daeth Hedd Wyn i ymgydnabod â barddoniaeth Saesneg. Enwir rhai o'i hoff feirdd a rhai o'r prif ddylanwadau a fu arno gan J. D. Richards:

> Shelley a Keats oedd hoff awduron y bardd ymysg meddylwyr Seisnig, a gallai ddyfynnu o honynt hwy bron mor rhwydd ag y gallai ddyfynnu o'i hoff awduron Cymraeg. Yr oedd yn eu *deall*, i raddau i'w ryfeddu, hefyd; a meddai wybodaeth effeithiol iawn am weithiau beirdd fel Swinburne, Browning, Watson, Wordsworth, John Masefield, a Rupert Brookes [*sic*]. Yr oedd yn hoff iawn o rymusder awen ac ehediadau Browning.[63]

Enwir Keats, Shelley a Browning ymhlith ei hoff feirdd gan William Morris hefyd, ond 'Shelley oedd ei ffefryn' meddai,[64] ac y mae hynny'n amlwg oddi wrth ei gerddi. Yn ôl ei gyfaill yn Litherland, J. B. Thomas, yr oedd yn hoff iawn o Tennyson hefyd, yn enwedig *Morte d'Arthur*.

Ac wrth gwrs, yr oedd ganddo ffefrynnau ymhlith beirdd Cymru. Yn naturiol, ac yntau mor awyddus i ennill Cadair y Brifwyl, ei brif faes astudiaeth oedd awdlau eisteddfodol dechrau'r ugeinfed ganrif: 'Yr Haf', R. Williams Parry, 'Ymadawiad Arthur' a 'Gwlad y Bryniau', T. Gwynn Jones, 'Y Mynydd' ac 'Eryri', T. H. Parry-Williams, ac awdl 'Y Lloer', J. J. Williams. Y rhain oedd ei hoff awdlau yn ôl William Morris. 'Mae yn gallu adrodd barddoniaeth yn rhigl, yn enwedig ein hawdlau diweddaf "Y Lloer," "Yr Haf," a gweithiau Elfyn,' meddai J. W. Jones amdano, ond nid 'Y Lloer' yn unig o waith J. J. Williams a apeliai ato.[65] Ceir cofnod gan J. W. Jones iddo roi awdl J. J. Williams, 'Ceiriog', ar fenthyg i Hedd Wyn.[66] Ond, er cymaint o hoff weithiau a oedd ganddo, awdl 'Yr Haf', yn ôl J. D. Richards, oedd ei hoff gerdd – 'gallai adrodd honno ymron drwyddi, air am air,' meddai, am mai 'dyna'n ddios eilun ei galon ymhlith gorchestion beirdd Cymru'.[67]

Nid difrifwch amcan yn unig oedd bywyd i Hedd Wyn yn llanc ifanc, er mor benderfynol ydoedd o ennill y Gadair Genedlaethol. Yr oedd ganddo, yn ôl llafar gwlad, ddiddordeb mawr mewn merched, ac roedd amryw byd o gariadon ganddo ar wahanol adegau yn ei fywyd. Ceir llawer o straeon llafar am ei anturiaethau carwriaethol, ond rhaid amau cywirdeb y rhan fwyaf o'r rhain, a phriodoli eu bodolaeth i ddychymyg hyblyg y werin a garai, ac a'i carai yntau. Dywedir, er enghraifft, mai gyda merch o Abergeirw yr oedd yn ystod ei seibiant olaf o'r fyddin, cyn dychwelyd i Litherland ac ymadael wedyn am Ffrainc, ac iddo, o'i herwydd hi, ddychwelyd ddeuddydd yn hwyr i Litherland. Nid oes unrhyw sail i'r stori, nac ychwaith i'r stori honno ynghylch achlysur ennill un o'r ddwy gadair a enillodd yn Eisteddfod Llanuwchllyn. Yn ôl y stori honno, bu'n rhaid cadeirio Hedd Wyn yn ei absenoldeb, oherwydd iddo adael yr eisteddfod yng nghwmni un o ferched y fro, ac aros allan gyda hi. Yn sicr, nid yn Eisteddfod Llanuwchllyn ym 1915 y bu hynny, oherwydd roedd William Morris gydag ef yn yr eisteddfod honno.

Straeon gwyllt neu beidio, roedd yr Ellis ifanc golygus yn ddeniadol iawn i ferched, a bu ganddo sawl cariadferch. Un o'r rheini oedd merch o'r enw

Elizabeth Roberts, Lizzie i bawb o'i chydnabod. Ganed Lizzie Roberts ar
Ebrill 1, 1884, yn ferch i David ac Ellen Roberts, Twr-maen, Cwm-yr-allt-
lwyd, rhwng Llanuwchllyn a Thrawsfynydd. Ffermdy diarffordd a mynyddig
oedd ei chartref. Mae'r ffermdy bellach yn un â'r llawr. Bu Lizzie Roberts
yn gweini ym Mrynmaenllwyd, Trawsfynydd, am flynyddoedd lawer, ond
weithiau byddai Hedd Wyn yn ei danfon i Dwr-maen, siwrnai o rai milltiroedd
o Drawsfynydd, a byddai ei gyfeillion yn tynnu ei goes ar gownt hynny.

Bu farw Lizzie Roberts yn ifanc iawn o'r ddarfodedigaeth, a hynny ar
Fehefin 6, 1916, yn 32 oed, ac fe'i claddwyd ym mynwent Pen-y-cefn dridiau
yn ddiweddarach. Yn ôl y nodyn ynghylch ei marwolaeth a gyhoeddwyd yn *Y
Rhedegydd*, 'byddai bob amser gyda'i dyledswyddau, a phob amser yn siriol'.[68]
Ni wyddys pa bryd y bu Hedd Wyn yn ei chanlyn, ond roedd ganddo feddwl
mawr ohoni, yn sicr, oherwydd fe luniodd ddwy farwnad iddi. Cynhwyswyd
un o'r rhain, 'Marw'n Ieuanc', heb enwi gwrthrych y farwnad, yn *Cerddi'r
Bugail*. Nid oes unrhyw arwydd o alar personol ar ôl cariadferch yn y gerdd;
gallasai'n rhwydd fod yn un o'r marwnadau confensiynol ac ystrydebol hynny
a genid ganddo i ymadawedig y fro:

> Bu farw yn ieuanc, a'r hafddydd
>   Yn crwydro ar ddôl, ac ar fryn;
> Aeth ymaith i'r tiroedd tragywydd
>   Fel deilen ar wyntoedd y glyn.
>
> Hi garodd gynefin bugeiliaid
>   A chwmni'r mynyddoedd mawr;
> A llanw meddyliau ei henaid
>   Wnâi miwsig yr awel a'r wawr.
>
> Bu fyw yn ddirodres a thawel,
>   Yn brydferth, yn bur, ac yn lân;
> Ac eto mor syml â'r awel
>   Sy'n canu trwy'r cymoedd ei chân.
>
> Fe'i magwyd ym murmur y nentydd
>   Ar fryniau diarffordd Twr Maen;
> Nid rhyfedd i'w bywyd ysblennydd
>   Flaguro mor bur a di-staen.

Mor ddiwyd oedd hi gyda'i gorchwyl,
Mor drylwyr cyflawnai ei gwaith –
'Roedd delw gonestrwydd di-noswyl
Yn llanw ei bywyd di-graith;

Bu farw yn nyddiau ieuenctid
A'i heinioes ar hanner ei byw;
Bu farw a'r haf yn ei bywyd,
Bu farw yn blentyn i Dduw.

Fe'i gwelsom hi'n gwywo i'r beddrod
A'i haul tros y ffin yn pellhau;
A hithau, y Nefoedd ddi-ddarfod,
I'w chyfwrdd i'r glyn yn nesáu.

Daw atgof ei bywyd a'i geiriau
Yn ôl i'n calonnau fel cynt,
Fel arogl mil myrdd o lilïau,
Fel miwsig perorol o glychau
Y nefoedd, ar lanw y gwynt.[69]

Nid yw'r englyn a luniodd er cof amdani yn hysbys o gwbl. Er bod cywair, awyrgylch a geirfa'r englyn yn rhamantaidd, y mae'r hiraeth a'r galar am Lizzie yn treiddio trwy'r rhith, fel drain duon pigog yn llechu dan wynder blodau:

Gwyrodd yn ei hoed hawddgaraf – i'r bedd
A'r byd ar ei dlysaf;
O'i hôl hi, trwy'r awel haf,
Alawon hiraeth glywaf.[70]

Bu hefyd, am gyfnod byr, yn canlyn merch o'r enw Ann Jones, a ddaeth yn wraig i David Roberts, Cadeirydd Pwyllgor Amddiffyn Capel Celyn yn ystod cyfnod y bygythiad i foddi Cwm Tryweryn. Bu'r ddau'n preswylio yn un o'r tai yng Nghapel Celyn a foddwyd yn ddiweddarach, sef Cae Fadog. Merch Defeidiog Isaf, Trawsfynydd, oedd Elin Ann Jones, ac mewn sgwrs a recordiwyd ar dâp gan awdur y cofiant hwn ychydig cyn ei marwolaeth, soniodd ryw ychydig am ei pherthynas â Hedd Wyn. Roedd Hedd Wyn, meddai, yn garwr ardderchog ond yn ffermwr ac yn fugail anobeithiol! ''Doedd Ellis ddim yn 'nabod 'i ddefed 'i hun,' meddai. Cofiai'n dyner amdano fel bachgen rhadlon, direidus. Lluniodd Hedd Wyn englyn iddi hithau hefyd. Yn anffodus, pan recordiwyd y sgwrs â hi, roedd mewn gwth o oedran, ac roedd yn camgofio englyn Hedd Wyn iddi. Nid oes modd olrhain yr englyn yn ôl i'w gywirdeb gwreiddiol, ond mae'r esgyll wedi'i gadw yn gywir:

> Pe gallwn, rhoddwn ŵr iddi,
> A chod o aur i'w chadw hi.

Un arall a gafodd englyn ganddo oedd merch o'r enw Mary Catherine Hughes, merch o Drawsfynydd yn wreiddiol, ond o Gellilydan yn ddiweddarach. Fe'i ganed ar Fawrth 23, 1897, ac felly roedd hi'n iau na Hedd Wyn o flynyddoedd. Fe'i penodwyd yn athrawes anhyfforddedig yn ysgol bentref Trawsfynydd, dan oruchwyliaeth y prifathro J. R. Jones, ar Fedi 11, 1914, a dechreuodd ddysgu yno bedwar diwrnod yn ddiweddarach. Roedd Mary Catherine Hughes yn athrawes ar Enid, chwaer Hedd Wyn, a hi a gariai lythyrau caru'r ddau o'r naill i'r llall. Mae gan Enid Morris gof am Mary Catherine Hughes yn gofyn i Hedd Wyn chwilio am sypyn o rug gwyn iddi, fel y gallai hi ei ddangos i'r plant. Dyma'r englyn cellweirus a luniodd Hedd Wyn iddi ym mis Awst 1916:

> Siriol athrawes eirian, – garedig
>   Ei rhodiad ym mhobman:
>   Un gywrain, lwys gura'n lân
>   Holl *ladies* Gellilydan.[71]

Yn y man, priododd Mary Catherine Hughes weinidog o Goed-poeth, Wrecsam, o'r enw Llywelyn Davies, a bu farw ar Orffennaf 7, 1976, yn 81 oed.

Ei wir gariad, yn anad yr un o'r lleill, oedd merch o'r enw Jennie neu Jini Owen. Ganed Jini Owen ar Awst 7, 1890. Merch amddifad ydoedd, a fagwyd gan berthnasau iddi o'r enw Harry a Sarah Williams, ym Mhant Llwyd, Llan

Ffestiniog. Ei rhieni oedd William ac Elizabeth Owen. Ar y trên o Flaenau Ffestiniog y cyfarfu hi a Hedd Wyn ei gilydd, a hynny ar ryw nos Sadwrn ym mlwyddyn gyntaf y Rhyfel Mawr. Derbyniodd Jini lythyr oddi wrth y bardd ddechrau'r wythnos ganlynol, ac ynddo rigwm a ddiweddai fel hyn:

> Wedi cael atebiad gennych
> Llawer gobaith ynof gwyd
> Wrth im feddwl am gyfarfod
> Â Miss Owen o Bantllwyd.[72]

Cafodd Hedd Wyn ateb cadarnhaol ganddi, a dyna ddechrau ar y garwriaeth bwysicaf o'r cyfan iddo. Ac eto, anodd gwybod pa mor ddifrifol oedd y carwriaethau hyn yn ei olwg. Roedd yn ymhél â Mary Catherine Hughes yn ystod yr un blynyddoedd ag y bu'n canlyn Jini Owen. Byddai Jini Owen bob hyn a hyn yn bygwth rhoi'r gorau iddo, oni bai ei fod yn cymedroli cryn dipyn ar ei lymeitian, a gweithredai'r bygythiad hwnnw yn aml. Er pob ymwahanu dros dro, yn ôl at ei gilydd yr âi'r ddau yn wastad, a cheir straeon rhyfedd am eu carwriaeth. Weithiau byddai Hedd Wyn yn hollol dawedog yn ei chwmni, yn barddoni'n ei ben yn ddi-baid, ac âi adref ar ôl treulio oriau dieiriau gyda hi. Ar ôl cyrraedd yr Ysgwrn byddai'n teimlo iddo wneud cam â hi, ac âi'n ôl ati yr holl ffordd i Ffestiniog, i ymddiheuro iddi. Ond fel yr âi'r blynyddoedd rhagddynt, dôi Jini i ddeall mwy a mwy arno. Cawn yr argraff i farwolaeth Hedd Wyn roi terfyn ar berthynas a fyddai'n hir-barhaol yn y pen draw, er nad oedd Hedd Wyn, hyd at ei ddeg ar hugain oed o leiaf, yn ddigon cyfrifol nac yn ddigon cefnog i gadw gwraig. Byddai'r fam amddiffynnol yn rhybuddio'i mab yn aml ynghylch peryglon cymryd merched ormod o ddifri. Mae'n debyg ei bod yn pryderu am ei ddyfodol ac yn ofni yr âi i drybini ar ei ben pe bai'n priodi.

Ac eto, rywfodd neu'i gilydd, ceir yr argraff fod y berthynas rhyngddo ef a Jini'n dyfnhau gyda'r blynyddoedd, ac y byddai'r ddau yn sicr o briodi yn y pen draw, a cheisio cael deupen y llinyn ynghyd orau y gallent. Lluniodd Hedd Wyn nifer o gerddi serch i Jini, a cherddi serch gŵr ifanc mewn cariad dros ei ben a'i glustiau yw'r cerddi hyn. Mae'r cerddi hyn hefyd yn bur wahanol i bopeth arall a luniwyd ganddo, ac yn gymysgfa o naïfrwydd, gorfoledd, edifeirwch a theimlad o israddoldeb weithiau, peth a oedd yn hollol nodweddiadol ohono, a hefyd ceir ynddynt ryw angerdd syml, diymhongar. Mae'r cerddi hyn i Jini Owen yn werth eu cofnodi yn eu crynswth.

Lluniodd englyn iddi sydd yn yr un wythïen â'r englynion a luniodd i Elin Ann a Mary Catherine, englyn cellweirus, gwenieithus, canmoliaethus:

> Hogen glws, a chroen gwyn glan; – heb ei hail
> Yn y byd mawr llydan;
> Un dyner, ffeind ei hanian,
> O! od o *sweet* ydyw Siân.[73]

Lluniwyd y cerddi eraill iddi ar fesurau digynghanedd. Dyma'r cerddi hynny, gan ddechrau gydag 'Yn Swn y Gwynt':

> Hoffter fy nghalon yw canu can
> A'i hanfon hi heno yn syth i Sian.
>
> Llawn yw y goedwig o'r corwynt glan,
> A llawn yw fy nghalon innau o Sian.
>
> Cofiwch, 'rhen Jennie, er gwaethaf pob cur,
> 'Fu neb yn eich caru erioed mor bur.[74]

'Can Serch' a roddwyd yn deitl i'r gerdd fechan ganlynol:

> Gobeithio maddeuwch
> Yn awr, fel pe tae,
> I mi am wneyd ichwi
> Bennill neu ddau.
>
> Mi fynaf eich galw
> O hyd ac o hyd
> Yn eneth fach neisia
> A ffeindia'n y byd.
>
> Beth bynnag a ddelo,
> A[i] gwynfyd neu friw,
> Gobeithio bydd Jennie
> Yn para yn driw.

A chofiwch mod innau,
  Er lleied fy mri,
Yn para yn ffyddlon
  O galon i chwi.

Rhyw dro daw y diwrnod
  Trwy'r tywydd i gyd;
Bydd dau efo'u gilydd
  Yn yr un byd.[75]

Ceir yn y gerdd ganlynol hefyd erfyn am ffyddlondeb, ac anodd osgoi'r ymdeimlad mai cerddi cymodi o ryw fath yw rhai o'r rhain:

Pe byddwn i'n awel y mynydd
  Yn crwydro trwy'r ffriddoedd yn rhydd,
Mi wn i ba le yr ehedwn
  Nid unwaith na dwywaith y dydd;
Wrth fyned trwy'r helig a'r rhedyn,
  Heb beidio, mi ganwn fy nghan:
I'm calon nid oes ond un testyn,
  A hwnnw am byth ydyw Sian.

Os daw rhywun arall i'w cheisio,
  A hwnnw yn harddach ei rudd,
Ai tybed wnaiff hi fy anghofio
  A'm gadael yn unig a phrudd?
Am hynny gofynna fy nghalon
  Ar waethaf un arall a'i ryw –
Wnaiff hi fod am byth imi'n ffyddlon,
  Yn ffyddlon tra byddwn ni byw?

Ni welais ei mwynach trwy'r ddaear,
  Ni welais ei hoffach trwy'r byd:
Ai gormod im' ofyn yn wylaidd –
  "Ddaw hi at yr allor rhyw bryd?"
Er mod i yn sychlyd a chommon,
  'Does ragrith na thwyll yn fy nghan,
Ac unig ddymuniad fy nghalon
  Yw'ch ennill chwi'n gyfan, 'rhen Sian.[76]

Ar ffurf cerdd y gofynnodd Hedd Wyn i Jini Owen fod yn gariad iddo, ac efallai mai cerdd yn gofyn iddi ei briodi yw'r gerdd uchod. Hwyrach y câi Hedd Wyn drafferth i'w fynegi ei hun yn naturiol ar lafar, a'i fod yn traethu ei wir deimladau dan gochl cerdd. Barddoniaeth oedd cyfrwng mynegiant Hedd Wyn. Efallai hefyd y ceir cyfeiriadau yn y gerdd at yr hyn a dramgwyddai Jini Owen yn ei gylch, y 'sychlyd' yn cyfeirio at y gwmnïaeth wael a rôi iddi weithiau, a'r '[c]ommon' at yr hyn a boenai Jini Owen a mam y bardd yn ei gylch, sef ei duedd i dreulio gormod o lawer o amser mewn tafarnau.

Lluniodd y gerdd ganlynol ar Fai 5, 1916, ac mae'n gerdd ingol o eironig fel y digwyddodd pethau:

Suo am danoch yng nghlust eich awenydd
    Mae'r haf ar ei hynt,
Murmur eich enw mae helig y mynydd
    A'r blodeu a'r gwynt.

Ond hwyrach fod gwynt Ffestiniog er hyny
    Yn cludo i chwi
Enw nes at eich calon, 'rhen Jennie,
    O filwaith na mi.

Hwyrach y byddwch yn eiddo tryloew
    I arall ryw ddydd;
Digon, er hynny, fydd clywed eich enw
    Ar yr awel brudd.

Pe gyrech fi [i] ffwrdd fel hyn yn siomedig,
    Gan wawdio fy nghan,
Meddyliaf am danoch â chalon doredig
    Am byth, yr hen Sian.

P'run bynnag a[i] heulwen ddisglaer a[i] cwmwl
    Fedd y dyfodol i mi,
Erys fy nghalon trwy ganol y cwbwl
    Yn ffyddlon i chwi.[77]

Cyfarchiad pen-blwydd i Jini yn 25 oed yw'r gerdd ganlynol, a'r un yw byrdwn y gerdd hon eto â'r lleill. Unwaith yn rhagor, rhoir yr argraff fod mwy o lawer o ddifrifoldeb nag o gellwair ynddi:

Gwn, mi wn, fod llawer Jennie
   Ymhob gwlad a phlwy',
Gyda rhos ieuenctid heini'
   Ar eu gruddiau hwy:
Ond mi wn am Jennie arall,
   Lanach fil ei phryd,
Ac i honno minnau ganaf –
   Jennie dlysa'r byd.

Gwn ei bod yn "ffleiar" enbyd,
   Er yn od o hardd,
Ond a[i] tybed wnaiff hi rhywbryd
   Wawdio serch ei bardd;
Ond p'run bynnag, mi ddymunaf
   Iddi hi bob llwydd:
Na ddoed ati ysbryd "fflirtio"
   Ar ei dydd pen blwydd!

Gwel'd ei llun wna boys Ffestiniog
   Yn y fflamau tan,
Waeth gen i am lun na phictiwr
   Os y caf fi Sian;
Tybed fydd o'n ormod imi
   Ofyn yma'n rhwydd
Am eich llaw a'ch calon, Jennie,
   Ar eich dydd pen blwydd?

Cerdda Awst tros fro Ffestiniog,
   Tros y graig a'r coed,
Chwithau'n sefyll fel ar riniog
   Pump ar hugain oed;
Ar eich dydd pen blwydd, 'rhen Jennie,
   Wnewch chi ddweyd i mi –
P'run ai'r Bardd ai rhywun arall
   Biau'ch calon chwi?[78]

Ar ôl ei farwolaeth, anfonodd Jini Owen y cerddi hyn a luniasai Hedd Wyn iddi at Eifion Wyn i'w teipio'n daclus, 'i fod mewn parhaus goffadwriaeth' o garwriaeth y ddau.[79] Gwnaeth Eifion Wyn hynny, a lluniodd ddau bennill ar ôl darllen y cerddi:

> Am Siân yr ymsyniai
> Ar lethrau ei wlad,
> A'i Siân fwyn a'i swynai
> Ym mhoethder y gad.

> Nid marw mo'r bardd
> Na'i anfarwol nwyd:
> Mae'n canu o hyd
> Ac yn meddwl y byd
> O Jennie Pant Llwyd.[80]

Priododd Jini Owen â gŵr o'r enw William Evans, chwarelwr o Flaenau Ffestiniog, ymhen deng mlynedd wedi marwolaeth Hedd Wyn. Bu farw ei gŵr ym 1960, a Jini hithau ar Fedi 11, 1974.

Ceir dau ddarn serch arall o ryw fath ganddo, ac mae'n debyg mai yn albwm rhywun yr ysgrifennodd y rhain. Nid Jini oedd y 'Gweno' y cyfeirir ati yn y rhain, oherwydd mai Siân oedd ei enw anwes ef arni hi. Efallai mai o ran hwyl a chellwair y lluniodd y rhain, ac yn Saesneg y mae'r ail bennill:

> Nid wyf fi yn meddwl heno
> Am un eneth heblaw Gweno;
> Hogen siriol, las ei llygaid,
> Mae hi'n gariad bob un tamaid.

> I am a single, poor chap,
> Wearing coat, shoes and cap.
> Have no wife, nor lover sweet,
> Gweno dear, when shall we meet?[81]

Mae cerddi Hedd Wyn i Jini Owen yn bryfoclyd ac yn rhwystredig o amwys. Ceir ynddynt gyfeiriadau cudd, efallai, ac nid oes modd i neb arall wybod eu harwyddocâd. A oedd Jini hefyd yn anffyddlon iddo ef ar brydiau? Ceir rhai awgrymiadau i'r perwyl hwnnw. Ai hwyl, ychydig o gellwair diniwed, oedd ei ddyhead yn y cerddi i briodi Jini Owen? Os felly, roedd yn gellwair rhyfygus a pheryglus iawn. A oedd y cerddi hyn yn mynegi gwir ddyhead ei galon, ac yn cynnig gollyngdod o ryw fath iddo? Efallai ei fod yn amharod i briodi, am nad oedd ganddo arian nac eiddo o fath yn y byd y tu cefn iddo, a hefyd, ac yn bennaf, efallai, am ei fod yn ofni y byddai priodi yn ei lesteirio rhag cyrraedd ei wir uchelgais mewn bywyd, sef ennill Cadair yr Eisteddfod Genedlaethol. Cuddlen, o bosibl, dros yr ofn a'r amharodrwydd hwn oedd y dyheadau a'r addewidion a fynegid yn y cerddi serch, a hwyrach ei fod yn cael gwared â llawer o'i rwystredigaeth trwy smalio priodi Jini yn y cerddi hyn. Yn sicr, nid cellwair yn unig a geir ynddynt, ond mae gwir gyfrinach y cerddi erbyn hyn ynghladd yn Fflandrys ac yn Ffestiniog.

4

'Tir Fu yn Gartref Awen'

Ni chyhoeddodd Hedd Wyn gyfrol o'i gerddi yn ystod ei fywyd. Ym mis Awst 1918, flwyddyn ar ôl ei farwolaeth, y cyhoeddwyd ei unig gyfrol o farddoniaeth, cyfrol a olygwyd gan y Prifardd J. J. Williams, un o edmygwyr pennaf Hedd Wyn, ac y rhoddwyd iddi'r teitl camarweiniol o ramantus *Cerddi'r Bugail*. Ond ni ddaethpwyd o hyd i bopeth a ysgrifennodd Hedd Wyn i'w gynnwys yn y gyfrol, neu i roi mwy o gerddi ac englynion i J. J. Williams a'i gynorthwywyr ddewis o'u plith.

Lluniodd Hedd Wyn ei englyn cyntaf cyn cyrraedd ei 12 oed. Mae'r englyn hwnnw, i'r Das Fawn, yn rhan o fytholeg Trawsfynydd, ac y mae pob math o straeon wedi tyfu o'i amgylch. Dyma'r englyn, yn ei ffurf wreiddiol:

> O bob cwr rŷm, bawb, yn cario – i'w godi
>   Yn gadarn a chryno;
>   Yn hwylus cadd ei heilio
>   Yn dynn o fawn, dyna fo.

Pan oedd Hedd Wyn yn 11 oed, prynodd Evan Evans *Yr Ysgol Farddol*, gwerslyfr Dafydd Morganwg ar y cynganeddion, i'w fab. Ymroes yntau gydag angerdd a brwdfrydedd i'w ddarllen a'i feistroli. Dywedyd sawl tro mai ar gais J. Dyfnallt Owen y lluniwyd yr englyn. Tuag 11 oed oedd Hedd Wyn pan ddechreuodd Dyfnallt weinidogaethu yn y Traws. Gallai'r stori mai Dyfnallt a ysgogodd yr englyn i'r Das Fawn, felly, fod yn wir o ran ei hamseriad. Yn ôl *Y Rhedegydd*:

Bu iddo ei gyfansoddi ar gais Dyfnallt pan yn gweinidogaethu yn Nhrawsfynydd, a digwyddodd a phasio Heddwyn a'i dad a'i ewyrth gyda'r gwaith o wneyd teisi mawn, a dywedodd fod arno eisiau iddynt wneyd englyn am y goreu i'r das fawn erbyn y deuai yn ol, ac felly fu ...[1]

Mae'r llinell gyntaf wedi'i chywiro yn fersiwn *Y Rhedegydd* o'r stori, 'Mewn cur 'rŷm yn llafurio', ond y llinell wallus 'O bob cwr rŷm, bawb, yn cario' oedd y llinell wreiddiol. Ceir llinell gyntaf wahanol eto, a honno hefyd yn gywir, yn ysgrif Meida Pugh ar y bardd yn *Y Ford Gron*, 'Mewn cur yr ŷm yn cario'.[2] Mae hithau hefyd yn dilyn yr hanesyn a gyhoeddwyd yn *Y Rhedegydd*. Yn ôl Morris Davies, mewn stori gelwyddog hir, cywaith rhwng y tri, Hedd Wyn, ei dad a'i ewythr, oedd yr englyn, a'r llinell olaf yn unig yn eiddo i Hedd Wyn. Nid yw Morris Davies yn crybwyll enw Dyfnallt, ond dywed ei fod ef ei hun yn bresennol adeg llunio'r englyn. Ceir y stori gywir, fodd bynnag, gan Evan Evans ei hun, mewn llythyr at Silyn Roberts:

... rhoddais y Das yn destyn Englyn ... ar y ramod i minau hefyd wneud un, ond nid oeddwn wedi gwneud dim ... chwi welwch fod gwall bychan yn y llinell gyntaf, ond dyna oedd yn dda yr oedd yn gwybod hynu ei hynan. A mi synais yn arw ei fod wedi dealld y Cynghanedd mor gyflym.[3]

Evan Evans, felly, a osododd y Das Fawn yn destun englyn i'w fab. Mewn llythyr at un o chwiorydd Hedd Wyn, dyddiedig Hydref 10, 1917, y mae Dyfnallt yn gofyn am gopi o'i 'englyn cyntaf fel y'i adroddir gan eich tad'.[4] Mae hyn yn cadarnhau'r ffaith nad Dyfnallt a fu'n gyfrifol am ysgogi'r englyn, ac mai trwy Evan Evans y clywodd amdano. A dyna gychwyniad Hedd Wyn fel bardd cynganeddol.

Nid gwagle diwylliannol a gynhyrchodd englyn cyntaf Hedd Wyn, ac nid aelod o gymdeithas anniwylliedig a fyddai'n gofyn i'w fab 11 oed lunio englyn, ac yn rhoi *Yr Ysgol Farddol* iddo yn rhodd. Ceid yn Nhrawsfynydd yn ystod blynyddoedd magwraeth Hedd Wyn gymdeithas a gymerai ddiddordeb mewn diwylliant o bob math, a gwerin a gyrchai'n frwdfrydig i fynych gyrddau llenyddol y pentref. Ymfalchïai'r werin hon yng nghrefft y bardd. Nid gwerinwr unigryw mo Evan Evans, ond gwerinwr hollol nodweddiadol o Drawsfynydd y cyfnod. Yr oedd yntau hefyd yn llunio ambell rigwm, yn 'prydyddu weithia', chwedl ef ei hun.[5] Nid cartref diwylliedig yn unig a roes gychwyn i yrfa farddonol Hedd Wyn, ond cymdeithas ddiwylliedig yn ogystal, ac ni ellir gwahanu'r bardd oddi wrth y fro, na dirnad pam y lluniwyd ffenomen fel Hedd Wyn heb wybod rhyw ychydig am y fro a roes fagwraeth iddo.

Yr oedd llenyddiaeth a daearyddiaeth, awen a daear, yn gydblethiad clòs, annatod yn ardal y bardd, i'r fath raddau, felly, nes i ryw hen fardd anhysbys nodi terfynau plwyf Trawsfynydd ar ffurf rhigwm:

> O'r aber bach ger Hendre'r Mur
> At dafarn bur Gwibedyn,
> O Gwm Blaen Lliw i ben Cwm Moch
> I olwg cloch Llandecwyn;
>
> I'r Prysor Gwm, os nad yn uwch,
> Os na bydd lluwch o eira,
> Ac os yn glir y bydd y nen
> Ceir gweled pen yr Wyddfa.

Roedd llawer o feirdd wedi canu erioed am y pentref a'r fro, ac y mae enw'r pentref wedi ymddangos mewn sawl cân ac englyn ac wedi'i gynganeddu ugeiniau o weithiau. Dyma englyn anhysbys trawiadol am y mynyddoedd a welir o amgylch Trawsfynydd, englyn a oedd yn fyw ar lafar gwlad ar un adeg:

> Miliwn o bennau moelydd – a welir
> O waelod Trawsfynydd;
> Arenig ym Meirionnydd,
> Beunes hen, yn benna' sydd.

Canodd Hedd Wyn ddau englyn i Drawsfynydd, gan ddilyn traddodiad brogarol ei ragflaenwyr:

> Tud y brwyn a'r gwynt mwynaidd, – tir amaeth,
> Henfro'r trumau cawraidd;
> Pau yr ŷd, y neint a'r praidd,
> A goror y grug euraidd.

Tir fu yn gartref awen – a'i erwau
    Yn dud arwyr llawen;
  Heno wyla o'i niwlen
  Ysbryd oes y brudiau hen.[6]

Enwyd Trawsfynydd gan W. J. Gruffydd yn ei ragymadrodd i *Y Flodeugerdd Gymraeg* (1931) fel enghraifft o fro yr oedd ei chaneuon 'yn rhan o greadigaeth hanes yng Nghymru':

Beth yw pwysigrwydd Trawsfynydd, er enghraifft, yn hanes Cymru? Nid bod y fro honno wedi magu arweinwyr a llenorion, ond am ei bod yn rhan o'r greadigaeth ledrithiol deimladol honno a grewyd megys ar fflachiad gan anadliad ysbryd y gyfres englynion a chaneuon sy'n sôn amdani.[7]

Yn ei ysgrif goffa i Hedd Wyn, sonia Dyfnallt am ryw 'Hen Brydydd y plwyf', creadigaeth o'i ddychymyg ei hun, yn dod wyneb yn wyneb â Hedd Wyn, ac yn trosglwyddo'r awen i'r bardd ifanc – 'yr Hen Fardd a roes ei fantell ar ysgwydd y Prydydd ifanc'.[8] Dyma ffordd flodeuog a rhamantaidd Dyfnallt o gyfleu'r modd yr etifeddodd Hedd Wyn hoffter ei hil o farddoniaeth. Meddai eto:

Bwyd a diod yr Hen Brydydd oedd englyn a phennill a chywydd. Dyna oedd yng ngwaed yr hil, ac onid oedd yr un ysfa yn tonni yng ngwaed y dewin ifanc o'r mynydd! Pwy a ŵyr rym yr awr honno ar osgo meddwl a thymer Hedd Wyn? Cytryw oedd tinc cydsain a melodi llafariad ar dafod leferydd yr Hen Brydydd a'r miwsig yng ngherdd ehedydd y twyn ben bore o Fai. Gwyddai am gyfriniaeth hen fesurau, ac o'i enau dylifai iaith bersain y fro; a llawer hwyrddydd aeth yn ango wrth linynnu englyn, gweu cywydd, a dirwyn i ben aml ystori yr oesau a fu. Gwybu'r llanc yn fore a ellid wybod gan un o'i oed am ddirgelwch priod mesur cywydd, arswyd twyll odl, a rhialtwch nyddu cynghaneddion wedi troi'n loddest.[9]

Fel gŵr a oedd yn gyfarwydd iawn â Thrawsfynydd, ceir gan William Morris y dystiolaeth ganlynol:

Cymdeithas glòs ydoedd, a mân lenorion a phrydyddion amryw yn perthyn iddi. Nid ymhob man y gellir codi beirdd. Yn y cyfnod hwnnw, tua throad y ganrif bresennol ac wedyn, hawdd fai dyfod ar draws gwerin wedi'i thrwytho yn yr hyn a elwir heddiw yn 'ddiwylliant cefn gwlad'. Ardal felly oedd Trawsfynydd.[10]

Roedd Trawsfynydd yn meddu ar y traddodiad barddonol lleol hwnnw a allai roi i fardd ifanc addawol ac anghyffredin fel Hedd Wyn yr awyrgylch a'r amgylchiadau a fyddai'n gydnaws â'i natur. Rhoddid bri ar farddoni, a rhôi'r lliaws eisteddfodau a chyrddau cystadleuol lleol gyfle gwych i fardd ifanc ymarfer ei grefft a bwrw ei brentisiaeth drwyddynt. Manteisiodd Hedd Wyn yn llawn ar yr adnoddau hynny. Pa athrofa arall a oedd iddo? Nid yw'n beth hawdd i neb heddiw sylweddoli pa mor bwysig oedd y cyfarfodydd diwylliannol hyn i fywyd cefn gwlad Cymru yn ystod chwarter cyntaf yr ugeinfed ganrif. Craidd pob pentref oedd y capel, a gweithgareddau a oedd yn ymestyniad o fywyd y capel oedd y mân gyrddau hyn. Achlysuron cymdeithasol o bwys oeddynt, ac ni allai Hedd Wyn fod yn ddim byd amgenach na bardd eisteddfodol.

Yn ychwanegol at y traddodiad lleol cryf o farddoni a etifeddasai, felly, yr oedd ganddo hefyd y cyrddau cystadleuol hyn i'w alluogi i ymarfer ei ddawn ac ennill hyder a meistrolaeth gan bwyll. Ym 1825 gallai Trawsfynydd ymffrostio yn y ffaith fod 30 o bobl ieuainc y pentref a'r cylch yn hyddysg yn y cynganeddion. Priodolir y llwyddiant hwn i ymdrechion cyfarfodydd y Gymdeithas Gymroaidd, a sefydlwyd ar ddydd Calan 1824, cymdeithas a oedd yn dysgu darllen i drigolion Trawsfynydd, ac yn eu hyfforddi yn y gelfyddyd o gyfansoddi cerddoriaeth a'u trwytho yn y grefft o farddoni. Sefydlwyd eisteddfod gan y gymdeithas hon, a bu'r eisteddfod honno yn un o brif gyfarfodydd diwylliannol y fro.

Bu aelodau o'i deulu o'i flaen yn cystadlu'n fynych yn y cyrddau diwylliannol hyn; er enghraifft, roedd Evan Evans, tad Hedd Wyn, yn un o'r ddau enillydd 'ar y farddoniaeth' yng Nghyfarfod Cystadleuol y Tair Eglwys Annibynnol ar ddydd Gŵyl Ddewi 1879.[11] Rhannodd y wobr yng nghystadleuaeth yr englyn yn Eisteddfod y Llungwyn yn Nhrawsfynydd ym 1884, ac enillodd ei frawd, Robert, ar y 'ffughanes' yn yr un eisteddfod. Roedd Evan Evans hefyd yn fuddugol ar lunio penillion ar y testun 'Jonah' yng ngŵyl de flynyddol Ysgol Sabathol Ebenezer ym mis Hydref 1885. Dyfarnwyd traethawd gan ei frawd Robert yn gydradd gyntaf yn yr un cyfarfod cystadleuol. Yng Nghyfarfod Llenyddol yr Annibynwyr ym mis Mawrth 1901, lluniodd Robert Evans ddau draethawd ar gyfer dwy gystadleuaeth, ac enillodd y ddwy. Enillodd Evan Evans ar lunio penillion ar y testun 'Diwrnod o Wanwyn' mewn cyfarfod Cystadleuol ac Amrywiaethol a gynhaliwyd yng Nghapel Penystryd ym mis Mawrth 1909, a'i fab Dafydd yn ail iddo. Etifeddu'r traddodiad hwn o gystadlu mewn mân gyfarfodydd diwylliannol a wnaeth Hedd Wyn, ei etifeddu a'i efelychu.

Treuliodd Hedd Wyn ei ieuenctid yn cystadlu yn eisteddfodau ac ym mân gyfarfodydd cystadleuol Trawsfynydd a'r cylch. Cofnodid gan y papurau lleol ei fynych fuddugoliaethau yn y cyfarfodydd hyn, yn enwedig yng nghyfarfod llenyddol blynyddol Ebenezer, cylchwyl lenyddol Moriah a chyfarfod llenyddol Llawr-y-plwyf a Phenystryd. Yn ogystal â chynnal cystadlaethau, trafodid llenyddiaeth yng nghymdeithasau diwylliannol y capeli. Am Hedd Wyn, dywedodd J. D. Richards mai '[u]n o'r pethau goreu a glywsom ganddo ... ydoedd papur a ddarllenodd yng Nghymdeithas Pobl Ieuainc Ebenezer yma ar Ben Bowen'.[12] Ar Ragfyr 8, 1910, y bu hynny. Cyfeiriodd Dyfnallt hefyd at ei 'bapur godidog iawn' ar Ben Bowen yn y llythyr hwnnw at un o chwiorydd Hedd Wyn y dyfynnwyd ohono eisoes.[13] 'Yr oedd hwnnw'n gampwaith,' meddai.[14] Holodd Dyfnallt yn yr un llythyr am bapur a ddarllenodd 'mewn Cyfarfod Ysgol yn Ebenezer rai blynyddau yn ol ar "Y Caniad Newydd"', ond ni ddaethpwyd o hyd i hwnnw ychwaith.[15] Cynhelid eisteddfodau bychain mewn bröydd cyfagos hefyd, Llan a Blaenau Ffestiniog, Maentwrog, Dolgellau, Llanuwchllyn, y Bala, ac yn y blaen, a bu Hedd Wyn yn gystadleuydd cyson yn yr eisteddfodau hyn yn ogystal.

Etifeddasai Hedd Wyn draddodiad cyhyrog, felly, ac ni ellir deall pam y datblygodd i fod yn fardd heb fwrw cip brysiog ar rai o'r beirdd a berthynai i'r ganrif y ganed ef iddi. O ardal Trawsfynydd, yn sicr, y daw rhai o englynion goreu'r iaith, englynion marwnad yn enwedig, ac y mae Hedd Wyn ei hun yn awdur rhai o'r englynion godidocaf i ddeillio o'r cylch. Un o englynion mwyaf adnabyddus yr iaith yw'r beddargraff canlynol gan Robin Ddu o Feirion, sef Robert Edwards, bardd a fu farw ym 1805, yn 30 oed, fel Hedd Wyn:

> Wele orweddle ireiddlanc, – daear
>   Yw diwedd dyn ifanc:
>   Pob hoenus, olygus lanc
>   Yno ddaw, ac ni ddianc.

Englyn enwog arall yw englyn David Jones (Dewi Fwnwr neu Ddewi Callestr) er cof am Elizabeth Jones, merch Richard Jones, crydd, a Margaret ei wraig, a fu farw ar Fawrth 15, 1820, yn 16 oed. Fe'i ceir ar ei beddfaen yn Eglwys Sant Madryn, Trawsfynydd:

> Gwael wy'n awr. Os geilw neb – fi adref
>   Ni fedraf ei ateb;
>   Mae du oer lom, daear wleb
>   Trawsfynydd tros fy wyneb.

Etifeddodd Hedd Wyn draddodiad bywiog a chyfoethog. Y tu allan i'w ganu eisteddfodol, bardd ei fro a'i gymdeithas ydoedd. Yr oedd angen beirdd ar gymdeithas o'r math ag a geid yn Nhrawsfynydd ar y pryd, i ymhyfrydu yn ei llwyddiannau, i ddathlu ei phriodasau ac i wylo ei galar. Gellid dweud mai Hedd Wyn oedd prif ladmerydd bywyd ei fro yn ystod deng mlynedd olaf ei fywyd. Ato ef y troid am gerdd ddathliad neu farwnad. Yn ôl William Morris, yr oedd Hedd Wyn 'yn fardd teuluoedd lawer' tua'r Traws a'r cyffiniau, a dywed hefyd y teimlai pawb yn yr ardal fod ganddynt hawl arno.[16] Ni fyddai yr un portread o Hedd Wyn yn gyflawn heb roi cryn sylw i'r agwedd hon arno fel bardd a pherson. Roedd Hedd Wyn a Thrawsfynydd mor anwahanadwy â mam a'i phlentyn.

Cymerai ran flaenllaw yng nghyfarfodydd llenyddol ac yng nghyngherddau ei fro. Ef, yn aml iawn, oedd yr arweinydd mewn cyfarfodydd o'r fath. Yn ôl J. D. Richards, cafodd Hedd Wyn 'lwydd cynhyddol fel arweinydd mewn cyrddau llenyddol, eisteddfod, a chyngerdd', a hynny oherwydd y '[d]oniwyd ef ag arabedd uwch na'r cyffredin, a gwnai ddefnydd hapus o'r ddawn honno'.[17] Lluniai englynion i lywyddion yr amryfal gyfarfodydd hyn pryd na fyddai ef ei hunan yn arwain, ac i rai a gymerai ran ynddynt. Cofiai J. D. Richards am yr englyn a luniwyd gan Hedd Wyn i Gadwaladr Williams, Adwy Deg:

> Cofiwn ef yn "tynnu'r tŷ i lawr" un tro yn un o'n cyrddau diwylliadol ni yn Ebenezer gydag englyn i un o "golofnau"'r cynulliadau hynny, a derfynai fel hyn – "A'i 'menydd fel y Manod." Rhaid oedd ymollwng i chwerthin yn iach wrth ergyd doniol y bardd.[18]

Fel hyn y dyfynnir yr englyn hwnnw gan amlaf:

> O'r Adwy Deg wele'n dod – ein llywydd
> Galluog a hynod;
> Ym mhen hwn mi wn fod
> Ymennydd fel y Manod.

Goroesi ar lafar a wnaeth yr englyn hwn, a chollwyd cywirdeb dwy linell, y gyntaf a'r drydedd, yn y broses o'i gadw. Mae'n amlwg mai 'O'i Adwy Deg wedi dod' oedd llinell gyntaf wreiddiol Hedd Wyn, a cheir esgyll yr englyn mewn englyn arall o'i eiddo, i'w gyfaill R. Lewis Jones, Jones y 'Guard'. Y mae'r drydedd linell yn gywir yn y cwpled hwnnw. Dyma'r englyn yn ei grynswth:

> Un difyr, ffraeth ei dafod – nid rhyw 'Guard'
> Oriog, gwyllt, diwaelod,
> Ac ym mhen hwn fe wn fod
> Ymennydd mwy na'r Manod.[19]

Ac nid dyna'r unig englyn iddo'i lunio i R. Lewis Jones ychwaith. Iddo ef y lluniodd hwn:

> Dyn siriol â dawn siarad – yw efe
> Yn y *Van* yn wastad;
> Enwog ŵr, llawn o gariad
> Ar y *line* yn gweini'r wlad.[20]

I R. Lewis Jones hefyd y lluniodd ei unig englyn Saesneg, hyd y gwyddys:

> Handy guard, most kind and gay, – so I wish
> To sing his praise alway,
> And I hope he'll be some day
> The ruler of the Railway.[21]

Un arall o englynion cymdeithasol Hedd Wyn yw'r un a gyflwynodd i R. Lewis Jones pan lwyddodd i gael £100 o rodd o gronfa Carnegie tuag at gael organ newydd i Gapel Ebenezer:

> Am ei rywiog ymroad – wele frawd
>> Hawlia fri yn wastad;
>> Efe â'i rodd wen, ddi-frad
>> A lanwodd wagle'i enwad.[22]

Dyma englynion a lefarwyd ganddo mewn cyngherddau a chyfarfodydd diwylliannol. Lluniodd hwn i Miss Pugh, Bryn Gwyn, ym 1911:

> Ein hygar foneddiges – a gododd
>> I'r gadair heb rodres;
>> Ni wêl gwlad, er hwyliog les,
>> Ail iddi yn Lywyddes.[23]

Mae'r gwall treiglo yn y llinell olaf yn amlygu un o wendidau mwyaf Hedd Wyn fel bardd, sef ansicrwydd ei ramadeg. Dengys cyrch ail linell yr englyn canlynol i J. R. Jarrett, a lywyddai yn un o gyngherddau'r cylch, fod Hedd Wyn weithiau yn benthyca oddi arno ef ei hun:

> Gwr[on] llawn a gâr ein lles, – un gododd
>> I'r gadair heb rodres,
>> Ac hir iawn y pery gwres
>> Ei geinaf araith gynnes.[24]

'Gŵr llawn' a geir ymhob fersiwn o'r englyn, a chywirwyd y gynghanedd yma.

Lluniwyd y ddau englyn canlynol mewn cyngerdd a '[a]rweiniwyd yn hynod o fedrus a deheuig' ganddo, yn y Neuadd Gyhoeddus yn Nhrawsfynydd ar ddechrau 1916, y naill i'r Parchedig D. Hughes a'r llall i'r Parchedig Egwys Jones:

> Heno uwchlaw pob anair – yn llawen,
>> Wele'n llywydd disglair:
>> Un da a theg, un doeth ei air
>> A godwyd i lanw'r gadair.

Â'i swynol *speech* gwna'n synnu; – â'i firain
   Leferydd gwna'n denu;
  Yn y byd hwn, o bob tu,
  Mae Egwys i'w edmygu.[25]

Lluniodd y pennill canlynol i'r Parchedig Richard Evans, Rheithor Llanidan, Môn, a'i adrodd yn y cyngerdd a gynhaliwyd yn y pentref i groesawu'r gŵr hwn yn ôl i'w fro enedigol ar ymweliad ym 1916:

Yn wir siriol, rhoddwn groeso eirian
I loyw, anrhydeddus lenor diddan:
Yn y llu rhwng muriau'r Llan – pwy a fedd
Allu a nodwedd Rheithor Llanidan?[26]

I'r flwyddyn 1916 hefyd y perthyn un o'i englynion gorau o'r math hwn, sef yr englyn a luniodd i'r meddyg G. J. Roberts, yntau hefyd yn llywyddu ar un o gyngherddau'r fro:

Angau ffy rhag ei gyngor, – a neidia'r
   Anwydwst o'r goror:
  Wele mae hwyl fel y môr
  Lond actau glân y Doctor.[27]

Wrth arwain cyfarfodydd, adroddai weithiau ambell rigwm o'i eiddo'i hun i ddifyrru'r gynulleidfa. Soniodd Morris Davies am gerdd o'r fath a adroddwyd ganddo mewn cyfarfod adloniadol yn festri Capel Ebenezer adeg y Nadolig ym 1909. Dyma'r gerdd honno, 'Gweledigaethau'r Nadolig':

Fe gawn ar ddydd Nadolig
  Beth amser digon llon,
Ac wedyn ddiffyg treuliad
  Am flwyddyn gyfan bron.

Mae gwyddau Modryb Lora
  A hwyaid Bron-y-wal
Heddiw wedi marw
  Heb fod 'run awr yn sâl.

Fe welwch lot o bethau
   Yn pasio'n ddigon clyd
Ond ichwi aros funud
   I watshio ar y stryd.

Aiff llawer brawd talentog
   I lawr drwy'r stryd yn deg
Â chlagwydd yn ei stumog
   A chetyn yn ei geg.

Ond rhag ofn i chwi flino
   Ar lol a sen
Mi ganaf i'n sobor
   O hyn i'r pen.

Mae clychau'r Nadolig yn sôn am galennig
   Wrth blantos y fro yn ddi-daw,
A gwraig y tŷ nesa' mewn byd yn busnesa
   Sut gyfla'th 'na'th Margiad Tŷ Draw.

Mae clychau'r Nadolig â'u melys fwyn fiwsig
   Yn disgyn ar heol a *forge*;
Mae pwdin a gwyddau yn fwy o *importance*
   Na Bil Insiwrans Lloyd George.

Mae clychau'r Nadolig â'u nodau mor ddiddig
   A hwyl gwynfydedig 'mhob sbot;
A gwraig mewn côt *sealskin* â'i gŵr yn ei chanlyn
   Yn myned o'r capel ar drot.[28]

Lluniai Hedd Wyn englynion byrfyfyr yn aml mewn eisteddfodau a chyfarfodydd diwylliannol. Rhoddir un enghraifft gan Morris Davies. Daeth côr Abergynolwyn i gystadlu yn un o eisteddfodau Trawsfynydd, ac yn yr eisteddfod honno cafodd Hedd Wyn gryn dipyn o lwyddiant yng nghystadlaethau'r adran farddoniaeth. Daeth aelod o'r côr ato i'w longyfarch, a gofynnodd iddo lunio englyn i'r côr. Yn y fan a'r lle, lluniwyd yr englyn hwn ganddo:

Ymson uwch aeliau amser – wna hoffus
    Seraffiaid 'ruchelder,
Ond canu nes synnu'r sêr
Wna ceriwbiaid cu'r Aber.[29]

Hedd Wyn, yn ddiamau, oedd cofnodwr priodasau ardal ei febyd yn ystod ei flynyddoedd olaf. Brithir papurau lleol cylch Trawsfynydd a Ffestiniog gan gerddi Hedd Wyn i achlysuron o'r fath. Lluniodd nifer helaeth o'r cyfarchion hyn ar ffurf englynion, a llawer hefyd ar rai o ffurfiau'r canu rhydd. Cynhwyswyd yn argraffiad 1918 o *Cerddi'r Bugail* bedwar o'r englynion cyfarch hyn, yn ogystal â cherdd rydd, 'Wrth yr Allor'.

Ni fyddai'r un portread o Hedd Wyn fel bardd ei gymdeithas yn gyflawn heb gael cipolwg ar ei ganu cymdeithasol-leol, gan ddechrau â'i gyfarchion priodas. Lluniodd y pedwar englyn canlynol mor gynnar â Ionawr 1910, pan oedd ar fin cael ei ben-blwydd yn 23 oed, a hynny ar achlysur priodas L. F. Davies a Lizzie Jones, ar Ionawr 12 y flwyddyn honno:

Lewis yn hynod lawen – a asiwyd
    Gyda'i Lizzie addien;
Dihalog fyd o heulwen
Dremia drwy eu modrwy wen.

Priodwyd y pâr hudol – yn Eden
    Serchiadau gwanwynol,
Er fod Ionawr hyf edwinol
Yn oerwyn deyrn ar fryn a dôl.

Oes euraidd o gysuron – a heddwch
    Fo iddynt yn gyson;
Awel haf megis gwyryf lon
Gana ar eu llwybrau gwynion.

Na ddeued nos, ac na ddued nen – hudol
    Eich priodas lawen,
A dalied Duw ei heulwen
I Lewis hoff a'i Lizzie wen.[30]

Nodweddiadol o englynion priodas Hedd Wyn yw'r ieuo cynganeddol ar enwau'r ddau a briodir, fel yn llinell olaf yr englyn olaf uchod. Lluniodd yr englyn canlynol, nad yw'n un o'i oreuon yn y dosbarth hwn, ar achlysur priodas ei gyfaill J. W. Jones, Tanygrisiau, ar Fehefin 11, 1913:

> Oriau gwin eiddunaf innau – i J.
>   W. Jones Tanygrisiau:
>   I fyw'n hir ac i fwynhau
>   Wyneb Bun wen y Bannau.[31]

Ym 1915 y lluniodd yr englyn canlynol, ar achlysur priodas Robert Jones, a fu'n athro Ysgol Sul arno yng nghapel Ebenezer:

> Hudol yng nghanol Medi – oedd adeg
>   Ddedwydd eich priodi;
>   Rhoed yr Iôn yn ei ddaioni
>   Hir oes a chân o'i ras i chwi.[32]

Lluniodd hwn ar achlysur priodas J. Randall Davies, Lerpwl, a Katie Roberts, Pantycelyn, Trawsfynydd, ar Ionawr 29, 1916:

> Minnau i chwi ddymunaf – o ganol
>   Drycinoedd y gaeaf
>   Oes ddenol, dlos, ddianaf,
>   Oes wen hir fel rhosyn haf.[33]

A dyma gyfarchiad priodas arall o'i eiddo:

> Heddiw minnau ddymunaf – i'r ddeuddyn
>   Hardd heddwch hapusaf:
>   Boed eu byd o hyd yn haf
>   A'u bywyd oll heb aeaf.[34]

Nid ar ffurf englynion y canodd bob un o'r cyfarchion hyn. Ceir nifer o gerddi digynghanedd ganddo yn ogystal. Nid yw'r dathliadau hyn yn ddim byd ond rhigymau rhwydd yn aml, ond nid llunio barddoniaeth aruchel oedd ei nod. Unig fwriad y cerddi priodas hyn oedd cyflawni swyddogaeth gymdeithasol. Un o'i gyfarchion digynghanedd cynharaf yw'r gerdd a luniodd ar achlysur priodas Edward Parry a Laura Ann Thomas, a briodwyd ar Awst 27, 1910:

> Pan oedd golau Awst ar fynydd ac aig
> Aeth Parry yn ŵr a Laura yn wraig.
>
> 'Priodi ddug loes', clywais lu yn dweud,
> Ond 'chreda' i ddim am i Parry wneud.
>
> Haws cario i'r Camp a thorri yr ŷd
> Gwedi cael gwraig i loywi ei fyd.
>
> Os mordaith yw bywyd, boed dawel y dŵr,
> I Laura y wraig a Parry y gŵr.
>
> Diflannu mae Awst tros fynydd a chraig,
> Tra Parry yn ŵr a Laura yn wraig.[35]

Lluniodd hefyd nifer o gerddi ar achlysuron fel ymweliadau ac ymadawiadau â'r fro. Canodd, er enghraifft, i'r ddau frawd John Morris a William Morris, ei gyfeillion. Dyma'i ddau englyn ar achlysur ymadawiad John Morris â Meirion i weithio fel athro yn Ysgol Sir Llanberis:

> Aeth Morris o byrth Meirion – i oror
>   Llanberis yn Arfon,
>   Ac yno mwy ceir ceinion
>   Ysbryd a llais y brawd llon.
>
> Athro i'w fro fu'n eithriad – yn gyfiawn
>   A gafodd ddyrchafiad,
>   Ac ar ei lwydd câr ei wlad
>   Roddi coron hardd cariad.[36]

Dyma ddau bennill o'i gerdd i William Morris pan aeth i Fôn i weinidogaethu:

Clybu yn nyddiau'i fachgendod
  Y gwynt ar y Moelwyn Mawr,
Yn canu wrth fynd a dyfod,
  Yn canu ysbryd y wawr;
Clybu ysbrydion breuddwydiol
  Yn canu ei obaith gwyn,
Gwedyn trwy'r pyrth cyfareddol
  Cerddodd mewn rhwysg di-gryn.

Â'i goron yn disgleirio
  Dan wawr llwyddiannau lu,
Gadawodd ef ei henfro
  Am ynys G'ronwy Ddu;
Caiff yno glywed gofwy
  Ysbrydion oesau gynt,
Ac ysbryd hen Oronwy
  Yn canu yn y gwynt.[37]

Lluniodd yr englyn canlynol i Jane Williams pan oedd yn ymweld â'i hen ardal o Lawr-y-glyn, Sir Drefaldwyn:

I'r hen Draws ar firain dro – yn ei hôl
  Daeth Siân William eto;
 Mwyniant aur ar fryniau'r fro
 Ga' enaid 'rhen wraig yno.[38]

Peth digon cyffredin ddiwedd y bedwaredd ganrif ar bymtheg a dechrau'r ugeinfed ganrif oedd i Gymry ymfudo i wledydd pellennig i geisio gwell byd. Ceir englynion gan Hedd Wyn i bobl o Drawsfynydd a aeth dros y dŵr i ddianc rhag tlodi ac i sicrhau amgylchiadau gwell iddynt eu hunain. Dyma englyn gan Hedd Wyn y dywedir gan rai iddo'i lunio i John Cottrel, a ymfudodd i Awstralia, i'w wahodd yn ôl i Gymru:

Heb balltod gwna o'r pellter – i Gymru wen
  Gamre iach, dibryder;
 Rho fordaith, tyrd ar fyrder
 I Walia'n ôl yn filionêr![39]

Dywedir gan eraill mai i ŵr o'r enw Robert Williams, a ymfudodd i Seland
Newydd ym 1907, y lluniwyd yr englyn uchod, a'i fod wedi'i ragflaenu gan
yr englyn hwn:

Ellis sydd am droi i holi – a oes hwyl
 Yn New Zealand, Bobi?
 Neu ynte' a oes gennyt ti
 Yna arian aneiri'?[40]

Lluniodd gerdd ymadawiad i R. C. Morris a'i briod pan oedd y ddau ar
eu ffordd yn ôl i America wedi treulio pythefnos yn Nhrawsfynydd ym mis
Hydref 1914. Cynhaliwyd noson lawen yn y pentref i ffarwelio â hwy, ac
adroddodd Hedd Wyn y cyfarchiad hwn:

Fe welsoch hen fythynnod
 Eich mebyd yma'n wyw,
A'r hen breswylwyr dinod
 Ym mro dirgelwch Duw.

Ond mwyn oedd cerdded eilwaith
 Y llwybrau gerddwyd gynt
Cyn dod o swyn Amerig
 I'ch hudo ar eich hynt.

O'ch myned eto ymaith
 Tros erwau maith y lli,
Bethesda a Thrawsfynydd
 Fyth nis anghofiwch chwi.

A phan f'och ar y cefnfor
 Ymhell o Walia dir,
Boed tonnau'r môr yn dawel
 Ac wybren Duw yn glir.[41]

Ond nid arhosodd tonnau'r môr yn dawel i'r ddau hyn am yn hir iawn.
Daeth galar mawr i ran y ddau flwyddyn yn ddiweddarach. Boddwyd eu mab
bychan deg oed, Owen Arthur, a dywedodd Hedd Wyn ei fod 'yn teimlo

dan rwymau i daflu blodeuyn ar ei fedd, oherwydd y cyfeillgarwch oedd Mr.
a Mrs. Morris wedi ei wneyd pan ar ymweliad a'r Traws. flwyddyn yn ol'.[42]
Lluniodd y penillion canlynol:

> Pwy fu'n chware'n sŵn y wendon
>   Yn yr awel fore iach
> Gyda gwrid ieuenctid tirion
>   Ar ei ruddiau cochion bach?
> Ni bu cwmwl du yn symud
>   Tros ei dawel lasliw nen,
> Dim ond nwyf diofal mebyd
>   Lond ei galon wen.
>
> Pwy a gawd 'mhen ennyd wedyn
>   Is y tonnau clwyfus, brau
> Gyda'i wallt dan luwch yr ewyn,
>   Gyda'i lygaid tlws ynghau?
> Nid oedd rosyn ar ei ruddiau,
>   Nid oedd chwerthin ar ei fin,
> Dim ond gwynder dwfn, dieiriau
>   Y dragwyddol ffin.
>
> Mae ei fedd ym mro'r Amerig
>   O dan haul a gwynt y nef,
> Gyda dagrau rhiaint ysig
>   Yn diferu arno ef.
> Ar ei feddfaen mynnwch dynnu
>   Darlun telyn fechan, fud,
> A 'Forget-me-not' yn tyfu
>   Rhwng ei thannau i gyd.[43]

Mae diweddglo'r gerdd yn bur debyg i ddiweddglo cerdd arall o'i eiddo,
'Telyn Fud':

> Sefais wrth ei fedd un hwyrddydd,
>   Bedd y gobaith glân
> Wybu londer plant y mynydd,
>   Wybu ganu cân;

A phe medrwn torrwn innau
   Ar ei feddfaen [m]ud
Ddarlun telyn gyda'i thannau
   Wedi torri i gyd.[44]

Nid i'w gariad Jini yn unig y lluniodd Hedd Wyn gyfarchion pen-blwydd. Ceir o leiaf un enghraifft arall, sef cyfarchiad a luniodd i Richie Rowlands ym mis Medi 1916:

Dim ond cyfarchiad byrrach na 'rioed
I hwnnw sydd heddiw yn ddeuddeg oed.
Er lleied y blwyddau a gafodd hyd yn hyn
Maent oll fel yr ydau, yn dlysion o wyn.
Boed llonder a nwyfiant iddo ymlaen
A bywyd o lwyddiant pur a di-staen;
Boed nifer ei flwyddi yn ddisglair gan lwydd
Fel ydau mis Medi, mis ei ben-blwydd.[45]

Cyfarchodd yr un bachgen fis ynghynt i'w longyfarch ar ennill ysgoloriaeth yn yr arholiad sirol:

Allweddau disglair llwyddiant – enillodd
   Drwy'i allu a'i haeddiant,
  A thorred hwyl fyth ar dant
  Yr hwyliog Richie Rolant.[46]

Dyna enghreifftiau o ganu cymdeithasol Hedd Wyn, gan ganolbwyntio ar ei gyfarchion i bobl. Ceir dwy agwedd arall ar ei gerddi cymdeithasol, sef ei farwnadau, y dosbarth mwyaf lluosog o ddigon yn y math hwn o ganu, a'i gerddi i ddigwyddiadau, materion ac achlysuron cymdeithasol, yn hytrach nag i bobl. Y mae gwerth parhaol i lawer o'i gerddi marwnad, ond hanesyddol, yn hytrach na llenyddol, yw gwerth y rhan fwyaf o'i gerddi i achlysuron cymdeithasol.

Fel marwnadwr, etifeddwyd ganddo ddau draddodiad, sef y traddodiad englynol a'r traddodiad gwerinol o farwnadu ar fesurau rhydd. Tra bo'i englynion marwnad yn gryno, yn gynnil ac yn gofiadwy, hirwyntog a rhyddieithol yw ei gerddi gwerinol; a thra bo rhai o'i englynion coffa ymhlith goreuon yr iaith, nid oes fawr ddim o werth llenyddol yn ei farwnadau gwerinol.

Canodd Hedd Wyn nifer o englynion marwnad i blant, ac y mae'r englynion hynny ymhlith y pethau tyneraf yn ei waith. Yn ôl rhai a oedd yn ei adnabod yn dda, yr oedd Hedd Wyn yn arbennig o hoff o blant, a phlant yn hoff ohono yntau. Yn ôl J. D. Richards, yr oedd plant ac Ellis yr Ysgwrn 'bob amser ar delerau da iawn â'i gilydd. Hoffent wen, a phennill, a stori Hedd Wyn.'[47] Yn ôl Mary Puw Rowlands:

> Rhedai plant y Llan i fyny ar ôl trol yr Ysgwrn os clywent fod Elis wedi mynd
> i fyny, er mwyn cael reid i lawr at y felin. 'Roedd plant yr ardal yn hoff iawn
> ohono.[48]

Un o'i englynion coffa cynharaf i blentyn yw'r englyn cyntaf o ddau a gafodd y teitl syml 'Gwennie' yn *Cerddi'r Bugail*. Lluniwyd yr englyn er cof am Gwennie, merch fach 11 oed Hugh Jones, Bryn Glas, Trawsfynydd, a'i briod. Bu hi farw ym 1911. Dyma fersiwn gwreiddiol Hedd Wyn o'r englyn:

> Gwynned fu bywyd Gwennie – â'r ewyn
>   Chwaraea o'r dyfnlli,
>   Neu'r annwyl flodau rheini
> Oedd ar ei harch dderw hi.[49]

Fel hyn yr ymddengys paladr yr englyn yn *Cerddi'r Bugail*, ac mae'n bur debyg mai ymyriad golygyddol ar ran J. J. Williams a fu'n gyfrifol am y newid:

> Gwynnach oedd bywyd Gwennie – na'r ewyn
>   Chwaraea uwch dyfnlli ...[50]

Ceir yn yr ail englyn er cof am Gwennie gwpled adnabyddus iawn:

> Mae nef wen yn amgenach
> Na helynt byd i blant bach.[51]

Ac eto, y mae dryswch ynglŷn â hyn. Un englyn a geir er cof am Gwennie yn rhifyn Mawrth 4, 1911, o'r *Rhedegydd*. Ceir yr englyn sy'n cynnwys y cwpled uchod er cof am George Edward, mab bychan Mr a Mrs Robert Morris, Bron Haul, Trawsfynydd, yn rhifyn Hydref 28, 1916, o'r *Rhedegydd*. Ai J. J. Williams a gyfunodd y ddau englyn? Problem arall ynglŷn ag englynion Hedd Wyn i blant bychain oedd y ffaith eu bod mor boblogaidd yn Nhrawsfynydd, ac fe'u dyfynnid weithiau wrth goffáu ambell blentyn gan y sawl a luniai'r goffadwriaeth newyddiadurol, er nad i'r plentyn hwnnw y lluniwyd yr englyn yn wreiddiol. Nid oes unrhyw fath o broblem gyda'r englynion sy'n enwi'r plant a goffeir, wrth gwrs, ond cyfyd anawsterau gyda'r englynion nad ydynt yn enwi neb.

Englyn a luniwyd ar gyfer cystadleuaeth yn un o gyfarfodydd diwylliannol y cylch oedd yr englyn i Gwennie, a dyfarnwyd ef yn fuddugol gan R. Silyn Roberts. Yn aml iawn gosodid englyn neu gerdd goffa i rywun newydd-ymadawedig yn destunau mewn eisteddfodau a chyfarfodydd diwylliannol.

I'r flwyddyn 1915 y perthyn un arall o'i englynion llariaidd i blant, yr englyn er cof am Tegid Wyn, plentyn David a Winifred Jones, Llys Arenig, Trawsfynydd, a fu farw ar Chwefror 7, yn wythnos oed:

> Yntau fu farw yn blentyn, – ond yn awr
> Hyd y nef ddiderfyn
> Llawer angel gwalltfelyn
> Oeda i weld Tegid Wyn.[52]

I'r un flwyddyn y perthyn ei englyn er cof am Eirwyn, mab Ellis Jones, Bodlondeb, Trawsfynydd, a fu farw ar Hydref 28, 1915:

> Adwyth sydd am y blodyn – a wywodd
> Mor ieuanc a sydyn,
> Ond mewn gwlad hwnt min y glyn
> Anfarwol yw nef Eirwyn.[53]

Ychydig wythnosau'n gynharach yr oedd Hedd Wyn wedi cyfarch tad y bachgen hwn wedi iddo ymuno â'r fyddin. Ymddangosodd ei englyn i Ellis Jones yn rhifyn Gorffennaf 31, 1915, o'r *Rhedegydd*, ddwy flynedd yn union i'r dydd y cwympodd Hedd Wyn ym 1917:

Gynnau bu'n bêr ddatganwr, – ond yn awr
   Rhodia'n hyf ymladdwr,
    Ac o'i weld fe ddwed pob gŵr:
    Mae Ellis yn rêl milwr![54]

Lluniodd englyn er cof am fab bychan arall i filwr ym 1916:

Oer ing ni welodd erioed – na gwrid haf
   Ar gwr dôl a glasgoed;
    At leng y nef ieuengoed
    Aeth yn sant deng wythnos oed.[55]

Lluniwyd yr englyn, y rhoddwyd iddo'r teitl 'Sant Ieuanc' yn *Cerddi'r Bugail*, er cof am Ieuan, plentyn bychan y Preifat Evan Davies a'i briod.

Un arall o'i englynion tyner i blant yw ei englyn er cof am ferch fach o'r enw Catherine Augusta, merch John Jones, Manaros, Trawsfynydd a'i briod Kate Ann Jones, a fu farw cyn cyrraedd ei phedair oed, ar Ionawr 15, 1916:

Gwenodd uwch ei theganau – am ennyd
   Mewn mwyniant di-groesau;
    Heddiw ceir uwch ei bedd cau
    Efengyl chwerwaf angau.[56]

Lluniodd gerdd fechan arall iddi flwyddyn ar ôl ei chladdu, ac efallai mai'r bwriad oedd cysuro ei rhieni:

Er i flwyddyn fyned heibio
Er y dydd gadewaist ni,
Erys hiraeth prudd i'n blino,
Hiraeth prudd amdanat ti.
Bellach cwsg, Augusta ddifrad,
Cwsg yn sŵn y gwynt a'r coed;
Hiraeth tad a mam amdanat
Sydd yn drymach nag erioed.[57]

Lluniwyd ganddo englyn a cherdd, fel un cyfanwaith, er cof am John Ifor Roberts, Prysor View, a fu farw ar Fedi 20, 1916, yn wyth oed. Corlannwyd yr englyn yn *Cerddi'r Bugail*, ond aeth gweddill y praidd ar wasgar. Dyma'r englyn:

> Ef a aeth i'r Nef weithion – yn ifanc
>   A nwyfus a thirion;
>   Rhwng engyl yn ymyl Iôn
>   Hawddgared fydd ei goron.

Yn y gerdd ceir delwedd o delyn gerfiedig ar y garreg fedd:

> Ar ei feddfaen carem gerfio
>   Darlun telyn fechan drist,
>   A'i thelynor bach yn huno
>   Yn nhawelwch Iesu Grist.[58]

A cheir delwedd debyg hefyd mewn marwnad rydd arall, er cof am Mrs M. R. Morris, Glyndŵr, Trawsfynydd, y ceir dwy farwnad gan Hedd Wyn iddi:

> Yna doed rhyw law i gerfio
>   Ar y beddfaen gwyn
>   Ddarlun lili wedi gwywo
>   O tan wynt y glyn.[59]

Y mae'r delweddau set hyn yn ei farwnadau rhydd yn awgrymu'n gryf mai canu i ryngu bodd y gymdeithas a wnâi, am y disgwylid hynny ganddo, ac nid canu cân ei enaid ef ei hun.

Nid marwnadau yn unig a luniwyd ganddo i blant. Lluniodd yr englyn gwinglyd o ddireidus 'Bob Bach', a gynhwyswyd yn *Cerddi'r Bugail*, i fachgen bach a oedd yn byw y drws nesaf i Jini Owen ym Mhant Llwyd, Llan Ffestiniog, yn ôl Enid Morris. Lluniodd englyn hefyd i fab bychan Eifion Wyn, Peredur Wyn. Er bod gan y ddau barch mawr at ei gilydd, ni chyfarfu Hedd Wyn ac Eifion Wyn â'i gilydd erioed. 'Daeth i adnabod Elfyn, ac yn ddiweddarach Eifion Wyn,' meddai William Morris yn argraffiad 1931 o *Cerddi'r Bugail*,[60] ond tystiolaeth i'r gwrthwyneb a geir gan Peredur Wyn Williams ei hun yn y cofiant a luniodd i'w dad, Eifion Wyn. Meddai: 'Mae'n rhyfedd meddwl na fu i'r ddau fardd Eifion Wyn a Hedd Wyn erioed gyfarfod â'i gilydd er eu bod yn byw o fewn rhyw bymtheng milltir prin ar wahân.'[61] Dyma englyn Hedd Wyn i Beredur Wyn:

> Dau lygad o liw aig dlos, – dwy wefus
>   Liw gwrid afal ceirios;
>   Oed euraid sy'n dy aros,
>   Beredur Wyn, brawd y rhos.[62]

Lluniodd hefyd ddau englyn i ferch ei gyfaill R. Lewis Jones y 'Guard', sef Blodwen, ac fe gynhwyswyd y rhain yn *Cerddi'r Bugail*. Mae ei ail englyn iddi yn debyg iawn i'w englyn i fab Eifion Wyn:

> Dwy wefus liw gwrid afal, – a llygaid
>   Lliw eigion o risial;
>   Boed iddi glyd fywyd fal
>   Nefoedd o swyn anhafal.[63]

Lluniodd y ddau englyn oddeutu'r un pryd, pan oedd gartref yn yr Ysgwrn am y tro olaf cyn dychwelyd i wersyll hyfforddiant ei gatrawd yn Litherland ac wedyn ymadael am Ffrainc, ac efallai mai hynny sy'n cyfrif am y tebygrwydd rhwng y ddau. Yn ogystal â llunio englynion i blant ei gyfeillion a'i gydnabod, arferai Hedd Wyn roi pytiau byrion yn eu llyfrau lloffion. Cerdd felly yw'r gerdd 'Mewn Album' yn *Cerddi'r Bugail*, gyda'i phennill olaf enwog iawn, ac felly hefyd y gerdd enwocach fyth, 'Dim ond lleuad borffor'. Dywedir iddo roi'r pennill cywydd canlynol, dan y teitl 'Bro Breuddwyd', yn albwm un o'i chwiorydd y noson cyn iddo ymadael â'r Ysgwrn am y tro olaf:

> Yng nghwsg caf yngo esgyn
> Ac aml gael is cwmwl gwyn,
> Ac aros ym myd cwrel
> Ystorm hud storïau mêl.[64]

Y mae rhyw hoffusrwydd diniwed, rhyw naïfrwydd hyfryd, yn ei englynion i blant, ei englynion coffa yn enwedig. Gwir fod ynddynt lawer iawn o sentimentaleiddiwch Fictoriaidd, gyda'u mynych sôn am angylion a blodau, ond y mae rhyw dynerwch cofiadwy ynddynt hefyd. Cynganeddu dyheadau ac emosiynau rhieni galarus a wnâi'n aml yn yr englynion hyn, ac mewn cyfnod a oedd yn gyfarwydd â gweld bywydau ifainc yn diffodd yn annhymig, yr oedd ei englynion coffa yn dra derbyniol.

Ni chynhwyswyd pob un o englynion coffa Hedd Wyn yn *Cerddi'r Bugail*. Efallai mai ar sail yr odl anghywir yn y llinell gyntaf y gwrthodwyd yr englyn er cof am Richard Thomas Morris, a fu farw yn 29 oed. Dyma fersiwn rhifyn Ionawr 2, 1915, o'r *Rhedegydd* o'r englyn:

> Hunodd a thlysni gwanwyn – ei fywyd
> Fel gwynfaol rosyn;
> Mwy at fedd llaith y gobaith gwyn
> Daw hiraeth fel trist aderyn.[65]

Ceir ychydig o wahaniaeth rhwng y fersiwn a gyhoeddwyd yn rhifyn Ebrill 1922 o *Cymru*: 'Hunodd yn nhlysni gwanwyn – a'i fywyd/Gwynfaol fel rhosyn', a chollwyd y 'Mwy' ar ddechrau'r drydedd linell. Fe gynhwyswyd ei ddau englyn er cof am Edward Roberts, Maesgraian, Trawsfynydd, gŵr arall a fu farw'n ifanc, yn 40 oed ar Ebrill 28, 1915, yn *Cerddi'r Bugail*, dan y teitl 'Gwas Diwyd', ond y mae llinell olaf yr englyn cyntaf ('O gloriau bedd ar glyw'r byd') yn wahanol yn *Cerddi'r Bugail* i'r hyn a argraffwyd ar gerdyn angladdol Edward Roberts ('O gloiau'r bedd ar glyw'r byd'). Ond fel y dywedwyd yn y bennod 'Teulu'r Ysgwrn', o englyn a luniwyd i gyfarch *Cofeb fy Mrawd* y daw'r esgyll.

Englyn da arall na chynhwyswyd mohono yn *Cerddi'r Bugail* oedd yr englyn er cof am hen wraig o'r enw Elizabeth Jones o Fedd-y-coedwr, a fu farw yn 91 oed ar Fawrth 3, 1915:

> Er i henaint ei chrino, – er i glai
> Oer y glyn ei chuddio,
> Atgo' mwyn fyn gyflwyno
> Dagrau o aur hyd ei gro.[66]

Ni chynhwyswyd ychwaith yn y gyfrol ei englyn er cof am ŵr dall o'r enw Rowland E. Jones o Frynffynnon:

Heddiw i weld Tragwyddoldeb – yr hwyliodd
    Rolant lawn sirioldeb;
   Yno caiff fyw'n ieuanc heb
  Dywyll hanes dallineb.[67]

Roedd pob un o'r englynion uchod, ac eithrio'r englyn i Richard Thomas Morris, yn fwy na theilwng o le yn *Cerddi'r Bugail*, ond yr oedd y rhuthr i gyhoeddi'r gyfrol wedi peri i'r casglwyr golli rhai englynion da. Ac ni chyhoeddwyd popeth a luniasai Hedd Wyn: ar gof y cadwyd rhai pethau, ac nid ymatebodd pob un a chanddynt gerddi gan Hedd Wyn, un ai ar gof neu ar gadw, i'r alwad ar y pryd am gerddi o'i eiddo. Rhaid cydymdeimlo â'r bobl hynny a oedd wrthi'n ddiwyd yn ceisio casglu gwaith Hedd Wyn ynghyd ar ôl ei farwolaeth, ond, yn sicr, collwyd sawl cyfle i gryfhau'r gyfrol. Gresyndod arall oedd methu cynnwys ynddi englynion Hedd Wyn er cof am Isaac Lewis, Blaenau Ffestiniog:

Hwn oedd yn ŵr bonheddig – o duedd
    Dawel a charedig:
   Onid oedd seiniau diddig
  Duw a'i ras yn llenwi'i drig?

Erys ei wyn ragorion – yn oddaith
    Ar fynyddoedd Seion;
   Y nef rydd oedd yn ei fron
  A golud Duw'n ei galon.

Aethus ei fyned weithion – trwy y gwynt
    Oriog, oer a'r afon:
   Erys ei henfro dirion
  Yn ei serch amdano i sôn.

Er i gaddug oer ei guddio – 'n y glyn
    Dan y glaw dibeidio,
   Wele mae serch yn wylo
  Uwch ei wyn lwch annwyl o.[68]

Ond efallai na ellir beio J. J. Williams yn ormodol am hepgor yr englynion hyn – hynny yw, os gwelodd y gerdd – oherwydd y mae'n cynnig un o'r problemau y bu'n rhaid iddo ef a'i gyd-weithwyr eu goresgyn. Ceir yn y gerdd adleisiau o englynion eraill o eiddo Hedd Wyn; er enghraifft, ceir fersiwn arall o esgyll yr englyn olaf uchod yn yr englyn 'Gŵr Caredig' a gynhwyswyd yn *Cerddi'r Bugail*:

> Un hynaws roed i huno, – a heddiw
>   Gwahoddaf heb wrido
>   Awelon haf i wylo
>   Uwch ei wyn lwch annwyl o.[69]

Y gŵr caredig hwn oedd John William Jones, 'Johnnie Ysgoldy', a fu farw yn 43 oed ar Fehefin 1, 1915. Ceir y trawiad 'trwy y gwynt/Oriog, oer a'r afon' yn englyn coffa Hedd Wyn i briod Charles Ashton, y llyfrbryf a'r hanesydd llenyddiaeth a dreuliodd gyfran o'i yrfa fel plismon yn Nhrawsfynydd:

> Aeth hithau ymaith weithion – trwy y gwynt
>   Oriog, oer a'r afon,
>   Eto ni thau gwynt na thon
>   Swyn distaw Sioned Ashton.[70]

Ni chynhwyswyd hwn ychwaith yn *Cerddi'r Bugail*. Amlwg yw'r tebygrwydd hefyd rhwng y llinell 'Aethus ei fyned weithion' a llinell gyntaf yr englyn i Sioned Ashton.

Hepgorwyd cynnwys hefyd yr ail englyn yn y gyfres wreiddiol o englynion a gyhoeddwyd yn rhifyn Medi 17, 1910, o'r *Rhedegydd*, er cof am Samuel Edwards, crydd o Ben-lan, Trawsfynydd. Cyhoeddwyd yr englynion hyn yn *Cerddi'r Bugail* dan y teitl 'Gado'r Fainc', ond ni chynhwyswyd yr englyn hwn:

> Bu yn was cymwynasol – a mirain,
>   'Hen gymeriad gwreiddiol';
>   Ei wybodaeth danbeidiol
>   Wawria o hyd ar ei ôl.[71]

Bywgraffyddol, fel y dywedwyd, yw llawer o'i farwnadau gwerinol, megis ail bennill ei gerdd er cof am Hugh Jones, Tŷ'r Plwyf, Trawsfynydd, a luniwyd ym mis Ebrill 1917:

> Fe garodd holl fywyd bugeilydd
>   A chwmni amaethwyr y Cwm,
> A chyrchodd i gloddfa Gwynfynydd
>   Lle mae aur lond y creigiau llwm;
> Ond heddiw mae'r llwybrau yn glasu,
>   Y llwybrau a gerddodd ef gynt,
> Ond erys ei goffa, er hynny,
>   Ar finion y nentydd a'r gwynt.[72]

Gellid dweud bod Hedd Wyn yn cynganeddu ac yn mydryddu teimladau a barn ei fro am y rhai ymadawedig hyn yn ei farwnadau. Dyma ddisgrifiad *Y Glorian* o John Richard, y blaenor o Gapel Ebenezer a fu farw yn 77 oed ar Orffennaf 1, 1914:

> Byddai bob amser yn ffyddlawn yn y Capel, ac yno at amser dechreu. Nid dod yno rywbryd rywbryd. Siaradwr byr oedd yr hen frawd yn y gyfeillach, ond yr oedd pob peth yn flasus, ac hefyd am y weddi, pan wrth yr orsedd, dywedai ei neges yn fyr ...[73]

Dyma ddisgrifiad Hedd Wyn ohono yn yr englyn cyntaf dan y teitl 'Cwympo Blaenor' yn *Cerddi'r Bugail*:

> Cwympodd blaenor rhagorol; – gwyddai faint
>   Gweddi fer, bwrpasol;
> Rhuddin gwir oedd yn ei gôl,
> A barn bybyr 'rhen bobol.[74]

Canu cymdeithasol pur yw ei farwnadau ar fesurau rhydd, a rhoddir pwyslais ynddynt ar werth yr unigolyn i'r gymdeithas. Yn wir, mydryddu defnyddioldeb y gwrthrych i gymdeithas a wna'n aml, fel yn ei farwnad i Mrs M. R. Morris:

Hi dyfodd ar ddelw y tadau
  Fu'n arwain y wlad yn eu tro,
Ac er ei distawed, gwnaeth hithau
  Ei rhan yn ymdrechion y fro.[75]

Lluosog iawn yn y cerddi hyn yw'r cyfeiriadau at fywyd crefyddol a chapelyddol y fro.

Gallai Hedd Wyn lunio cerddi digon ystrydebol ar brydiau, fel y gerdd a ysgrifennodd am benillion telyn Cymru:

Cenwch im yr hen ganiadau
  Fu ar wefus oesau gynt
Pan oedd tân y diwygiadau
  Yn ymdonni yn y gwynt:
Hen ganiadau peraidd Cymru
  Ganwyd yn y Cystudd Mawr
Pan oedd cenedl gyfa'n crynu
  Yn y nos wrth ddisgwyl gwawr.

Cenwch im yr hen ganiadau
  Eto yn y dyddiau hyn:
Mwyn yw clywed yn eu nodau
  Fiwsig y gorffennol syn.
Cenwch im yr hen ganiadau,
  Cerddi'r 'Nef', y 'Bedd' a'r 'Crud',
Minnau dd'wedaf yn eu seiniau:
  Môr o gân yw Cymru i gyd![76]

Digon rhigymaidd yw rhai o'i gerddi rhydd, a'u hunig bwrpas oedd difyrru cynulleidfaoedd pan fyddai'n arwain cyfarfodydd lleol. Cerdd o'r fath yw'r gerdd a luniodd ym mis Ionawr 1910 'Ar ol specian i ystafell lle cynhelid Dosbarth Gwnio':

Mae dillad o ddilladau yn awr o fewn y byd,
Fe wisgir pob hen drempyn cyn hir yn ddigon clyd;
Tral-di-ffal mi ganaf eto, bûm i fy hun yn gwrando,
Gwelais bopeth crand oedd yno, Hob y deri dando.

Mae yno un yn feistres yn haeddu enw mawr
Am ddweud y drefn a dwrdio i gadw'r *class* i lawr.
Mae'n dysgu yr holl ferched i wneuthur pethau crand,
Ni fu'r fath lot o ddysgu, mae hyn mor siŵr â'r band.

Gwneud crys o ffustion melyn 'roedd Elin yno'n wir;
Bydd Mari wedi gorffen y bais gordro cyn hir;
Gwneud 'sana' o hen sacha' mae Sara siriol, iach,
A'r rheini'n rhai i fabi os digon fydd y sach.[77]

Cyhoeddwyd cyfres o benillion dan y teitl 'Ffair y Llan' yn rhifyn Tachwedd 19, 1910, o'r *Rhedegydd*, dan y ffugenw 'Rhywun Arall', ond cafwyd ar ddeall trwy Morris Davies mai Hedd Wyn oedd eu hawdur. Cerdd sy'n nodweddiadol o waith prydydd bro celfydd ydyw, a'i chynganeddu greddfol yn ei hachub rhag dirywio i fod yn ddim byd mwy na rhigwm noeth. Er hynny, ceir darlun cymdeithasol difyr yn y gerdd, yn ogystal ag enghreifftiau o hiwmor a doniolwch naturiol a chynhenid Hedd Wyn:

Mae'n iawn gwneud cân i Ffair y Llan
    Er 'mod i'n wan fy 'mennydd;
A chan ei fod yn destun byw
    Priodol yw i'r prydydd.

Mae yma bobol wrth y cant
    I'w gweld o bant i bentan,
A chyda'r moch fe geir di-nod
    Gorachod yn ysgrechian.

Ceir Ifan bach o ben draw'r nant
    Yn fyrtsiant mewn botymau,
A heddiw Twm sy'n glamp o ŵr –
    Mae'n hociwr almanaciau.

Daeth Bob a Sioned yma'n glên
    Mewn trên yn dod yn fore;
Ar de a choffi'n fawr eu chwant
    Potiasant fel pe tase.

Can pwys o fferins gaiff y plant,
  A chwynant am ychwanag;
Ar hyd y ffair atyniad byw
  Sam wancus yw y minciag.

O ben y mynydd brysiodd Bet
  I geisio het bur gyson;
A cherddodd Jim ymhell o'r wlad
  Am lasiad a melysion.

I lawr o'r gloddfa rhedodd llanc,
  Un byw ei wanc am bincio;
Ac ymhen dwyawr 'roedd o'n ddyn;
  Dau dropyn wedi'i dripio!

Ca'dd oriawr swllt gan "buy a vatch!"
  Ar ôl peth ffats a photsian;
Ond cyn y nos mewn dedwydd fodd
  Fe hepiodd yr hen feipan.

'Roedd golwg smart ar Mary Jane
  Yn dod o'r trên mewn lliwiau,
Ac wrth fynd adre', ei chariad gwiw
  Rôi'i bennill i'w rhubanau.

O lestri te sy'n mynd yn brin
  Fe brynodd Elin ddwylot;
A cha'dd yn ôl i Nant y Brys
  Daith hapus gyda thepot.

Daeth Huw o bell yn glamp o ddyn
  Am eilun i ymholi;
A chafodd ddwy, sef Siân a Sal,
  Dwy lafnes dal i'w hofni.

Mae llu wrth weiddi 'newydd sbon'
  Yn nofio'n eu cynefin;
A chur ym mhen y cryfaf ŵr
  Roes dwndwr llawer stondin.

Ceir popeth yma'n rhad o'i go',
   Medd Deio mewn modd diwyd;
Ger silod gwŷr y 'sold again'
   Mae bargen ym mhob ergyd.

Ces innau 'fferins ffair' yn drêt
   Gan Kate a Gwen y Cytia';
Ces ddeuddeg llath o India Roc,
   A stoc o'r wynwyns teca'.

Wel, rhown 'Hwre!' i Ffair y Llan,
   Rhaid cael rhyw fan i fyned;
Ond peidiwn mynd drwy'r eang ddôr
   I'r oror ar i waered.[78]

Nid y cerddi cymdeithasol hyn oedd ei gryfder fel bardd. Cyflawni swyddogaeth gymdeithasol oedd ei unig nod wrth lunio cerddi o'r fath. Amlygir ynddynt ei gariad angerddol at ei fro, ac at bobl ei fro, ac er mwyn y rheini, yn hytrach nag er ei fwyn ef ei hun, y canodd y cerddi hyn. Roedd Hedd Wyn, fel sawl bardd gwlad yn ei ddydd, yn fardd cymdeithasol ac yn fardd eisteddfodol, ac eto, roedd yn hollol wahanol i feirdd gwlad Cymru. Bodlonai'r beirdd gwlad ar ganu i achlysuron a digwyddiadau lleol, ac ar ennill gwobrau a chadeiriau mewn eisteddfodau a chyfarfodydd llenyddol lleol, ond nid felly Hedd Wyn. O 1909 ymlaen, ac yntau'n llencyn yn ei ugeiniau cynnar ar y pryd, dechreuodd freuddwydio am ennill Cadair yr Eisteddfod Genedlaethol. Gwyddai y byddai'n rhaid iddo fwrw prentisiaeth mewn mân eisteddfodau cyn y gallai gyflawni ei uchelgais, er mor ffôl ac er mor anghyraeddadwy yr ymddangosai'r uchelgais honno i fab fferm bylchog ac annigonol ei addysg.

5

'Caru Eisteddfod a Chân'

Plentyn yr eisteddfod oedd Hedd Wyn. Nid oes modd cyflwyno portread llawn ohono heb olrhain ei dwf a'i gynnydd fel bardd eisteddfodol. Trwy'r eisteddfod y datblygodd ei ddawn, a'i weithred fawr olaf, uchafbwynt ei holl fywyd ar un ystyr, oedd ennill y Gadair yn yr Eisteddfod Genedlaethol yn Birkenhead. Gellir dweud bod pob buddugoliaeth eisteddfodol o'i eiddo yn gam ymlaen i gyfeiriad ei gyrchfan terfynol – llwyfan yr Eisteddfod Genedlaethol. Cyrhaeddodd y llwyfan hwnnw heb ei gyrraedd. Trwy bortreadu Hedd Wyn fel bardd eisteddfodol ceir darlun hefyd o fywyd llenyddol a diwylliannol cefn gwlad Cymru yn ystod dau ddegawd cyntaf yr ugeinfed ganrif. Nid oes gan Hedd Wyn ond un neu ddau o gyfeiriadau penodol at yr eisteddfod yn ei ganu. Ceir un cyfeiriad ym mhumed caniad 'Gwladgarwch':

> Gelwi dy genedl a'r haul ar y bryniau
>   I'r "Steddfod" ben bore glân;
> A thry pob enaid ym miwsig y tannau
> A swyn anfarwol yr hen draddodiadau
>   Yn fôr o undeb a chân.[1]

Ceir cyfeiriad arall at yr eisteddfod yn y gerdd goffa i Mrs Morris, Glyndŵr, y dyfynnwyd ohoni yn y bennod ddiwethaf:

> Fe'i magwyd yng nghysgod y tadau
>   Fu'n caru Eisteddfod a chân ...[2]

Ond prin iawn yw'r cyfeiriadau uniongyrchol at yr eisteddfod yn ei waith.

Yn fuan iawn ar ôl iddo lunio'i englyn cyntaf, dechreuodd Hedd Wyn gystadlu yn yr eisteddfodau lleol. Yn ôl J. D. Richards, 'nid oedd ond 12eg oed drachefn yn ennill ei wobr gyntaf mewn cyfarfod llenyddol yn Ebenezer yma ar y testyn – "Y Mab Afradlon"', ond ni nodir pa fath o gyfansoddiad llenyddol oedd hwnnw.[3] Mae'n rhaid mai yn y flwyddyn 1899 y bu hynny.

Blynyddoedd o geisio meistroli'r cynganeddion oedd y blynyddoedd rhwng ei blentyndod a'i lencyndod. Dywedir iddo drechu ei dad yn un o gyrddau llenyddol y cylch, ac i'w dad wedi hynny roi'r gorau i farddoni yng nghysgod ei fab galluocach. Yn ôl Moi Plas, 13 oed oedd Hedd Wyn bryd hynny, ac adroddir yr hanes ganddo yng nghyfrol John Ellis Williams, ond rhaid amau llwyr gywirdeb y rhan fwyaf o straeon Morris Davies. Meddai ar ddychymyg llenor, yn sicr.[4] Fodd bynnag, y mae tystiolaeth J. D. Richards yn cadarnhau geirwiredd tystiolaeth Moi Plas y tro hwn:

Am y tad ... y mae rhin yr Awen yn gryf ynddo yntau; eithr rhoes heibio ganu ei hun pan ganfu flaen-belydrau fflachiadau disgleirwyn ei fab o'i ol, a'u bod mor danbaid; ac heddyw, ymfalchïa'n onest yn ei ddistawrwydd gwirfoddol hwnnw.[5]

Clywodd William Morris y stori o enau'r tad ei hun, ac yn un o gyfarfodydd llenyddol Llawr-y-plwyf y trechodd Ellis ef, yn ôl y tad.[6]

Ni chadwyd llawer o gynhyrchion cynharaf Hedd Wyn, ond y mae'n amlwg mai ifanc iawn ydoedd yn llunio'i ddau englyn i'r 'Fountain Pen'. Dywed Morris Davies mai ar gyfer cystadleuaeth y lluniodd y ddau englyn, ond nid anfonodd mohonynt i'r gystadleuaeth honno, gan na thybiai eu bod yn ddigon da. Ceir ymhlith papurau Morris Davies yn y Llyfrgell Genedlaethol un o'r ddau englyn yn llawysgrifen ifanc iawn y bardd ei hun, a brawddeg Saesneg garbwl ei gramadeg, 'Buyed at Liverpool at the half day trip', oddi tano – prawf arall mai ifanc ydoedd yn llunio'r ddau englyn:

Mor glên yw fy 'Fountain' ffel – a gefais
    Gan gyfaill mwyn tawel;
  Sgwennaf, barddonaf yn ddel
  Heb bwtio trwy geg potel.

> Pin hardd yw fy 'Fountain Pen' i, – ni raid
>   Wrth yr inc i'w drochi;
>   Deil frol celfyddydol fri
>   Wawdia hylif 'poteli'.[7]

Ifanc iawn ydoedd hefyd pan anfonodd dri englyn at Elfyn, golygydd *Y Glorian*, ynghyd ag englyn am fasged y golygydd. Yn ôl William Morris, yn fuan iawn ar ôl llunio'i englyn cyntaf, i'r das fawn, y bu hynny. Dyma'r llythyr a'r englyn:

> Garedig Syr,
>   Dymunaf arnoch gyhoeddi fy nhri englyn yn *Y Glorian* os teilyngant hynny.
> Os na wnant byddaf yn fodlon ar ddistawrwydd y fasged – fy hen gydnabod yw hi.
> Dyma englyn iddi:

> Gan wŷr y wasg mae basged, – paradwys
>   Y Prydydd anaeddfed;
>   Yn hon fe aeth llawer Ned
>   I'w wely cyn ei weled.[8]

Yn ystod y blynyddoedd rhwng 1899 a 1906 bu'n cystadlu llawer yng nghyrddau llenyddol y fro. Ym 1906 ceisiodd ennill cadair Eisteddfod Annibynwyr Ffestiniog, adeg y Nadolig y flwyddyn honno, ag awdl. Dim ond 19 oed ydoedd y pryd hwnnw, ac mae'n debyg mai dyma ei ymgais cyntaf i ennill cadair. Testun cystadleuaeth y gadair yn yr eisteddfod honno oedd 'Dechreu Haf', a J. Dyfnallt Owen, cyn-weinidog Hedd Wyn, oedd y beirniad. Bu llawer o ffwdan ynglŷn â'r gystadleuaeth honno. Derbyniwyd 17 o awdlau ar gyfer y gystadleuaeth. Awdl o eiddo R. Williams Parry – a oedd yn llanc ifanc 22 oed ar y pryd, ac a fyddai, ymhen pedair blynedd, yn ennill Cadair yr Eisteddfod Genedlaethol – a ddyfarnwyd yn orau, ond ataliwyd y wobr a'r anrhydedd rhagddo am iddo dorri dwy o reolau'r eisteddfod. Er bod awdl R. Williams Parry gryn dipyn ar y blaen yn ôl y beirniad, i awdur yr awdl ail-orau y rhoddwyd y gadair, gŵr ifanc o'r enw Abraham Thomas o Lanbryn-mair yn Sir Drefaldwyn. Roedd y gystadleuaeth yn un dda ym marn Dyfnallt, a chafodd Hedd Wyn feirniadaeth weddol ffafriol ganddo. Meddai:

Dechreuir yr awdl hon yn naturiol:

> 'Y Gwanwyn glân llawn o ganu,
> Ar riniog haf sy'n marw'n gu.'

Prin y byddai eisieu gwell dechreu, syml, naturiol, diymdrech, na'r tudalen gyntaf o'r awdl hon. Cawn ganddo hwnt ac yma yn ei waith amryw o englynion byw, desgrifiadol a bachog, megis ei englyn i'r friallen. Tynir oddiwrth werth yr awdl hon gan gymysgedd ffigyrau a llinellau llac. Er enghraipht, nid priodol galw llygad blodyn yn 'ddofn alawgan'. Mae ganddo amryw o'r dosbarth yma, megis 'ff[r]aethion, obeithiol ffrwythau'. Tua diwedd ei awdl try'r awdur i athronyddu tipyn, a dyma'r darn anystwythaf a mwyaf di-afael yn yr holl awdl. Buasai'n llawer gwell i'r awdur ymfoddloni ar ddarluniau o Natur na gwastraffu cymaint o egni i roi pwynt athronyddol i'r awdl. Tra'n nodi'r diffygion hyn, haedda'r awdl hon gymeradwyaeth deilwng am lawer llinell hapus, llawer englyn cryno, a llawer meddylddrych barddonol.[9]

Hyd yn oed os oedd Hedd Wyn yn ymollwng i athronyddu tua diwedd yr awdl, fe geir ynddi ddarluniau llawer mwy delweddol-ddiriaethol nag a geir yn awdlau R. Williams Parry ac Abraham Thomas; er enghraifft, yr englyn i'r friallen a ganmolwyd gan y beirniad:

> Yn llewych yr haul llawen – o deced!
>   Dacw y friallen;
> Un fach ddel mewn gwisg felen
> A phwys o aur ar ei phen.[10]

Ceir ambell gwpled byw ganddo, fel ei ddisgrifiad o'r 'hen wr fu oriau'n wan' yn hiraethu am hafau ei ieuenctid:

> Yn ei ddistaw drem lawen
> Mae fflamau yr hafau hen.[11]

Dylid nodi y ceir y cwpled 'Yr hen ŵr fu oriau'n wan/O gell ddôi'n ddiddig allan' o'r awdl hon yn yr awdl fer 'Oedfa Hud' yn *Cerddi'r Bugail*.[12]

Dyma'r math o athronyddu a gollfarnwyd gan Dyfnallt:

Trwy yr ieuanc ieuanc ha'
Duw ei hun sy'n rhodiana
Ei iaith ef ar for a thir; aml-liwiog
Yn ddiluw heulog o feddwl welir.

Rhyw ddechreu haf ar fin cynhauafau
Ydyw einioes ar ei gobaith-danau,
Hi beunydd tua'r bannau – rydd drem lon,
Lle chwar' awelon is llachar heuliau.[13]

Er ei holl wendidau, y mae awdl Hedd Wyn yn rhagori ar awdl Abraham Thomas. Awdl o gipluniau a gafwyd gan y bardd o'r Ysgwrn, er gwaethaf y rhannau athronyddol ynddi, a dengys y dyfyniadau canlynol ansawdd y canu:

Mae myrdd yn awchlymu min,
Eu harfau celyd durfin,
Ar gyfer eurog ofyn –
Nef gu y cynhauaf gwyn.

Yn eu gormod tlysni – gwyllt lilïau:
Yn swil wenant wrth fin y glas-lynau,
A lliw dewinol rhyw bell edenau
Yn llewyg hudol ar eu llygadau.

Yn eu hyfryd haf lifrai
Mor dlysion yw meillion Mai,
Neu "lygad dydd" heulog del,
Ar ieuanc lwybrau'r awel.

Ysgafn faled ehedydd
Bob boreu ger dorau'r dydd
Glywir yn fiwsig gloewaf
O'r wawr wen ar ddechreu'r haf.

I'm mynwes tlysni mwynaf
Yw awr o win dechreu haf.
Ireiddir natur addas
Y'ngardd glyd ieuengrwydd glas.

Ha! chwardd awel dawel y dydd
Yn y llwyni o wair llonydd.
Gweiriau'r bronydd a'r dolydd del
Chwareuant ym mraich yr awel.
Ac ar ei delyn arian
Mae y byd i gyd yn gan.[14]

Mae mwy o raen ar englynion Hedd Wyn yn ei awdl nag ar englynion Abraham Thomas, a go brin hefyd fod yr englynion yn awdl R. Williams Parry yn drech na'r rhain:

Cariadon hoff caredig – a sangant
    Is ieueng-wydd tewfrig.
    Heddyw fe glywir diddig
    Odlau serch hyd y las wig.

Mae cerddgar delyn arian – hudolus
    Gan bob deilen fechan:
    Dan y gwlith mae y blodyn glan –
    A'i lygad yn ddofn alawgan.[15]

Englynion amherffaith yn eu hanfod yw'r rhain, ond digon, er hynny, i brofi bod eu lluniwr yn meddu ar ddawn ddiamheuol, er mor anaeddfed oedd honno.

Chwe mis yn ddiweddarach, enillodd Hedd Wyn ei gadair gyntaf yn y Bala, a hynny adeg y Llungwyn, 1907. Dyfnallt oedd y beirniad y tro hwn eto. Yn yr ysgrif o'i eiddo a gyhoeddwyd yn un o rifynnau 1918 o *Cymru*, dywed William Morris i Hedd Wyn losgi'r awdl (er mai pryddest y'i gelwir ganddo), ac nad oedd gair ohoni ar gael. Efallai iddo ei llosgi, un ai'n rhannol neu gopi arall ohoni, ond nid yw'n wir iddi fynd ar gyfeiliorn yn llwyr. Ceir tair tudalen ohoni ymhlith papurau Silyn o waith y bardd yn Llyfrgell Prifysgol Bangor, a gwyddys bod ynddi 362 o linellau'n wreiddiol gan i'r bardd nodi'r rhif hwnnw ar waelod un dudalen. Yr oedd y weithred hon o losgi ei waith yn gwbl nodweddiadol ohono, ac er ei fod yn anfaddeuol o esgeulus o'i gerddi, rhwystredigaeth ac anniddigrwydd ynghylch safon ei waith, yn hytrach na blerwch a dihidrwydd, a barai iddo ddinistrio'i farddoniaeth. Adroddwyd stori debyg gan frawd William Morris, John Morris. Adroddodd Hedd Wyn englyn wrtho, ac '[y]mhen ychydig funudau cymerodd ddarn o bapur o'i boced i danio'i bibell, ac yng ngolau'r fflam canfum dynged ei englyn'.[16] Yr englyn hwnnw oedd 'Haul ar Fynydd', un o englynion godidocaf yr iaith. Gan adrodd stori arall am esgeulustod Hedd Wyn, rhoddodd John Morris y rheswm am drwstaneiddiwch o'r fath:

> Un o'i ddiffygion amlycaf oedd ei deimlad parhaus o anheilyngdod ei waith ei hun. Cefais drafferth mawr, un prynhawn Sul ar Ffridd yr Ysgwrn, wrth geisio'i argyhoeddi fod ei awdl *Ystrad Fflur* yn werth ei gorffen a'i hanfon i Aberystwyth. Efallai na chred y darllenydd fod yr awdl a ddaeth mor agos at y Gadair Genedlaethol flwyddyn yn ôl ar ddarnau o bapur ym mhocedi Hedd Wyn ychydig nosweithiau cyn y cyfle diweddaf i anfon y cynhyrchion i'r gystadleuaeth. Caed y darnau ynghyd ac aeth yr awdl yno. Ceryddwyd ef gan y beirniaid am ei frys, er na fu bardd mor hamddenol.[17]

Yr un oedd y stori gyda'i awdl i 'Eryri', ar gyfer Eisteddfod Genedlaethol Bangor, a oedd i'w chynnal ym 1914, yn wreiddiol, ond a ohiriwyd am flwyddyn oherwydd y rhyfel. Meddai William Morris:

> Gofynnodd Hedd Wyn i mi, a hynny'r funud olaf, ysgrifennu'r awdl drosto. Bûm wrthi am oriau yn nhŷ fy chwaer yn Nhrawsfynydd. 'Roedd ei awdl ganddo ar ddameidiau o bapurau yn ei bocedi, yr ysgrifen yn aneglur ac yntau'n esgeulus o'i Gymraeg wrth ei hysgrifennu.[18]

Yn ôl tystiolaeth arall, a geir mewn ysgrif ddienw yn *Y Winllan* ym mis Ebrill 1922, cedwid darnau o'r awdl mewn llyfr y byddai Hedd Wyn yn ei guddio mewn twll yn un o gloddiau'r Ysgwrn.[19]

Dyma dri englyn o'i awdl 'Y Dyffryn', a enillodd iddo'i gadair gyntaf:

> Yn nhir y dyffryn eirian – wele deg
>   Flodau heirdd mewn syfrdan
>   A'r awel ber ymdroa'n
>   Glos ar eu gwefusau glan.

Ysgafned ar ei edyn – a'r awel
　　Ymdroa y Gloewyn.
　　Ymhola dan wybrau melyn
　　O heuldes aur am flodau syn.

Car mill y dyffryn dillyn – yr hudol
　　Guriedig wyn lowyn
　　Oeda rhwng manblu blodyn
　　A lliw gwawr ar ei fentyll gwyn.[20]

Dengys y dyfyniad, unwaith yn rhagor, er mor anaeddfed ac amherffaith yw'r mynegiant, ddull gweledol Hedd Wyn o drin geiriau. Fel y dangosodd Derwyn Jones yn ei ysgrif 'Rhai Sylwadau ar Farddoniaeth Hedd Wyn', awdl yn null awdlau'r bedwaredd ganrif ar bymtheg yw hon, gyda'i mathau gwahanol o ddyffrynnoedd, 'Dyffryn Anobaith' a 'Dyffryn Marwolaeth'. Dyma hir-a-thoddaid sy'n adleisio arddull awdlau'r ganrif honno:

Hofra gwehelyth pell ofergoelion
Yn nwfn gysgodau y trummau trymion
Oeraidd ehedant fel nos freuddwydion
A lliwau Hades 'n eu llygaid llwydion
Ow! pryd daw llif ysbryd llon – yr awel
A'r wawr dawel ar ei erwau duon.[21]

Yn ôl J. W. Jones, Tanygrisiau, yr oedd gan Hedd Wyn awdl i'r 'Gwynt' mewn cystadleuaeth ym Mhwllheli ar yr un diwrnod ag yr enillodd ei gadair gyntaf yn y Bala, a dywedodd y beirniad, J. T. Job, mai englyn i'r 'Moelwyn' oedd y peth gorau yn yr awdl honno. Daeth Hedd Wyn yn ail ac yn olaf yn y gystadleuaeth, gan mai dau yn unig a fu'n ymgiprys am y gadair, ac awdl gan brydydd o'r enw Llanorfab a ddyfarnwyd yn fuddugol.

Ar ôl ei fuddugoliaeth gadeiriol gyntaf ym 1907, bu'n cystadlu'n gyson am gadeiriau, hyd at 1913, pan ddaeth ei ail gadair iddo: chwe blynedd hir o orfod aros yn amyneddgar am ei ail fuddugoliaeth. Rhwng 1907 a 1913, ceisiodd ennill cadair Eisteddfod Meirion yn Nolgellau ddwywaith a chadair Eisteddfod Nadolig Blaenau Ffestiniog deirgwaith. Anfonodd ei bryddest 'Ceisio Gloywach Nen', a gynhwyswyd yn *Cerddi'r Bugail*, er enghraifft, i

Eisteddfod Annibynwyr Blaenau Ffestiniog, Nadolig 1910, ond Idwal Jones, un o gyfeillion R. Williams Parry, a enillodd y gystadleuaeth honno. Cerddi cystadleuol a berthyn i'r cyfnod hwn hefyd yw 'Ein Gwlad' a 'Gwladgarwch', yn ôl William Morris.

Nid cystadlu am gadeiriau yn unig a wnâi yn ystod y blynyddoedd hyn. Anfonai gynigion i fân gystadlaethau'r eisteddfodau a'r cyfarfodydd lleol yn ogystal. Tua 1908, er enghraifft, lluniodd gerdd ar gyfer cyfarfod llenyddol Ebenezer, a J. Williams, Blaenau Ffestiniog, yn beirniadu. Dyma'r gerdd honno, 'Y Melinydd', un arall o'i gynhyrchion cynnar:

> 'Rwy'n caru y felin
>   Er lleied ei bri,
> Boed heulwen neu ddrycin
>   Fy nghartref yw hi.
>
> 'Rwy'n caru y felin
>   Hen felin fy nhad
> Myfi yw etifedd
>   Ar felin fy stad
>
> Nis gwn i rhyw lawer
>   Am helynt y byd;
> Ni ddaw trwst dinasoedd
>   I'r felin fach glyd.[22]

Ceir ymhlith ei bapurau yn Llyfrgell Prifysgol Bangor awgrymiadau pendant ei fod â'i fryd ar gystadlu am y Gadair yn Eisteddfod Genedlaethol Llundain ym 1909. 'Gwlad y Bryniau' oedd y testun, a T. Gwynn Jones a enillodd y gadair honno, gydag R. Williams Parry yn ail iddo. Dyma nodiadau Hedd Wyn ar gyfer llunio'r awdl, drafft o syniadau posibl ar gyfer y gerdd sy'n rhoi cipolwg ar y modd y gweithiai:

"GWLAD Y BRYNIAU"
Gwlad a Chenhadaeth – cenhadaeth a gwlad – unoliaeth bywyd – ymdaith yr
oesau – llais Cymru [–] Cenedl yn dynodi nodyn neullduol o'r ysbrydol – yn
ffrydlif gyfeiria i gydgord miwsig gweledydd y nos – Diwygiad – Deffroad.

unoliaeth credoau, yr athron – Y gwledydd a Chymru[,] Cymru a'r byd. Priodas bywyd. Gwlad y Bryniau. Ofergoeliaeth. gwaed. Diwygiad Deffroad – amrywiaeth Dewin[iae]th. Derwydd. Pabyddiaeth Protestaniaeth. llwybrau Cymru Fydd mynydd bryn afon dol llyfrau y Celt.[23]

Mae'n amlwg nad oedd yn barod ar gyfer y dasg. Ychydig iawn o linellau 'Gwlad y Bryniau' sydd wedi goroesi. Dyma ddwy:

> Boed i lawer awel gyffro'n nhelyn,
> I seiniaw alaw ar Fedd Llewelyn.[24]

I'r awdl anorffenedig hon y perthyn y darnau canlynol:

> Famwlad dawel ynddi gwelir
> Amrywiaeth hardd – mor a thir.

> Gerllaw mae dyfroedd tawel – eurddedwydd
>   Dan freuddwydion awel;
>   A'r fyth laswen wybren wel,
>   Ei gwawr 'n ei ddwfn o gwrel.[25]

Goroesodd ychydig o linellau eraill o'r awdl hefyd, ond y mae'r rhai a ddyfynnwyd yn ddigon i ddangos ansawdd ei feddyliau a'i grefft ar y pryd.

Ym 1909 anfonodd awdl ar y testun 'Y Drws Byth Agored' i Eisteddfod Corwen. Emyr, sef H. Emyr Davies, bardd a goronwyd ddwywaith yn yr Eisteddfod Genedlaethol, a enillodd y gadair honno, dan feirniadaeth Silyn a Dyfnallt. Er mor anfoddhaol yw awdl Hedd Wyn, y mae'n gerdd allweddol o safbwynt olrhain twf ei feddyliau. Ceir ynddi un o'i brif themâu fel bardd, sef ei obeithion am ddyfodol dyn a'i gred yng ngoruchafiaeth gwyddoniaeth, athroniaeth a'r celfyddydau cain. Gellir dweud bod cynnwys 'Y Drws Byth Agored' yn arwain yn naturiol at thema fawr awdl 'Yr Arwr', sef ei gred mai trwy ddatblygu a gorseddu gwyddoniaeth, athroniaeth, barddoniaeth a cherddoriaeth y daw heddwch a gwaredigaeth i'r byd. Yn awdl 'Yr Arwr' mae Prometheus yn cynrychioli dynoliaeth ar ei gorau, yn symbol o'r arweinydd a'r gwaredwr cymdeithasol. O ran syniadaeth, y mae'r ddwy awdl, 'Y Drws Byth Agored' a'r 'Arwr', yn perthyn yn agos iawn i'w gilydd, hyd yn oed os yw'r gagendor rhyngddynt o ran crefft a mynegiant yn un enfawr. Y mae thema 'Y Drws Byth Agored' ac awdl 'Yr Arwr' i'w chael yn yr englyn anghyfarwydd hwn:

> Nid yw y dynolfyd hen – ond ysbryd
> A'i asbri fyth lawen
> I rhyw aeddfed bell Eden
> Erioed yn cyfeirio'i wen.[26]

Yn ôl 'Y Drws Byth Agored', cyfryngau yw gwyddoniaeth ac athroniaeth y gellir drwyddynt ddirnad Duw, a nesáu at Dduw: trwy ddrysau'r byd materol yr eir i mewn i'r byd ysbrydol:

> Pob cyneddf yn ein greddfau – addien, fedd
> I'w nef wen fflamddrysau,
> Yn agored trwy gaerau – 'r materol
> I heulfro hudol rhyw bell ddelfrydau.

> Dieithr enaid athroniaeth. – Ha nid yw
> Namyn dôr rhesymiaeth,
> I lynau dwfn dirgelion Duw –
> I ddiluw o ddwyf feddyliaeth.

> Gwyddoniaeth gyhoedda ini – heddyw
> Wrth ddatguddio'r dyfnli'
> Mudanol sy'n ymdoni
> Yn luwch aur o'i hamgylch hi,
> Fod rhyw ddôr fyth agored
> Ar y lan fyth fyth ar led.

> Nid yw dadblygiadau hoewon – oesoedd,
> Ond drysau gwynfaon,
> Nas cauir eu pyrth tirion – ar un wlad
> Tra ymchwiliad yn tremio o'i chalon.[27]

Yn yr awdl y mae natur, sef y byd materol, gweladwy, yn fynedfa i'r byd ysbrydol, anweladwy:

Y byd cun ynddo'i hunan, – geir imi'n
    Awgrymu nef allan:
  A'r enaid wel o fôr anian
  Y materol, dragwyddol gân.[28]

Y mae barddoniaeth a cherddoriaeth hefyd yn gallu arwain dyn at byrth yr ysbrydol:

I'w cysawdiau euraidd ddrysau
    Heirdd arhosol,
Fedd cerddoriaeth, a barddoniaeth
    Beraidd ddenol.[29]

Un arall o themâu'r awdl yw'r angen am Iawn a Chymod Crist yng nghanol gorchestion a chyraeddiadau deallusol dyn:

I achub byd o'i bechod – a'i oer warth
    Rhaid wrth waed yn gymod;
  A Duw yn ei fab sy'n dod,
  I adfer yr anghydfod.[30]

Ceir adran weddol sylweddol yn yr awdl sy'n trafod 'Drws Trugaredd':

Ha mwy! molaf hyd fy medd,
Ragorol Ddrws Trugaredd;
Hwn i ysig wan oesau,
Geir "nas dichon neb ei gau".

I mewn caiff pob gradd yn ein mysg – fyned
    Heb fanol wawr dyfnddysg;
  Anrhydeddir y diddysg
  Yn y ddor fel doethor dysg.

Edifeirwch dyferol, – agora
    Ddrws Trugaredd ddwyfol;
  I enaid gychwyn swynol – yrfa wen
  I syber Eden y byd ysbrydol.

Er yn ddrws haw'gar cariad, – Ha! cofiwn
    Mai cyfyng yn wastad,
  Ydyw drws y mynediad
  I fro dlos yr Hyfryd Wlad.[31]

Ym 1909 hefyd, yng Nghylchwyl Llenyddol Penystryd a Llawr-y-plwyf, a gynhaliwyd ar Chwefror 6, enillodd y gystadleuaeth llunio penillion coffa i Robert Williams, Aber, Trawsfynydd. Enillodd Hedd Wyn sawl cystadleuaeth yn y cyfarfod llenyddol hwnnw. Nid mater o ddifrifoldeb llwyr ac o ymroddiad diwyro oedd yr ymgiprys cystadleuol hwn iddo, uchelgais neu beidio. Câi ef a chyfeillion iddo, fel Moi Plas, lawer o hwyl a difyrrwch wrth gystadlu. Cyn y cyfarfod llenyddol hwnnw, mynnodd y bardd i'w gyfaill Moi Plas gystadlu ar y gân i'r 'Te Parti', gan addo y byddai ef ei hun yn cystadlu pe bai ei gyfaill yn gwrthod gwneud hynny. Cydsyniodd Morris Davies, ac aeth â'r gerdd at Hedd Wyn i'w thrwsio a'i chaboli. Addawodd Hedd Wyn hefyd y byddai'n cynrychioli ei gyfaill yn ei absenoldeb pe digwyddai iddo ennill. Ymadawodd Moi â Thrawsfynydd am dde Cymru i weithio ar drothwy'r cyfarfod, ond gadawodd ei ffugenw, *Y Trafaeliwr Te*, gyda Hedd Wyn. Derbyniodd Moi Plas y llythyr canlynol ar ôl y cyfarfod, dyddiedig Chwefror 9, 1909:

Anwyl Gyfaill,
Drwg genyf dy hysbysu na ddarfu y "Trafaeliwr" drafaelio hyd y "dorth" y tro hwn, nid atebodd y goreu i'w enw, yr oedd amryw wedi cynig. Ni chlywais ddarllen beirniadaeth ar dy benillion di, ac nis gallaf ddweud ymhle yr oeddyt yn sefyll.

Pe bawn i yn gwybod na fuaset ti yn ennill buaswn wedi cynyg fy hunan.

Deuais i yn bur lwyddiannus yno, curais ar y Farwnad, yr englyn, a'r Penillion Coffa. Yr oedd John Williams y Station Master yn ail i mi ar y tri, yr oedd llu mawr wedi cynig arnynt oll.

Enillais i felly £1 13s 6c. Cyflog go lew am un noson onide? Cofia am Gyfarfod Ebenezer, (Llan).
                    Cofion atat
                yn nyfnder dy brofedigaeth
                  Yr eiddot o'r uchelion
                    E. H. Evans[32]

Cadarnheir cywirdeb y llythyr gan adroddiad *Y Rhedegydd*, Chwefror 13,

1909, ar y cyfarfod cystadleuol hwn: 'Marwnad Mr. Edward Jones, Ardudwy Terrace, gini, Ellis H. Evans, Trawsfynydd, ac efe enillodd yr haner gini am Benillion Coffa am Mr. Robert Williams, Aber', a nodir iddo hefyd ennill ar yr englyn.[33]

Cystadleuaeth arall yn y cwrdd cystadleuol hwnnw oedd llunio traethawd ar 'Sosialaeth yng Ngoleuni y Bregeth ar y Mynydd', ac fe geir ymhlith papurau Hedd Wyn yn Llyfrgell Prifysgol Bangor ddarn o draethawd dan y teitl 'Cenadwri y Bregeth ar y Mynydd at fywyd y presenol'. Rhaid, felly, ystyried y posibilrwydd cryf mai ar gyfer y gystadleuaeth hon y lluniwyd y traethawd. Peth naturiol ydoedd i Hedd Wyn fachu ar y cyfle i draethu am y sosialaeth a oedd mor agos at ei galon. Fe all hefyd mai ailwampiad o'r traethawd cystadleuol hwnnw yw'r darn a geir ym Mangor. Anodd yw deall ei lawysgrifen, a chymysglyd ac anorffenedig yw'r mynegiant, ac awgrymir, felly, mai rhan o ddrafft o'r traethawd, yn hytrach nag unrhyw fersiwn terfynol ohono, yw'r darn sydd wedi goroesi. Dyma baragraff agoriadol y traethawd:

> Nid chwyldroadwr oedd y Crist, eithr yn hytrach gynrychiolydd y bywyd uwch
> fu'n ceisio dydd ym myd y ddeddf yn llygad prophwyd ond a gafodd ddatguddiad
> llawn yn y Crist. Tyfiant araf dyhewyd, gobeithion, a datblygiad y canrifoedd hyd
> berpheithrwydd[:] dyna i mi ddysg y Crist. Ni thyrr dir newydd eithr dyd olwg
> newydd ar hen wirionedd. Gorchmynodd deddf "na Ladd"[,] gorchmynodd Crist
> yr unpeth. datguddiodd yr hyn oedd ynghudd yn yr hen orchymyn. Arweiniodd
> ef o fyd ffyrf oer, i deyrnas anelwig nwyd y galon, rhoes ymyd oer a chaeth deddf
> flaen dywyn disglaer yr Enaid ar lwybr y perphaith[.] Cododd y llen i fiwsig cudd
> yr hen oruchafiaeth ganu yr enaid i dir delfryd uwch.[34]

Hyd yn oed yma, fe'i ceir yn crybwyll un o'i themâu mawr, sef '[c]anu yr enaid i dir delfryd uwch'.

Blynyddoedd o hwyl a chystadlu a dysgu oedd y blynyddoedd hyn cyn i'r Rhyfel Mawr ddod ar warthaf y byd. Ac roedd yr enillion ariannol yn gymorth nid bychan i'r bardd tlodaidd. Adroddir un stori ddoniol iawn gan Morris Davies:

> Cofiaf yn dda fod Eisteddfod yn Llanelltyd un tro, a dim ond chwe cheiniog o
> wobr am yr englyn gorau i "Lanelltyd." "Wel," meddai Ellis, "mae'r wobr yn
> fychan iawn, rhaid fod pris barddoniaeth wedi gostwng yn ofnadwy. Mi wnawn

ni englyn gwerth chwech iddyn nhw, ac hwyrach y codan nhw y pris wedyn."
Gwnaeth yr englyn, a phan oedd yn mynd ag ef i'r post, newidiodd ei feddwl, ac
yn lle ei bostio rhoddodd ef i mi, a dyma fo:

> "Cartre'r mellt yw Llanelltyd – a phobol
> A phabwyr dychrynllyd;
> Hen afrwydd fro anhyfryd,
> Lle dan boen yn nhwll din byd."[35]

Adroddir stori ddoniol arall gan Moi Plas, a hon eto yn gysylltiedig â defnyddio
eisteddfodau a chyrddau cystadleuol fel modd i ennill ceiniog neu ddwy:

'Roedd Elsyn a minna' un nos Wener ... yn cael peint yn yr *Abbey Arms* yn Llan
Ffestiniog, ac yn trafod y Cwrdd Llenyddol oedd i'w gynnal ym Mhen Stryd
drannoeth.

"Moi," medda' fo, "ma 'na bum swllt o wobr am bedwar pennill wyth llinell i'r
Drych. Y fi sy'n beirniadu, a 'does neb wedi cystadlu. Meddylia! Pum swllt – ugain
peint o gwrw – yn mynd yn wâst! Deg peint bob un inni. Hwda! Dyma ti ddalen o
bapur a phensel. Dechreua arni".

"Fedra' i ddim, 'dydi'r testun yn apelio dim ata' i".

"Nac at neb arall, hyd y gwela' i," medda' Elsyn. "Mi wna' i'r penillion.
'Sgwenna' ditha' nhw i lawr fel y bydda' i'n 'i gneud nhw. Wyt ti'n barod?"

Yn y mân eisteddfoda', yr arferiad oedd i'r cystadleuwyr yrru'i hymdrechion
yn syth i'r beirniad, nid i ysgrifennydd y 'steddfod. Mi welais i Elsyn ar y ffordd
i'r cwrdd drannoeth, ac mi ddeudodd nad oedd neb arall wedi gyrru penillion
i'r gystadleuaeth. Y fo oedd yn arwain y cwrdd, a phan ddaeth yn amser i roi'r
feirniadaeth ar y penillion i'r *Drych*, dyma fo'n deud mai siomedig iawn oedd y
gystadleuaeth, nad oedd ond un ymgeisydd, ac mai siomedig iawn oedd cynnig
hwnnw. Mi dynnodd y penillion yn ddarna', ond – medda' fo ar y diwedd –
amcan yr eisteddfod oedd cefnogi beirdd di-brofiad, nid 'i collfarnu nhw; ac er bod
y penillion hyn yn garbwl iawn 'i crefft, 'roedd o am galonogi'r ymgeisydd trwy
ddyfarnu'r wobr yn llawn iddo fo.

Cymeradwyaeth fawr i'r beirniad am 'i raslondeb, a minna', pŵr dab, yn goch
at fy nghlustia', ac yn methu â gwybod be' wnawn i, codi a mynd i'r llwyfan, ynte'
codi a sleifio allan. Mi welwn Elsyn yn edrych arna' i, ac mi wyddwn y basa' fo'n
siwr o gael rhyw esgus – wedi 'nabod fy 'sgrifen i, neu rwbeth o'r fath – i gyhoeddi
mai fi oedd *Eos Y Cwm*.

Mi godais, yn swil iawn, a mynd i'r llwyfan, a phawb yn gwenu'n dosturiol arna' i. Wedi 'nghyflwyno i i'r gynulleidfa, a'm hannog i ddal ati, dyma Elsyn yn rhoi'r wobr imi, ac yn sibrwd yn fy nghlust,

"Yr *Abbey* nos Lun, am wyth o'r gloch. Mi fydda i'n dy ddisgwyl di yno".[36]

Mae'r stori'n un gwbl nodweddiadol o'r bardd main ei fyd. Nid yw Moi Plas yn nodi pa bryd yn union y digwyddodd hyn ychwaith, ond mae'n nodi mai ym 1910 neu 1911 y lluniodd Hedd Wyn yr englyn i Lanelltyd. Ym 1910 hefyd dyfarnwyd penillion coffa o'i eiddo yn gydradd fuddugol yng nghyfarfod cystadleuol Maentwrog, ac yng nghyfarfod cystadleuol Ebenezer yn yr un flwyddyn dyfarnwyd cywydd ar y testun 'Y Dyddiau Blin' o'i eiddo yn fuddugol, ond aeth y cywydd hwnnw ar goll.

Ym 1911, anfonodd ei bryddest 'Wedi'r Frwydr' i gystadleuaeth y gadair yn Eisteddfod Llan Ffestiniog. Mewn gwirionedd, camleolwyd y bryddest hon yn *Cerddi'r Bugail*. Nid cerdd a berthyn i gyfnod y Rhyfel Mawr mohoni o gwbl, ac y mae ansawdd y canu a theneurwydd y ddelfrydiaeth ynddi yn bradychu hynny. Daeth yn bur agos i'r brig â'r bryddest hon, ond Perthog, o Benmachno, a enillodd dan feirniadaeth Elfyn. Dyma ran o sylwadau Elfyn ar bryddest Hedd Wyn:

Mae cryn allu yn y bryddest hon. Gwell fuasai i'r awdwr ganu yn 'agosach adref.' O ran ei pherthynas a'r testun, mae amryw linellau yn dywyll i mi. Ond iddo dalu sylw manwl i'r awduron goreu mewn barddoniaeth a rhyddiaeth, daw hwn yn fardd cystadleuol peryglus iawn.[37]

Anfonodd hefyd yn yr un flwyddyn, mae'n debyg, ei bryddest 'Myfi Yw y Drws' i Eisteddfod Llanuwchllyn. T. E. Nicholas a enillodd y gadair honno, a gellir bod yn bur sicr i Hedd Wyn gystadlu hefyd, oherwydd fe geir pryddest ar yr un testun ymhlith ei bapurau yn Llyfrgell Prifysgol Bangor. Dyma ddetholiad o'r bryddest honno, unwaith eto er mwyn cael cip ar ansawdd y canu ac ar ei chynnwys meddyliol a syniadol:

Tyrd ddoethineb byd, grwydriaid y nos
  Gyda mi lân lewych lleuad wen,
Awn heibio i lawer gwenwig dlos
  A'r ser fel cawod o fflur uwchben
Ond draw mewn unig bellenig dref,

Ni welwn ieuengwr gofidus
A storm yn ei fynwes bruddglwyfus
Ond ei drem o'r pellterau mud melus
Mae dyfnlliw'r wawr yn ei lygaid Ef –
Hwna yw drws y dragwyddol Nef.

A oes i ysbryd meddyliwr blin
Ddrws at fywyd gwelw y gyhudd?
All bywyd anwyd i loewach hin
Farw yn fud ger gwenddor y dydd?
Bwy etyb y gri. Ah. dyna lef –
Myfi yw Drws y gorlan ddifrad
Lle trig dirgelwch dyfna'r cread
Welw efrydydd cod dy lygad
Gwel drwyddof ymdaith tymestl gref –
Meddyliau cudd yr anfarwol nef.[38]

Nid rhyfedd fod angen eraill arno i gywiro'i ramadeg ac i dwtio'i atalnodi pan fyddai'n anfon ei gerddi i gystadlaethau pwysicach a mwy uchelgeisiol na'r rhai lleol.

Hyd yn oed os na lwyddodd i ennill cadair ym 1911, cafodd fân lwyddiannau eisteddfodol eraill; er enghraifft, dyfarnwyd ei gerdd 'Glannau'r Lli', a gynhwyswyd yn *Cerddi'r Bugail*, yn fuddugol yng nghyfarfod Annibynwyr y Traws fel darn adrodd i blant, ond ataliwyd y wobr ariannol rhagddo oherwydd iddo anfon y gerdd i'r gystadleuaeth ar ôl y dyddiad cau. Enillodd hefyd ar lunio marwnad i David Tudor, Ty'n-twll, Trawsfynydd, mewn dwy gystadleuaeth, sef cân goffa yng nghyfarfod llenyddol Eglwys Sant Thomas a hir-a-thoddaid yng nghyfarfod llenyddol Moriah, a gynhaliwyd ar Ebrill 11, 1911. Efallai fod y marwnadu cystadleuol hwn am arian yn taro rhywun yn chwithig heddiw, ond ni feddyliai Cymry cefn gwlad y cyfnod fod dim byd o'i le ar hynny. Dyna oedd y peth naturiol i'w wneud: coffáu ymadawedig y fro a chynorthwyo i gynnal a pharhau cyfarfodydd diwylliannol y cylch, dyna oedd diben deublyg cystadlaethau o'r fath. Yn aml, perthnasau'r rhai a goffeid a gyflwynai'r wobr ariannol i'r eisteddfod neu i'r cwrdd cystadleuol. Ceir enghreifftiau o rieni'r plant bychain y galarai Hedd Wyn ar eu hôl yn cynnig y wobr ariannol, er mwyn sicrhau coffâd geiriol i'w hanwyliaid. Y mae cân goffa Hedd Wyn i David Tudor yn yr un wythïen yn union â'r marwnadau rhydd gwerinol – galar o fewn rhigolau gosodedig, er enghraifft:

> Fe safaf ar riniog y drws
>   Lle'th fagwyd, gymeriad tawel, –
> Lle'r aethost yn hen ac yn dlws,
>   Yng nghwmni y gwynt a'r awel;
> O'r bwthyn lle'th anwyd i'r byd,
>   O hwnnw yr est i'r nefoedd;
> Ond erys dy goffa o hyd
>   Fel arogl rhosyn ar wyntoedd.[39]

A dyma'r hir-a-thoddaid, y dylid bod wedi ei gynnwys yn *Cerddi'r Bugail*:

> Yn y fan hon, o dan lasfaen unig,
> Huna anrhydeddus henwr diddig,
> Tawelaf ei rodiad: sant haelfrydig,
> A delw hudol ei hendud wledig
> Ar rawd ei oes garedig; – gwlad weithian
> Liwia â'i chusan fan ei lwch ysig.[40]

Ceir un stori am ei anturiaethau eisteddfodol sydd wedi goroesi ar lafar yn unig. Mae'n debyg i Hedd Wyn ennill ar gystadleuaeth i lunio coffâd i flaenor Methodistaidd (gweinidog, yn ôl un fersiwn) mewn rhyw eisteddfod neu'i gilydd, ac iddo wario arian y wobr ar gwrw – boddi galar, fel petai. Gwelodd gweinidog ef yn cerdded yn simsan o'r dafarn, a cheryddodd ef am ei stad. Yn ôl y stori, dywedodd y gweinidog, 'Dyma gyflwr ofnadwy i fod ynddo fo. Be' sgynnoch chi i ddeud drosoch eich hun?' ac atebodd Hedd Wyn: 'F'aswn i ddim yn y cyflwr yma oni bai fod rhyw flaenor Methodist wedi marw!'

Ymddengys mai blwyddyn weddol dawel oedd 1912 iddo, serch ambell fuddugoliaeth fechan yma a thraw – er enghraifft, enillodd yng nghystadleuaeth y beddargraff ac ar y delyneg yng nghyfarfod llenyddol blynyddol Ebenezer – ond bu'n cystadlu'n bybyr iawn yn ystod y flwyddyn ddilynol. Enillodd ddwy gadair ym 1913, a bu'n ymgiprys am eraill. Enillodd y gadair gyntaf yn Eisteddfod Llungwyn Llanuwchllyn â'i bryddest 'Fy Ngwynfa Goll', dan feirniadaeth Gwylfa Roberts. Rhoddodd *Y Rhedegydd* hwb iddo drwy ddarogan, mwy neu lai, y dôi'r Gadair Genedlaethol i'w ran yn y man: 'Wel done Hedd Wyn, dos yn mlaen hyd nes cyrhaedd Cadair Genedlaethol.'[41]

Y gadair arall iddo'i hennill ym 1913, sef ei drydedd gadair, oedd cadair Eisteddfod Gŵyl y Banc, Pwllheli, a gynhaliwyd ar Awst 4 y flwyddyn honno. Alafon oedd y beirniad, ond R. Williams Parry a ddraddododd y feirniadaeth ar ei ran, oherwydd i Alafon fethu bod yn bresennol. Dyma'r tro cyntaf i Hedd Wyn gyfarfod â'i eilun. Awdl Hedd Wyn a ddyfarnwyd yn orau o blith 11 o awdlau, ar y testun 'Canolddydd', ac yn ôl adroddiad *Y Rhedegydd*, 'Cafodd ei gadeirio yn nghanol cymeradwyaeth fyddarol y dorf.'[42] Enillodd J. D. Richards gadair Eisteddfod Corwen ar yr un diwrnod, dan feirniadaeth T. H. Parry-Williams a Pedrog, a dathlai'r *Rhedegydd* fod 'dwy Gadair farddol wedi dod i wlad y mynydd'.[43] Bu'n rhaid i R. Williams Parry ddarllen cyfeiriadau ato ef ei hun ym meirniadaeth Alafon:

> Amlwg yw fod yr awdwr wedi cael ei gyfareddu i fesur mawr gan awdl ryfeddol Llion i'r 'Haf'. Clywir atsain o ganu honno drwy'r gerdd, er nad oes arwyddion dim lladrad. Er hynny, y mae yn ei awdl lawer o gyfriniaeth a llawer o farddoniaeth.[44]

At ei gilydd, rhoddodd Alafon ganmoliaeth uchel i awdl Hedd Wyn:

> Y mae ef wedi edrych ar ei destun – 'Canolddydd' – fel cynrychiolad o orau popeth: yn oed i'w chwenychu, ac i fyw ynddo mewn atgof ar ôl mynd trwyddo … Gwell fuasai i'w ddameg fod yn fwy clir, a rhediad y meddwl yn haws ei ddilyn; ond daw'r nod yn amlwg at y diwedd, a theimlwn ein bod yng nghwmni bardd yn gryn feistr ar ei waith.[45]

Bu'n aflwyddiannus hefyd ym 1913. Anfonodd awdl ar 'Dr Griffith John, y Cenhadwr' i gystadleuaeth y gadair yn Eisteddfod Nadolig Annibynwyr Blaenau Ffestiniog. Y beirniad oedd Eifion Wyn, ac i frawd Llew Tegid, Penllyn, y rhoddodd y gadair, gan ddyfarnu awdl Hedd Wyn yn ail. Yr unig ddarn o'r awdl sydd wedi goroesi yw'r darn a roddodd Eifion Wyn yng nghanol ei feirniadaeth arni:

> Gydag ef deuwn i gymdeithas bardd o radd uchel, un a ŵyr gyfrinion ei gelf a

chyfrinion y Gymraeg. Ceir mwy o ddyfais yn ei gynllun a mwy o olud yn ei iaith nag yn eiddo'r naw arall. Wele ddyfyniad i ddangos ei ddull:

"A'r aur-lygad gennad gwyn,
Ym mhaladr bore melyn
Welid yn ei bugeilio
Tros lawer glyn, bryn a bro;
A'i lais teg yn ei chlust oedd
Fel sôn pell-felys hinoedd,
Neu ysgafn faled ehedydd
O darth mynor bryd deffro'r dydd."

Y mae'r awdl yn bur debyg drwyddi, yn llawn o odidowgrwydd ymadrodd a lliw. Weithiau teimlir fod y bardd yn rhy ddiofal, bryd arall yn rhy goeg. Gwêl y cyfarwydd mai un o awdlau'r cyfnod newydd yw hon – cyfnod y rhamantau fel y'i gelwir. A dyma'r ddadl bennaf sydd gennyf yn ei herbyn. Hoffaf ei barddoniaeth, ei cheinder a'i swyn; ni all neb lai na'i hoffi. Ond dyweder a fynner nid yw ei dullwedd yn cyd-daro â thestun fel hwn. Nid yw hud a lledrith oes y marchogion yn gweddu i gymeriad fel Griffith John. Nid marchog yr aethom allan i'w weled, ond proffwyd.[46]

Ym 1913 bu'n cystadlu yma a thraw mewn mân gystadlaethau hefyd. Yn y flwyddyn hon yr enillodd ei englyn i'r 'Moclwyn', y ceir stori enwog iawn yn ei gylch, yn Eisteddfod Gwylfa, Llan Ffestiniog. Bryfdir oedd y beirniad, ond ceir blwyddyn yr eisteddfod yn anghywir ganddo. Dywed mai 'y flwyddyn ddilynnol' i'r eisteddfod hon y cynhaliwyd Arwest Llyn y Morynion. Cynhaliwyd yr Arwest, fel y gwyddys, ar Awst 27, 1910, felly ym 1909, yn ôl Bryfdir, y cynhaliwyd Eisteddfod Gwylfa, ond ym 1913 y bu hynny. Nodir buddugoliaeth Hedd Wyn a dyfynnir yr englyn yn adroddiad rhifyn Hydref 4, 1913, o'r *Rhedegydd*. Yn yr un eisteddfod, yn ôl yr adroddiad hwn, enillodd Lizzie Roberts ar yr 'Unawd Alto'.[47] Ai Lizzie Roberts, cariad Hedd Wyn ar un adeg, oedd honno? Dyma Bryfdir yn dwyn i gof fuddugoliaeth Hedd Wyn:

Cofiwn ein cyfarfyddiad cyntaf, cyn i ragor na chylch bychan wybod dim am y llanc o fugail oedd wedi ei eni'n fardd. Cynhelid Eisteddfod yn Llan Ffestiniog. Yr oeddym wedi addaw beirniadu ac arwain. Testun yr englyn yn yr Eisteddfod honno oedd "Y Moelwyn"; testun clir ac uchel, ond fod ganddo ormod o gymylau ymhlith ei denantiaid! Ymgeisiodd llu, a phawb namyn un wedi gofalu rhoi enw'r mynydd yn ei englyn. Ar y darlleniad cyntaf yr oedd llinell olaf un englyn wedi cydio ynom, ac nid oedd modd cael gwared arni. Dyma'r llinell:

"A'i greigiau'n organnau gwynt."

Er nad oedd fwy o'r Moelwyn yn yr englyn na rhyw fynydd arall, rhaid oedd ei wobrwyo ar bwys ei farddoniaeth. Pan alwyd y goreu ymlaen i dderbyn gwobr o 3/-, daeth bachgen gwledig i'r llwyfan, gan geisio bod yn guddiedig yng nghysgod y berdoneg, a'r enw roddodd oedd "Ellis Evans, Yr Ysgwrn, Trawsfynydd." Cafodd dderbyniad caredig, heb neb yn petruso ond y beirniad, rhag ofn fod camgymeriad wedi digwydd![48]

Adroddir stori 'llyncu'r Moelwyn' gan nifer, William Morris a Morris Davies yn eu plith. Dyma fersiwn William Morris o'r stori:

... cyn mynd adref, aeth â'i ffrindiau efo fô, a'u trêtio am lasiad bach bob un. Wedi gwagio'r gwydrau, "dowch rŵan, hogiau," meddai. "Rydan ni wedi gwneud camp go fawr heno. Rydan ni wedi llyncu'r Moelwyn mewn rhyw chwarter awr!"[49]

Yn ôl Moi Plas, yr oedd ef ei hun yn un o'r rhai a fu'n helpu Hedd Wyn i lyncu'r Moelwyn, a digon posibl fod hynny'n wir.

Fel hyn yr ymddengys englyn Hedd Wyn yn *Cerddi'r Bugail*:

Oer ei drum, garw'i dremynt – yw erioed,
  A'i rug iddo'n emrynt;
 Iach oror praidd a cherrynt
 A'i greigiau'n organau'r gwynt.[50]

Yn ôl J. W. Jones, J. J. Williams a newidiodd ail linell wreiddiol Hedd Wyn, 'Dan ei rug dihelynt', ond Hedd Wyn ei hun a wnaeth hynny yn ôl Morris Davies. Ym 1913, hefyd, fe geir Hedd Wyn hyd yn oed yn ennill 'Cystadleuaeth y Limerick' mewn sosial i gloi tymor Cymdeithas Ddiwylliadol Ebenezer, ym mis Mawrth.

Ymddengys mai blwyddyn gystadleuol dawel a gafodd Hedd Wyn ym

1914, a hynny am un rheswm. Penderfynodd gystadlu am Gadair yr Eisteddfod Genedlaethol, a oedd i'w chynnal ym Mangor. Testun awdl y Gadair oedd 'Eryri', ond ym 1915 y cynhaliwyd Eisteddfod Genedlaethol Bangor mewn gwirionedd. Fe'i gohiriwyd am flwyddyn oherwydd y rhyfel. Yn ystod 1913 a 1914 y lluniodd Hedd Wyn ei awdl, a mentrodd i'r gystadleuaeth dan y ffugenw *Y Gwyn Gyll.*

Beirniadaeth anffafriol iawn a gafodd yn Eisteddfod Bangor. T. H. Parry-Williams a enillodd y Gadair. I un o gynhyrchion y Brifysgol yr aeth yr anrhydedd, a rhwbiwyd yr halen yn ddyfnach i'r briw o golli ac o dderbyn beirniadaeth gollfarnus gan y ffaith hon. Ac y mae'n sicr i feirniadaeth lem John Morris-Jones glwyfo Hedd Wyn, oherwydd fe ddywed J. D. Richards: 'Teimlodd yn ddwfn dan y ffrewyll feirniadol yn Eisteddfod Genedlaethol Bangor, 1914–15 ... eithr ni ddigiodd, ac ni thorrodd ei galon fel cystadleuydd am lawryf ucha'r wyl Genhedlaethol.'[51] Ar ôl yr Eisteddfod Genedlaethol hon yr anelodd Hedd Wyn y frawddeg enwog honno o'i eiddo at John Morris-Jones: 'Mi sgwenna'i r'wbath 'neith i hwnna godi'i glustia' un diwrnod.'

Dywedodd John Morris-Jones fod yn yr awdl 'ymgais at arddull glasurol, yn diweddu mewn niwl'.[52] Tynnodd sylw at 'liaws o wallau a ffug-eiriau' yn yr awdl, a dywedodd ei bod 'yn llawn o ymadroddion tywyll', gan ddyfynnu enghreifftiau:

> Wylaf o golli bro'r gorohian,
> Un hyfryd ei thir yn frodwaith arian,
> Ni ddwed o'i hynt eithr chwardd dân hwyr mynor
> A thwrw eigionfor wrth ddieithr gwynfan.

> Yna daeth rhyw suon dig
> O dalaith y nwyd helig
> A'r tir hud yn alltud aeth
> Ym merw eu du ymyrraeth.[53]

Nid yw'r mynegiant mor dywyll ag y mynnai John Morris-Jones, ond y mae ymhell o fod yn groyw ac yn gryf. Sŵn bardd ifanc yn ymlafnio am fynegiant cymwys i thema anodd, uchelgeisiol a geir yma, ac mae sŵn awdl 'Yr Arwr' eisoes i'w glywed ynddi, mewn thema a mynegiant. Er enghraifft, y mae 'Yna daeth rhyw suon dig' yn hynod o debyg i 'Yno daeth rhyw chwerthin du' yn awdl 1917. Yn 'Eryri' ceir cyfeiriad cynnar iawn at y cysyniad rhamantaidd o 'dir hud', sef, yng nghanu Hedd Wyn, y fro ddelfrydol yr amcanai ac y gobeithiai dynoliaeth ei chyrraedd, ar ôl gorfod wynebu ingoedd a threialon i sicrhau ei dyfodiad. Geilw Hedd Wyn y fro hud ddelfrydol hon yn Eldorado, Nirfana, Vallhala a Deffrobani yn ei gerddi, a cheir hynny yn 'Eryri', fel y dengys y pennill canlynol, a ddyfynnwyd gan John Morris-Jones yn ei feirniadaeth:

> Yno'r oedd rhos ac ambrosia
> A liliau hud Val-hal-la,
> A'i thyrau oedd pyrth eurog
> Hafan y Nef a Nan og.[54]

Darnau yn unig o'r awdl hon sydd wedi goroesi, a cheir y darnau hynny yma a thraw mewn dyfyniadau, a pheth ohoni yn Llyfrgell Prifysgol Bangor. Dyfynnir dau bennill gan J. D. Richards:

> Hardded yr awrhon ryddid Eryri
> Ei main di-halog ynghymun dyli,
> A'r nifwl arian tani – yng ngwaun fraith
> Weithiau mal dryswaith o emliw dresi.

> Eithr du ddyfod o Fedrod i rodio
> Yn y geinaf fryniog wenfro honno,
> A gweled wedyn gilio, – a machlud
> O olud yr hud a'r Eldorado.[55]

A dyna amlygu un arall o themâu cerddi hirion Hedd Wyn, gan gynnwys 'Yr Arwr', sef mai'r rhwystr pennaf rhag i'r ddynoliaeth gyrraedd y tir delfrydol neu'r fro berffaith yw'r elfennau dinistriol, yr elfen ormesol ac unbenaethol, yn y ddynoliaeth ei hun. Un o benawdau ei awdl i 'Eryri' oedd 'y Tir Anghyffwrdd', sef y tir hud pellennig hwn yn ei ganu, ac y mae rhai o gymeriadau'r awdl yn rhagdybio 'Merch y Drycinoedd' yn 'Yr Arwr', sef 'Merch y Tywysog' a 'Merch y Derwydd'. Ceir 'Diwygiwr' a 'Macwy' ynddi hefyd. Collfarnwyd yr awdl yn bur hallt gan T. Gwynn Jones. Dynwarediad oedd yr awdl o'r canu rhamantaidd, 'macwyaidd' yng

Nghymru ar y pryd. Fe'i condemniodd yn ogystal oherwydd ei bod 'yn drosgl gan liaws o freichiau cywydd wyth sillaf', oherwydd y 'brithir hi gan ffurfiau anghywir y rhaid eu condemnio' ac oblegid y 'mynychir y geiriau mympwy, a hynny weithiau heb eu deall, a thrinir gramadeg fel y galwo'r mesur a'r gynghanedd'.[56] Er hynny, dywedodd y ceid 'ambell ddisgrifiad gweddol dda ynghanol y cwbl'.[57] Gan J. J. Williams y cafodd y feirniadaeth fwyaf calonogol, ond fe'i collfarnwyd ganddo yntau hefyd. 'Rhyfedd ac ofnadwy y gwnaed yr awdl hon,' meddai, a bwriodd ei lach ar yr elfennau dynwaredol ynddi:

> Gresyn mawr na chanasai'r bardd hwn yn fwy syml, yn lle ymgyrraedd am ryw ddieithrwch pell. Canasai yn ganmil gwell pe cadwasai ei olwg ar ei destun, yn lle gwastraffu ei nerth i ffugio arddull rhywun arall.[58]

Ond diweddodd ar nodyn o obaith:

> Cred y bardd hwn ynddo ef ei hun, ac nad efelyched neb arall. Mae ganddo wir awen a chlust i dlysni gair a brawddeg. Os gwrendy, mentrwn broffwydo fod cadeiriau yn ei aros.[59]

Y mae'r darnau o'r awdl a geir yn Llyfrgell Prifysgol Bangor yn rhoi gwell syniad na dim o ansawdd y gerdd, a dyma rai o'r darnau hynny:

> Yna bu gweled y fun grwydredig
> Yn cyraedd yno o'r caerydd unig,
>   Rhodiad mal ofn crynedig oedd i'w thraed
> A gwawr gwaed ar ei breuwisg rwygedig.
>   Rhoes weithian ei mab glanwedd
>   I'r teyrniaid bendigaid wedd.
>   Oni feithrin ei nwyf athrist
>   Anorthrech reddf Arthur a Christ.[60]

Yn y llinell olaf uchod, ceir cipolwg ar un o brif themâu awdl 'Yr Arwr'. Ceir nifer o benillion cywydd yn y darnau sydd wedi goroesi hefyd, er enghraifft:

Roedd gwedd glir ir Eryri
A'r main ar ei thrumau hi
Mal llwydion demlau lledwyr
Is gwe o niwl ysgawn hwyr.

A mi'n dringo i froydd
Yr hud gwyn derfyn dydd
A gweld mynwes gwlad Menai
Fel gwydr rhof a heulog drai.[61]

Pedair awdl yn unig a dderbyniwyd i'r gystadleuaeth, ond ni ellir dweud i Hedd Wyn ddod yn agos at ennill y gadair, er lleied nifer y cystadleuwyr. 'Oedd Hedd Wyn yn peidio proffwydo'i dynged wrth ddewis ei ffugenw?' gofynnodd *Y Rhedegydd*, gan gyfeirio at *Y Gwyn Gyll*.[62] Ond os bu iddo golli'n druenus ym Mangor, bu iddo ennill mewn mannau eraill ym 1915. Enillodd ddwy gadair arall yn y flwyddyn honno, ei bedwaredd a'i bumed. Enillodd gadair Eisteddfod Llanuwchllyn am yr eildro, dan feirniadaeth Gwylfa Roberts. Ffugenw Hedd Wyn oedd *Fleur-de-lis*, sef ei ffugenw yn Eisteddfod y Gadair Ddu, a mwy na thebyg mai o linell gan R. Williams Parry yn awdl 'Yr Haf', 'A phali'r dlos fflwr-de-lis', y cafodd y ffugenw. 'Myfi Yw' oedd testun ei bryddest fuddugol, ac meddai'r beirniad amdani:

Dyma'r awen fwyaf rhwysgfawr yn y gystadleuaeth ... Y mae'r iaith oreu ganddo hefyd o gryn lawer, ac y mae ei arddull yn darawiadol, – eiddo'r gwir fardd ydyw. Gall hwn fynd ymhell os y cymer ofal.[63]

Trechodd bump arall yn y gystadleuaeth, ac yn ôl y beirniad yr oedd yn gystadleuaeth ardderchog. Cynhaliwyd Eisteddfod Llanuwchllyn cyn Eisteddfod Genedlaethol ohiriedig 1914–1915, a lluniwyd yr hir-a-thoddaid canlynol gan Elfyn i longyfarch Hedd Wyn ar ennill cadair Llanuwchllyn:

Drwy'r swynol garol, ymhlith gwir gewri
Y mae'r awenydd, heb ymwirioni;
Drwy delyn Hedd Wynn, cawn well barddoni,
A'i gerdd unigedd ga'i hardd enwogi.
Dihuned ei hoyw yni, – di-ddwndwr
A rhodia'r arwr hyd 'Eryri'.[64]

Yn yr eisteddfod hon y digwyddodd y stori enwog am y wraig yn gofyn i Hedd Wyn eistedd i lawr pan safodd ar ei draed cyn cyrchu'r llwyfan i gael ei gadeirio, gan ddweud wrtho: 'Eiste i lawr yn y fan ene fachgen, er mwyn imi gael gweld pwy sy'n ennill y gader!'[65] Ergyd y stori oedd anallu'r wraig i gredu mai'r bachgen ifanc pur ddistadl yr olwg hwn a oedd wedi ennill y gadair. Adroddir y stori hon gan William Morris, a oedd yn bresennol yn yr eisteddfod ac yn llygad-dyst i'r digwyddiad, ond byddai Hedd Wyn ei hun yn hoff iawn o adrodd y stori, yn ôl *Y Rhedegydd*.[66]

Yr ail gadair iddo'i hennill ym 1915 oedd cadair Eisteddfod Pontardawe, dan feirniadaeth Dyfnallt. Testun y bryddest oedd 'Cyfrinach Duw', a chynhwyswyd y gerdd yn *Cerddi'r Bugail*. Ceir adroddiad ar yr eisteddfod honno, a gynhaliwyd ym mis Mehefin, ym mhapur Cwm Tawe, *Llais Llafur*:

> A few words should be added concerning the poem competition. In this there was a large number of entries, including many Valley residents, but the prize of £2. 2s. 0d. and chair was awarded to Mr. Ellis Evans (Hedd Wyn) of Trawsfynydd, Merionethshire, for a very fine composition, which aroused a good deal of praise. The picturesque ceremony of the Crowning of the Bard was conducted by Mr Owen, the Rev. Roland Evans, of Ynismeudwy, going through the performance on behalf of the author.[67]

Roedd 29 o feirdd wedi cystadlu am y gadair ym Mhontardawe, ond y bardd o Drawsfynydd, dan y ffugenw *Fleur-de-lis* eto, a enillodd y gystadleuaeth. Yn ôl Gwenallt, a oedd yn fachgen ifanc 16 oed ar y pryd ac yn byw yn yr Allt-wen, Pontardawe, cafodd pryddest fuddugol Hedd Wyn gryn ddylanwad ar feirdd Cwm Tawe:

> Daeth tro newydd ar y canu wedi i Hedd Wyn ennill y Gadair yn 1915 yn Eisteddfod Pontardawe, a chyhoeddi yn llyfryn ei bryddest fuddugol, "Myfi Yw." Copïodd un bardd yr holl hen eiriau yn y bryddest honno ar ochr yr Almanac yn ymyl y lle tân, ac wrth lunio pryddest edrychai yn awr ac yn y man ar yr Almanac a gosod hen air i mewn yn lle ei air ystrydebol ef ei hun yn y bryddest, fel cyrrens mewn toes. Enillodd yr "hen eiriau" lawer o gadeiriau.[68]

Ond camgofio yr oedd Gwenallt. 'Cyfrinach Duw' ac nid 'Myfi Yw' oedd testun cystadleuaeth y gadair yn Eisteddfod Pontardawe.

Ym 1916 ceisiodd Hedd Wyn ennill cadair Eisteddfod Penmachno, ond ei gyfaill J. D. Davies a gipiodd honno, am bryddest ar y testun 'Crist ar Binacl y Deml'. Cynhwyswyd pryddest ail-orau Hedd Wyn yn *Cerddi'r Bugail*. Yn ôl ei gyfeillion, nid collwr cecrus oedd Hedd Wyn, a nodweddiadol o'i ysbryd difalais oedd y modd yr aeth ati i longyfarch J. D. Davies ar ei fuddugoliaeth ym Mhenmachno:

> Annwyl Mr. Davies – Mae yn ddrwg gennyf fod hired heb anfon gair atoch. Darllenais eich pryddest ddwywaith drosodd. A da gennyf eich llongyfarch am i chwi allu cyfieithu drama y temtiad i fywyd heddiw. Yr ydym wedi bod yn rhy lwfr neu yn rhy Biwritanaidd i feiddio gwisgo 'ffeithiau'r Beibl' yn nillad yr awen Gymreig; ond wele ddechrau. Yr ydych yn eich pryddest gryn lawer ar y blaen i mi mewn nerth a phwynt. Y mae pryddestau ar destunau ysgrythyrol fel rheol yn feichus i'w darllen. Ond yr ydych chwi wedi llwyddo i ganu bywyd pob Cymro ieuanc ac uchelgeisiol a throi 'Pinacl Hanes' yn droedfainc i'ch traed. Wel, llwyddiant lawer i chwi yn y dyfodol.[69]

Lluniodd hefyd englyn i'w longyfarch:

> Dyn braf sydd yn glod i'n bro, – ac hudol
>   Fardd Cadair Penmachno;
>   Gyrraf, er iddo'm curo,
>   Ryw lef fach i'w frolio fo.[70]

Byddai J. D. Davies ei hun yn bur hoff o adrodd un stori, a chadwyd y stori honno o fewn y teulu. Yn ôl nai J. D. Davies, Stephen Jones, Ponciau, Rhosllannerchrugog:

> Cofiaf i'm hewyrth adrodd fel y bu i Hedd Wyn, a ddyfarnwyd yn ail yn y gystadleuaeth, alw heibio i'w gartref, 9, y Sgwâr, Blaenau Ffestiniog, yn oriau mân bore trannoeth yr ŵyl (a hithau'n ddydd cyntaf yr wythnos). Fe'i deffrowyd gan gawod o gerrig mân yn curo yn erbyn cwareli'r ffenest. Wedi codi a'i hagor, cyfarchwyd ef gan fonllefau o longyfarchiadau. Hedd Wyn a'i griw o Drawsfynydd oedd yno, wedi galw heibio i'w longyfarch. Dyna brawf o'r cyfeillgarwch pur oedd rhyngddynt.[71]

Ac eithrio ychydig o fân fuddugoliaethau yma a thraw – er enghraifft, yr hir-a-thoddaid 'Ar Faen Bedd' yn *Cerddi'r Bugail* (a luniwyd er cof am Miss Lizzie Jane Jones, yn Eisteddfod Annibynwyr Blaenau Ffestiniog, Nadolig 1916) – blwyddyn ddifuddugoliaeth oedd 1916 iddo o safbwynt ennill prif wobrau, ond eto, bu'n flwyddyn fawr yn ei hanes. Ym 1915, er gwaethaf beirniadaeth ysgithrog John Morris-Jones, penderfynodd gystadlu am Gadair yr Eisteddfod Genedlaethol am yr eildro, ond yn betrusgar y gwnaeth hynny. Un o'r beirniaid, unwaith yn rhagor, oedd John Morris-Jones. Roedd Hedd Wyn yn ei ofni o bell. Yr oedd y gŵr hwn yn arbenigo ar bopeth, pob agwedd ar iaith a chynghanedd a barddoniaeth, a gwyddai Hedd Wyn fod ei Gymraeg yn wallus ar brydiau. Fodd bynnag, trwy berswâd John a William Morris, fel y nodwyd eisoes, fe anfonwyd yr awdl i'r gystadleuaeth. Mae'n debyg mai rhyw gyndynnu ar y funud olaf a wnaeth, oherwydd diffyg hyder, oblegid yr oedd yn benderfynol o lunio awdl dda. Roedd gymaint o ddifri nes iddo hyd yn oed ymweld ag Ystrad-fflur, testun yr awdl y flwyddyn honno, i anadlu awyrgylch y lle.

Ffugenw Hedd Wyn yn y gystadleuaeth oedd *Y Fantell Fair*. Tair awdl a dderbyniwyd i'r gystadleuaeth, a'r ddau feirniad arall oedd J. J. Williams a Berw (Robert Arthur Williams). Ni dderbyniwyd beirniadaeth ysgrifenedig gan Berw, ond hysbysodd yr Eisteddfod ei fod yn cytuno â John Morris-Jones ynghylch rhagoriaeth awdl *Eldon* ar awdl *Y Fantell Fair*. *Eldon* oedd J. Ellis Williams, Bangor, un o gyn-fyfyrwyr John Morris-Jones ei hun.

Testun edmygedd, yn sicr, oedd safiad ac annibyniaeth barn J. J. Williams yn y gystadleuaeth honno. Meiddiodd anghytuno â phrif oracl cystadleuaeth y Gadair yn yr Eisteddfod Genedlaethol, gan mai i Hedd Wyn y dymunai ef roi'r Gadair. Adroddid stori ddiddorol gan O. Ellis Roberts (Caerwyn), yr arweinydd eisteddfodol blaenllaw a hyglod yn ei ddydd. Galwodd ef a Gwynfor, yr actor a chyfaill i R. Williams Parry, yng nghartref T. Gwynn Jones yn Aberystwyth adeg Eisteddfod Genedlaethol 1916, a gofynnodd un ohonynt pwy a fyddai'n ennill y Gadair. 'Nid y gorau,' oedd ateb swta T. Gwynn Jones, gan esbonio bod J. J. Williams wedi dangos yr awdlau iddo. Un o droeon creulon ffawd oedd y ffaith nad oedd T. Gwynn Jones yn beirniadu gyda J. J. Williams y flwyddyn honno. Pe bai Gwynn Jones yn un o'r beirniaid, byddai Hedd Wyn wedi gwireddu breuddwyd ysol ei fywyd yn ystod ei oes.

Roedd beirniadaeth John Morris-Jones yn Eisteddfod Genedlaethol Aberystwyth ar awdl Hedd Wyn yn fwy graslon o gryn dipyn na'i feirniadaeth flwyddyn ynghynt, ond er hynny yr oedd y min yn amlycach na'r mêl. Cystwyodd Hedd Wyn am ei wallau gramadegol ac am yr elfen ddynwaredol yn ei waith: 'Dynwarediad go lafurus ydyw'r awdl, ac nid yw'n ddynwarediad llwyddianus iawn.'[72] Fe'i ceryddodd hefyd am y diffyg gorffenned a'r diffyg ceinder a geid ynddi. Ar y llaw arall, canmolwyd John Ellis Williams ganddo am y 'newydd-deb yn ei drefniant' o fydryddiaeth yr awdl, ac oherwydd bod 'ei awdl yn bur lân oddiwrth frychau mewn iaith a chynghanedd'.[73] Tynnodd J. J. Williams sylw hefyd at feiau'r awdl, sef ei gramadeg ansicr yn fwy na dim, ond nid oedd unrhyw amheuaeth yn ei feddwl ynghylch ei rhagoriaeth ar awdl *Eldon*. Yr oedd, yn ôl J. J. Williams, 'yn awdl ragorol ar lawer cyfrif'.[74] Yr oedd i'r awdl un nodwedd anghyffredin iawn: 'Llwyddodd yr awdwr i ddal y peth anghyffwrdd hwnnw a elwir yn awyrgylch.'[75] Dywedodd hefyd fod i'r awdl gynllun cryf a thlws, a'i bod 'yn feistrolgar a llithrig'.[76] Condemniwyd pumed caniad yr awdl gan John Morris-Jones am nad oedd yn glir, ond dywedodd J. J. Williams nad oedd 'angen oedi munud yn unman i geisio darganfod ei feddwl', fel petai'n ceisio ateb un o haeriadau John Morris-Jones ynghylch yr awdl.[77] Diddorol oedd gweld J. J. Williams yn collfarnu 'tuhwnt synnwyr' Hedd Wyn, gan y '[g]wyddai'r awdwr o'r goreu mai "tuhwnt i synnwyr" sy'n iawn' – cyfeiriad, mae'n amlwg, at gwpled a ddaeth yn adnabyddus iawn wedyn:

> A daw o'r hesg gyda'r hwyr
> Hanes tu hwnt i synnwyr.[78]

Dyna'r cwpled a gymerwyd gan T. H. Parry-Williams, ynghyd â'r cwpled o'i flaen, yn *Elfennau Barddoniaeth* fel enghraifft o 'greadigaeth lenyddol wir fawr ac athrylithgar' nad 'beirniadaeth a weddai iddi, ond distawrwydd'.[79] Roedd J. J. Williams hefyd, wrth olygu *Cerddi'r Bugail*, wedi newid rhai o'r pethau a gondemniwyd ganddo yn yr awdl, fel rhoi'r fannod o flaen enw afon, yn 'y Garon deg', er enghraifft, a newidiwyd yn 'Hen Garon Deg' ganddo.

Awdl o fân ddarluniau yw awdl J. Ellis Williams, ond ni cheir yn y gerdd unrhyw unoliaeth neu artistri o ran cynllun. Y mae ei geirfa yn symlach ac yn llai rhamantaidd-flodeuog na geirfa awdl Hedd Wyn, nodwedd sy'n sicr o'i phlaid, ond y mae hefyd yn awdl sy'n gwbl amddifad o gyffro a grym. Cerdd ddof, un o awdlau'r llwybr canol, ydyw. Y gwir yw mai cystadleuaeth rhwng bardd athrylithgar diaddysg a bardd addysgedig diathrylith oedd hon, ac aeth y purydd ieithyddol John Morris-Jones am yr awdl ramadegol gywir. Un o gamweddau'r Eisteddfod Genedlaethol oedd peidio â chadeirio awdl Hedd Wyn. Gwir mai awdl anafus ydyw, a bod yr elfen ramantaidd ynddi yn taro'r glust a'r dychymyg yn chwithig erbyn heddiw, geiriau fel 'mal lliant', 'ariant', 'yngo', 'pand', 'cymloedd', 'owmal', 'ucho', 'maltae', 'ridens' ac yn y blaen; ond, ar y llaw arall, mae cynganeddion Hedd Wyn yn fwy gwefreiddiol o wreiddiol, yn fwy cyffrous ac yn fwy cofiadwy nag eiddo J. Ellis Williams. Cynganeddu deddfol, o fewn hualau rheolau, a geid gan J. Ellis Williams, ond cynganeddu greddfol a geid gan Hedd Wyn:

> Er trymder yr amseroedd
> Ei byd syml darbodus oedd
> I'r clwyfus yn elusen
> A gwin i wŷr egwan hen.[80]

Ceir cwpledi a darnau caboledig a chofiadwy ynddi:

> Yntau dlws gnwd o fwsog
> Melfed lle bu Gred y Grog.[81]

> Yn y fro cofiai'r awen
> Swyn actau sanct oesau hen,
> Mal a ŵyr yn hwyr ei oes
> Ddewiniaeth gwawrddydd einioes ...[82]

> Ei llaswyr oedd yr hwyrwynt
> A'i gweddi oedd gweddi'r gwynt.[83]

> Y myneich dry'n goed maenol
> A'r abadau'n darthiau dôl.[84]

> Ac yng nghôr ei sant Forwyn
> Wele tyf dail Tafod Wyn.[85]

A hefyd ceir llinellau unigol fel 'Soniarus awen hwyrwynt', 'Â phader yr aber rydd', 'Dan wynt pêr yn nyfnder nos', a'r llinell a geir yn fynych yn yr awdl, 'Y byd aeth o wybod oes'.[86] Daeth y cwpled canlynol yn adnabyddus iawn –

> Canys gwae y nosau gynt
> Erys yng nghôl y corwynt,

– ynghyd â'r cwpled sy'n ei ddilyn, sef y cwpled a ganmolwyd gan T. H. Parry-Williams yn *Elfennau Barddoniaeth*.[87] Daeth y llinellau canlynol hefyd yn adnabyddus:

> Prifion rhyfel a helynt
> Ewynnog, ysgythrog gynt,
> Heddiw bedd di-gledd y glyn,
> Yn ddi-drwst gaeodd drostyn'.[88]

Mae ansoddeiriau Hedd Wyn hefyd yn fwy trawiadol nag eiddo awdl J. Ellis Williams, a'i ddewis o eiriau yn gyffredinol yn fwy syfrdanol; er enghraifft, sonia am 'ryw *anhrefn* o wynros',[89] a gwych yw'r ddau ansoddair sy'n disgrifio afon Teifi yn y llinell 'Fin Teifi donnog, *wydrog, dafodrydd*'.[90] Gwir fod yn yr awdl lawer o niwl a tharth a hud-gwneud, ond y mae ynddi hefyd ryw ymglywed synhwyrus a soniarus â phellter amser ac â hynafiaeth pethau. Ceir ynddi hefyd gynllun mwy clòs nag eiddo'r awdl fuddugol. Cyflwynir tri phif gymeriad ynddi: hen fynach, rhyfelwr, neu 'facwy', a bardd, sef Dafydd ap Gwilym. Fe'u cyflwynir ar wahân i'w gilydd, ond daw'r tri ynghyd ar ddiwedd y gerdd, trwy gyfrwng cymeriad arall, sef henwr.

Felly, yr oedd Hedd Wyn ar fin sylweddoli ei uchelgais. Mater o amser ydoedd cyn y byddai'n ennill, a mater o fyr-amser hefyd. Bu'n benderfynol o ennill Cadair y Brifwyl ers blynyddoedd, ac ymladdodd yn erbyn llu o anawsterau i gyrraedd y nod. Y mae'n debyg mai'r tro olaf iddo gystadlu, cyn anfon awdl 'Yr Arwr' i Eisteddfod Birkenhead, oedd ym mis Chwefror 1917. Llongyfarchwyd 'Pte. Hedd Wynn' gan un o ohebwyr *Y Rhedegydd* yn rhifyn Chwefror 24, 1917, o'r papur, am gipio'r wobr am yr hir-a-thoddaid yn Eisteddfod Gwylfa, Llan Ffestiniog. 'Da iawn Hedd, er dy fod yn mhlith y milwyr, o'th enedigol fro, dal i ganu,' meddai'r gohebydd hwnnw.[91] Dyma'r hir-a-thoddaid buddugol, na chynhwyswyd mohono yn *Cerddi'r Bugail*, i goffáu John Williams, Glynllifon Street, Blaenau Ffestiniog:

> Ei wenau hwyliog a'i feirch ni weli
> Yn yr heolydd na'r hen chwareli;
> Dibennodd ddiwrnod heb ynddo wyrni,
> A Seion lonnodd â'i swynol ynni.
> Ŵr diwyd, er ei dewi, – gŵyr y wlad
> Iddo yng nghariad ei Dduw angori.[92]

Yr oedd un gystadleuaeth ar ôl, ac un fuddugoliaeth fawr yn ei aros.

6

'I'r Rhyfel sy'n Crynu y Byd'

Ddiwedd Gorffennaf 1914, ymwelodd J. Dyfnallt Owen â Thrawsfynydd, lle y buasai'n weinidog am bedair blynedd, ac yn un o'r rhai blaenllaw yn yr ymgyrch i atal y Swyddfa Ryfel rhag codi gwersyll hyfforddiant milwrol a thanio gynnau yn y fro. Cofnododd yr ymweliad hwnnw:

> ... dolur i'm calon fore trannoeth oedd clywed taranau'r gynnau mawr o
> oror Trawsfynydd, a mwy fyth fy arswyd pan welwn y pelenni'n disgyn yng
> nghymdogaeth y 'Feidogydd'; a phan ganfum adfeilion yr hen furiau cysegredig
> llosgai pob ias o ddicter yn fy ngwaed.[1]

Ar Orffennaf 31, 1914, gwnaethpwyd peth difrod i gapel Penystryd gan rym y gynnau mawr:

> Trannoeth, taniwyd yr ergydion cyntaf o wn mawr yn ymyl Hen Gapel
> Penystryd; a chan gymaint taranau'r ergydion chwalwyd y ffenestri ac ysigwyd y
> muriau. Dyna'r tro cyntaf i mi weld leied o barch sydd gan swyddwyr rhyfel at le
> cysegredig.[2]

Nid oedd Prydain ar y pryd wedi ei thynnu i mewn i'r rhyfel a fyddai, o fewn pedair blynedd, yn rhwygo'r byd yn yfflon ac yn creu ffin bendant rhwng yr hen fyd a'r byd modern. Rhagargoel, blaen-arwydd o ryw fath, oedd yr anrheithio damweiniol hwn ar gapel Penystryd. Yn eironig iawn, yng Nghymru, ac nid ar y cyfandir yn Ewrop, y difrodwyd yr addoldy cyntaf o blith y llaweroedd a ddifrodwyd ac a ddinistriwyd rhwng Gorffennaf 28, 1914, pan gyhoeddodd Awstria-Hwngari ryfel yn erbyn Serbia, a Thachwedd 11, 1918, pan ddaeth y rhyfel i ben. Act symbolaidd anfwriadol oedd y difrodi hwn ar y capel. Yn y man byddai capeli, eglwysi a chadeirlannau Ewrop yn dilyn yr un dynged, ac nid yr addoldai hyn yn unig a ddinistriwyd gan y Rhyfel Mawr wedi iddo ddod i ben, ond holl werthoedd Cristnogol y byd gwareiddiedig yn ogystal. Nid sŵn emynau yn unig a foddid gan sŵn y gynnau. Pan oedd Dyfnallt yn ffieiddio'r weithred esgeulus hon, ychydig a wyddai fod cenhedloedd mawrion Ewrop yn prysur ymarfogi ac ymfyddino ar gyfer y rhyfel mwyaf erioed yn hanes y byd.

Digwyddodd yr anrheithio hwn yn union ar y diwrnod y byddai Hedd Wyn, dair blynedd yn ddiweddarach, yn marw o'i glwyfau ar Gefn Pilkem, Fflandrys. Ar noson olaf Gorffennaf 1914 y cyfarfu Dyfnallt â Hedd Wyn yn ystod yr ymweliad hwn â Thrawsfynydd:

> ... pan adroddwn helynt y tanio ynfyd, yr oedd goleu gwyllt yn llygad Hedd Wyn; ac nid oedd neb yn fwy hyawdl yn erbyn y ffieiddbeth halog oedd yn puteinio'r fro nag efe.[3]

Dyna'r dystiolaeth gynharaf sydd ar glawr o agwedd Hedd Wyn at ryfel ac at y fyddin. Ar yr union ddiwrnod ag y digwyddodd yr anrheithio hwn, yr oedd Rwsia ac Awstria, gelynion i'w gilydd yn y Rhyfel Mawr, wedi cynnull eu byddinoedd ynghyd.

Pan ddigwyddodd y difrodi hwn ar y capel, roedd yr hen ymerodraeth honno, Awstria-Hwngari, wedi cynnau'r wreichionen gyntaf yn y goelcerth honno a fyddai yn y man yn ysgubo drwy'r byd. Ar Awst 1, cyhoeddodd yr Almaen ryfel yn erbyn Rwsia, ac yn erbyn Ffrainc ar Awst 3. Ar Awst 4, cyhoeddodd ryfel yn erbyn Gwlad Belg, ac ar yr un diwrnod, roedd Prydain Fawr a'i chymanwledydd wedi eu llusgo i mewn i'r cythrwfwl. Dyma'r rhyfel cyntaf erioed rhwng holl wledydd diwydiannol flaenllaw'r byd, a dyna'r union ffactor a'i gwnaeth yn rhyfel mor erchyll yn y pen draw. Rhyfel diwydiannol oedd hwn yn ei hanfod. Tynnwyd gwledydd llai, a llai datblygedig, i mewn i'r gwrthdrawiad hwn rhwng y pwerau mawrion yn fuan iawn ar ôl y symudiadau cychwynnol tuag at ryfel. Ni ddisgwylid i'r rhyfel barhau'n hir. Roedd y pwerau mawrion – yr Almaen ac Awstria-Hwngari ar y naill law, a Rwsia, Ffrainc a Phrydain ar y llaw arall – yn disgwyl y byddai'r rhyfel ar ben erbyn

Nadolig 1914, a'r ddwy ochr, fel ei gilydd, yn hyderus yn eu grym a'u gallu eu hunain i ennill y dydd.

Hynny, yn rhannol, sy'n esbonio'r brwdfrydedd ar ran dynion ieuainc y gwledydd hyn i ymuno â'r fyddin. Roedd pawb ar frys i ymuno er mwyn cael cymryd rhan yn yr ymladd cyn i'r rhyfel ddirwyn i ben. Apeliai'r propagandwyr at wladgarwch a theyrngarwch pobl, ac ymatebent yn gadarnhaol iawn, at ei gilydd, i'r erfyniadau hynny. Go brin fod yr awdurdodau, y gwleidyddion a'r militarwyr wedi rhag-weld y fath ymateb ag a gafwyd yn ystod 'gwallgofrwydd Awst'. Roedd 100,000 o wŷr ifainc wedi ymuno'n wirfoddol â'r fyddin yn ystod deng niwrnod cyntaf y rhyfel. Roedd angen gwirfoddolwyr ar y Fyddin Brydeinig, ac ar y Llynges a'r Llu Awyr yn ogystal, i'w hychwanegu at y rhai a oedd eisoes yn filwyr ac yn forwyr wrth broffes. Nid oedd digon o arfau na dillad milwrol ar gyfer yr holl filoedd hynny a oedd wedi ymuno â'r Lluoedd Arfog yn ystod misoedd cyntaf y rhyfel, a bu'n rhaid cyflymu'r gwaith o gynhyrchu arfau ac adnoddau. Yr un oedd yr ymateb yn yr Almaen. Roedd y mwyafrif helaeth o ddynion ifainc y wlad yn dymuno ymuno â'r fyddin, a bu'n rhaid i'r Fyddin Almaenig wrthod derbyn rhai miloedd o wirfoddolwyr i'w rhengoedd, am y tro, beth bynnag, gan nad oedd lle iddynt o'i mewn. O'r herwydd, gallai byddin yr Almaen ddewis y dynion cryfaf, iachaf a mwyaf effeithiol i'w rhengoedd.

Er bod y mwyafrif helaeth o blaid y rhyfel ym Mhrydain, nid oedd pawb yn gefnogol iddo. Daeth llawer o wrthwynebiad o du'r eglwysi, o blith rhengoedd y sosialwyr, a'i gwelai fel rhyfel cyfalafol, a hefyd o fysg y gwrthwynebwyr cydwybodol, ond gan mai rhyfel y gwirfoddolwyr ydoedd yn ystod y ddwy flynedd a hanner cyntaf, carfan hollol anamlwg oedd carfan y gwrthwynebwyr cydwybodol, tua 6,000 ohonynt, hyd nes y daeth y Ddeddf Gwasanaeth Milwrol i rym ym 1916. Ond gan mor frwd oedd y mwyafrif o'i blaid, lleisiau anhyglyw yng nghanol banllefau rhyfelgar croch oedd lleisiau'r rhai a wrthwynebai'r rhyfel.

Credwyd gan lawer fod agwedd Hedd Wyn tuag at y rhyfel wedi'i chrisialu'n ddiamwys yn y gerdd 'Wedi'r Frwydr', ond fel y dangoswyd mewn pennod flaenorol, nid i gyfnod y Rhyfel Mawr y perthyn y gerdd. Sôn y mae yn y gerdd honno am ryfel arall, rhyfel trosiadol, symbolaidd, er mwyn cadw a gwarchod delfrydau. Y mae'n wir fod ganddo ddarnau sydd fel pe baent yn cefnogi'r rhyfel, ond darnau a luniwyd yn hanner cyntaf y rhyfel yw'r rhain. Mewn cyd-destun ehangach, ceir ffin amseryddol bendant rhwng y canu o blaid y rhyfel a'r canu yn ei erbyn. Canwyd optimistiaeth a brwdfrydedd rhwng 1914 a 1916, a chanwyd dadrith a chwerwder rhwng 1916 a 1918. Cyffredinoli yw hyn i raddau, ond, serch hynny, mae llawer iawn o wirionedd yn y cyffredinoli hwn. Anturiaeth fawr, mater o raid ac o anrhydedd, oedd y rhyfel i feirdd Saesneg blaenllaw'r ddwy flynedd gyntaf: Julian Grenfell, Charles Sorley, Rupert Brooke a Robert Nichols, er enghraifft; canent, i bob pwrpas, o blaid y rhyfel. Ar ôl slachtar y Somme, y cyrch a ddechreuwyd ar Orffennaf 1, 1916, ac a barhaodd hyd at Dachwedd 15, newidiodd cywair y canu. Roedd ystadegau terfynol y Somme yn ddigon i godi dychryn ar y mwyaf eiddgar o blaid y rhyfel, yn enwedig pe cymherid yr ystadegau hynny â rhai o ystadegau'r ddwy flynedd gyntaf. Ym 1914, ar ôl pedwar mis o frwydro, cafwyd 90,000 o glwyfedigion, lladdedigion a cholledigion o fewn y fyddin Brydeinig, 50,000 o'r rheini un ai wedi eu lladd neu 'ar goll', y gweddill yn glwyfedigion. Ym 1915, cafwyd dilyniant o frwydrau trychinebus: Neuve Chapelle, Trum Aubers, Festubert, Ypres, Loos, ac o ganlyniad i'r brwydrau hyn roedd 285,000 o filwyr Prydeinig un ai wedi eu clwyfo neu eu lladd neu ar goll. Rhwng Gorffennaf a Medi 1916, lladdwyd rhagor na 90,000 o filwyr, ac, yn ôl y cofnodion meddygol swyddogol, clwyfwyd 228,632 o rai eraill yn bur ddifrifol. Roedd un ymgyrch ym 1916, ymgyrch y Somme, yn waeth o ran ei chanlyniadau na chanlyniadau'r rhyfel i gyd hyd at 1916. Lladdwyd y ddelfrydiaeth gynnar a'r brwdfrydedd cychwynnol yn sgil anafu a chynaeafu'r miloedd hyn ym mrwydr y Somme, a daeth nodyn o chwerwder i mewn i ganu beirdd ail hanner y rhyfel, a gynrychiolir yn bennaf gan Wilfred Owen, Siegfried Sassoon, Edmund Blunden, Robert Graves ac Isaac Rosenberg. Disodlwyd y rhagrith gan ddadrith, a'r breuddwyd gan arswyd.

Y mae un hanesydd, Keith Robbins, awdur *The First World War* (1985), wedi amcangyfrif i fis cyntaf y Rhyfel Mawr, Awst 1914, gynhyrchu oddeutu miliwn a hanner o gerddi, tua 50,000 y dydd ar gyfartaledd, sy'n ffigwr anhygoel o uchel. Yr oedd cysylltiad agos, mae'n amlwg, yn y cyfnod rhwng y fwled a'r faled, rhwng y gwn a'r gân. Ac, wrth gwrs, cerddi yn datgan cefnogaeth i'r rhyfel oedd y mwyafrif helaeth o'r rhain. Cerdd a luniwyd yn ystod cyfnod dechreuol y rhyfel yw 'Gwladgarwch' Hedd Wyn. Clywodd yntau hefyd yr areithio brwd o blaid y rhyfel a'r apeliadau taer am wirfoddolwyr oddi ar lwyfannau'r wlad:

> Un dydd tymhestlog mi'th glywais yn gweiddi
>   Ar liaws dy wlad i'r drin;
> Gwelais di'n fflam yn eu llygaid a'u gwythi,
> Ac athrist fu gweled gwedi'r cymhelri
>   Eu gwaed yn rhuddo y ffin ...

> Lleferi yn glir o'r senedd a'r llwyfan
>   A'n heisiau'n dân ar dy fant;
> Cans onid tydi yw'n tafod o arian,
> Ac onid tydi a ery yn darian
>   Dros freiniau dy wlad a'i phlant?[4]

Cerdd gymysglyd yw hon ganddo. Clodforir Prydain ynddi, ac eto y mae'n datgan ei barch at y traddodiadau Cymreig. Arddel gwladgarwch hollt ei gyfnod a wnâi Hedd Wyn yn y gerdd hon: ffyddlondeb i Gymru ac i Brydain ar yr un pryd. Gallai'r pennill canlynol yn rhwydd fod yn un eironig, yn yr ystyr mai parodïo areithiau propagandaidd y dydd a wneir ynddo:

> Eto mae galwad gwladgarwch i'r trinoedd
>   Fel yn y dyddiau a fu;
> Mae'n alwad yn enw Prydain a'i nerthoedd,
> Mae'n alwad yn enw Arglwydd y Lluoedd,
>   O'i loyw uchelder fry.[5]

Ond nid eironi sydd yma.

Un o'i gerddi rhyfel cynharaf yw 'I Blant Trawsfynydd ar Wasgar, 1914', a gynhwyswyd yn argraffiad 1931 o *Cerddi'r Bugail* dan y teitl 'Plant Trawsfynydd, 1914'. Cyflwynodd yn y gyfres hon o englynion, yn gynnar iawn yn ystod y rhyfel, brif thema ei gerddi rhyfel, sef y bylchu ar gymdeithas a'r esgor ar ansefydlogrwydd cymdeithasol a achosid gan y rhyfel. Lluniodd y gerdd yn ystod cyfnod Nadolig 1914. Dyma ddetholiad o'r englynion:

Holi'n wan am danoch – fore a hwyr
    Mae y fro adawsoch;
  Yntau y cryf gorwynt croch
  Eto sy'n cofio atoch.

Er oedi'n wasgaredig – hyd erwau
    Y tiroedd pellennig,
  Duw o'i ras a lanwo'ch trig
  A dialar Nadolig.

Rhai o'r hen bererinion, – oedd unwaith
    Yn ddiddanwch Seion,
  Aethant o'n hardal weithion
  I'r wlad well dros feryl don.

Eraill aeth dros y gorwel – i feysydd
    Difiwsig y rhyfel;
  Uwch eu cad boed llewych cêl
  Adenydd y Duw anwel ...

Er y siom trwy'r henfro sydd, – a'r adwyth
    Ddifroda'n haelwydydd,
  Hwyrach y daw cliriach dydd
  Tros fannau hoff Trawsfynydd.[6]

Lluniodd gerddi tebyg ym 1915 a 1916, cerddi Nadolig yn hiraethu am fechgyn Trawsfynydd, a hwythau'n ymladd mewn gwledydd estron. Cynhwyswyd cerddi Nadolig 1914 a 1915 yn *Cerddi'r Bugail*, ond ni chynhwyswyd cerdd 1916. Dyma ran o 'Plant Trawsfynydd, 1915'. Unwaith eto, dengys y penillion hyn yr un nodweddion ag a geir yn y cerddi Nadolig eraill: gresynu bod cymdeithas wedi'i chwalu gan y rhyfel, cyfleu hiraeth y fro am ei meibion a dyheu am gael y gymdeithas yn gymdeithas gron a chyflawn unwaith yn rhagor:

Pell yw'r ieuenctid llawen eu dwndwr
  Fu'n cerdded y fro;
'Chydig sy'n mynd at y Bont a'r Merddwr
  Yn awr ar eu tro.

Holi amdanoch â llais clwyfedig
  Mae'r ardal i gyd;
Chwithau ymhell fel dail gwasgaredig
  Ar chwâl tros y byd.

Rhai ohonoch sy 'merw y brwydrau
  Yn y rhyfel draw,
A sŵn diorffwys myrdd o fagnelau
  O'ch cylch yn ddi-daw.

Eraill sy'n crwydro gwledydd pellennig
  Yn alltud eu hynt
Ac yn eu calon atgo Nadolig
  Yr hen ardal gynt.

P'le bynnag yr ydych, blant Trawsfynydd,
  Ar ledled y byd,
Gartre mae rhywrai ar eu haelwydydd
  Yn eich cofio i gyd.

Ni all pellterau eich gyrru yn ango,
  Blant y bryniau glân;
Calon wrth galon sy'n aros eto,
  Er ar wahân.

A phan ddaw gŵyl y Nadolig heibio
  I'r ddaear i gyd,
Blant Trawsfynydd, tan arfau neu beidio,
  Gwyn fo eich byd.[7]

    'Plant Trawsfynydd' – 'sef cân Nadolig i'r rhai sy 'mhell o'u bro' – yw'r gerdd a luniodd ym 1916:

Nid oes o'r Bont hyd at Bantycelyn
  Ddim ond unigrwydd a'i fri:
A rhywrai'n eistedd wrth dân eu bwthyn
  Gan feddwl amdanoch chwi.

'Chydig yw rhif y rhai sydd yn dyfod
  Yn awr fin nos tua'r Llan;
Mae'r hen gyfeillion megis gwylanod
  Bellach ar chwâl ym mhob man.

Pan chwytho gwynt y nos yn anniddig
  Gan siglo ffenestr a dôr,
Cofiwn amdanoch, blant gwasgaredig,
  Ar dir pellennig a môr.

Mae rhai ohonoch, blant y mynyddoedd,
  I ffwrdd ers talwm ar daith;
A'ch gwallt yn gwynnu yng ngwynt blynyddoedd,
  Blynyddoedd unig a maith.

Eraill ohonoch sy'n Ffrainc aflonydd
  Yn ymladd fore a hwyr;
Maint eich hiraeth am fryniau Trawsfynydd,
  Y nef yn unig a ŵyr.

Cerdda eraill hyd ddieithr bellterau
  Yr Aifft dywodlyd, ddi-wên,
Yng nghysgod y palm a'r pyramidiau,
  Ym murmur y Nilus hen.

Llu ohonoch sy'n morio'r Iwerydd,
  Yn morio'r Iwerydd mawr,
Lle nad oes ond tonnau glas aflonydd
  Yn wylo o wyll i wawr.

Daw'r haf am dro tros ein bryniau eto,
  Am dro tua'r coed a'r ddôl,
Ond gwn fod rhai ohonoch yn huno,
  Na welir mohonynt yn ôl.

Blant Trawsfynydd ar ledled y gwledydd
  A thonnau gleision y lli,
Wnêl bro eich mebyd melys a dedwydd
  Byth, byth eich anghofio chwi.

Er colli wynebau eich lleisiau melys
　Oddi ar lwyfannau y plwy,
Calon wrth galon eto a erys,
　A'n cariad sy'n tyfu'n fwy.

Er gweled ohonoch flwyddyn annedwydd,
　Blwyddyn o ofid a chri,
Gwynnach nag eira gwynnaf Trawsfynydd
　Fyddo'r Nadolig i chwi.[8]

Ni chanodd Hedd Wyn lawer o gerddi rhyfel yn ystod dwy flynedd gyntaf y gyflafan. Ni fennodd y ddwy flynedd gyntaf ryw lawer arno ychwaith, ond ym 1916 daeth trobwynt, trobwynt o safbwynt ei ganu ac o safbwynt ei amgylchiadau personol. Os llwyddodd, i raddau, i anwybyddu'r rhyfel am y ddwy flynedd gyntaf, nid felly y bu hi o ddechrau 1916 ymlaen. Syrthiodd y Rhyfel Mawr yn drwm ar ei warthaf.

Ym 1916 y lluniodd Hedd Wyn y rhan fwyaf o'i farwnadau a'i englynion coffa ar ôl bechgyn o'r Traws a laddwyd yn y rhyfel. Hiraethu amdanynt yn eu habsenoldeb a wnâi cyn 1916, a dyheu am iddynt ddychwelyd i'w cynefin; canu eu coffâd a galaru ar eu hôl a wnâi ym 1916. Yn ystod y flwyddyn hon y daeth i sylweddoli a deall gwir ystyr ac arwyddocâd y rhyfel.

Cafodd gyfle yn gynnar yn y flwyddyn i farwnadu. Erbyn dechrau Chwefror daeth y newyddion fod un o fechgyn yr ardal, Johnnie Williams, wedi'i ladd yn Ffrainc. 'Bachgen hynod o hoffus' ydoedd yn ôl *Y Rhedegydd*, a '[g]alarus meddwl ei fod yn gorwedd yn naear estronol Ffrainc'.[9] Hynny hefyd oedd byrdwn englyn Hedd Wyn er cof amdano. Cynhwyswyd yr englyn yn argraffiad 1918 o *Cerddi'r Bugail*:

Erys ei lwch i orwedd, – yn erwau
　Ewrob anghyfannedd;
　Er hynny gesyd rhinwedd
　Ei harfau aur ar ei fedd.[10]

Ddechrau'r flwyddyn hefyd y clywyd am farwolaeth gŵr ifanc arall yr oedd Hedd Wyn yn ei adnabod yn dda, sef yr Is-gapten D. O. Evans, Llys Meddyg, Blaenau Ffestiniog, mab Dr R. D. Evans. Deio'r Meddyg oedd hwn i'w gydnabod a'i gyfeillion. Iddo ef, yn wreiddiol, y lluniodd Hedd Wyn ei englyn enwocaf, godidocaf, ac un o englynion mawr y Gymraeg, sef 'Nid Â'n Ango':

> Ei aberth nid â heibio, – ei wyneb
> Annwyl nid â'n ango,
> Er i'r Almaen ystaenio
> Ei dwrn dur yn ei waed o.[11]

Lladdwyd yr Is-gapten D. O. Evans yn Ffrainc ar Chwefror 12, 1916, a'i gladdu yn ymyl bedd mab ieuengaf y Cadfridog enwog Owen Thomas. Bachgen golygus, hoffus oedd Deio Evans, ac anwyldeb, fel yr awgryma englyn Hedd Wyn, yn serennu lond ei wyneb. Ar ddechrau'r rhyfel roedd yn gweithio mewn banc yng Nghanada, ond dychwelodd i Gymru gyda'r Adran Ganadaidd gyntaf, ac wedi misoedd o ymarfer yn Salisbury Plain, cafodd gomisiwn gydag 17eg Fataliwn y Ffiwsilwyr Brenhinol Cymreig. Roedd un o'i frodyr yn bresennol yn ei angladd. Fe'i claddwyd gan y Capten-gaplan W. Llewelyn Lloyd, a anfonodd lythyr at ei dad, gan ddweud 'yr oedd fy nghalon yn friw wrth weled ei frawd yn tori ei galon uwchben y bedd'.[12]

'Nid oes genych chwi na neb arall syniad am boblogrwydd Davy ymysg ei gyd-filwyr,' meddai Billy Penny, un o'i gymrodyr, mewn llythyr at dad Deio Evans.[13] 'Fel swyddog yr oedd pob rhinwedd ag y gallasech ddymuno yn perthyn iddo, ac yr oedd ufudd-dod y milwyr yn dwyn tystiolaeth o hyny,' ychwanegodd.[14] 'Yr oedd Lieut. Evans yn anwyl gan bawb, ac yn boblogaidd ryfeddol, ac fe deimlir chwithdod a hiraeth ar ei ol,' meddai W. Llewelyn Lloyd yntau, eto mewn llythyr at dad D. O. Evans.[15] A dyna'r gŵr ifanc a oedd wedi ysgogi un o englynion mwyaf y Gymraeg.

Lluniodd Dewi Mai o Feirion englyn er cof amdano:

> Cywiraf ieuanc wron – dros ei wlad
> Roes lif gwaed ei galon,
> Ac am swyddog serchog, sôn
> Wedi'i orwedd, wnâ'n dewrion.[16]

Ond nid yr englyn uchod er cof amdano oedd yr un a oroesodd. Ar Ebrill 24, 1916, cynhaliwyd eisteddfod yng nghapel Seion, Blaenau Ffestiniog, gyda J. D.

Davies *Y Rhedegydd* yn beirniadu'r adran lenyddiaeth. Dwy o gystadlaethau'r eisteddfod honno oedd llunio penillion coffa i Lieut. D. O. Evans a hefyd llunio englyn er cof amdano. Cerdd o eiddo Bryfdir a ddyfarnwyd yn fuddugol yn y gystadleuaeth gyntaf, gyda Hedd Wyn, dan y ffugenw *Narcissus*, yn ail iddo. Dywedodd y beirniad mai gan *Narcissus* yr oedd y 'gân fwyaf angherddol o'r cwbl', a'i bod 'yn wir deimladwy a barddonol'.[17] Hedd Wyn, fodd bynnag, a enillodd ar yr englyn. Ceir nodyn yn *Y Rhedegydd*:

> Llongyfarchwn Hedd Wynn yn enill ar yr Englyn Coffa i'r diweddar Lieut. D. O. Evans yn Seion, Bl. Ffestiniog, nos Iau diwethaf. Clywsom mai efe oedd yr ail ar y Penillion Coffa hefyd. Well done, Hedd.[18]

Cyhoeddwyd cân fuddugol Bryfdir yn yr un rhifyn, a beirniadaeth J. D. Davies yn ogystal. Fodd bynnag, nid 'Nid Â'n Ango' oedd yr englyn hwnnw, ond yr un y rhoddwyd 'Yr Aberth Mawr' yn deitl iddo yn *Cerddi'r Bugail*.

Ar ôl yr eisteddfod, galwodd Hedd Wyn heibio i swyddfa J. D. Davies. Dyma beth a ddigwyddodd wedyn, yn ôl tystiolaeth J. D. Davies ei hun:

> Ymgeisiodd Hedd Wyn mewn cystadleuaeth arall yn yr un cyfarfod, sef ar englyn i'r un gwrthrych. Ei ffugenw yn y gystadleuaeth hon oedd "Pro Patria." Yr oedd amryw yn ymgeisio, ond efe enillodd. Dywedid am dano, – "Mae gan Pro Patria englyn newydd, a thrawiad ynddo o wir ynni barddonol. Er nad yw ei gynghaneddion cyn gryfed a rhai yn y gystadleuaeth, na'i darawiad mor union i'r pwynt ag eiddo eraill, y mae ei englyn yn fwy ffresh na'r un o'r lleill." Dyma'r englyn hwnnw, –

> > "O'i wlad aeth i warchffos lom – Ewrob erch
> >   Lle mae'r byd yn storom,
> >   A'i waed gwin yn y drin drom
> >   Ni waharddai hwn erddom."

> Y tro nesaf y gwelsom ef ar ôl y dyfarniad hwn dywedodd ei fod wedi bwriadu anfon englyn arall i'r gystadleuaeth ond iddo fethu a'i orffen. "Mae'r esgyll fel hyn," meddai, –

> > "Er i'r Almaen ystaenio.
> > Ei dwrn dur yn ei waed o."

Atebwyd fod y cwpled yna yn anfarwol ac y dylai orffen yr englyn ar bob cyfrif. Gorffennodd ef y pryd hwnnw trwy chwanegu –

> "Ei aberth nid el heibio, – a'i wyneb
> Anwyl nid â'n angho;"

ac er ei fod yn rhy hwyr i'r gystadleuaeth ni chyll ei wobr.[19]

Yr oedd hyn un ai tua diwedd Ebrill neu yn hanner cyntaf Mai 1916, oherwydd fe ymddangosodd yr englyn yn gyfan ar gerdyn coffa a gyhoeddwyd er cof am Tommy Morris, yntau hefyd, fel D. O. Evans, yn perthyn i 17eg Fataliwn y Ffiwsilwyr Brenhinol Cymreig. Lladdwyd Tommy Morris ar Fai 11, yn Ffrainc, a derbyniwyd y newyddion am ei farwolaeth yn Nhrawsfynydd ar Fai 17. Llanc ifanc 21 oed oedd Tommy Morris a ymunodd â'r fyddin ym mis Ebrill 1915. Hawdd gweld beth a ddigwyddodd gydag englyn Hedd Wyn. Fe'i lluniwyd yn wreiddiol i goffáu D. O. Evans, ond gan iddo fethu'i gwblhau'n foddhaol ar gyfer y gystadleuaeth, a chan ei fod eisoes wedi llunio un englyn er cof am Deio Evans, cyflwynodd yr ail englyn hwn i goffadwriaeth Tommy Morris. Nid yw o bwys bellach i bwy y lluniwyd ef. Dyma'r englyn, yn anad yr un englyn arall, sy'n cynrychioli pob un o'r gwŷr ifainc a laddwyd yn y gyflafan fawr, gan gynnwys Hedd Wyn ei hun. Fe'i ceir, wrth gwrs, ar ei gofadail yn Nhrawsfynydd. Yr hyn a'i gwna'n englyn arbennig o gryf yw'r cyferbyniad a geir ynddo rhwng yr unigol a'r torfol, rhwng anwyldeb yr unigolyn a dihidrwydd y peiriant militaraidd. Mae'n englyn sy'n cylchdroi o gwmpas delweddau corfforol, wyneb a dwrn a gwaed, a hynny'n rhoi unoliaeth a grym iddo. Tybiai J. R. Jones, yr ysgolfeistr, mai englyn a luniwyd i Tommy Morris yn unig ydoedd, oherwydd anfonodd lythyr at dad y bardd pan oedd yn cynorthwyo i baratoi *Cerddi'r Bugail* gogyfer â'i gyhoeddi, gan restru yn y llythyr nifer o'r cerddi a luniwyd gan Hedd Wyn i bobl, a chyferbyn â'r teitlau enwau'r gwrthrychau y canwyd y cerddi hyn iddynt. Gofynnodd i Evan Evans lenwi rhai bylchau yn y rhestr, ond roedd enw ganddo eisoes ar gyfer 'Nid Â'n Ango', sef Tommy Morris, Llysawel. Ar y llaw arall, dyfynnwyd yr englyn droeon yn y papurau ar ôl marwolaeth Hedd Wyn, ac enw D. O. Evans a roddwyd uwch ei ben bob tro, bron yn ddieithriad, ac fel englyn er cof am Deio Evans y dylid meddwl amdano o hyn ymlaen, nid fel englyn i Tommy Morris. Gan ddyfynnu'r englyn, 'Hedd Wyn composed the following englyn to the Lieut. D. O. Evans, Festiniog [*sic*], and this may now, with pathetic interest, be said of himself,' meddai'r *Cambrian News*, wrth nodi ei farwolaeth.[20] Nododd *Y Dydd* mai 'ar ol Lieut. D. O. Evans, mab Dr. Evans, Blaenau Ffestiniog, laddwyd yn Ffrainc' y lluniwyd yr englyn, a cheir sawl tystiolaeth gyffelyb.[21]

Cyhoeddwyd penillion coffa Hedd Wyn i Deio Evans yn rhifyn Mai 1920 o *Cymru*. Y mae paladr yr englyn enwog ar gael ar ffurf mydr ac odl yn y gerdd goffa:

> Pa wedd gollyngwn dy aberth yn ango,
> A ph'odd yr anghofiwn dy wyneb di,
> Cans erom ni phrisiaist roi'th fywyd heibio,
> A throi y gwarchffosydd yn Galfari.[22]

Rhennir y gerdd yn bedwar caniad: I, 'Oriau'r Henfro'; II, 'Hud y Môr'; III, 'Tua'r Gad'; IV, 'Bedd ac Aberth'. Yn y caniad cyntaf sonnir am fachgendod D. O. Evans:

> Melys a pher ydoedd oriau dy hendud,
> Tan gysgod adanedd rhieni mwyn,
> A gobaith yn murmur hud yn dy fywyd
> Fel awel y gwanwyn yn nheml y llwyn;
> Fe gydiai dy serch am fywyd Ffestiniog
> Modd breichia yr iorwg y talgoed mawr,
> A gwn i ti garu'i bannau godidog –
> Cynefin y niwl, y corwynt, a'r wawr.[23]

Byrdwn yr ail ganiad oedd ei ymfudo i Ganada:

> Tithau, fel eraill o feibion y mynydd,
> Wrandewaist ar wahawdd a hud y lli,
> A chlywaist ymharabl teg yr Iwerydd
> Erddigan gwenfro heb ing ynddi hi;
> Gwelsom di'n hwylio un dydd i'r Gorllewin,
> Fel Arthur i chwilio am wlad fo'n well,
> Y gwynt a'r tonnau yn canu a chwerthin,
> Wrth gludo dy long tua'r allfro bell.[24]

Diddorol yw'r cyfeiriad at Arthur. Yr oedd y meddylfryd rhamantaidd yn drwm ar Hedd Wyn, hyd yn oed wrth goffáu un o'r bechgyn a laddwyd yn y Rhyfel Mawr. Y mae i Arthur arwyddocâd arbennig ym marddoniaeth Hedd Wyn. Yma hefyd y dylid sôn am 'y llythyr at y milwr clwyfedig'. Dyfynnir hwn gan William Morris, er nad yn llawn, yn yr ysgrif ar Hedd Wyn a geir ganddo yn *Cymru*, 1918, a thrachefn yn ei gyfrol. Dyma'r rhan a ddyfynnir gan William Morris yn *Cymru*:

> Wyddost ti beth, mae clywed son am filwyr [sic] clwyfedig yn gwneud i mi feddwl bob amser am Arthur chwedloniaeth y Cymry. Wedi bod ohono mewn llawer brwydr, o'r diwedd fe'i cludir tan ei glwyf i Ynys Afallon, – ynys ddi-nos yr haf anfarwol. Cofia mai nid chwedl mo Ynys Afallon. Ynys ym myd y galon ydyw hi, ac nid oes dim ond clwyf a dioddef yn gallu agor ei phyrth. Mae'r Ynys honno ynghalon dy deulu, ynghalon dy wlad, a thithau ynddi yn anwylach nac erioed.
>
> Nid oes gennyf fawr iawn i'w ddweyd wrthyt, ond ei bod hi yn dawel iawn yn dy hen gartref, yr heolydd yn wacach nac [sic] arfer, a'r gwynt fel tae o'n sibrwd 'Ichabod' o lwyn i lwyn, – ond nid felly mae hi i fod, cofia. Mae'r gwanwyn sydd heddyw yn ifanc ar fedd y gaeaf a'r storm yn profi hynny, a chyn sicred a dyfod blagur i lwyn felly hefyd y daw bore o heddwch i fywyd ein teyrnas glwyfedig. A chyda'r bore hwnnw doi dithau a miloedd o fechgyn eraill yn ol i'w hen gynefin, – eu profiad yn fwy, a'u gwladgarwch yn burach a mwy sylweddol, a'u cariad at heddwch yn angerdd newydd yn eu mynwesau.[25]

Tybiai William Morris, ac eraill i'w ganlyn, mai llythyr dilys at filwr gwirioneddol oedd hwn, a chredai hynny hyd yn oed yn ei lyfr; ond llythyr ffug ydyw. Yn ôl J. W. Jones, mewn nodyn ganddo yn ei gopi ef o *Cerddi'r Bugail*, a gedwir yn Llyfrgell Prifysgol Bangor, lluniwyd y llythyr ar gais Jini Owen, a'r bwriad oedd ei anfon i gystadleuaeth llunio llythyr o'r fath mewn eisteddfod yn Llan Ffestiniog. Fodd bynnag, newidiodd Jini Owen ei meddwl, am nad oedd hynny'n beth gonest i'w wneud. Mae holl naws y llythyr yn awgrymu mai ffug ydyw. Anfonodd Jini Owen gopi o'r llythyr at J. R. Jones, prifathro Ysgol Trawsfynydd, ac efallai mai ganddo ef y cafodd William Morris y llythyr. Fe'i dyfynnwyd ganddo yn ogystal yn argraffiad 1931 o *Cerddi'r Bugail*. Hefyd, ceir y dechreuad llythyr canlynol ymhlith tudalennau un o'r ddau fersiwn o awdl 'Yr Arwr' a gawsai William Morris gan fam Hedd Wyn, sef y copi, yn ôl William Morris, sydd yn perthyn i wanwyn 1917, a'r bardd bellach yn y fyddin:

Annwyl Gyfaill.

Disgwyliais lawer iawn am air air [*sic*] oddiwrthyt: fel y cawn wybod dy gyfeiriad ac felly anfon gair yn ol atat. Ond prynhawn heddyw yn y papur lleol, er fy ngofid gwelais dy fod dithau ymysg y nifer mawr o Gymry glwyfwyd yn y frwydr fawr ddiwethaf yn Ffrainc. Ond llawen er hynny gennyf ddeall nad anafwyd mohonot yn drwm iawn.[26]

Mae'n bur debyg mai dyma ran gyntaf y llythyr at y milwr clwyfedig, ac os felly, y mae'n help i ddyddio'r fersiwn o'r 'Arwr' yr ysgrifennwyd ef ynddo. Ceir cyfeiriadau at y gwanwyn yn y llythyr, ac roedd William Morris yn llygad ei le i faentumio bod y fersiwn arbennig hwn o awdl 'Yr Arwr' yn perthyn i wanwyn 1917.

Ymddengys fod Hedd Wyn yn y llythyr at y milwr clwyfedig, yn ogystal ag yn ei gerdd goffa i Deio Evans, yn glynu wrth yr hen ddelfrydiaeth dreuliedig. Dyma rai o linellau'r pedwerydd caniad yn y gerdd goffa:

Mae dyfnru'r megnyl trwy Iwrob yr awron,
   A llawer dinas a gwae ynddi hi,
Tithau yn cysgu yn swn yr ergydion,
   Ac nid oes mwyach a'th ddeffry dydi;
Gwn iti ennill anrhydedd y milwr,
   Gwn fel y'th gerid gan lanciau y drin;
Tros oreu dy henwlad cwympaist yn arwr
   A thinc gwladgarwch yn fflam ar dy fin.

Bydd swyn dy aberth fel gwawrddydd ddinewid
   Pan dawo cymheli'r cyfandir prudd,
Ac yn ein cariad cei aros heb ofid,
   Fel angel ym medydd toriad y dydd.[27]

Enghraifft a geir yma o'r hyn y gellir ei alw yn thema 'gwerth y gwaed'. Rhaid oedd rhoi rhyw ystyr i wallgofrwydd y rhyfel, a rhaid oedd i'r sifiliaid gartref gredu mai bendith, yn y pen draw, a ddeilliai o'r holl arllwys gwaed hwn. Rhaid oedd coledd yr agwedd mai aberthu ieuenctid er mwyn ennill gwell byd, er mwyn heddwch a chyfiawnder, a wneid. Roedd Hedd Wyn yn ei gerddi cymdeithasol a chystadleuol yn rhy barod i ddiwallu anghenion meddyliol ac ysbrydol y gymdeithas y perthynai iddi, ond gellir deall ei broblem yn rhwydd. Ni allai gondemnio'r rhyfel yn agored mewn cerdd a oedd yn coffáu un o ddewrion y rhyfel, na datgan ychwaith mai ofer hollol oedd marwolaeth D. O. Evans, a'r fro a theulu'r milwr yng nghanol eu galar amdano.

Yn gudd, os rhywbeth, y condemniai'r rhyfel. Trwy bwysleisio addfwynder, harddwch a hoffusrwydd y milwyr lladdedig, trwy amlygu'r bwlch a adawyd ar eu hôl o fewn y gymdeithas a thrwy gyd-alaru â rhieni a theuluoedd y gwŷr hyn yr awgrymai oferedd a gwallgofrwydd y rhyfel. Yn ei farwnadau y ceir y brif dystiolaeth o wir agwedd Hedd Wyn at y rhyfel erbyn y diwedd, ynghyd ag ambell awgrym yma a thraw yn ei lythyrau, a cheir mwy nag awgrym o'i gasineb at ryfel yn y ddwy gerdd 'Y Blotyn Du' a 'Rhyfel'. Ceir yr holl elfennau hyn yn ei gerdd 'Marw Oddi Cartref':

> Mae beddrod ei fam yn Nhrawsfynydd,
>   Cynefin y gwynt a'r glaw,
> Ac yntau ynghwsg ar obennydd
>   Ym mynwent yr estron draw.

> Bu fyw ag addfwynder a chariad
>   Yn llanw'i galon ddi-frad;
> Bu farw a serch yn ei lygad
>   Ar allor rhyddid ei wlad.

> Bu farw a'r byd yn ei drafferth
>   Yng nghanol y rhyfel mawr:
> Bu farw mor ifanc a phrydferth
>   A chwmwl yn nwylo'r wawr.

> Breuddwydiodd am fywyd di-waew
>   A'i obaith i gyd yn wyn;
> Mor galed, mor anodd oedd marw
>   Mor ifanc, mor dlws â hyn.

> Ni ddaw gyda'r hafau melynion
>   Byth mwy i'w ardal am dro;
> Cans mynwent sy'n nhiroedd yr estron
>   Ac yntau ynghwsg yn ei gro.

Ac weithian yn erw y marw
Caed yntau huno mewn hedd;
Boed adain y nef dros ei weddw,
A dail a rhos dros ei fedd.[28]

Nid ar faes y gad, mewn gwirionedd, y bu farw gwrthrych y gerdd hon, sef y Corporal Robert Hughes, Fronwynion, Trawsfynydd. Yn ôl *Y Rhedegydd*:

Bu farw yn Alesbury Camp, ond yr hyn a wna y brofedigaeth yn chwerwach ydyw y ffaith nad oedd ond ychydig wythnosau er pan briododd, ac mae ein cydymdeimlad dyfnaf a'i weddw ieuanc yn ei thrallod ...[29]

Ceir yr un elfennau yn y gerdd er cof am Griffith Llewelyn Morris a gynhwyswyd yn argraffiad 1931 o *Cerddi'r Bugail* yn unig:

Y llynedd mi welais Griffith Llewelyn,
Ei lygaid yn lasliw, ei wallt yn felyn.

Yn ei olwg lednais a'i dremiad tawel
'Roedd nodau ei deulu, a golau'r capel.

Ond heddiw mae'i deulu o dan y cymyl,
Ac yntau yn huno yn sŵn y megnyl.

Caethiwa di, Arglwydd, ddwylo y gelyn
Darawodd un annwyl fel Griff Llewelyn.[30]

Ceir yn y gerdd yn ogystal gystwyo'r gelyn, nodwedd gyffredin iawn yng nghanu sifiliaid y Rhyfel Mawr. Condemnia'r gelyn yn ei benillion coffa i D. O. Evans yn ogystal:

Fe'th laddwyd, medd crechwen greulon y gelyn,
Ac nid oes a fawl dy ymdrechion drud;
Na, meddai ysbryd anorthrech ein bechgyn,
Marw i fywyd mae'r dewrion i gyd.[31]

Lladdwyd Griffith Llewelyn yn Ffrainc ar Fawrth 4, 1916, pan oedd yn gosod gwifrau pigog yn eu lle. Roedd tad y bachgen hwn, David Morris, hefyd yn breifat yn y fyddin ar y pryd, ac anfonodd swyddog Griffith Llewelyn lythyr at y tad, a hwnnw'n llawn o'r ystrydebau arferol:

> It is with great regret that I offer you my sympathy for the death of your son, Pte. G. Ll. Morris, who was killed whilst on fatigue work at the front line. Morris, I am a very poor one at expressing myself on an occasion like this, but you will understand how I feel when one of my boys has been laid low. Yet, what are my feelings in comparison to yours who have lost a brave son. One satisfaction you have, that he died for his King and Country – the greatest sacrifice a man can make.[32]

Cynhwyswyd llawer o farwnadau Hedd Wyn i filwyr yn *Cerddi'r Bugail*, ond llithrodd rhai drwy'r rhwyd. Lluniwyd yr englyn canlynol er cof am D. G. Williams, Mona House, Trawsfynydd:

> Bedd yr arwr milwrol – a gaiff ef
> Yn goffâd arhosol,
> Ond, er hyn, gedy ar ôl
> Oes wen, fer, dlos anfarwol.[33]

A'r englyn hwn, er cof am Watkin Jones, Ardudwy:

> Un hynod iawn ei nodwedd – o ymladd
> Dros ei famwlad eurwedd
> A ddaearwyd er ei ddewredd
> A'i gorniog law ar garn ei gledd.[34]

Lluniodd yn ogystal, ym 1916, yr englyn hwn i'r Preifat John Morris pan oedd gartref ar egwyl o'r fyddin:

> O'r helynt afreolus – taro tro
> Tua'r Traws fydd felus:
> Yn y lle, 'n mhob cwm a llys,
> Mae hiraeth am Jac Morrus.[35]

Ym 1916, hefyd, y lluniodd y gerdd 'Gorffen Crwydro' a geir yn *Cerddi'r Bugail*, er cof am John Williams o Drawsfynydd. Cyhoeddwyd y gerdd yn rhifyn Gorffennaf 1, 1916, o'r *Rhedegydd*.

Lluniodd gerdd ym 1916 yn dwyn y teitl 'Tua'r Frwydr', ac unwaith yn rhagor, y mae fel pe bai'n cyfiawnhau'r rhyfel ynddi, ac yn datgan cefnogaeth i'r bechgyn. Dyma rai o'i phenillion:

Cofiwch gadw bri di-gymar,
  Y frenhiniaeth gref;
Sy' a'i breichiau gylch y ddaear,
  Sy' a'i threm i'r Nef.

"Tros Gyfiawnder" galwyd ichwi,
  Fyn'd i'r rhyfel drud;
Lle mae Belgium waedliw'n edwi
  Rhwng adfeilion mud.

Codwch eich cleddyfau durfin
  I gondemnio'r drwg;
Troes eich megnyl gaer y gelyn
  Yn golofnau mwg.

Sanga'r treisiwr lawer henfro,
  Tan ei draed yn sarn;
Fflamia eich magnelau arno,
  Wawrddydd dân y farn.

Cerdda rhai o honoch erwau
  Hen yr Aifft ddi-gân,
Rhwng y palm a'r pyramidiau
  Dan eu harfau tân.

Cerdda eraill lwybrau candryll
  Iwrob drist ddi-gainc;
Lle mae dafnau gwaed ar fentyll
  Prydain Fawr a Ffrainc.

Er ynghanol y cadluoedd,
 Ar y maes neu'r lli;
Nodded Gwynfa ddi-ryfeloedd,
 Fyddo trosoch chwi.[36]

Yr agwedd gyfiawn sy'n britho'r gerdd. Dylid sylwi hefyd ar y tebygrwydd rhwng y pennill olaf ond un uchod a phennill cyntaf y gerdd 'Mewn Albwm' yn *Cerddi'r Bugail*:

Cerdda rhai adwaenom heno
 Ewrop bell ddi-gainc,
Lle mae dafnau gwaed ar fentyll
 Prydain Fawr a Ffrainc.[37]

 Mae'n ymddangos bod agwedd Hedd Wyn tuag at y rhyfel, hyd yn oed pan oedd pawb yn dechrau syrffedu arno, yn anghyson hollol, a'i fod weithiau yn ei gefnogi, dro arall yn cynddeiriogi o'i herwydd. Ond fe ellir dod o hyd i linyn o gysondeb. Pan ganai'n uniongyrchol i'r milwyr, mewn cerddi marwnad a cherddi cefnogaeth, byddai'n ymddangos yn bleidiol i'r rhyfel ac yn edmygus o'r bechgyn hyn, rhag tarfu ar deimladau'r gymdeithas, ac ar deimladau rhieni ac anwyliaid pryderus yn enwedig. Ond pan ganai'n gyffredinol, heb gyfarch neu grybwyll yr un enaid byw, dôi ei wir agwedd i'r wyneb. Yn ei englyn i Jac Morris, 'helynt afreolus' oedd y rhyfel. Gan mai englyn ysgafn o groeso oedd hwnnw, gallai ymollwng ryw ychydig. Yn ei gerdd enwog 'Rhyfel', condemnio'r rhyfel a wna, mewn cerdd gignoeth, realistig, yn enwedig yn y pennill olaf syfrdanol:

Gwae fi fy myw mewn oes mor ddreng,
 A Duw ar drai ar orwel pell;
O'i ôl mae dyn, yn deyrn a gwreng,
 Yn codi ei awdurdod hell.

Pan deimlodd fyned ymaith Dduw
 Cyfododd gledd i ladd ei frawd;
Mae sŵn yr ymladd ar ein clyw,
 A'i gysgod ar fythynnod tlawd.

Mae'r hen delynau genid gynt
　　Ynghrog ar gangau'r helyg draw,
A gwaedd y bechgyn lond y gwynt,
　　A'u gwaed yn gymysg efo'r glaw.[38]

Dywedir mai yn Litherland ym 1917 y lluniodd y gerdd hon, ond nid oes unrhyw brawf pendant o hynny. Fodd bynnag, mae'r gerdd yn taro nodyn newydd yn ei ganu, ac o ran chwerwedd a dadrith ei chynnwys, mae hi'n perthyn i ail gyfnod y rhyfel yn sicr, sef y cyfnod ar ôl y Somme. Y mae 'Rhyfel' yn darogan, cyn diwedd y gyflafan, un o'r pethau hynny yr oedd y Rhyfel Mawr yn uniongyrchol gyfrifol amdano, sef colli ffydd a gwacter ystyr yn sgil alltudiaeth Duw. Mae'r adleisiau Beiblaidd ynddi yn gelfydd eironig. Yn yr ail bennill, er enghraifft, ail-grëir hanes Cain ac Abel. Unwaith eto, y mae Cain am 'ladd ei frawd', ond Cain bellach yw'r holl ddynoliaeth, a'r gosb i'r ddynoliaeth am fradychu Duw, fel yn achos Cain, fydd alltudiaeth oddi wrth Dduw. Dyna agwedd Hedd Wyn erbyn y diwedd, yn sicr. Yn 'Y Blotyn Du', y 'ddaear wyw' sy'n 'anhrefn i gyd/Yng nghanol gogoniant Duw',[39] ac y mae'r garol Nadolig a luniwyd ganddo ym 1916, ond nas cynhwyswyd yn *Cerddi'r Bugail*, yn dilyn yr un trywydd:

Dyma'r dydd y gwelwyd Iesu
　　Yn y preseb gwael ei drem,
Ac angylion Duw yn canu
　　Uwchben meysydd Bethlehem;
　　　Canwn ninnau
　　Gydag engyl gwynion Duw.

Er mai preseb oer, difoliant,
　　Gafodd Ef yn faban gynt,
Pan yn dyfod o'r gogoniant
　　Tua'r ddaear ar ei hynt,
　　　Holl allweddau
　　Tragwyddoldeb sy'n ei law.

Deuwch engyl eto i ganu
  Uwch ein hen ryfelgar fyd,
Cenwch wrthym am yr Iesu
  All dawelu'r brwydrau i gyd;
    Yn y moliant
  Uned holl deyrnasoedd byd.[40]

Mae ei englyn 'Llwybrau'r Drin' yn *Cerddi'r Bugail* – nad yw'n ymwneud â phersonau – hefyd yn condemnio'r rhyfel:

Ewrob sy acw'r awran – dan ei gwaed
  Yn y gwynt yn griddfan;
Malurir ei themlau eirian
A'i herwau teg sy'n galendr tân.[41]

Canmol dynion am eu rhan yn y rhyfel a wna, ond condemnio'r ddynoliaeth.

Ond roedd ei awr yntau i ymuno â'r lluoedd yr oedd yn hiraethu ac yn galaru ar eu hôl yn prysur nesáu. Bu llawer o geisio dyfalu ymhlith ei gyfoedion a'i gydnabod pam y bu i Hedd Wyn ymuno â'r fyddin, a bu mwy fyth o ddyfalu yn y blynyddoedd ar ôl y Rhyfel Mawr. 'Y mae ei fyned i'r Fyddin o gwbl hyd eto'n ddirgelwch i ni'n bersonol,' meddai J. D. Richards, gan ychwanegu, '[b]u'n fler "chwedl yntau," yna raid oedd cychwyn'.[42] Ni wyddai neb yn iawn sut na pham y bu iddo ymuno. Ceisiodd William Morris restru rhai rhesymau posibl:

Tua'r un adeg pwysai pryder arall yn o drwm ar ei feddwl. Gan fod pethau yn gwaethygu yn Ffrainc a lleoedd eraill, derbyniai ffurflenni i'w llenwi ynglŷn ag ymuno â'r fyddin. Bu'n ymarhous i ddanfon y rheini'n ôl. Mae'n siŵr, pe gwnaethai hynny, y gallai beidio â mynd oddi cartref o gwbl. Nid oedd listio, fel y cyfryw, yn apelio dim ato. O fynd yn filwr nid o'i fodd yr aeth. Pwysai ystyriaethau eraill ar ei feddwl hefyd. 'Roedd ganddo frodyr ieuengach. Lle heb fod yn fawr oedd Yr Ysgwrn, heb fod yn ddigon i'w cadw i gyd ar y tyddyn. Rhaid cofio'n ogystal fel y byddai rhai ar y pryd mor barod i estyn bys at fechgyn fel efô – pam nad âi pawb a oedd yn yr oed i fynd, i wneuthur rhywbeth ynglŷn â'r Rhyfel? Y tebyg ydyw ei fod wedi glân syrffedu ar edliwiadau o'r fath. Nid oedd llawer o awydd ynddo chwaith am wynebu'r tribiwnlysoedd yr adeg honno – pethau rhyfedd oedd y rheini, fel y gŵyr llawer ohonom trwy brofiad. Ychwaneger ei chwithdod o golli ei gyfeillion, y naill ar ôl y llall. Chwith ganddo hefyd oedd gadael ei awdl ar ei hanner. Ond rhwng popeth, penderfynodd.[43]

Ond nid dyna galon y gwir.

Yr hyn a seliodd dynged Hedd Wyn, fel miloedd o rai eraill, oedd y ddeddf newydd a ddaeth i rym ddechrau 1916. Pasiwyd y Ddeddf Gwasanaeth Milwrol yn Nhŷ'r Cyffredin ar Ionawr 24, 1916, a byddai'n dod i rym ar ddechrau Mawrth. 'Single Men! Will you march too or wait till March 2' oedd un o'r sloganau a welid ar bosteri'r Llywodraeth. At ddynion dibriod a gwŷr gweddw yn unig yr anelid y ddeddf hon, nid at ddynion priod. Gorfodid dynion ieuanc a oedd rhwng 18 a 41 oed ar Awst 15, 1915, i ymuno â'r fyddin gan y ddeddf hon. Disgwylid i bawb yr oedd y ddeddf yn effeithio arnynt gyrchu'r swyddfa ymrestru agosaf ar unwaith, ac ymuno â'r Lluoedd Arfog yn wirfoddol ddidrafferth. Pe na baent yn gwneud hynny, fe'u cyfrifid yn aelodau o'r lluoedd hyn beth bynnag, a byddai'r awdurdodau yn chwilio amdanynt pe baent yn ceisio osgoi'r alwad i ymuno. Rhai carfanau yn unig o fewn y gymdeithas a gâi eu heithrio, fel gweinidogion y gwahanol enwadau, rhai a feddai dystysgrifau rhyddhad, am wahanol resymau, pobl a oedd yn anghymwys am resymau meddygol a dynion a gyflawnai orchwylion a swyddi angenrheidiol ac anhepgor o safbwynt yr ymdrech ryfel, fel glowyr, gweithwyr mewn ffatrïoedd arfau a ffermwyr. Effeithid ar bawb arall sengl gan y ddeddf hon.

Bwriad y ddeddf oedd sicrhau, gan edrych i gyfeiriad y dyfodol, y byddai gan y Lluoedd Arfog gyflenwad digonol o ddynion i lenwi'r bylchau. Hyd yn oed ar ganol y rhyfel, dôi nifer o wirfoddolwyr ymlaen, ond roedd y rhyfel technolegol a diwydiannol hwn yn difa dynion ar raddfa anhygoel o eang. Dywedodd Lloyd George ar ganol y rhyfel y byddai angen tua 25,000– 30,000 o wŷr bob wythnos er mwyn sicrhau buddugoliaeth yn y pen draw. Ni allai'r gyfundrefn wirfoddoli sicrhau'r fath gyflenwad ar gyfer y dyfodol. Cyflwynwyd y Ddeddf Gwasanaeth Milwrol hefyd er mwyn lliniaru rhywfaint ar yr anniddigrwydd cymdeithasol a fodolai ar y pryd. Roedd cyfran sylweddol o'r boblogaeth yn chwyrn yn erbyn y ffaith fod y rhyfel wedi difa miloedd o wŷr priod eisoes, a'r rheini wedi gadael plant a gwragedd ar eu hôl, tra oedd miloedd o ddynion dibriod heb ymuno. Amcangyfrifid gan y cyhoedd a'r awdurdodau yn gyffredinol fod tua 650,000 o ddynion sengl heb ymuno o'u gwirfodd â'r Lluoedd Arfog. Pan ddaeth y ddeddf newydd hon i rym, syfrdanwyd yr awdurdodau gan y ffaith fod miliwn a hanner o wŷr dibriod i'w cael, ac yn hytrach na derbyn eu tynged yn dawel, llanwodd y rhain y ffurflenni arbennig a oedd ar gael i brofi eu bod yn cyflawni gorchwylion a gwasanaethau angenrheidiol i'r rhyfel, yn bennaf er mwyn osgoi'r orfodaeth filwrol newydd hon.

Ac yntau'n ddibriod, roedd y ddeddf newydd hon yn effeithio'n uniongyrchol ar Hedd Wyn. Ond, ar y llaw arall, gallai ddadlau ei fod yn cyflawni gwasanaeth anhepgor i'r ymdrech ryfel trwy ffermio, ffermwr di-lun neu beidio. Gellid tybio, felly, ei fod yn ddiogel, ac nad oedd angen iddo ymuno â'r fyddin. Byddai'n rhaid iddo lenwi'r ffurflenni pwrpasol, wrth gwrs, i brofi ei fod yn cyfrannu'n uniongyrchol tuag at yr ymdrech i ennill y rhyfel, a phe bai unrhyw amheuaeth yn ei gylch, byddai'n rhaid iddo ymddangos gerbron tribiwnlys i ddadlau ei achos. Ond roedd problem gan deulu'r Ysgwrn. Cyn diwedd y flwyddyn, ar Dachwedd 24, byddai Bob, brawd Hedd Wyn, yn 18 oed. Golygai hynny y byddai gan Evan a Mary Evans, erbyn diwedd 1916, ddau o feibion sengl o fewn yr oedran ymrestru. Go brin y câi'r ddau aros gartref ac osgoi ymuno â'r fyddin. Nid oedd y ffaith fod y ddau ohonynt yn gweithio ar y tir yn ddigon. Byddai'r tribiwnlysoedd yn chwilio am bob esgus a phob math o ystrywiau i wthio dynion i gyfeiriad y fyddin. Dôi nifer o ffactorau dan ystyriaeth gan y tribiwnlysoedd hyn, tua phum ffactor fel arfer, er enghraifft: beth oedd maint y fferm? A allai aelodau eraill o'r teulu, y merched yn enwedig, gyflawni'r gwaith, fel y gellid rhyddhau'r meibion i'r fyddin? A ellid cyfiawnhau'r ffaith fod sawl gŵr ifanc dibriod yn gweithio ar ambell fferm gymharol fechan? A fferm gymharol fechan oedd yr Ysgwrn.

Ni lwyddwyd i sicrhau cyflenwad digonol o ddynion i'r fyddin drwy'r ddeddf newydd hon. Ceisiodd Arglwydd Derby, y gŵr a oedd yn fwy cyfrifol na neb am fodolaeth y ddeddf, gael diddymu rhai diwydiannau a gwasanaethau oddi ar y rhestr o swyddi anhepgor yr ystyrid eu bod yn cyfrannu'n uniongyrchol tuag at yr ymdrech i ennill y rhyfel. Ar Fawrth 15, 1916, dywedodd Arglwydd Kitchener y byddai angen i wŷr priod ymuno â'r fyddin wedi'r cyfan, gan nad oedd digon o wŷr sengl ar gael. Roedd

1,100,000 o ddynion yn gweithio yn y ffatrïoedd arfau, er enghraifft, a'r rhan fwyaf o'r rheini'n ddynion sengl a gyflawnai waith anhepgor. Y canlyniad oedd gwthio gorfodaeth filwrol ar ddynion priod, ac ar Fai 7 pasiwyd deddf a oedd yn gorfodi dynion rhwng 18 a 40 oed i ymuno â'r Lluoedd Arfog, priod neu ddibriod, pawb yn ddiwahân ac eithrio'r dosbarthiadau hynny o weithwyr a phobl a gâi eu hesgusodi.

Ymddangosodd Hedd Wyn gerbron sawl tribiwnlys, yn ôl ei chwaer, Enid Morris. Mae'n amlwg felly ei fod wedi llenwi'r ffurflen y gellid cael rhyddhad drwyddi, pe bai'r tribiwnlys yn cydsynio bod y rhesymau'n rhai teilwng. Pe bai un tribiwnlys yn methu dod i benderfyniad, trosglwyddid yr achos i dribiwnlys uwch. Weithiau byddai un achos yn cerdded y tribiwnlysoedd. Ceisiodd Evan Evans yn daer gael yr awdurdodau i ollwng Hedd Wyn yn rhydd o afael y fyddin, ond methodd.

Barnwyd gan y tribiwnlysoedd hyn y byddai'n rhaid i un ai Hedd Wyn neu ei frawd Bob ymrestru ar ôl i Bob gyrraedd ei 18 oed, gan nad oedd angen y ddau ohonynt i weithio gartref ar y fferm. Roedd y teulu, felly, wedi cael ei orfodi i wneud penderfyniad amhosibl. Byddai Hedd Wyn wedi gallu gohirio'r gorchymyn iddo ef neu i'w frawd ymuno â'r fyddin pe bai wedi cadw ymlaen i apelio, ond yn ôl ei chwaer, blinodd yn lân ar yr ymgecru a'r erfyn, gan nad oedd rhegi a rhwygo yn rhan o'i natur. Dywedwyd rhywbeth tebyg gan eraill. Yn ôl John Morris, brawd William Morris, '[y]r oedd gan Hedd Wyn ormod o hunan-barch i ymgecru a'r un Tribiwnlys',[44] ac yn ôl J. D. Richards:

> ... *gallai* Hedd Wyn aros *gartref* heb dreisio'r un ddeddf drwy hynny ... nid oedd yn filwr o'i fodd ... Nid oedd "cweryla" 'n ddreng ar ei raglen ef, onite cadwasai ei hun, heb ond ychydig o'r dawn hwnnw, o afaelion y Fyddin ... Nid llwfr-ddyn croen-dew ydoedd; a gallasai bob amser wynebu ei dynged fel *dyn*.[45]

Na, nid oedd yn filwr o'i fodd, ac un o'r pethau a'i poenai fwyaf oedd y ffaith y byddai galw arno i ladd eraill, ac mai i'r diben hwnnw y câi ei hyfforddi. Dywedodd wrth Jini Owen fwy nag unwaith y geiriau hyn: 'Saetha i neb byth. Mi ga' nhw fy saethu i os lecia nhw.'[46]

Penderfynodd Hedd Wyn mai ef a fyddai'n ymuno â'r fyddin, yn hytrach na Bob. Cyflawnodd, felly, weithred arwrol ac anhunanol. Nid oedd ganddo unrhyw awydd i ymuno â'r fyddin, ac i arbed ei frawd yn unig yr aeth. Ei eiriau wrth y teulu oedd: 'Mae'n rhaid i un ohonon ni fynd, ac mae Bob yn rhy ifanc.' Roedd Hedd Wyn hefyd wedi syrffedu ar edliwiadau pobl ynghylch ei amharodrwydd i wirfoddoli. Rhybuddiai'r fam ei mab bob hyn a hyn i beidio â mynd ar gyfyl pentref Trawsfynydd, rhag ofn i rai o'r pentrefwyr ei wawdio neu hyd yn oed ymosod arno yn gorfforol.

Ymrestrodd Hedd Wyn ym Mlaenau Ffestiniog, un ai ar ddiwedd 1916 neu yn gynnar iawn ym mis Ionawr 1917. Cyn ymrestru, roedd wedi dechrau gweithio ar awdl ar gyfer Eisteddfod Genedlaethol 1917, ar y testun 'Yr Arwr'. Gyda'i ddyfodol yn ansicr a'i dynged yn annelwig, gwyddai fod amser yn brin, ac mae'n rhaid ei fod wedi croesi ei feddwl y gallai bywyd yn y fyddin fod yn andwyol i'w ddawn greadigol fel bardd, ac yn rhwystr iddo rhag cwblhau'i awdl.

Ymunodd Hedd Wyn â 15fed Bataliwn y Ffiwsilwyr Brenhinol Cymreig. Y cam cyntaf ar ôl ymuno oedd teithio i bencadlys y bataliwn yn Wrecsam. Teithiai Cymro ifanc arall gydag ef ar y trên i Wrecsam y bore hwnnw, sef Simon Jones o Gwm Cynllwyd, yn ymyl Llanuwchllyn, yn wreiddiol, ac o Aberangell yn ddiweddarach. Bu Simon Jones gyda'r bardd yn Wrecsam, yn Litherland ac yn Fflandrys. Cofiai fod Hedd Wyn yn smocio'i getyn ac yn gwisgo esgidiau cochion, peth anghyffredin yn y dyddiau hynny, pan gyd-deithiai ag ef i Wrecsam. Cafodd yr esgidiau cochion trawiadol hynny eu lladrata yn Wrecsam, a phrofiad chwithig iawn oedd profiad cyntaf y bardd yn y fyddin. Fe'i cafwyd yn holliach gan yr archwiliad meddygol, ac roedd y bardd, felly, yn aelod swyddogol o Luoedd Arfog ei Fawrhydi.

Yn eironig ddigon, fe fu'n rhaid i Bob ymuno â'r fyddin wedi'r cyfan, a hynny ym 1918. Ond, yn ffodus iddo ef, i Iwerddon y Dadeni yr anfonwyd ef, ac nid i Fflandrys y beddau.

7

'Dyma Aelwyd y Milwr'

Yn ôl J. D. Richards, ymadawodd Hedd Wyn â'r Ysgwrn i fynd i wersyll hyfforddi Litherland yn ymyl Lerpwl ar Ionawr 29, 1917.[1] Mae'r dyddiad hwn fwy neu lai yn gyson ag adroddiad a geir yn rhifyn Chwefror 10, 1917, o'r *Rhedegydd* ynghylch 'Cyngerdd y V.T.C.' (*Volunteer Training Corps*) a gynhaliwyd ar Chwefror 3 yn neuadd y pentref yn Nhrawsfynydd. Nodwyd yn yr adroddiad hwnnw 'i'r Llywydd penodedig fethu dod' a '[h]efyd yr oedd ein harweinydd poblogaidd Hedd Wyn yn absenol, trwy iddo ef gael ei alw i fyny i ymuno a'r fyddin ddechreu yr wythnos'.[2]

Gwersyll hyfforddi'r Ffiwsilwyr Brenhinol Cymreig adeg y Rhyfel Mawr oedd Litherland, ond mae'r gwersyll wedi ei hen chwalu erbyn hyn. Rhaid oedd i Hedd Wyn deithio ar y trên i orsaf Lerpwl i gychwyn, newid yn Lerpwl, ac yna teithio ymlaen i Litherland, ardal ddiwydiannol fudr ar gyrion y ddinas. Roedd gwersyll hyfforddi Litherland wedi ei leoli rhwng ffatri ffrwydron Brotherton a mynwent a oedd yn perthyn i'r Eglwys Gatholig. Yn ymyl hefyd roedd ffatri fatsys Bryant and May. Roedd y gwersyll ei hun yn lle diflas a digysur, ac oherwydd ei leoliad rhwng ffatri ffrwydron a mynwent, ni allai ond atgoffa'r milwyr newydd dibrofiad o'r dynged a oedd bron yn sicr yn eu haros. Ffrwydron, dynion neu dân: câi'r cyfan eu cynhyrchu ar raddfa eang yn Litherland, a hawdd oedd cyflenwi i ateb y galw.

Bu Robert Graves a Siegfried Sassoon, dau o feirdd blaenllaw'r Rhyfel Mawr, yn treulio cyfnodau yn Litherland, gan mai swyddogion gyda'r Ffiwsilwyr Brenhinol Cymreig oedd y ddau. Sonnir am Litherland yng nghlasuron y ddau, *Goodbye to All That* (1929) a *Memoirs of an Infantry Officer* (1930). Ym mis Tachwedd 1916, yn ôl Graves (er mai dechrau mis Rhagfyr ydoedd mewn gwirionedd), roedd y ddau'n rhannu'r un cwt yn Litherland, a'r ddau, erbyn hynny, wedi glân syrffedu ar y rhyfel, ond nid oedd Sassoon ar y pryd yn barod i wrthdystio'n gyhoeddus yn erbyn y rhyfel, fel y gwnaeth yn ddiweddarach.

Disgrifiwyd Litherland gan y ddau. Ymadawodd Graves â Litherland ddechrau mis Ionawr 1917, cyn i Hedd Wyn gyrraedd. Meddai yn *Goodbye to All That*:

> I decided to leave Litherland somehow, forewarned what the winter would be like with the mist streaming up from the Mersey and hanging about the camp, full of T.N.T. fumes. During the previous winter I used to sit in my hut, and cough and cough until I was sick. The fumes tarnished buttons and cap-badges, and made our eyes smart.[3]

Yr oedd gaeaf 1916–1917 yn un anarferol o oer, yn union fel y rhagwelodd Graves. Cofiai Sassoon am y gaeaf hwnnw yn 'Clitherland', ei enw ef ar Litherland yn *Memoirs of an Infantry Officer*:

> ... I heard the wind moaning around the roof, feet clumping cheerlessly along the boards of the passage, and all the systematized noises and clatterings and bugle-blowings of the Camp. Factory-hooters and ship's fog-horns out on the Mersey sometimes combined in huge unhappy dissonances; their sound seemed one with the smoke-drifted munition works, the rubble of industrial suburbs, and the canal that crawled squalidly out into blighted and forbiding farmlands which were only waiting to be built over.[4]

Enillodd Sassoon y Groes Filwrol ym Mehefin 1916 am ei ddewrder. Taflodd ruban y Groes honno ym 1917 i ddŵr afon Merswy. Erbyn haf 1917, yr oedd Sassoon wedi dechrau magu atgasedd digymrodedd tuag at y rhyfel. Ni welai fod iddo unrhyw fath o gyfiawnhad mwyach, a chredai y dylid ei ddirwyn i ben cyn yr aberthid rhagor o fywydau yn ddiangen.

Mae'n fwy na phosibl fod Hedd Wyn a Sassoon wedi gweld ei gilydd yn Litherland, er na wyddai'r naill pwy oedd y llall, nac fel arall. Bu Sassoon yn Litherland rhwng Rhagfyr 2, 1916, a Chwefror 5, 1917, ac felly roedd y ddau ohonynt yno ar yr un pryd, ond dim ond am ryw wythnos. Cyfarfu Hedd Wyn, ar ddydd olaf mis Ionawr, â gŵr a oedd i chwarae rhan bwysig yn hanes y Gadair Ddu, sef J. Buckland Thomas, o Flaendulais ym Morgannwg. Yr oedd y gŵr hwn yn bresennol yn Eisteddfod Pontardawe ym 1915 pan enillodd Hedd Wyn am ei bryddest 'Cyfrinach Duw', ond ychydig a feddyliai ar y pryd y byddai'n ffurfio cyfeillgarwch cadarn ag awdur y bryddest honno. Ac roedd gan Hedd Wyn hefyd feddwl mawr o J. B. Thomas, fel y tystia J. D. Richards:

> Fe soniodd Hedd Wyn ei hun am serchogrwydd a nawdd y cydymaith hwn
> yn y gwersyll deddfol ac unffurf lawer gwaith, hyd oni thybiwn ddarfod iddynt
> ymglymu ynghyd, enaid wrth enaid, megis Jonathan a Dafydd gynt.[5]

Er i J. B. Thomas ddweud am Hedd Wyn na welodd 'neb erioed mor annhebyg i filwr',[6] dywedodd hefyd iddo geisio'i orau glas i ddygymod â'r bywyd milwrol:

> Always punctual, and ever regular on parades, he stuck it like a man. He was never
> known to grumble nor grouse to anyone about any of the various parades, which
> he had to go on ... He was also blessed with a fairly strong constitution, otherwise
> he would not have come through the very bitter cold weather experienced in
> camp last February, the way he did.[7]

Nid dyna dystiolaeth eraill, gan gynnwys Hedd Wyn ei hun. Yn ôl Simon Jones, milwr di-lun oedd Hedd Wyn. Roedd ei feddwl ar grwydr yn aml pan fyddai ar barêd, ac roedd yn gysglyd wrth ei waith ac yn flêr yn ei ymddangosiad. Câi ei geryddu'n aml, yn Litherland ac yn Fléchin.[8]

Clywodd Simon Jones swyddogion y fyddin yn anelu'r geiriau 'Come on, you're not on a bloody Welsh farm now – wake up!' yn aml at y bardd a rhai eraill tebyg iddo. Yn wir, roedd llawer o gŵynion ynghylch gwersyll Litherland o safbwynt y modd y câi'r Cymry eu trin gan ambell fân swyddog o Sais. Yn ôl adroddiad a ymddangosodd yn *Y Genedl Gymreig*, dan y pennawd 'Catrodau Cymreig/Cwynion ynghylch eu symud o Ginmel':

> Galwodd Syr J. Herbert Roberts sylw yn y Senedd, ddydd Iau, at gwynion
> ynghylch y driniaeth a roddid i filwyr Cymreig yn ngwersyll Litherland a manau
> ereill. Pan wnaed apel at Gymru am filwyr meddai, rhoed addewid y cawsai
> milwyr Cymreig eu cadw yng Nghymru i gael eu hymarferiad. Yr oedd symudiad

Catrodau Cymreig i wersylloedd Seisnig hwyrach yn anocheladwy, a chredai mai er sicrhau effeithiolrwydd milwrol y gwneid hyny. Yr oedd ef wedi cael llawer o gwynion ynghylch y driniaeth a roddid i filwyr Cymreig yn ngwersyll Litherland a manau ereill, ac yr oedd hyny wedi peri cryn anfoddlonrwydd ymysg y dynion. Dywedid i orchymyn gael ei roddi allan yn Ngwersyll Litherland gan swyddog heb gomisiwn yn gwahardd siarad Cymraeg yn yr hytiau. Pan ddaeth hyny, wrth gwrs, i glyw y swyddog llywyddol, tynwyd y gorchymyn yn ol, ond yr oedd yr engraifft yna yn ddigon i brofi ymddygiad swyddog heb gomisiwn at filwyr Cymreig.[9]

Yn ôl Hedd Wyn ei hun, cafodd faddeuant aml i dro gan y fyddin am ryw fân droseddau a gyflawnid ganddo. Ysgrifennodd at un o'i gyfeillion, Morris Evans, o Litherland:

Wel, yr wyf fi yn reit gefnog a chysidro nad ydw i ddim ond Private. Ychydig o farddoniaeth sy yma, ond digon o feirdd, achos Cymry yw mwyafrif y swyddogion a'r milwyr. Yr wyf wedi gwneud lot o droion trwstan er yr wyf yma, ond ces faddeuant bob tro a champ go lew ydi hyn yn y fyddin.[10]

Â'r llythyr ymlaen:

Byddaf wedi mynd trwy y training gofynol cyn pen tair wythnos eto, wedyn, wythnos o 'leave' – gwelwch fel yna ein bod wedi bod wrthi yn bur galed. Ychydig o naws o'r Traws wyf yn ei gael. Rhai sal ddifrifol am ddim felly ydi pobol Yr Ysgwrn. Holi ynghylch fy nghrysau a'm sanau y byddan nhw ymhob llythyr.[11]

Ceir tystiolaeth arall ynglŷn â'i anhrefnusrwydd a'i anaddasrwydd i fywyd yn y fyddin. Daeth y dystiolaeth i'r fei o gartref Mrs Elen Thomas, chwaer Mary Catherine Davies (Hughes), sef nodyn gan weinidog Methodistaidd dienw a aeth i ymweld â Hedd Wyn yn Litherland, gan gofnodi'r digwyddiad canlynol:

Pan yr oedd yn y camp yn Litherland Lerpwl aethum i edrych am dano, ac wedi chwilio hir rhwng y rhesi hytiau di swyn daethum ar draws swyddog yn rhegi rhyw fachgen oedd a'i holl egni yn sgrwbio bwrdd. Wedi cael cefn y swyddog cododd y milwr ei ben i gael gwynt ar ol y storm, gwelwn mai Hedd Wyn ydoedd, a dyna ddechreu holi achos yr helynt, ac meddai yn hollol ddigyffro[:] 'Wedi sgrwbio'r bwrdd yma y tu chwith ydwi'.[12]

Gŵr arall a oedd gyda Hedd Wyn yn Litherland oedd Griffith R. Williams, Llithfaen. Yn *Cofio Canrif*, ei hunangofiant byr, y mae'n dwyn i gof un o droeon trwstan y bardd:

> ... hogyn braidd yn wlyb oedd o – yn hoff iawn o fynd am ei lymaid ambell noson i'r cantîn. Rydw i'n cofio inni orfod mynd i'w nôl o odd'no hefyd un noson ... chawson ni ddim trafferth efo fo chwaith. Un tawel, tawel oedd o yn ei ddiod.[13]

Yr unig bethau eraill am Hedd Wyn a gofiai Griffith Williams oedd ei fod yn sôn weithiau am ei waith fel bugail ar gaeau'r Ysgwrn, ac am ddau gi defaid da a oedd ganddo. Soniai hefyd am ei gariad, Siân, sef Jini Owen.

Er mor anghynefin oedd y bywyd milwrol iddo ar y dechrau, mae'n debyg iddo led-ymaddasu. Ysgrifennodd at J. D. Richards ym mis Chwefror. Er ei fod yn diolch am ei le, roedd rhywfaint o'i gasineb tuag at y fyddin yn dod i'r amlwg yn ei lythyr:

> Gwan ddifrifol yw y cyflog yma ac ystyried ein bod yn *agents* tros 'Gyfiawnder,' a phethau mawr tebyg. Nid yw hi mor filwrol yma ag y tybiais: mae yr hen fân swyddogion rheglyd wedi eu chwynu ymaith, a bechgyn lled ddymunol wedi eu gosod yn eu lle, – yr Hutiau yn bur glyd, a'r bwyd yn eithaf, ac os daw hi fel hyn, mi fydd yn iawn![14]

Lluniodd englyn i'r 'hutiau' hyn:

> Gwêl wastad hutiau'n glwstwr, – a bechgyn
> Bochgoch yn llawn dwndwr;
> O'u gweld fe ddywed pob gŵr:
> Dyma aelwyd y milwr.[15]

Yn ôl rhifyn Mawrth 10, 1917, o'r *Rhedegydd*, ar gais William Jones, Bryntryweryn, y lluniodd Hedd Wyn ei englyn. Ar Chwefror 26, ymwelodd y gŵr hwn â gwersyll Litherland, ac ar ôl cael ei arwain 'at Hedd Wyn ... Aeth Hedd ag ef am dro yn y Camp, ac i mewn i'r Y.M.C.A. i eistedd'; yno '[d]ygai dystiolaeth uchel i'r bechgyn ac fod pawb ohonynt yn edrych yn dda'.[16]

Lluniodd englynion eraill yn Litherland. Cynhaliwyd eisteddfod o fewn y gwersyll ar ddydd Gŵyl Ddewi 1917, a thestun yr englyn oedd 'Gafr y

R.W.F.'. Lluniodd Hedd Wyn yr englyn hwn, nad yw ei linell gyntaf yn gywir:

> Nid gafr ar greigiau ofron – ydyw hi
>   Wrth neint oer a gloywon;
>   Wele cerdd llanciau gwiwlon
>   Y Royal Welsh ar ôl hon.[17]

Nid ei englyn ef a enillodd y gystadleuaeth. Lluniodd englyn arall i'r 'sosial' a gynhelid ryw ddwywaith y mis ar gyfer y milwyr gan Gymry Lerpwl yn York Hall, Bootle, neuadd a berthynai i gapel y Methodistiaid, Stanley Road, er mai i gapel yr Annibynwyr yn Bootle yr âi Hedd Wyn ar y Suliau yn ystod y cyfnod hwn yn Litherland. Dyma'r englyn:

> Nos Sadwrn mewn naws hudol, – ar un gwynt
>   O'r hen 'gamp' materol
>   Hwyliai arwyr milwrol
>   A'u holl wŷr call i York Hall.[18]

Lluniodd yn ogystal englyn i'w gyfaill John Buckland Thomas:

> Dyn siriol â dawn siarad – yw Thomas,
>   Brawd twym ei ddylanwad;
>   Nid oes gŵr yn Huts y gad
>   Mwy euraidd ei gymeriad.[19]

Roedd drafft o'r awdl ganddo yr holl amser y bu yn Litherland. Yn ôl J. D. Richards, yr oedd wedi llunio rhwng 300 a 400 o linellau ohoni cyn ymuno â'r fyddin, ond rhaid cofio i'r bardd lunio sawl drafft o'r awdl, gan hepgor darnau a phenillion cyfain wrth geisio'i diwygio a'i gwella. Yn ôl William Morris, ar ôl ymuno â'r fyddin 'y cyfansoddodd ef y rhan helaethaf o'i awdl';[20] ac mewn man arall dywed fod 'hanner ei gân ar y gweill' cyn iddo ymuno â'r fyddin;[21] ac yn ôl J. B. Thomas yr oedd hanner olaf ei awdl heb ei lunio pan oedd yn Litherland. Felly, ar ei hanner, mwy neu lai, yr oedd yr awdl ganddo pan aeth i Litherland. Ond, at ei gilydd, lle diawen oedd Litherland iddo, er i J. B. Thomas ddweud:

After parades, he used to spend the greater part of his time in his hut (No. 79) and often times when I used to go in to see him, his mind was with the muses ...[22]

Ni ddôi barddoni'n rhwydd iddo yn y gwersyll. Ysgrifennodd at J. D. Richards 'yn ymyl Gwyl Ddewi' 1917:

Pa beth sydd gennych chwi ar y gweill rwan? Nid wyf fi wedi rhoi llinnell at 'Yr Arwr' er y dois yma, ond hwyrach caf gyfle toc.[23]

Fe ddaeth y cyfle hwnnw, a thrwy J. B. Thomas y daeth yn bennaf. Yn ei eiriau ef ei hun:

About the third week in March the call came for skilled ploughmen and other farm workers throughout the country, many soldiers being temporarily released from the Army to meet the great demand. Hedd, being a farmer, was one of the fortunate ones and on the 21st of March, after seven weeks' soldiering, he was sent to his home on agricultural work.[24]

Roedd Hedd Wyn wedi tynnu J. B. Thomas i mewn i'w gyfrinach ynghylch ei fwriad i gystadlu yn Eisteddfod Birkenhead. Dywedodd J. B. Thomas mewn man arall mai trwyddo ef yn anad neb y cafodd Hedd Wyn ei ryddhau o afael y fyddin am gyfnod i gwblhau ei awdl: 'ni chredaf i mi bechu llawer trwy osod ei enw ef yn gyntaf ar restr aradwyr "D" Company'.[25]

Yn ystod yr wythnosau hynny o egwyl gartref yn yr Ysgwrn, gweithiodd yn ddi-baid ar 'Yr Arwr'. 'Rhaid fu iddo aros hamdden ei wythnos "leave" olaf, cyn myned i Ffrainc, i orffen yr awdl,' meddai J. D. Richards, ond wythnosau o *leave* yn hytrach nag wythnos a gafodd.[26] Er iddo gael yr wythnosau hyn i weithio ar y gerdd, roedd yn dechrau anobeithio yn ei chylch erbyn y diwedd, a bu'n rhaid i eraill ei swcro a'i hybu ymlaen. Un o'r rhai hyn a geisiodd ei sbarduno ymlaen oedd J. D. Richards. Roedd Hedd Wyn, meddai, yn ystod yr wythnosau olaf hynny o fod gartref, 'bron rhoddi i fyny y gallai anfon dim i'r gystadleuaeth; eithr gwedi ei daer gymell i ddal ati ymwrolodd i ganu drachefn'.[27] Ceisiodd Jini Owen ei gymell i ddygnu arni hefyd. 'Fedra' i ddim rhoi fy meddwl arni,' meddai wrthi, gan gyfeirio at yr awdl.[28] Roedd y fyddin yn gormesu'i feddwl yn barhaol ar y pryd. Ceisiodd Jini ei berswadio i fwrw iddi drachefn, ac, er ei mwyn hi, cydsyniodd Hedd Wyn, er ei fod yn amheus

iawn ar y pryd y gallai ei chwblhau cyn y dyddiad cau. Er na lwyddodd i
gwblhau'r awdl yn ystod yr wythnosau hynny y bu gartref, roedd y gerdd
yn agosáu at fod yn orffenedig, a chyfnod o waredigaeth a rhyddhad oedd y
cyfnod hwnnw, cyn dychwelyd i Litherland. Meddai J. B. Thomas:

> ... his agricultural furlough, which lasted about six or seven weeks, came as a
> blessing to him in this respect, for it was during this period at his home that he
> wrote his masterpiece "Yr Arwr". He returned to camp on May 11th looking
> extremely satisfied, and then he told me that he had spent the whole of his time on
> the Awdl. It only required the finishing touches to be properly completed. Two
> days after returning, he was moved to another part of the camp to No. 4 Coy,
> from which company, eventually, he was drafted out to France (June 9th). I still
> kept in touch with him while he was in that Company and we often used to meet
> in the Y.M.C.A.[29]

Yn ystod un o'r cyfarfyddiadau hyn rhwng y ddau, gofynnodd Hedd Wyn i
J. B. Thomas gyflawni'r gorchwyl yr arferai William Morris ei gyflawni iddo,
sef ysgrifennu'r awdl ar ei ran:

> Ar ôl mynd adref ysgrifennais yr awdl gan ofalu am yr atalnodau. Yn union
> wedi dychwelyd euthum i chwilio amdano, ond er mawr siom deellais ei fod
> wedi ymadael gyda'r drafft i Ffrainc y noson cynt ... Ymhen ychydig ddyddiau
> derbyniais lythyr oddi wrtho, o rywle yn Ffrainc, yn gofyn imi anfon yr awdl
> iddo yno ... Anfonais hi, a chlywais gan gyfeillion wedyn sut y derbyniodd hi. Yr
> oedd ar y pryd yn eistedd yng nghadair y barbwr; daeth y postman i mewn, ac
> estyn iddo amlen hir yn cynnwys yr awdl. Dywedir iddo neidio allan o'r gadair,
> gan anghofio'r cwbl am dorri'i wallt, a llamu gan lawenydd wrth ei derbyn. O
> Ffrainc yr anfonodd hi i'r ysgrifennydd ychydig wedi'r amser penodedig, ond fe'i
> derbyniwyd i'r gystadleuaeth.[30]

Y mae'r sylw mai 'ychydig wedi'r amser penodedig' yr anfonodd Hedd Wyn
yr awdl i'r gystadleuaeth yn ategu'r hyn a ddywedodd ef ei hun yn ei lythyr at
Isaac Davies wrth iddo anfon ei awdl ato. Yr oedd J. B. Thomas dan yr argraff
yn ystod Eisteddfod Genedlaethol 1917, ac am flynyddoedd wedi hynny,
mai'r copi o'r awdl a oedd yn ei lawysgrifen ef a anfonwyd i'r gystadleuaeth
o Ffrainc, ond nid felly y bu hi. Roedd gan Hedd Wyn o leiaf dri fersiwn
gwahanol o'r awdl gydag ef yn yr Ysgwrn cyn iddo ddychwelyd i Litherland

ar Fai 11. Gadawodd ddau o'r drafftiau hyn ar ôl yn yr Ysgwrn, ac aeth â chopi arall gydag ef. Rhoddwyd y ddau gopi a adawyd ar ôl i William Morris gan fam y bardd, a throsglwyddodd y ddau, yn y man, i Lyfrgell Prifysgol Bangor. Y copi a gynhwysai'r fersiwn diweddaraf o'r awdl oedd yr un a roddwyd i J. B. Thomas i'w gopïo. Rhaid bod J. B. Thomas wedi anfon y ddau gopi o'r awdl, sef copi gwreiddiol Hedd Wyn a'r copi yn ei lawysgrifen ef, at Hedd Wyn i Ffrainc. Nid y copi yn llaw J. B. Thomas, fodd bynnag, a anfonwyd i'r gystadleuaeth. Gwyddai J. D. Richards hynny ym 1918:

> O law Hedd Wyn ei hun bellach, fel y gwyddom, yr aeth yr awdl yn ei hol o Ffrainc dros y culfor bradwrus i Firkenhead, – gyda'r ffugenw, beth bynnag arall a newidiwyd arni, wedi ei newid. Pam y rhoes y ffugenw "*Fleur-de-lis*" yn lle "Y Palm Pell" wrth y cyfansoddiad, yn awr nis gwyddom ...[31]

Efallai, hefyd, iddo fynd â chopi arall o'r awdl gydag ef i Ffrainc, rhag ofn y byddai i'r copi a oedd yng ngofal J. B. Thomas fynd ar goll. Rhaid ystyried y posibilrwydd hwnnw. A fyddai, hyd yn oed gan gofio am ei flerwch a'i esgeulustod cynhenid, yn mentro gadael ei brif gopi yng ngofal J. B. Thomas, ac yntau yn Ffrainc a'r dyddiad cau yn prysur nesáu? Mae'n debyg mai defnyddio copi J. B. Thomas fel rhyw fath o ganllaw a wnaeth. Efallai ei fod yn credu iddo gwblhau'r awdl pan roddodd ei brif gopi i J. B. Thomas, ac iddo sylweddoli wedyn fod angen newidiadau eto. Y gwir yw iddo newid, diwygio ac ychwanegu hyd at y funud y rhyddhaodd hi o'i afael yn derfynol. Anfonodd lythyr (diddyddiad) o 'Rowen. France', sef Rouen, at ei gyfaill Morris Evans, gan ddweud ynddo: 'Nid wyf wedi cwblhau fy awdl eto – ond os caf garedigrwydd y dyfodol mi geisiaf wneud.'[32] Hyd yn oed os credai iddo gwblhau'r awdl yn derfynol pan roes gopi ohoni i J. B. Thomas, yr oedd wedi sylweddoli'n fuan iawn ar ôl hynny fod angen rhywfaint yn rhagor o newidiadau arni. Mae rhannau eraill o'r llythyr yn croniclo'r argraffiadau cyntaf a adawodd Ffrainc arno, yn ogystal ag awgrymu ei hiraeth am Drawsfynydd a'i agwedd at y rhyfel:

> Tywydd anarferol o boeth ydyw hi yma rwan, ac mae tunelli o ddiogi yn dod trosof bob canol dydd. Tywydd trymaidd, enaid trymaidd a chalon drymaidd, dyna drindod go anghysurus onid e?

Wel, ni welais erioed gymaint o filwyr o'r blaen – na gwlad mor dlos er gwaethaf y felldith ddisgynodd arni ...

Cefais olygfa werth edrych arni wrth ddod yma – y bore yn torri ymhell a minnau o'r mor yn cael yr olwg gyntaf ar Ffrainc rhwng colofnau o niwl.[33]

Ymadawodd Hedd Wyn â Litherland ar Fehefin 9. Y mae peth dirgelwch wedi bod hefyd ynglŷn â'i symud o Litherland i Ffrainc. Yn ôl William Morris ym 1918: 'Arhosodd yn rhy hwyr ... cyn dychwelyd i Litherland yn yr haf, ac hwyrach mai dyna barodd ei symud mor fuan i Ffrainc.'[34] Y mae tystiolaeth Silyn yn dilyn yr un trywydd:

He had not received more than three months' actual training; he had joined up at the end of January and had been released again for two months to help his father with the ploughing ... His mind at the time was full of the great ode to *The Hero* ... Intent on his vision he dared to outstay his leave by two days, and as a punishment was promptly sent out to the front. Hell's juggernaut had no use for poetry.[35]

Cyfeirir yma at benwythnos o seibiant a gafodd ar ddechrau Mehefin, sef ei ymweliad olaf â'r Ysgwrn. Fodd bynnag, nid oes unrhyw sail i'r stori hon i'r fyddin ei gosbi am iddo ddychwelyd i'r gwersyll yn hwyr. Yn ôl Enid Morris, dychwelodd yn brydlon i Litherland. Casglwyd ynghyd a symudwyd miloedd o filwyr i Ffrainc a Fflandrys yn ystod misoedd haf 1917, ar gyfer Trydydd Cyrch Ypres, ac un o blith y miloedd hyn oedd Hedd Wyn.

Erbyn yr ail wythnos ym Mehefin roedd Hedd Wyn yn Rouen yn Ffrainc. Yn Rouen ceid gwersyll hyfforddi, a elwid y '5th Infantry Base Depot', a'r drefn arferol oedd anfon y milwyr o Litherland i Rouen, i dderbyn rhagor o hyfforddiant. Rhaid oedd teithio o Lerpwl i Southampton, croesi ar long wedyn, a glanio yn Le Havre yn Ffrainc, nid nepell o Rouen. Mae'n sicr mai dyma'r modd y cyrhaeddodd Hedd Wyn Rouen. Roedd y gwersyll hwn ar ymyl coedwig o binwydd, tua dwy filltir o bellter o dref Rouen ei hun. Bu Hedd Wyn yn Rouen am y rhan fwyaf o fis Mehefin, cyn iddo ymuno â'i gatrawd ym mhentref Fléchin, ar y ffin rhwng Ffrainc a Gwlad Belg, ar Orffennaf 1. Un o'r rhai a oedd gyda Hedd Wyn yn Rouen oedd Fred Hainge, o Arthog, a fu gydag ef yn Litherland hefyd. Mae'n debyg mai o Rouen yr anfonodd Hedd Wyn ei lythyr enwog o 'Rhiwle yn Ffrainc' ar Fehefin 25, 1917. Cyhoeddwyd y llythyr hwnnw, a anfonwyd at un o drigolion Trawsfynydd, H. O. Evans, yn rhifyn Gorffennaf 7 o'r *Rhedegydd*:

Anwyl Gyfaill,

Mae'n debyg nad oes eisiau i mi ddweyd wrthych pwy ydwyf wrth ddechrau fy llythyr yma, o herwydd bydd ei h[y]d a'i aflerwch yn ateb drostaf. Yn gyntaf dim rwyf yn disgwyl eich bod yn dal i wella, wel rwyf fi yn byw mewn lle doniol iawn rwan, ac anodd enbyd i chwi [y]w gwybod pa beth ydych yma, yr ail ddiwrnod ar ol i mi gyrhaedd yma, roedd dau hogyn yn cerddad yn araf rhwng y tentiau yn y gwres, a dyna'r ddau yn dweud wrth fy mhasio[:] "Well Kidd" ond dranoeth ar y parade dyma'r swyddog yn gofyn i mi ym mysg eraill[:] "Well Man did you shave this morning," ynte'r swyddog ai'r hogiau oedd yn iawn, cewch chwi ddweyd, hefyd rwyf wedi digwydd disgyn mewn lle llawn o brofiadau rhamantus ac anghyffredin. Pan oedd tri neu bedwar o honom yn cwyno ar y gwres, daeth hen filwr wyneb[-]felyn heibio a dyna fo'n dweud, "Well peidiwch a cwyno Boys Bach, beth petae chwi yn Soudan estalwm [']run fath a fi, roedd genyf helmet bres ar fy mhen, a phlat pres ar fy mrest a rhiwbryd tua dau o'r gloch i chwi, gwelwn rhiwbeth yn llifo hyd fy nhrowsys ac erbyn edrych roedd yr helmet a'r plat yn brysur doddi, Beth ydych chwi yn cwyno Boys Bach."

Mae yma wlad ryfeddol o dlos yn y rhanau welais i hyd yn hyn, y coed yn uchel a deiliog, a'[u] dail i gyd yn ysgwyd, crynu a murmur, fel pe baent yn ceisio deud rhiwbeth na wyddom ni ddim am dano, neu fel pe bai hiraeth siomedig o Gymru yn dod yn ol yn athrist ar ol methu cael hyd i rhiwin sy'n huno yn "Rhiwle yn Ffrainc". Gwelais yma lwyni o rosynau, roedd gwefusau pob rhosyn mor ddisglaer a gwridog a 'thae myrddiwn o gusanau yn cysgu ynddynt, a chan fod y tywydd mor hyfryd ceir yma olygfa dlos tûhwynt yn oriau y machlud a'r haul yr ochor draw i fataliwnau o goed yn mynd lawr mor odidog a hardd ag angel yn mynd ar dan. Ymhen enyd gwelid [l]len denau o liw gwaed tros y gorwel a rhiw felyndra tebig i liw briallu wedi e[i] gyfrodeddu ynddi, ond y peth tlysaf a welais i hyd yn hyn oedd corff hen "shell" wedi ei droi i dyfu blodau: roedd coeden fechan werdd yn cuddio rhan uwchaf yr hen "shell" a naw neu ddeg o flodau bychain i[']w gweled cyd rhwng y dail yn edrych mor ddi bryder ag erioed. Dyna i chwi brawf fod tlysni yn gryfach na rhyfel onide a bod prydferthwch i oroisi dig; ond blodau prudd fydd blodau Ffrainc yn y dyfodol, a gwynt trist fydd yn chwythu tros ei herwau, achos fe fydd lliw gwaed yn *un* a swn gofid yn y *llall*.

Mae yma lawer math o bobol i'w gweled o gwmpas yma, gwelais lawer o Rwsiaid a difyr [y]w cael hamdden i edrych ar y rhai hyn, a gwybod e[u] bod yn dystion o dragwyddoldeb eisios [–] eu gwlad, ei c[h]aethiwed hen, a'i deffro sydyn. Mae yma Indiaid lawer hefyd, e[u] gwalltiau fel rhawn, a thywyllwch e[u] crwyn yn felynddu, a['u] danedd fel gwiail marwor, a dylanwad e[u] duwiau dieithr ar bob ysgogiad o'[u] heiddo. Gwelais garcharorion [A]lmanaidd hefyd, 'roedd cysgod ymerhodraeth fawr yn ymddatod yn e[u] llygaid, a haen o euogrwydd yn eu trem. Nid wyf fi wedi cyrhaedd at berygl eto, ond ynghanol nos byddaf yn clywed swn y magnelau fel ochneidiau o bell. Hwyrach y caf fwy o hamdden a phrofiad i ysgrifennu fy llythyr nesaf. Cofiwch fi at bawb yn eich tŷ chwi ag o gwmpas.

Yr eiddoch fel arfer,
Hedd Wyn[36]

Erbyn dechrau Gorffennaf roedd Hedd Wyn yn Fléchin, lle bu'n ymarfer ac yn ymddullio gyda'i fataliwn am bythefnos gyfan, hyd at Orffennaf 15. Yn Fléchin, ar Orffennaf 13, y cwblhaodd ei awdl. Yn ôl J. D. Richards, 'credwn mai yn Ffrainc, rywle y "tuallan i'r gwersyll" yno, y rhoddes y bardd y cyffyrddiadau olaf i'w awdl'.[37] Cofiai Fred Hainge amdano'n cwblhau'r awdl. Daeth Hedd Wyn ato un prynhawn yn y gwersyll gorffwys y tu allan i Poperinghe. Dywedodd ei fod am fynd i weld y swyddog mewn awdurdod. Ofnai Hainge ei fod mewn rhyw helbul a gofynnodd beth oedd yr helynt. Chwarddodd Hedd Wyn, ac meddai: 'Cyfansoddais ryw ychydig o farddoniaeth ar gyfer yr Eisteddfod Genedlaethol yn Birkenhead, ac y mae arnaf eisiau i'r sensor ei basio os gallaf drefnu hynny. Y mae o mewn Cymraeg, wel'di, ac y mae'r sensor yn Sais.'[38] Ymhen rhyw ddeng munud daeth Hedd Wyn yn ôl. Ni chafodd anhawster gyda'r swyddog a chaniatawyd iddo anfon yr awdl at Ysgrifennydd yr Eisteddfod Genedlaethol yn Birkenhead. Ond roedd Fred Hainge yn camgofio rhyw ychydig ar y ffeithiau, ac yn cymysgu rhwng dau wersyll. Nid yn y gwersyll y tu allan i Poperinghe y cwblhaodd Hedd Wyn ei awdl. Cyfeirio y mae Fred Hainge yma at y gwersyll ar lannau Camlas Yser-Yperlée, neu Ijzer-Ieperlee yn Fflemeg. Roedd tref Poperinghe ryw saith milltir o bellter o'r gwersyll hwn, ond roedd Hedd Wyn wedi gorffen ei awdl yn Fléchin. Clywodd tad y bardd gan eraill am y modd y ceisiai ei fab gwblhau'r awdl yn Ffrainc, gan fachu ar bob cyfle posibl i weithio arni. Ceir y dystiolaeth honno mewn llythyr a anfonodd at Silyn ar Chwefror 11, 1918:

Mae yn dda genyf eich bod wedi darllen "Awdl yr Arwr," ac wedi ei dealld hefyd, ond mae genych chwi fantais ar lawer oherwydd yr ydych wedi bod yn ei glorianu lawer gwaith o'r blaen. Y peth sydd yn fy synu fwyaf yw ei fod wedi cynyrchu gystal Awdl, a'r Fyddin a'i gwinedd yn ei war ar hyd y ramser, fe gafodd rhyddhad yn y diwedd cyn iddo fyned drosodd i F[f]rainc am bedwar diwrnod, a mi nath 250 ohoni, a hyn sydd yn arw genyf ei fod ar ochr y Ffordd yn F[f]rainc yn trio ei gorffen [–] yr oedd wedi penderfynu ei gorffen.[39]

Yn yr un llythyr ceir y frawddeg dorcalonnus hon: 'Mae yma hiraeth creulon ar ei ôl o hyd, a lenwir mo'r bwlch chwaith.'[40]

Yn Fléchin hefyd y lluniodd Hedd Wyn un o'i ddarnau olaf o farddoniaeth. Roedd Simon Jones a chyfoed ysgol iddo, 'Ned Bach', y Llys, Llanuwchllyn, yn ysgrifennu llythyrau un noson, a lluniodd Hedd Wyn ddau bennill byrfyfyr iddynt:

> Un noson dawel, hyfryd
>   Uwch law y dolydd brâs,
> Roedd dau o foys Llanuwchllyn
>   Yn 'sgwenu['u] goreu glâs;
> Llythyrau i'w cariadon
>   Anfonai'r ddau yn iach,
> Ac enw un oedd Simon
>   Ac enw'r llall Ned bach.
>
> Ond pan ddarfyddo'r Rhyfel
>   A'r helynt hwn i gyd,
> Daw dau o foys Llanuwchllyn
>   Yn ol yn wyn eu byd;
> Rhieni o'u pryderon
>   A'u clwyfau dro'nt yn iach,
> Pan welant wyneb Simon
>   A chlywed llais Ned bach.[41]

Dychwelodd y ddau at eu rhieni, yn unol â phroffwydoliaeth Hedd Wyn, ond nid dyna dynged lluniwr y penillion.

Gadawodd Hedd Wyn a'i gyd-filwyr Fléchin ar Orffennaf 15, gan symud yn raddol i gyfeiriad maes y gad. Symudwyd trwy bentref Steenbecque ar Orffennaf 16, trwy Saint-Sylvestre-Cappel ar Orffennaf 17, Proven ar Orffennaf 18, Abbey Saint-Sixtus ar Orffennaf 19, a chyrraedd y ddau wersyll ar lannau Camlas Yser, sef y rhan a elwid Yser-Yperlée, ar Orffennaf 20. Gelwid y ddau wersyll hyn yn 'Dublin Camp' a 'Canal Bank'.

Treuliodd Hedd Wyn ddyddiau olaf ei fywyd, llai na phythefnos, yn y ddau wersyll hyn yn ymyl Camlas Yser. Ceir disgrifiadau gwych o aelwyd y milwyr ar lannau'r gamlas gan yr Uwch-gapten W. P. Wheldon yn rhifyn Mawrth 1919 o *The Welsh Outlook*. Mewn mannau, y gamlas hon yn unig a weithredai fel ffin rhwng y Prydeinwyr a'r Almaenwyr, yn enwedig yng nghyffiniau Boesinghe. Roedd ochr ddwyreiniol y gamlas yn nwylo'r gelyn, a'r ochr orllewinol yng ngafael y Prydeinwyr, gyda llinell flaen y Prydeinwyr uwchlaw'r gamlas, a'r gamlas y tu ôl iddynt. Dyma ddisgrifiad W. P. Wheldon o'r 'Canal Bank' yn Ypres:

... the canal bank was a very important place indeed, and if the salient was to be held at all, the enemy must not cross the canal. On the left (Boesinghe Front), the canal bank was the fighting front line, not the support line, and its chief interest by now lies in some highly successful raids made, despite the canal, both by our own men and by the enemy, and the splendid crossing of the canal by the Guards on the 30th July, 1917.

On the right, the canal and its two banks, have much more permanent interest. It will be gathered from what has already been said that there were four battalions of men resting there in turns. In addition, there were many more permanent troops; the Staffs of the Brigades, the troops of the R.E. Field Companies, and other oddments, such as tunnelling companies. It was a town with all the variety and interest of a densely populated industrial area, which in many respects it greatly resembled.[42]

Mae disgrifiad W. P. Wheldon o'r dref dros dro hon yn rhoi rhyw fath o syniad o'r lleoliadau a'r amgylchiadau y treuliodd Hedd Wyn ei ddyddiau olaf ynddynt:

The accommodation was at first very bad – it improved later – affording little comfort or safety to its harassed population. The death rate was heavy, despite the abundance of fresh air, and minor casualties frequent, but there was no birth rate. Its cemeteries were an obvious reminder to all of the terms and conditions of existence in that neighbourhood. It had its church, which again like its prototype at home, was the one building in a crowded area, rarely over-crowded. It had its hospitals, – noble concrete edifices, which defied the best efforts of the enemy,

– and its shops, which did a roaring trade, earning profits which would make any profiteering grocer green with envy.[43]

A dyma'i ddisgrifiad o'r gamlas ei hun:

> The canal itself was shallow with a bottom of slimy filth, strewn with bully beef tins and empty jam tins; some derelict barges there were too, – one proudly named the Duke of Wellington, – all of which only made it abundantly clear that it was no longer a canal, but a drain in which rats alone of all living things found life and pleasure. The stream running parallel to the canal, and called the Yperlee, in times of flood flowed muddy and strong. To behold it in drier seasons, it was incredible that any man could have drunk of its waters and lived, but many did ...[44]

Erbyn wythnos olaf Gorffennaf 1917, roedd yr ymarfer a'r ymddullio, y chwarae milwyr, ar ben i Hedd Wyn a'i gymrodyr, a chafodd y bardd y profiad uniongyrchol o filwra ar adeg o ryfel ar lannau'r gamlas. Ceir syniad gweddol gywir o'r modd y treuliodd ei ddyddiau olaf yn ymyl y gamlas hon, a'r gorchwylion a'r dyletswyddau y bu'n rhaid iddo'u cyflawni, yn Nyddiadur Rhyfel Pymthegfed Bataliwn y R.W.F. – sef bataliwn Hedd Wyn – a gedwir yn Amgueddfa'r Ffiwsilwyr Brenhinol Cymreig yng Nghaernarfon. Dyma rai o'r cofnodion hynny:

DUBLIN CAMP & CANAL BANK

23rd
Inspection parades during morning. Afternoon packing up & dumping of stores & packs ready for the line. At 6 p.m. the Battalion paraded in fighting kit to march to TUGELA FARM where the Bn. assembly trenches for the offensive were to be dug. The trenches having been roughly marked out by the C.O. & an advance party the work was proceeded with & three lines of trenches 4ft x 2ft. at about 100yds distance were dug & camouflaged. Gas shells were sent over by the enemy during the night. Bn. relieved the 16th Bn. R.W.F. in reserve. Relief complete 11.15 p.m. Weather fine.

CANAL BANK

24th

Various fatigues during the day. At 11.30 a.m. C.O.'s Conference with officers of B. Q. A. & B. Coys. to explain scheme & revised times for the daylight raid. Several of Bn. officers & men suffering from the effects of gas shells sent over the night before. Nearly all these were eye cases, the gas having got in & blinded the majority of the men. The 50% officers & men not going into action were sent down to Transport Line in the evening. Weather fine.

25th

At 9 a.m. the barrage opened for the raid; at 9 a.m. the raiders advanced towards the German trenches. Little opposition was encountered in the 1st line but the enemy were occupying the 2nd & the party returned leaving 2nd Lt. Lloyd & 15 O.R. in the hands of the enemy. Weather morning wet, afternoon fine.

26th

Nothing of importance to record. Shelling less severe than on previous days. Gas shells discharged during the night. Weather dull.

FRONT LINE

27th

On the 27th July 1917 information was received that the enemy was falling back & the brigade was ordered to carry out a reconnaissance to ascertain if the information was correct. A. Coy. 15th Bn. R.W.F. was entrusted with this duty. They went forward & reached almost to CACTUS. JUNC. but met with considerable opposition & for the most part were either killed or wounded. Weather fine.

DUBLIN CAMP

28th

The Bn. moved from the trenches to DUBLIN CAMP where a reorganisation of the Bn. was made by the C.O. The Bn. remained in camp till the afternoon of the following day when it proceeded back to the line for the attack. Weather fine.

29th

Rest in Dublin Camp during the day. The C.O. held a conference of Officers & N.C.O.'s in the afternoon when the latest & revised details of the attack were fully explained to all concerned. Bn. paraded at 7 p.m. to march to ROUSELL FARM. Weather fine.

30th
Bn. rested during the day in camp & paraded at dusk to move into the assembly trenches which were duly reached & entered without any eventful happenings.[45]

Gydag Awr Sero yn prysur nesáu, roedd Hedd Wyn, Fred Hainge a Simon Jones, ynghyd â miloedd o rai eraill yr aeth eu haberth heibio a'u hwynebau'n angof, wedi cyrraedd y ffosydd ymgynnull i aros eu tynged.

8

Brwydr Cefn Pilkem

Dyddiau o baratoi gogyfer â'r frwydr fawr oedd y dyddiau a arweiniai at Orffennaf 31, 1917. Am ddeng niwrnod cyfan, o Orffennaf 22 ymlaen, bombardiwyd safleoedd y gelyn. Saethwyd pedair miliwn a chwarter o dân-belenni i diriogaeth yr Almaenwyr yn ystod y deng niwrnod, gan 3,091 o ynnau, 999 o'r rheini yn ynnau trymion. Pan fyddai'r bombardio'n dod i ben byddai'r frwydr yn cychwyn. Gorfodwyd yr Almaenwyr i symud eu gynnau mawr i safleoedd diogelach gan y bombardio. Yr oedd y ddwy ochr yn prysur ddarparu ar gyfer y frwydr a oedd i ddod. Roedd y *salient* yn Ypres yn ferw o symudiadau a gweithgareddau yn ystod y dyddiau a arweiniai at y cyrch mawr.

Ddeuddydd cyn i'r frwydr ddechrau, darganfuwyd bod yr Almaenwyr wedi cilio o'u llinell flaen ar yr ochr ogleddol i linell flaen y Bumed Fyddin. Bu'r milwyr Prydeinig yn turio i mewn i lannau camlas Yser am rai dyddiau cyn y dydd tyngedfennol, a thybiai'r Almaenwyr eu bod yn turio twneli o dan y ddaear, gyda'r bwriad o osod ffrwydron o dan eu safleoedd, ond paratoi'r gamlas ar gyfer gosod pontydd drosti a wnâi peirianwyr y Fyddin Brydeinig. Nid oedd yr Almaenwyr am fentro'u lwc. Roedd y cof am y modd y dinistriwyd eu safleoedd ar Esgair Messines trwy dwnelu o dan y ddaear ar Fehefin 7 yn boenus o fyw. Croesodd aelodau o Adran y Gwarchodlu, mewn cydweithrediad â'r Ffrancwyr ar eu chwith, gamlas Yser ar Orffennaf 29, a'u sefydlu eu hunain ar linell flaen o 3,000 o lathenni i'r dwyrain a'r gogledd o Boesinghe. Prif fantais y meddiannu hwn ar linell flaen yr Almaenwyr oedd galluogi'r Fyddin Brydeinig i godi pontydd dros y gamlas heb ofni unrhyw ymyrryd o du'r gelyn, a thrwy hynny oresgyn un anhawster mawr. Mantais arall oedd y ffaith fod Adran y Gwarchodlu wedi ennill eu cyrchnod cyntaf cyn i'r frwydr hyd yn oed ddechrau. Awr Sero oedd 3.50 o'r gloch y bore, Gorffennaf 31. Byddai Adran y Gwarchodlu ar y blaen o ran amser i bob adran arall, a phenderfynwyd gan y Pencadlys roi 34 o funudau i'r Adran Gymreig (y 38ain Adran) gyrraedd Adran y Gwarchodlu. Y cynllun oedd cael Adran y Gwarchodlu i symud ymlaen o'u llinell un funud wedi i'r haul godi, am 4.23 o'r gloch y bore, ac erbyn hynny byddai'r Adran Gymreig wedi eu cyrraedd, fel y gallai milwyr y ddwy ochr symud ymlaen gyda'i gilydd.

Pan fyddai'r brwydro'n dechrau, byddai'n ymestyn ar draws llinell flaen o bymtheng milltir, o afon Lys gyferbyn â Deûlémont i gyfeiriad y gogledd hyd at yr ochr draw i Steenstraat. Ymddiriedwyd y prif ymosodiadau i ofal y Bumed Fyddin ar linell flaen o saith milltir a hanner rhwng ffordd Zillebeke-Zandvoorde a Boesinghe. Roedd y Bumed Fyddin dan adain Syr Hubert Gough, a chynhwysai yr 2il Gorfflu (y 24ain Adran, y 30ain Adran, yr 8fed Adran a brigâd o'r 18fed Adran), y 19eg Corfflu (y 15fed a'r 55ain Adran), y 18fed Corfflu (y 39ain a'r 51ain Adran) a'r 14eg Corfflu (y 38ain Adran, sef yr Adran Gymreig, ac Adran y Gwarchodlu). I'r Adran Gymreig, wrth gwrs, y perthynai bataliwn Hedd Wyn. Byddai Byddin Gyntaf y Ffrancwyr yn ymosod ar y chwith, gan groesi camlas Yser a ffordd Dixmude, ac wedyn symud i gyfeiriad Bixschoote a safleoedd yr Almaenwyr i'r de o Goedwig Houthulst. Yn union islaw Dixmude byddai'r Fyddin Brydeinig yn cyrchu drwy bentref Pilkem ar gefnen Pilkem, a'r tir corsiog i'r dwyrain o Ypres.

Y prif gyrchnod oedd cromen o fân fryniau o flaen safleoedd y Fyddin Brydeinig o gylch Ypres. Bwriad Syr Douglas Haig oedd gwanychu'r gelyn rhwng Coedwig Houthulst a phentref Gheluvelt ar ffordd Menin. Rhwng y ddau begwn hyn yr oedd tir gweddol uchel a elwid yn Esgair Passchendaele. Cyn cyrraedd Esgair Passchendaele, fodd bynnag, rhaid oedd cipio pentref Pilkem, yn ogystal â'r esgair o gylch y pentref, oddi ar y gelyn, a dyna oedd prif gyfrifoldeb y 38ain Adran.

Dyma'r gorchymyn a roddwyd i'r Adran Gymreig, yn ôl yr '113th Infantry Brigade: Operation Order No. 143':

(a) The XIV Corps, with the XVIII Corps on the Right and the 1st French Corps on the Left, will attack the German Lines.

Lloyd George yn annerch y dorf yn Eisteddfod Birkenhead, cyn defod y cadeirio. Ar y chwith iddo mae ei briod, a James Merritt, Maer Birkenhead, ar y chwith iddi hithau. Ar y dde i Lloyd George mae'r Gwir Anrhydeddus Arglwydd Leverhulme, a Megan Lloyd George yn ei ymyl.

Cadair Ddu Eisteddfod Genedlaethol Birkenhead, 1917.

Eugeen Vanfleteren, gwneuthurwr y Gadair Ddu.

Rolant Wyn, y ddolen gyswllt rhwng swyddogion Eisteddfod Birkenhead a theulu'r Ysgwrn.

Teulu'r Ysgwrn, cyn y chwalfa fawr. Yn sefyll yn y cefn, o'r chwith i'r dde: Hedd Wyn, Cati, Magi, Dafydd a Mary; yn y rhes flaen, o'r chwith i'r dde: y fam, Mary Evans, yn eistedd, gydag Enid ar ei glin, Evan neu Ifan, Ann, Bob, a'r tad, Evan Evans.

Pen-lan, Trawsfynydd. Ganed Hedd Wyn yn y tŷ a nodwyd â chroes.

Cadeiriau eisteddfodol Hedd Wyn wedi eu gosod o flaen yr Ysgwrn. Y tu ôl iddynt y mae rhieni Hedd Wyn. Trowyd y llun yn gerdyn post.

Hedd Wyn a'i chwaer Mary ar achlysur priodas Dewyrth Rhobet, Ionawr 30, 1912.

(Llun trwy ganiatâd Archifdy Meirionnydd.)

Lizzie Roberts, Tŵr Maen.

Elin Jones, un arall o gariadon Hedd Wyn.

Mary Catherine Hughes, y 'Siriol athrawes eirian'.

Englyn Hedd Wyn i Mary Catherine Hughes, yn ei lawysgrifen ef ei hun, gyda'r dyddiad Awst 30, 1916, oddi tano.

Jini Owen (yn sefyll).

J. D. Richards, gweinidog Hedd
Wyn a chyfaill mawr iddo,
gyda'i deulu, 1918.

Hedd Wyn yn 20 oed, pan enillodd
gadair Eisteddfod y Llungwyn yn y
Bala.

Hedd Wyn yn ei ugeiniau canol.

Yr Is-gapten D. O. (Deio) Evans, gwrthrych yr englyn enwog ac iddo'r esgyll '… Er i'r Almaen ystaenio/Ei dwrn dur yn ei waed o.'

Cerdyn coffa Tommy Morris.

Ei aberth nid el heibio–a'i enw
Anwyl nid a'n angho',
Er i'r Almaen ystaenio
Ei dwrn dur yn ei waed o.

HEDD WYN.

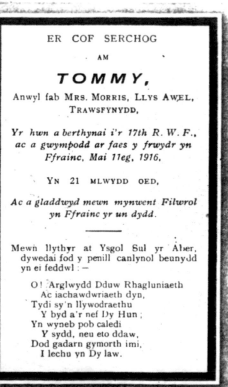

ER COF SERCHOG

AM

TOMMY,

Anwyl fab MRS. MORRIS, LLYS AWEL,
TRAWSFYNYDD,

*Yr hwn a berthynai i'r 17th R. W. F.,
ac a gwympodd ar faes y frwydr yn
Ffrainc, Mai 11eg, 1916,*

YN 21 MLWYDD OED,

*Ac a gladdwyd mewn mynwent Filwrol
yn Ffrainc yr un dydd.*

Mewn llythyr at Ysgol Sul yr Aber,
dywedai fod y penill canlynol beunydd
yn ei feddwl :—

O! Arglwydd Dduw Rhagluniaeth
Ac iachawdwriaeth dyn,
Tydi sy'n llywodraethu
Y byd a'r nef Dy Hun ;
Yn wyneb pob caledi
Y sydd, neu eto ddaw,
Dod gadarn gymorth imi,
I lechu yn Dy law.

Print yn coffáu gwŷr Trawsfynydd a laddwyd yn y Rhyfel Mawr.

Griffith Llewelyn Morris.

Morris Davies, Moi'r Plas, cyfaill mawr Hedd Wyn, yn lifrai'r fyddin.

John Buckland Thomas, cyfaill Hedd Wyn yn Litherland.

Fred Hainge, un o'r milwyr a welodd Hedd Wyn yn cwympo.

Simon Jones, un arall o gyd-filwyr Hedd Wyn a fu'n llygad-dyst i'w gwymp.

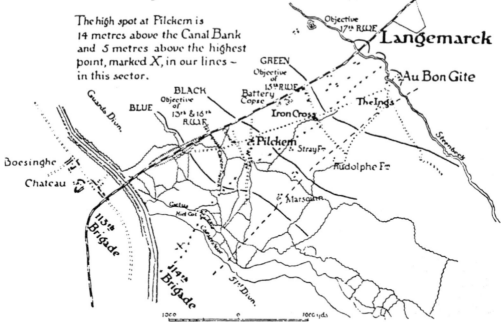

Map swyddogol y Ffiwsilwyr Brenhinol Cymreig o frwydr Cefn Pilkem.

Croesi Camlas Yser, Gorffennaf 31, 1917.

(Llun trwy ganiatâd yr Amgueddfa Ryfel Ymerodrol, Llundain ©IWM.)

Trin clwyfedigion ar faes y gad:
Cefn Pilkem, Gorffennaf 31, 1917.
(Llun trwy ganiatâd yr Amgueddfa Ryfel
Ymerodrol, Llundain ©IWM.)

HE whom this scroll commemorates was numbered among those who, at the call of King and Country, left all that was dear to them, endured hardness, faced danger, and finally passed out of the sight of men by the path of duty and self-sacrifice, giving up their own lives that others might live in freedom.

Let those who come after see to it that his name be not forgotten.

Pte. Ellis Evans
Royal Welch Fusiliers

Tystysgrif goffa Hedd Wyn.

Cerdyn coffa neu 'gof-gerdyn'
o ddarlun olew J. Kelt Edwards,
'Hiraeth Cymru am Hedd Wyn'.

Bedd Hedd Wyn.

L. S. Merrifield, lluniwr cofeb Hedd Wyn yn Nhrawsfynydd, yn dal model bychan o'i gerflun.

Mary Evans, mam Hedd Wyn, yn dadorchuddio'r gofeb i'w mab, Awst 11, 1923.

(b) The 38th Division, with the 51st Division on the Right, and the Guards
Division on the Left, will attack the enemy's positions on the PILKEM
RIDGE as far as LANGEMARCK.

(c) The attack will be made in a series of bounds, each bound is shown by a
coloured line on Map already issued.

First Bound .... BLUE Line.
Second Bound .... BLACK Line.
Third Bound .... GREEN Line.
Fourth Bound .... GREEN Dotted Line.[1]

Roedd y Llinell Werdd bron i ddwy filltir o bellter o'r llinell flaen Brydeinig,
ar Esgair Pilkem, a rhyw fil o lathenni o bellter o'r Llinell Ddu, a redai drwy
bentref Pilkem. Yn union o flaen y Llinell Werdd, tua 200 llath oddi wrthi,
yr oedd Trum y Groes Haearn. Cyrchnod dwy o fataliynau'r Ffiwsilwyr
Brenhinol Cymreig, y 13eg a'r 16eg, oedd cipio'r Llinell Ddu, a chryfhau
eu safle ar y llinell honno. Byddai'r 15fed Bataliwn wedyn yn symud drwy'r
llinell gymharol ddiogel honno i gyrraedd y Llinell Werdd. Cyrchnod 14eg
Bataliwn y R.W.F. oedd paratoi tramwyfa glir rhwng y Llinell Las a'r
Llinell Werdd, ac yn y pen draw byddai'r 17eg Fataliwn yn treiddio drwy'r
Llinell Werdd i ennill pentref Langemarck oddi ar yr Almaenwyr.

Y broblem fwyaf oedd y tywydd a chyflwr y tir y byddai'n rhaid cerdded
drwyddo. Bu'n rhaid gohirio dyddiad gwreiddiol y frwydr arfaethedig. Y
dyddiad gwreiddiol oedd Gorffennaf 25, ac amcangyfrifwyd y byddai'r
Fyddin Brydeinig yn cyrraedd Esgair Passchendaele o fewn pedwar
diwrnod. Cymerodd bedwar mis. Penderfynwyd peidio â chychwyn y
frwydr ar Orffennaf 25 am ddau reswm yn bennaf. Yn gyntaf, gofynnodd
arweinydd y Ffrancwyr, y Cadfridog Anthoine, am ragor o amser i baratoi
ar gyfer y frwydr i ddod, gan fod rhengoedd y Ffrancwyr wedi eu bylchu'n
bur arw erbyn Gorffennaf 1917, a chydsyniodd y Prydeinwyr; yn ail, roedd
arbenigwyr tywydd y fyddin wedi darogan, ar ôl astudio ystadegau 80
mlynedd o dywydd yn Fflandrys, y byddai Gorffennaf 25 yn ddiwrnod o
law trwm ac y disgwylid gwell tywydd o Orffennaf 31 ymlaen. Nid felly
y bu: un diwrnod di-law a gafwyd rhwng Gorffennaf 30 ac Awst 6, a
hwnnw'n ddiwrnod o niwl. Dyna pam y rhoddodd Haig y sylw canlynol

yn ei ddyddiadur ar Orffennaf 31, mewn cerbyd trên 19 o filltiroedd i'r gorllewin o Ypres:

> Glass steady. Morning dull and coldish. The bright weather reported as coming is slower in its progress than expected by our weather prophet.[2]

Roedd y frwydr agoriadol hon wedi'i thynghedu o'r dechrau i fod yn gyrch gwaedlyd, amhosibl bron. Roedd y tir yn gors blorynnog, dyllog, a'r tyllau wedi troi'n byllau o ddŵr dwfn. Pan ddaeth y frwydr ei hun, câi'r milwyr anhawster mawr i symud ymlaen yn effeithiol. Llithrent yn y llaid, a boddwyd rhai yn y dŵr yn y tyllau enfawr hyn a achoswyd gan ffrwydradau. Glynai tanciau a meirch yn y mwd, gan eu gwneud yn dargedau hawdd, disymud i'r Almaenwyr. Yn ychwanegol at yr anawsterau hyn, roedd y tywydd, cymysgfa o law a niwl, yn pylu'r golwg, ac yn peri dryswch mawr ynglŷn â pha gyfeiriad i'w ddilyn. Hefyd, symudai *barrage* y Prydeinwyr ganllath bob pedwar munud, o flaen y milwyr, ac achosai hyn gryn anhawster yn ogystal. Fel y dywed B. H. Liddell Hart yn *History of the First World War*:

> ... the Ypres offensive was doomed before it began – by its own destruction of the intricate drainage system in this part of Flanders. The legend has been fostered that these ill-famed 'swamps of Passchendaele' were a piece of ill-luck due to the heavy rain, a natural and therefore unavoidable hindrance that could not be foreseen. In reality, before the battle began, a memorandum was sent by Tank Corps Headquarters to General Headquarters pointing out that if the Ypres area and its drainage were destroyed by bombardment, the battlefield would become a swamp. This memorandum was the result of information from the Belgian 'Ponts et Chaussées' and local investigation – the facts had, indeed, been brought to light by the engineers in 1915, but apparently forgotten.[3]

Hon, felly, oedd y frwydr y tynghedwyd Hedd Wyn i gymryd rhan ynddi a marw ynddi: Brwydr Passchendaele ar lafar, am mai ennill Passchendaele oddi ar y gelyn oedd y nod yn y pen draw, a Thrydydd Cyrch Ypres yn ôl y croniclau a'r adroddiadau milwrol swyddogol. Rhan o'r cyrch mawr hwn oedd meddiannu pentref Pilkem a Chefn Pilkem, a dal gafael arnynt. Y noson cyn y frwydr cynhaliwyd cyngerdd ffarwél gan y 15fed Bataliwn, a symudwyd wedyn i'r ffosydd ymgynnull. Roedd y frwydr fawr ar fin dechrau.

Y mae llawer o ddryswch ac ansicrwydd wedi bod erioed ynghylch union amgylchiadau clwyfo a lladd Hedd Wyn, ac nid rhyfedd hynny. Cymerodd can mil o filwyr ran yn y cyrch ar y diwrnod olaf hwnnw o Orffennaf, ac nid oedd Hedd Wyn ond un o blith y can mil. Nid rhyfedd fod llawer o anghysondebau rhwng y gwahanol adroddiadau am ei farwolaeth gan lygad-dystion. Lladdfa fawr anhrefnus, wallgof a dryslyd oedd brwydr Gorffennaf 31. Nid Hedd Wyn y bardd a laddwyd ar y diwrnod hwnnw, ond milwr cyffredin ymhlith miloedd o filwyr cyffredin. Ychydig iawn a wyddai ei fod yn fardd hyd yn oed. Rhaid ceisio dod o hyd i'r gwirionedd ynghylch ei gwymp trwy gyflwyno'r holl dystiolaethau hyn am ei farwolaeth, a cheisio creu darlun gweddol gywir o'r amgylchiad trwy gymharu'r tystiolaethau hyn â'i gilydd, gan ddechrau gyda thystiolaeth ei gyd-filwyr. Un o'r rheini oedd Fred Hainge. Gwelodd Hainge Hedd Wyn yn syrthio, ac adroddodd yr hanes wrth *Y Cymro*:

> Drwy ddychrynfeydd Tir Neb ar ruthr gwallgof. Diogel. Drwy uffern y wifrau pigog. Diogel eto hefyd. Ac yna, cenlli o fwledi yn eu cyfarfod. A chyn y distawyd gweryru'r *machine-gun* hwnnw yr oedd llawer Cymro na ddychwelai i'w wlad ... Ond yr oedd Hedd Wyn yn fyw a dyrnaid fechan gydag ef a llinell gyntaf yr Almaenwyr o'u hol. Ymlaen am yr ail linell. Ymlaen. Ond nid ymhell. Ffrwydrad ofnadwy. Siel yn plannu i ganol yr hogiau. Ac yn fflach y siel honno, gwelodd Fred Hainge y bardd yn syrthio.[4]

Un arall a'i gwelodd yn syrthio oedd Simon Jones. Dywedodd fod Hedd Wyn wedi syrthio 'ar hanner Pilkem' ar ôl i filwyr y 15fed Bataliwn 'gychwyn dros Canal Bank yn Ypres', a hynny am 4.30 o'r gloch yn y bore: 'mi gweles o'n syrthio ac mi allaf ddweud mai *nosecap shell* yn ei fol 'lladdodd o'.[5] Roedd hynny, yn ôl Simon Jones, am 4.45 o'r gloch y bore.

Un arall a oedd yn Ffrainc a Fflandrys gydag Hedd Wyn oedd y Rhingyll Idwal Williams, Penmorfa, yn ymyl Porthmadog. Soniodd, mewn erthygl fer dan y teitl 'Dyddiau Olaf Hedd Wyn', a gyhoeddwyd yn *Yr Herald Cymraeg* ym mis Hydref 1917, am ei gyfeillgarwch â'r bardd yn Ffrainc:

> Mewn ysgubor yr oedd eu "cartref," ac yno y daeth Hedd Wyn a'r Sergeant Williams yn gyfeillion. Hoffai son am Gymru ac adrodd barddoniaeth. Yr oedd ei awdl, "Yr Arwr," ganddo ar y pryd, a bu ef a'i gyfail yn ei darllen a'i hadrodd,

y naill i'r llall. Bwriada[i]'r bardd ei hail-ysgrifennu yno, ond ni chafodd gyfle i wneyd hyny, ac anfonodd hi i'r gystadleuaeth fel yr oedd o bentref Flechin.[6]

Dyma fersiwn Idwal Williams o gwymp Hedd Wyn:

Ni bu'r bardd yn y ffosydd o gwbl hyd nes yr aeth trwyddynt i'r frwydr fawr ar doriad y wawr y dydd olaf o Orffennaf. Wedi brwydro caled ennillwyd y nod, ond ar hanner dydd tra'n ddiogelu'r [sic] safleoedd newydd a'r gelyn yn parhau i dywallt eu hergydion yn gawodlyd, daeth darn o ffrwyd[r]belen a tharawodd y bardd yn ei gefn gan ei archolli'n ddwfn. Syrthiodd yn ddiymadferth, ac oherwydd ffyrnigrwydd y brwydro nid oedd cynorthwy meddygol i'w gael i'w gario ymaith i ddiogelwch. Ond ceisiodd ei gymrodyr drin ei glwyfau, a lleddfu ei ddoluriau ynghanol yr holl beryglon. Ond tra'n gorwedd yn ei glwyfau ar faes y frwydr am dair awr, ni chlywyd na gruddfaniad nac ochenaid ganddo o hanner dydd hyd dri o'r gloch yn y prydnawn – yr un oriau ag y bu Arwr yr Arwyr yn glwyfedig ar faes Brwydr y Brwydrau. Ar dri o'r gloch daeth y cludwyr i'w nol, gan ei gario i lawr y ffosydd, ond cyn eu bod nepell o'r fan yr oedd y milwyr [sic] clwyfedig wedi anadlu ei anadl olaf, a'r frwydr drosodd.[7]

Mae'r tair tystiolaeth ynglŷn â'r dull y lladdwyd Hedd Wyn yn cyfateb, ac mae'n amlwg mai tân-belen a'i lladdodd. Ond nid yw'r adroddiadau hyn yn gytûn ynghylch union adeg ei farwolaeth. Ceir, yn ogystal, fersiwn arall o'r modd y lladdwyd ef. Ym mis Medi 1917, bu'r Parchedig R. Peris Williams, caplan gyda'r R.W.F., yn holi aelodau o fataliwn Hedd Wyn ynghylch ei oriau olaf. Cedwir y nodiadau a ysgrifennwyd ganddo yn Llyfrgell Prifysgol Bangor. Yn ogystal â holi cyd-filwyr Hedd Wyn bu'n holi ei swyddogion hefyd. Derbyniodd fanylion ynghylch ei farwolaeth gan swyddog Hedd Wyn, yr Uwch-gapten F. L. Ratto:

This soldier was in my platoon and went over the top with us on the 31st July. He fought extremely well & was always in the thick of the fighting. It was while consolidating on the Green Line that he was shot by a sniper and died instantaneously, the bullet entering his stomach and going right through him. I wrote to his next of kin about a month ago ...[8]

Yr Uwch-gapten J. Edwards a anfonodd adroddiad F. L. Ratto at Peris Williams, ar Fedi 25, 1917, a nododd Edwards ei hun fod Hedd Wyn wedi syrthio tua 200 llath 'in front of the road running from IRON CROSS to the railway', sef rheilffordd Thourout, a nododd â chroes union fan ei gwymp, ar bwys y Llinell Werdd.[9] Ceir ychwanegiad arall gan Edwards:

> There is very little account of him whilst with the battalion except that he was a very silent fellow & from what I hear his only friend was also killed. Also it would appear he could speak but little English, or at least if he could he did not.[10]

Ai Hedd Wyn oedd y milwr dan sylw gan y swyddogion hyn? Peth digon cyffredin yn ystod blynyddoedd y Rhyfel Mawr oedd cymysgu rhwng milwyr. Fe allai Hedd Wyn siarad Saesneg, wrth gwrs, er i'w chwaer, Enid Morris, ddweud nad oedd yn medru Saesneg yn rhugl iawn. Ond os gallai ddarllen a deall beirdd pur anodd ar brydiau, fel Shelley a Browning, yna, yn sicr, gallai siarad Saesneg. Ond mae popeth arall a ddywedir am Hedd Wyn gan y swyddogion hyn yn gywir. Dywedodd F. L. Ratto ar derfyn ei adroddiad i Hedd Wyn ymuno â'r 15fed Bataliwn yn Fléchin. Hefyd y mae'r disgrifiad ohono fel person tawedog yn cyfateb i sawl tystiolaeth arall. Yn ôl Fred Hainge, 'Fel bachgen clen distaw o Feirion yr adnabuai ei gyd-filwyr ym mataliwn Llundain o'r Royal Welch Fusiliers ef';[11] ac yn ôl aelod arall o'i fataliwn, William Richardson o Landudno, 'He was a man who kept very much to himself.'[12] Anghywir hefyd oedd dyddiad ei farwolaeth yn ôl cofnodion swyddogol y fyddin ar y pryd. Mae'r dyddiad yn anghywir yn y rhestr swyddogol o'r milwyr a laddwyd yn y Rhyfel Mawr. Dyma'r cofnod a geir yn *Soldiers Died in the Great War 1914–19; Part 28: The Royal Welsh Fusiliers*:

> Ellis Evans, b. Trawsfynydd, Merioneth, e. [enlisted] Blaenau Ffestiniog (Trawsfynydd), 61117 Pte. k. in a. F. & F., 4/8/17.

Hefyd, 'marw o'i glwyfau' a wnaeth Hedd Wyn, ac nid yw'r 'killed in action' uchod yn gywir ychwaith, ddim mwy nag ydyw dyddiad ei farwolaeth.

Yn ôl J. D. Richards, yr oedd un o fechgyn Trawsfynydd wedi canfod Hedd Wyn yn gorwedd yn ei glwyfau ar faes y gad:

Nid oes fanylion gennym am ei gwymp heblaw iddo gael ei glwyfo'n farwol yn ei fynwes, medd llanc o'r lle yma, a'i canfu yn [f]yw ar y maes wedi'r drin.[13]

Felly y mae tystiolaeth y llanc hwn yn cyfateb i dystiolaeth Idwal Williams, ond nid i dystiolaeth Fred Hainge, a ddywedodd hyn:

Aeth y parti allan drannoeth i geisio'r marw. A chafwyd Hedd Wyn yn gorwedd yn y fan y gwelodd Hainge ef yn syrthio, a chladdwyd ef gerllaw.[14]

Nid oes unrhyw sôn gan Hainge fod Hedd Wyn yn fyw o hyd. Mae adroddiad *The Welsh Outlook* ynghylch ei oriau olaf yn cyfateb i dystiolaeth Idwal Williams:

The nature of his wounds, and the fact that he was fully conscious for three hours before his death, prove that he must have suffered untold agony, but his comrades testify that not a single groan escaped his lips.[15]

Tystiolaeth bwysig arall yw eiddo William Richardson, Llandudno, aelod arall o fataliwn Hedd Wyn. Ymunodd William Richardson â'r fyddin ym mis Chwefror 1915, a gwasanaethodd yn Ffrainc o Ragfyr y flwyddyn honno hyd nes iddo gael ei anafu yn ei glun yn ail frwydr y Somme, ar Awst 26, 1916. Gwasanaethodd fel elor-gludydd ym mrwydr Cefn Pilkem, ac roedd yn un o'r pedwar a gariodd Hedd Wyn 'hanner canllath i gyrraedd y meddyg'.[16] Ni wyddai William Richardson ar y pryd fod y gŵr a gludid ganddo ef a'r tri arall yn fardd. Wedyn y daeth i wybod hynny. Yn ôl Richardson: 'He was badly wounded in the chest and he died just as we arrived at the hospital gates.'[17] Cofiai mai enwau dau o'r elor-gludwyr eraill a'i cariodd ef oedd Charlie Lucas ac Eric Barnard, o Burnham-on-Crouch. Mae tystiolaeth William Richardson i'r bardd farw cyn cyrraedd yr ysbyty yn y ffos yn cyfateb i dystiolaeth Idwal Williams, a hefyd i'r hyn a ddywedodd Silyn Roberts:

That awful day he pushed on bravely with the others, although the whole thing must have been abhorrent to his nature, and death to a man so inadequately trained almost a certainty. The regiment crossed the ridge; men were falling on every hand and at last he also fell in an exposed position where help could not reach him. Later he was found alive, but breathed his last on the way to the dressing station.[18]

Y dystiolaeth bwysicaf o ddigon ynghylch marwolaeth Hedd Wyn yw'r manylion a gasglwyd gan Peris Williams. Yn ôl nodiadau Peris Williams, 'yn gynnar fore dydd Mawrth y 31ain o Gorffennaf … rhwng Pilkem a Langemarck' yr anafwyd Hedd Wyn yn angheuol, a hynny gan '[d]darn o shell a'i tarawodd yn ei gefn nes ei glwyfo yn drwm iawn'.[19] Yn ôl un o'r bechgyn a holwyd ganddo, 'German trench mortar wound in back' a'i lladdodd yn y pen draw.[20] Enwir y pedwerydd elor-gludydd gan Peris Williams, sef Pt. Rowlandson. Cariwyd Hedd Wyn o faes y gad gan y rhain, ac aethpwyd ag ef i'r 'dug-out' a elwid yn Cork House gan y milwyr. Defnyddid y ddaeargell hon yn ystod y frwydr fel rhyw fath o ysbyty. Triniwyd clwyfau Hedd Wyn gan feddyg o'r enw Dr Day o dueddau Wrecsam, a gwelodd hwnnw ar unwaith ei fod wedi'i glwyfo'n farwol ac nad oedd ganddo fawr ddim o amser ar ôl. Yn ôl Peris Williams: 'Arosodd y stretcher bearer gydag ef hyd nes iddo dynnu ei anadl olaf am tua 11 o'r gloch bore y 31ain o Orffennaf 1917.'[21]

Gan y ceir y nodyn 'Richardson present at death' yn nodiadau Peris Williams, rhaid awgrymu mai William Richardson oedd yr elor-gludydd a arhosodd ar ôl.[22] Dyma'r gŵr a ddywedodd fod Hedd Wyn wedi marw wrth iddynt gyrraedd y 'dug-out', ond mae'n bur sicr mai cyfuniad o'r amgylchiadau dryslyd, echrydus ar y pryd a phylni cof yn ddiweddarach a fu'n gyfrifol am gam-dystiolaeth y gŵr hwn. Tra oedd y meddyg yn trin ei glwyfau, gofynnodd i'r bechgyn a oedd yn gofalu amdano, ac i'r meddyg hefyd, 'Do you think I will live?', yn siriol. 'You seem to be very happy,' oedd yr ateb a gafodd gan un o'r milwyr yn ei ymyl. 'Yes, I am very happy,' oedd ei eiriau olaf.[23] Yn fuan iawn wedyn bu farw. Hwyrach mai effaith morffia arno a barodd ei fod mor siriol yn ei boenau.

Yn ôl nodiadau Peris Williams, y Parchedig David Morris Jones a ddarllenodd y gwasanaeth claddu ac a offrymodd weddi yn ei angladd. Rhoddwyd croes â'r Ddraig Goch arni uwch y fan lle claddwyd ef. Ar y groes ceid y cofnod hwn: '61117 Pte. E. H. Evans/15/R Welch Fus./31-7-17'. Y Parchedig D. Morris Jones, Aberystwyth, oedd caplan bataliwn Hedd Wyn. Cyhoeddwyd llythyr yn *Y Brython* ym mis Tachwedd 1917 gan gaplan arall, Abi Williams, caplan gydag 17eg Fataliwn y R.W.F., dan y pennawd 'Lle'r Huna Hedd Wyn':

Er cymaint a ysgrifennwyd yn *Y Brython* am Hedd Wyn, 'rwy'n sicr mai nid
anniddorol i'ch darllenwyr fydd gwybod ei gladdu heb fod nepell oddiwrth yr
'Iron Cross' ar y "Pilkem Ridge." Gwasanaethwyd yn Gymraeg gan fy nghyfaill y
Caplan D. Morris Jones, ac er na wyddai ar y pryd ei fod yn talu'r gymwynas olaf
i "gampwr y Ceinion," mae'n brudd ddiddorol cofio hynny heddyw. Do, clywyd
acenion yr hen Gymraeg uwchben bedd y bardd o Drawsfynydd; ac er i'r bedd fod
mewn tir estron 'roedd yr awyrgylch a'r teimladau yn hollol Gymreig.[24]

Dyna'r gwahanol adroddiadau a gafwyd ynghylch y modd y lladdwyd ac y
claddwyd Hedd Wyn. Mae nodiadau Peris Williams, wrth gwrs, yn allweddol
bwysig o safbwynt sefydlu'r gwirionedd. Gellir yn awr greu darlun gweddol
gywir o oriau olaf Hedd Wyn.

Awr Sero, fel y nodwyd, oedd 3.50 y bore. I 14eg Bataliwn y R.W.F.
yr ymddiriedwyd y gwaith o sicrhau bod y diriogaeth rhwng y Llinell Las a'r
Llinell Werdd yn ddiogel ac yn glir ar gyfer cyrch y 15fed Bataliwn i lwyr
feddiannu'r Llinell Werdd. Ceir y cofnod canlynol yn y '14th. (Service) Batt.
Royal Welsh Fusiliers: Report on Operations – 30th. July 1917–4th. August
1917':

For one hour and fifty five minutes after ZERO the remainder of the Battalion
not on Carrying Duties remained in the Assembly Trenches until the time it was
presumed that the BLACK LINE had been captured. At 5.40 A.M. information
was received that the 15th. Batt. R.W.F. was moving forward and the six Lewis
Gun Sections under Sec. Lieut. G. E. J. Evans moved forward to attach themselves
to this Unit and be for the remainder of the day under the Command of Lieut-
Colonel C. C. Norman.[25]

Rhaid oedd i'r 14eg Bataliwn flaenori'r 15fed Bataliwn, a'r cynllun
gwreiddiol o ran amseriad, yn ôl 'Operation Order No. 143', oedd:

At ZERO plus 3.24. the 15th Battalion Royal Welsh Fusiliers will pass the
BLACK Line, and will capture the GREEN Line at ZERO plus 4.[0]5.[26]

Byddai'r 15fed Bataliwn, felly, yn treiddio drwy'r Llinell Ddu oddeutu 7.15
o'r gloch y bore, ac yn cyrraedd y Llinell Werdd tua 7.55 y bore. Wrth gwrs,
amseriad ar fap yn niogelwch y Pencadlys oedd yr amseriad hwn, ond fel y

digwyddodd, yr oedd yr amseriad yn weddol agos ati. Yr oedd yn agos at 6 o'r gloch y bore pan ddechreuodd y 15fed Bataliwn symud ymlaen i gyrraedd ei nod. Gwelir felly fod yr amser a roir gan Simon Jones fel union adeg cwymp Hedd Wyn yn rhy gynnar. Gwyddys i Hedd Wyn gael ei daro yng nghanol cyfnod o frwydro ffyrnig yng nghyffiniau'r Llinell Werdd. Cyfeirir at y cyfnod hwn yn adroddiad y 14eg Bataliwn:

> About 8.00 A.M. the enemy opened a vigorous barrage and kept it up throughout the day, alternating between PILKEM and the VILLA GRETCHEN Line and CACTUS RESERVE Line.[27]

Dyma ddisgrifiad Dyddiadur Rhyfel y 15fed Bataliwn o'r brwydro yn ymyl y Llinell Werdd:

> ZERO was timed for 3.50 a.m. July 31st 1917, but it proved to be very dark at that hour & great difficulty was experienced in keeping direction in spite of the excellence of the barrage. Once having got clear of CANAL BANK, it was fairly easy going for the Bn. as far as PILCKEM where a German barrage was encountered & opposition met with from machine guns & sniper. Naturally all this caused a few casualties but PILCKEM VILLAGE was passed with the Bn. still in good formation. From the BLACK to the GREEN LINE the 15th R.W.F. supported by 2 Coys of the 16th R.W.F. & 6 Lewis guns from the 14th R.W.F. continued the advance to their objective. Considerable opposition was met with at BATTERY COPSE & by this time there were but few officers remaining. The Bn. at this point got left behind by the barrage & the smoke barrage coming down on our leading lines tended to confuse the men. Many of the houses in BRIERLEY RD. were held by the enemy who fired from them. Just about this period Lt. Col. C. C. Norman, O.C. 15th Bn. R.W.F. was wounded and ordered the Bn. to consolidate on the IRON CROSS ridge. As no officer remained, the Bn. was handed over to R. S. M. Jones who saw to the consolidation which was being carried out some way in rear of the GREEN LINE giving a greater task to the 115 Bde who were passing through us.[28]

Oddeutu'r cyfnod o ymladd mawr y trawyd Hedd Wyn, a thuag 8 o'r gloch y bore y bu hynny. Disgwylid i'r 15fed Bataliwn gipio'r Llinell Werdd 'at ZERO plus 4.[0]5', sef 7.55 o'r gloch y bore. Mae'r amseriad hwn a nodwyd yn y Pencadlys ac amseriad adroddiad swyddogol y 14eg Bataliwn yn cyfateb. Bu Hedd Wyn yn gorwedd yn ei glwyfau ar faes y drin am bron i deirawr. Ni ellid ei gario ymaith yr union adeg y syrthiodd, gan fod gormod o ymladd yn digwydd o'i gwmpas, Ni allai'r elor-gludwyr ei gyrraedd. Felly, mae tystiolaeth Idwal Williams a *The Welsh Outlook*, iddo orwedd am deirawr yn ei glwyfau ar y maes, yn gywir, er mai dilyn fersiwn Idwal Williams a wnaeth *The Welsh Outlook* efallai.

Cymerwyd pum awr arall o frwydro ar ôl marwolaeth Hedd Wyn i lwyr ennill y Llinell Werdd oddi ar yr Almaenwyr. Buddugoliaeth Cefn Pilkem oedd un o brif fuddugoliaethau'r diwrnod hwnnw. Ni chafwyd yr un llwyddiant ymhob man. Bu'r 18fed Corfflu yn llwyddiannus ac felly hefyd y 19eg Corfflu, ond cafwyd anawsterau mawr mewn mannau eraill. Ni ellid dinistrio rhai o amddiffynfeydd concrid y gelyn. Maluriwyd llawer iawn o danciau'r Fyddin Brydeinig gan yr Almaenwyr a guddiai yn y ceyrydd hyn, a galwyd maes y frwydr yn 'Fynwent y Tanciau' gan y milwyr. Câi'r milwyr anhawster mawr i symud ymlaen drwy laid a bwledi, niwl, mwg, mwd, mieri a meirwon.

Ymffrostiai'r Fyddin Brydeinig iddi ddal dros 6,100 o garcharorion Almaenig y diwrnod hwnnw, 133 ohonynt yn swyddogion, a rhagor na 25 o ynnau mawr; ond rhwng Gorffennaf 31 ac Awst 4, sef cyfnod dechreuol Trydydd Cyrch Ypres, yr oedd y Fyddin Brydeinig wedi symud ymlaen ddwy filltir i diriogaeth y gelyn ar draul 32,000 o gleifion a meirwon. Erbyn cyrraedd pentref Passchendaele ar Dachwedd 10, 1917, yr oedd yr Almaenwyr a'r Prydeinwyr a'u Cynghreiriaid wedi gorfod dioddef colledion o 250,000 o gleifion a meirwon yr un. O fewn y Bumed Fyddin yn unig, lladdwyd 4,000 o filwyr ar y diwrnod cyntaf hwnnw – Hedd Wyn yn eu plith – ac anafwyd 12,000 o rai eraill.

Cofnodwyd ffyrnigrwydd y brwydro ar Gefn Pilkem gan sawl llygad-dyst. Un o'r Cymry a fu'n ymladd ar Gefn Pilkem ar y diwrnod olaf o Orffennaf 1917 oedd y Preifat D. J. Rees, a fu'n chwarae rygbi i glwb Llanelli cyn y rhyfel. Adroddodd ei hanes wrth un o ohebwyr y *Llanelli Star* ryw dair wythnos yn ddiweddarach:

> The story is concerned with the storming of Pilke[m] Ridge where the Kaiser's
> pets utterly collapsed before the dash and gallantry of the Welshmen. The Germans
> had been specially re-inforced for this fight, the Grenadiers having been brought

forward as well as special bands of snipers and machine gunners. In spite of this, the whole garrison was completely over-run by the Welsh who inflicted heavy losses and captured over 600 prisoners. A feature of the operations undertaken by our gallant countrymen consisted of an elaborate system of bridging which was completed before the fighting actually took place. In all about 20 bridges of various sizes were constructed. The "Cockchafers" had come in fresh the morning before, and were arranged in three battalions, one behind the other, composing a deep and solid defence on the new system. Our barrage was perfect, as all the infantry recognize, and no football players were ever quicker on the ball than the Welsh troops. The trenches, especially on the right, were a line of crumpled gridiron, and this crisscross, zigzag ravel had to be stormed in line in the dark, but the Welshmen followed so quickly the dazzling cascade of our shells, which helped them to align, that the first two battalion of "Cockchafers" and other German Guards crumpled like a burst tyre. They were run off their legs and so flabbergasted as they crouched in their trenches or dug-outs that they could not fight at all. The game was quick for them. Even the third and hindermost battalion, which had much more time, was overwhelmed, though in their case the prisoners taken were fewer and their other losses heavier. Round Pilkem is a super-trench, or rather a vast corridor, 12ft. deep by 10 ft. across. Hereabouts a battalion headquarters, built on the same scale, was captured. In the annexe is a dressing station fitted for 100 beds, and the regimental officers had made every provision of other rooms for their own comfort and safety. They themselves had fled but 30 wounded and 20 unwounded prisoners were taken there. The other outstanding fortress was Mackensen's Farm, which was choked with ammunition of every sort, including a great haul of trench mortar shells.[29]

A dyma dystiolaeth arall:

In some of their concrete shelters, like those at Mackensen Farm ... and Gallwitz Farm, and Boche House and Zouave House, there were stores of ammunition, with many shells and trench mortars. So the Welsh went on in waves, sending back the prisoners on their way through the Pilkem to the high ground by the Iron Cross beyond, and then down the slopes to the Stenebeek stream. On the left were the Royal Welsh Fusiliers, who took the ground of Pilkem itself. In the ground beyond Pilkem they found the regimental headquarters in finely-built dug-outs, but the staff had fled to save their skins. There was another big dug-out near by, used by the enemy as a dressing station. It had room enough for 100 men. There were 50 men. The Welsh swarmed round it – 30 wounded and 20 unwounded Germans. The doctor in charge was a good fellow, and, after surrendering his own men, attended to some of the wounded Welsh. Two machine-guns and 16 prisoners were taken out of a place called July Farm, and 30 prisoners out of Rudolf Farm – concrete kennels in a chaos of craters – and three officers and 47 men came out of the ruins of a house somewhere near the Iron Cross.[30]

Lladdwyd dau fardd arall heblaw Hedd Wyn ar Orffennaf 31, 1917. Y mae un ohonynt, John Collinson Hobson, yn gwbl anadnabyddus erbyn hyn. Roedd yn Is-gapten gyda'r 116th Machine Gun Company, a chyhoeddwyd ei gyfrol *Poems* ym 1920. Y llall oedd Francis Ledwidge, y bardd o ardal afon Boyne yn Swydd Meath yn Iwerddon. Erys y cof am Ledwidge yn fyw o hyd, a phery ei gerddi i ymddangos mewn blodeugerddi. Fe'i trawyd gan dân-belen, fel Hedd Wyn, ond fe'i chwythwyd ef yn chwilfriw mân. Yr oedd Dyfnallt yn ymwybodol ar y pryd fod dau fardd wedi cwympo ar yr un dydd:

> Dydd blin oedd hwnnw i awen yr ynysoedd hyn, canys cwympodd dau eneiniog yr un prynhawn, Francis Ledwidge, y gwerinwr-fardd o'r Iwerddon, a Hedd Wyn, y gwerinwr-fardd o Gymru. Bu cwyn dwfn o golli Ledwidge, gan y dywedid na bu ei fath er dyddiau Burns; ac ni thristaodd Cymru yn fwy er y dydd y galarodd Aneurin ar faes cad arall.[31]

A dyna fel y bu farw Hedd Wyn. Lladdwyd 4,000 o filwyr Prydeinig ar ddiwrnod agoriadol yr ymgyrch, Gorffennaf 31, 1917. Un o'r rhai a laddwyd ar y diwrnod hwnnw oedd y Preifat E. H. Evans, milwr cyffredin a dinod ymhlith miloedd o filwyr cyffredin a dinod. Ond Ellis Humphrey Evans a fu farw ar y bore tyngedfennol hwnnw, nid Hedd Wyn.

9

'Flodyn Meirionnydd, mor bur oedd dy sawr'

Cyfnod o bryder mawr i deulu'r Ysgwrn oedd y dyddiau a'r nosweithiau di-gwsg a arweiniai at ddiwrnod derbyn y gair swyddogol, terfynol ynghylch marwolaeth Hedd Wyn. Nid oedd y teulu wedi derbyn llythyr oddi wrtho ers peth amser, ac argoel ddrwg yn aml oedd mudandod o'r fath yn ystod blynyddoedd y rhyfel. Yn raddol, dechreuodd y si ei fod wedi'i ladd dreiddio drwy'r fro. Peth cyffredin yn y cyfnod oedd clywed sibrydion o'r fath ymhell cyn i'r fyddin gadarnhau'n swyddogol fod rhywun wedi'i ladd. Byddai milwyr mewn llythyrau at eu teuluoedd neu eu cydnabod yn sôn am farw bechgyn eraill o'r un ardal neu o gyffiniau cyfagos; byddai milwyr a oedd gartref ar saib o'r fyddin yn dod â straeon o'r ffosydd i'w canlyn, rhai'n gywir, rhai'n anwir. Cyfnod felly ydoedd, cyfnod o ofn ac o ansicrwydd, anniddigrwydd ac anhunedd, cyfnod yr aros am lythyrau, a'r llythyrau hynny, yn aml, yn cyrraedd ar ôl marwolaeth y llythyrwr. Digwyddodd hynny pan dderbyniodd Jini Owen lythyr oddi wrth Hedd Wyn, ynghyd â cherdd i ddathlu ei phen-blwydd yn 27 oed, yn Awst 1917. Lluniodd y gerdd rywbryd yn ystod '[y]r wythnos olaf o Orffennaf, 1917', felly yr oedd wedi ei llunio ychydig ddyddiau cyn iddo gael ei ladd.[1] Dyma'r gerdd eironig honno, naïfrwydd o ganol gwallgofrwydd:

> Gwyn fo'ch byd, 'rhen Jennie dirion,
>   Yn eich cartref tan y coed,
> Lle mae'r blodau yn felynion
>   Chwithau'n saith ar hugain oed.

Os bu'r byd o'r braidd yn greulon
   Yn ei droion atom ni,
Blwyddyn wen, 'rhen Jennie dirion,
   Fo eich blwyddyn nesaf chwi.

Gwn fod bywyd yn heneiddio
   Ac yn myn'd yn h[ŷ]n,
Ond mae'm serch fel haf diwywo
   Atoch chwi yn dal yr un.

A phan el y rhyfel heibio
   Gyda'i gofid maith a'i chri,
Tua'r Ceunant Sych dof eto
   Ar fy hynt i'ch ceisio chwi.

A phan ddof o wlad y gelyn
   Fel pererin yn llawn gwres,
Hwyrach digiwch os gwnaf ofyn –
   "Wnewch chi roddi cam yn nes."

Wedi'r oll, 'rhen Jennie dirion,
   Boed eich bywyd oll yn llwydd,
A llif cariad pura'n nghalon
   Atoch ar eich dydd pen blwydd.[2]

Ni wyddai Jini Owen ar y pryd fod Hedd Wyn wedi'i ladd.

Yn ôl erthygl gan J. Ellis Williams, llythyr o Ffrainc gan filwr o Drawsfynydd, Robin Jones, at ei fodryb, Elin Owen, a roddodd gychwyn i'r stori fod y bardd wedi cwympo.[3] Aeth y stori ar wib wyllt drwy'r ardal. Yn naturiol, daeth i glyw Evan a Mary Evans. Soniodd Enid Morris am y modd yr oedd pryder ei rhieni am eu mab yn pwyso'n drwm ar y ddau ddydd a nos. Ni allent wneud dim ond gweddïo, a gobeithio ei fod yn fyw o hyd. Ar Awst 24, daeth y gobeithio i ben. Parlyswyd Trawsfynydd a'r cyffiniau gan y newyddion brawychus. Fel hyn y disgrifir effaith ei farwolaeth ar y fro gan R. Silyn Roberts:

Some days later the dread news reached the peaceful hamlet in the wilds of Merioneth. All work in the village and on the neighbouring farms stopped. More than a dozen Trawsfynydd boys had fallen before him, and had been mourned for. But Hedd Wyn! The poet, the genius, kind, unassuming, everybody's friend, was no more. The children returned from school with frightened, tear-stained faces: their Sunday school teacher, who had them merry so often with his funny words and tales, would never return.[4]

Dechreuodd llythyrau o gydymdeimlad lifo i gyfeiriad yr Ysgwrn. Ar y pryd, nid oedd Hedd Wyn yn adnabyddus ar raddfa genedlaethol, a'r rhai cyntaf i fynegi eu cydymdeimlad â'r teulu galarus oedd cymdogion, cyd-ardalwyr, cyfeillion a chydnabod y bardd. Y dyddiad cynharaf ar y llythyrau sydd wedi goroesi yw Awst 26, 1917, ddeuddydd wedi i Evan a Mary Evans dderbyn y newyddion swyddogol am ei farwolaeth. Un o'r rhai cyntaf i ddatgan ei gydymdeimlad â'r teulu oedd J. W. Jones, Tanygrisiau; er na cheir dyddiad uwchben ei lythyr, roedd yn sicr yn un o'r llythyrau cyntaf i gyrraedd y teulu, gan nad oes ynddo gyfeiriad at Eisteddfod Birkenhead:

Annwyl deulu,

Drwg gan fy nghalon oedd clywed am eich bachgen athrylithgar, sef Hedd Wyn fy nghyfaill calon wedi cwympo yn y rhyferthwy mawr.

Byddwn yn cael ei gwmni difyr bron bob Nos Sadwrn pan fyddai yn dod i'r Blaenau, a thrist wyf wrth feddwl na welaf ei wedd siriol na'i lais caredig byth mwy. Y peth diweddaf wnaeth cyn ymadael a mi y Nos Sadwrn olaf cyn myned i ffwrdd, oedd rhoddi cusan ar rudd fy hogyn bach i, a cheiniog yn ei boced. Bydd genyf barch calon i'w goffadwriaeth am byth "Flod'yn Meirionydd mor bur oedd dy sawr."

Ni welais y fath don o alar drwy y fro yma erioed, na phan ddaeth y newydd trist am dano. Prudd oedd i addewid mor addawol gael ei dori mor gynar.

Ni fedraf ddim dweyd llawer wrthych, ond yr wyf yn cydymdeimlo a chwi o galon, ac yn gobeithio y cewch nerth i ddal ynghanol y brofedigaeth ddofn.

Derbyniwch fy nghydymdeimlad llwyraf

Yr eiddoch

J. W. Jones[5]

Ar Awst 26, anfonodd cyn-weinidog Hedd Wyn, Dyfnallt, y llythyr hwn at Evan Evans:

F'annwyl Frawd,

Daeth i'm clyw un o'r newyddion mwyaf trist erioed, ond yr oeddwn yn rhyw hyderu y gallai fod yn anghywir. Dydd Sadwrn diweddaf y cefais yr awgrym cyntaf fod eich mab annwyl a galluog wedi cwympo yn Ffrainc. Ni wyddwn beth i'w ddweyd, er i mi felldithio'r sawl sy'n gyfrifol am y ryfel hon am oriau. Ond heddyw, dyma air oddiwrth Albert Evans yn hysbysu fod y newydd swyddogol am ei ddiwedd wedi dod. Yr ydych chwi wedi colli mab oedd yn glod i chwi: mae Awen Cymru wedi colli un o'i phlant mwyaf eneiniedig fel y dywedais am dano mewn rhagor nag un feirniadaeth, ac y mae Cymru annwyl yn dlotach lawer yn herwydd ei gwymp.

Bu gennyf olwg fawr arno er y dydd yr oeddwn yna yn llencyn, a gwyddwn er ys blynyddau y buasai yn sicr o ddringo yn uchel iawn. Mor drist yw meddwl fod ei waith yn anorphenedig. Pe cawsai fyw dipyn yn hwy nid oes gloffni yn fy meddwl parthed ei le yn hanes llen ein gwlad.

Ni wyddwn ddim ei fod yn y fyddin nes i'r newydd yma ddod, neu buaswn wedi anfon gair ato. Erchyll o beth yw gweld neb yn cwympo, ond y mae meddwl fod dynion ieuanc o allu fel hyn yn mynd yn aberth i dduw rhyfel yn waradwyddus.

Druain a hwy yn y lle enbyd hwnnw. Bum yno fy hun am dros dri mis, a gwn yn dda am yr enbydrwydd y rhaid i'n bechgyn fynd trwyddynt... ofer i mi geisio dweyd gair a chwi yn eich gofid mawr. Hyderaf er hyn, y cewch y tangnefedd hwnnw sy'n dod i'r fynwes o gofio fod Hedd Wyn wedi cwympo mewn achos mwy nag ef ei hun. Aeth yn aberth, do, a hyderaf nad anghofir ei aberth ef ac ereill drosom ni.[6]

'Bum yno fy hun,' meddai Dyfnallt. Ymrestrodd fel caplan gyda'r Y.M.C.A. (*Young Men's Christian Association*), a threuliodd dri mis yng nghyffiniau afon Béthune ac yn ymyl camlas La Bassée yn ystod haf 1916. Edmygai'r milwyr o Gymru am eu dewrder anhygoel a'u sirioldeb yn nannedd adfyd, a lluniodd nifer o gerddi rhyfel.

Llythyr arall nodweddiadol o'r rhai a anfonwyd at Evan a Mary Evans oedd y llythyr a anfonodd Cymdeithas Cysuron y Milwyr atynt:

Eglwysi Annibynol Trawsfynydd, Awst 28ain 1917
Anwyl Frawd a Chwaer –

Mae'r Eglwysi annibynol drwy'r Gymdeithas uchod, yn dymuno datgan eu Cydymdeimlad llwyraf a chwi yn eich Profedigaeth chwerw, a sydyn o golli eich anwyl fab Ellis Evans; yr hwn a syrthiodd ar faes y frwydr yn F[f]rainc.

Yr oedd ei dalent eithriadol yn addewid sicr o'i ddyfodol disglair ond wele'r cwmwl du yn dod, ac yn dryllio gobeithion a disgwyliadau cysegredig rhieni, a phroffwydoliaeth gwlad gyfan. Yr oedd ei wen siriol a'i ffraethineb naturiol wedi enill iddo le cynes iawn yn serch ei ardal yn gyffredinol. Trist ydyw meddwl fod ei athrylith ieuanc, hoyw, wedi ei thorri'i lawr ar drothwy bywyd. Er hynny eich cysur heddyw ydyw cofio y gwasanaeth parod ac effeithiol, a gyflawnodd efe, fel Arweinydd, a Beirniad, yng nghyrddau ac Eisteddfodau ei ardal enedigol, yn ogystal a'i gynyrchion gorchestol sydd etto'n aros i gyfoethogi Llenyddiaeth ei wlad, yr hyn a geidw ei goffadwriaeth yn wyrddlas am dymor maith.

Mae gwlad gyfan yn cydymdeimlo ac yn cydalaru a chwi yn eich tywydd blin, ac uwchlaw'r oll, mae'r galon dyner hono fu'n wylo uwch bedd Lasarus gynt, yn cydwylo a chalonau clwyfedig tadau a mamau Cymru, uwch beddau cochion Ffrainc heddyw etto . . .[7]

Cyffrowyd y beirdd i ganu yn gynnar iawn ar ôl clywed am ei farw. Ar Awst 25, anfonodd Eifion Wyn gyfres o englynion coffa i Hedd Wyn at J. W. Jones, ynghyd â llythyr. Meddai:

Yr wyf yn methu a chael Hedd Wyn o fy meddwl byth ers pan glywais y newydd trist am ei gwymp. Dyma i chwi gyfres o englynion a ddaeth imi y nos o'r blaen wrth synio am ei ddiwedd. Gellwch eu rhoi yn llaw J. D. y Rhedegydd os yn dewis.[8]

A dyma'r englynion hynny:

O dangnef dy dref, i'r drin – y'th yrrwyd,
　　O'th erwau cynefin –
　　Yr hen odre anhydrin,
　　A'r tir hoff a gerit drin.

Aed â thi, ar dw'th awen, – i dwrf gwyllt
　　Eirf y gad anorffen;
　　A rhad hen gantre'r Eden,
　　A rhad y beirdd ar dy ben.

Aed â thi drwy waed a thân – i farwol
　　Ferw y gyflafan;
　　A'th fro yn cofio'r cyfan –
　　Hud dy gelf, a nwyd dy gân.

Erom, bu drwm y taro – a'r hirnych
    Yn yr ornest honno;
  A'th wyneb dithau yno,
  A'th ddewr waed ar y poeth ro!

Heddiw prudd yw y preiddiau – a'r hendy
    Ar randir dy dadau;
  Âi'r trallod, fel cysgod cau
  Creulonedd, trwy'r corlannau.

A siom einioes mwy inni – ydyw fod
    Dy fin wedi oeri;
  A'th awen wedi'i thewi
  Ym mraw brwydr, ym more'i bri.

Hun o'r twrf, dan ddefni'r tân, – wedi drud
    Glod y drom gyflafan;
  Mae dy fro'n cofio'r cyfan –
  Rhedli'th gur a diliau'th gân.[9]

Roedd Eifion Wyn wedi cysylltu â'i gyfaill Carneddog, sef Richard Griffith, y gwerinwr diwylliedig hwnnw, ar ôl i J. W. Jones ddweud wrtho am farwolaeth Hedd Wyn. Meddai, mewn llythyr dyddiedig Awst 16:

> Cefais newydd drwg ... ddoe, sef fod Hedd Wyn, o Drawsfynydd, y llanc cu, llawn athrylith, wedi ei ladd yn Ffrainc. J. W. Jones, Tanygrisiau, oedd yn dweyd wrthyf, wedi cael pob sicrwydd gan ewythr y bardd, meddai ef. Gan Dduw na chaem ben ar yr alanas ddu, ond ni wiw rhoi pen arni nes dwyn barn i fuddugoliaeth. Oni wneir hyny, bydd yn rhaid i'r plant, neu blant ein plant, ei hymladd drosodd eto. Yr ydym wedi bod yn canu yn rhy hir "Duw gadwo'r brenhinoedd," "Duw gadwo'r bobol" ddylai fod ein gweddi bellach. Duw a drugarhao wrth y llanciau sydd yn y ffwrn.[10]

Awst 15 oedd y 'ddoe' y cyfeirir ato yn y llythyr.

Ar Awst 28, ysgrifennodd R. Williams Parry lythyr at J. D. Richards, a soniodd ynddo am ei ymweliad â'r Ysgwrn 'tua Nadolig 1914', er mai ar 'ddydd olaf 1913' y bu hynny yn ôl ei nodyn yn ei gyfrol gyntaf o gerddi, *Yr Haf a Cherddi Eraill*:

Prin iawn fu fy adnabyddiaeth i o hono: ond tua Nadolig 1914 (credaf mai'r dydd olaf o'r flwyddyn oedd hi) euthum i a John Morris, B.Sc., Ffestiniog, cyn belled a'i gartref. Cofiaf eich bod chwi ... oddicartref: ond yr oedd Hedd Wyn gartref, a chawsom orig gydag ef, a chipolwg ar y Wyddfa, &c., oddiar y llechwedd y tu ôl i'w dŷ. Nis gwelais fyth oddiar hynny, ond byddwn yn anfon fy nghofion ato bob haf bron drwy gyfrwng Ellis Davies, Cynlas, ger y Bala. Byddai'r olaf yn ei weld adeg cneifio yn Nhrawsfynydd.[11]

Galwodd John Morris yr ymweliad hwn i gof hefyd, mewn llythyr at olygydd *Y Brython*, Hydref 11, 1917:

Fe gofia bardd yr Haf am ein taith i'r Ysgwrn i weld Hedd Wyn drwy eira mawr bum mlynedd [*sic*] yn ôl. Dyna'r pryd y gwelais Ysgolor a Bugail yn cyd-gyfarfod i son am Eisteddfod dan Simdde Fawr.[12]

Ceisiodd R. Williams Parry ymuno â'r fyddin yn wirfoddol ym mis Tachwedd 1915, ond cafodd ei wrthod oherwydd bod ei olwg yn ddiffygiol, er iddo gael ei dderbyn yn ddiweddarach ar wasanaeth cyffredinol, Dosbarth A. Erbyn mis Chwefror 1917 yr oedd yn aelod o Ysgol Gadetiaid Hetherfield, yn Berkhamstead, Swydd Hertfordshire. Ym mis Ebrill 1917 cafodd ei drosglwyddo i wersyll y Royal Garrison Artillery yn Mornhill, Caer-wynt, ac yn y gwersyll hwn yr oedd R. Williams Parry pan glywodd am farwolaeth Hedd Wyn. Ac o blith yr holl gerddi a luniwyd ar y pryd i goffáu Hedd Wyn, y farwnad enwocaf i'r bardd o Drawsfynydd oedd yr wyth englyn a luniwyd gan R. Williams Parry, gyda'u cyfuniad o grefft gaboledig ac angerdd teimlad. Dyma hanes genesis yr englynion hynny yn ôl Huw Hughes, un o gyd-filwyr R. Williams Parry yng ngwersyll Mornhill, a chyfaill agos iddo:

Nid anghofiaf byth yr olwg a gefais arno y bore Gwener cyntaf o Awst 1917. Yr oeddwn wrthi'n pedoli rhyw hen geffyl mawr, a hwnnw'n cicio pawb a phopeth o'i gwmpas. Daeth Parry i mewn i'r efail a golwg gynhyrfus arno.

"Bob annwyl, beth sydd yn bod?" meddwn wrtho.

"Dowch allan am funud, Llan," meddai. Erbyn hyn sylwais fod deigryn yn ei lygad, a bu mudandod rhyngom am ychydig.

Yna dywedodd: "Hedd Wyn enillodd y Gadair ddoe, ac mae o wedi ei ladd yn Ffrainc."

Ysgydwyd fi i'r gwraidd gan y newydd trallodus, a dyna lle buom ein dau yn fud am ysbaid drachefn.

Ni welais ef yn y *Dining Hall* amser cinio y diwrnod hwnnw, ond daeth i'm gweled i'r cwt yn gynnar ar ôl te. Cawsom olwg ar yr *Evening Standard*, papur Llundain, y noson honno. Yr oedd ychydig o hanes y "Welsh National Eisteddfod at Birkenhead" ynddo, ac mewn llythrennau brasach: 'The Hero who died on the battlefield'.

Arferem ein dau fynd i'r capel ar nos Sul yn weddol gyson, a chwarae teg i bobl dda'r capel hwnnw, byddem yn cael cwpanaid o de a chacen am ddim ganddynt bob amser. Cymwynas fawr â milwr oedd honno. Yn y capel hwnnw un nos Sul y dechreuodd y bardd lunio ei englynion coffa am Hedd Wyn. Eisteddem yn yr un sêt ein dau, fel arfer, a methwn â deall pam nad oedd ef yn codi i ganu ar ddiwedd y bregeth. Rhois bwniad bach iddo a gofyn: "Beth sydd gennych ar y gweill, Bob?" "Hedd Wyn, Llan," meddai. Ymhen tua noson neu ddwy, daeth â'r tri englyn cyntaf i mi eu darllen iddo. Erbyn diwedd yr wythnos yr oedd wedi eu gorffen ac yn eu llafarganu imi, a gofyn i minnau eu llafarganu iddo yntau.[13]

Cyhoeddwyd englynion 'Gunner R. Williams Parry' yn rhifyn mis Hydref 1917 o *The Welsh Outlook*, ynghyd ag englynion gan R. Silyn Roberts ac Eifion Wyn er cof am y bardd, ond englynion R. Williams Parry oedd yr englynion gorau o ddigon; yn wir, bu i'r wyth englyn a luniodd er cof am Brifardd 1917 chwarae rhan allweddol yn y broses o droi Hedd Wyn yn fyth ac yn eicon. Yn y pen draw, trasiedi Hedd Wyn oedd trasiedi pob milwr o Gymro a laddwyd yn y Rhyfel Mawr. Trwy goffáu Hedd Wyn, coffaodd R. Williams Parry, ar yr un pryd, bob llanc o Gymro a laddwyd ar faes y gad; cynrychiolai genhedlaeth. Marw oddi cartref a wnâi'r Cymry hyn, a chael eu claddu mewn mannau estron, ymhell o'u cynefin. Roedd hynny ynddo'i hun yn drasiedi enbyd ac yn achos tristwch a galar mawr. Trasiedi arall oedd marwolaeth ifanc, annhymig y bechgyn hyn:

> Y bardd trwm dan bridd tramor, – y dwylaw
> 　　Nas didolir rhagor;
> 　Y llygaid dwys dan ddwys ddor,
> 　Y llygaid nas gall agor!

Wedi'i fyw mae dy fywyd, – a dy rawd
   Wedi'i rhedeg hefyd:
  Daeth awr i fynd i'th weryd,
  A daeth i ben deithio byd.

Cyferbynnir yn y trydydd englyn rhwng tynerwch y lleuad uwch Trawsfynydd a thristwch y bardd marw 'Ger y Ffos':

Tyner yw'r lleuad heno – tros fawnog
   Trawsfynydd yn dringo;
  Tithau'n drist a than dy ro,
  Ger y Ffos ddu'n gorffwyso.

Enwir Trawsfynydd yn y pedwerydd englyn yn ogystal, er mwyn pwysleisio'r drasiedi mai yn naear rhyw wlad estron y claddwyd corff y bardd, nid yn naear Trawsfynydd na Meirionnydd. Pwysleisir yr agosrwydd rhwng y bardd a'i gynefin yn nhair llinell gyntaf y pedwerydd englyn, cyn i'r bedwaredd linell lwyr falurio'r agosrwydd hwnnw:

Trawsfynydd! Tros ei feini – trafaeliaist
   Ar foelydd Eryri;
  Troedio wnest ei rhedyn hi:
  Hunaist ymhell ohoni.

Mae ail englyn yr ail ran yn cyfeirio'n uniongyrchol at y ffaith mai'r Ddeddf Gwasanaeth Milwrol a yrrodd Hedd Wyn i faes y gad, ac i'w dranc, fel miloedd o rai eraill:

Garw fu galw o'i gell – un addfwyn,
   Ac o noddfa'i lyfrgell;
  Garw rhoi'i bridd i'r briddell,
  Mwyaf garw marw ymhell.

Yn yr englyn clo, cyfeirir yn uniongyrchol at y Gadair Ddu, er bod y ffurf henffasiwn 'gwrandaw' yn tynnu oddi arno ryw fymryn:

Gadair unig ei drig draw, – ei dwyfraich,
  Fel yn difrif wrandaw,
 Heddiw estyn yn ddistaw
 Mewn hedd hir am un ni ddaw.[14]

Lluniodd R. Williams Parry ysgrif am 'Hedd Wyn y Bardd' yn ogystal, ac fe'i cyhoeddwyd yn *Y Cymro* (Dolgellau) ym mis Chwefror 1918. Roedd y bardd J. J. Williams ar y pryd ar fin cwblhau'r dasg o olygu cerddi Hedd Wyn i'w cyhoeddi mewn cyfrol, a chynnig ple ar ran y bardd mud a wnaeth R. Williams Parry yn ei ysgrif, gan ymbil ar ei ddarllenwyr i fod yn amyneddgar ac yn drugarog wrtho:

Y mae'n ddigon gwir fod pob llinell a darn llinell o ddyddordeb mawr i'r neb a fynno olrhain cynnydd awen Hedd Wyn o'i ymgeisiadau cyntaf hyd at ei gyfansoddiadau perffeithiach. Ond a fuasai'r bardd, pe wedi ei arbed, yn dymuno cyhoeddi'r oll o'i weithiau, o'i gynhygion ansicr cyntaf i'w gynhyrchion mwy gorffenedig? Prin y credaf y buasai ... Tithau, ddarllenydd mwyn, os teimli ar dy galon brynu cyfrol y llanc a fu farw drosot, bydd dyner ac amyneddgar uwchben, nid ei wendidau, ond yr hyn a ymddengys i ti'n dywyll ac anyall [*sic*] yn ei gerdd.[15]

Âi cyfeillion a chydnabod i Hedd Wyn ac i'r teulu yn ôl ac ymlaen i'r Ysgwrn am bythefnos gyfan ar ôl i'r newyddion am ei farwolaeth gyrraedd Trawsfynydd – blaenllif y pererindota cyson i gartref y bardd o 1917 ymlaen. Tarfwyd ar fyd cuddiedig a thawel Evan a Mary Evans, ond bu caredigrwydd cymdogion yn gysur mawr iddynt drwy'r dyddiau enbyd hynny. Dilynwyd y newyddion am ei farw gan y newyddion syfrdanol am ei fuddugoliaeth yn Birkenhead. Teimlai'r rhieni yn falch o'u mab, ond balchder trist ydoedd: marwolaeth a buddugoliaeth, gwobr ac aberth, diweddu bywyd a gwireddu breuddwyd yn un.

Roedd Morris Davies ym Mhalesteina, yn gwasanaethu gydag 8fed Bataliwn y Ffiwsilwyr Brenhinol Cymreig, pan laddwyd ei gyfaill. Ymhen hir a hwyr, clywodd y newyddion am farwolaeth Hedd Wyn, a dychwelodd i Drawsfynydd:

... ym Mhalesteina yr oeddwn i pan glywais fod Elsyn wedi'i ladd yn Ffrainc. Mi ddois i adre'n saff o'r rhyfel, ond 'doedd Traws ddim yr un lle heb Elsyn.[16]

Os bu aelwyd yr Ysgwrn yn ferw o ymwelwyr cyn Medi 6, bu'n nyth morgrug o brysurdeb ar ôl y Brifwyl, a'r llythyrau llongyfarch a chydymdeimlo yn cyrraedd yn llif beunyddiol cyson. Fel hyn y cofnodwyd ymateb y fro i orchest Hedd Wyn yn y Brifwyl gan *Y Rhedegydd*:

> Anhawdd ydyw sylweddoli fod y fath beth a chadair ddu wedi disgyn i ran cwm tawel Trawsfynydd, ond hyn sydd ffaith. Pan ddaeth y newydd, dydd Iau mai awdl ar 'Yr Arwr', Hedd Wynn oedd yn fuddugol yn Eisteddfod Birkenhead aeth fel hediad mellten, trwy'r ardal ac o'r fath deimlad oedd trwy y lle – anhawdd dychmygu am y galar a'r gofid oedd i'w ganfod ar wynebau pawb trwy y lle ...
> ... Rhyfedd meddwl fod y fath athrylith wedi codi mewn lle fel Trawsfynydd – mab yr Ysgwrn, mab i ffarmwr cyffredin, ac yntau ei hun yn ffarmwr, heb gael dim addysg uwch na'r hen British School ac eto yn meddu ar y fath allu a rhagoriaeth. Yr oedd Hedd Wyn wedi dringo i fyny yn hollol yn ei nerth ei hun – hunanddisgyblaeth, ac wedi dal i ddringo hyd nes y cawn ef wedi gorchfygu pedwar ar ddeg o gewri ym myd Barddas a chipio y brif gadair eisteddfodol ...[17]

Yn fuan ar ôl Eisteddfod Birkenhead, dechreuwyd ar y trefniadau i goffáu Hedd Wyn ac i anrhydeddu ei orchest yn yr Eisteddfod. Ffurfiwyd pwyllgor ar unwaith i ddechrau ar y broses o goffáu'r bardd, gyda J. D. Richards yn Llywydd, a J. R. Jones, yr ysgolfeistr lleol, yn Ysgrifennydd. Deallwyd bod Rolant Wyn yn bwriadu dod â'r Gadair Ddu ar y trên o Birkenhead i Drawsfynydd ar Fedi 13, a threfnwyd cyfarfod coffa iddo yn Neuadd Trawsfynydd am 7.30 y noson honno.

Parhâi'r llythyrau i gyrraedd yr Ysgwrn, a'r rheini'n gymysgfa o falchder a phrudd-der, gofid a llongyfarch. Ar Fedi 10, derbyniod Evan Evans lythyr oddi wrth yr arlunydd adnabyddus yng Nghymru yn ei ddydd, J. Kelt Edwards. Dywedodd fod 'calon pob Cymro yn drom o golli Hedd Wyn a'i athrylith', a chynigiodd baratoi darlun o Hedd Wyn ar gyfer y wasg, pe bai Evan Evans yn dymuno hynny.[18]

Cafodd gyfle yn y man i ymarfer ei ddoniau. Darlun o'i waith ef a ddodwyd ar wynebddalen yr argraffiad cyntaf o *Cerddi'r Bugail*, a phaentiodd ddarlun arall, mewn olew, 'Hiraeth Cymru am Hedd Wyn'. Gwnaethpwyd 'cof-gerdyn' o'r darlun hwn gan Gwmni Hugh Evans a'i Feibion, Swyddfa'r *Brython*, ac fe'i cyhoeddwyd erbyn y cyngerdd i goffáu Hedd Wyn, ac i godi arian ar gyfer cofeb iddo, a gynhaliwyd ym Mlaenau Ffestiniog, dan arweiniad

Bryfdir, ar Ragfyr 13, 1917. Dyma ddisgrifiad lliwgar-ramantaidd Dyfnallt o'r darlun ar y cerdyn:

> Llwyddodd yr arlunydd yn eithriadol ym manylion, awyrgylch, arwyddocäd [*sic*] a neges ei ddarlun. Tybied yr edrychydd mai *allor* yw ei feddfaen yn fwy na dim arall. Hir yr erys yr olwg ar wyneb byw ac arwyddocaol y bardd. Mae mwy o ddelw'r marchog ynddo na chynt – mwy o'r arwr wedi ymgodymu â thynged. Daliodd y crefftwr y fflach yn y llygaid. Uwch ben yr allor yn ei hing a'i gwae y mae Cymru weddw, drallodus; ei llygaid yn drwm gan hiraeth a dagrau; ei hwyneb fel wyneb un a ŵyr am bangfeydd serch, a'i chalon wedi torri. Wrth droed y garreg y mae telyn Cymru yn pwyso, ac fel pe'n ymbil am gyffyrddiad llaw y bardd mud i linynnu alaw arni. O flaen y feddfaen y mae blodau'r "asphodel", neu "fleur de lys": ni waeth pa 'run. Dyma flodau'r Celtiaid, y blodau sy'n amddiffyn gwledydd awen – Ffrainc a Cheltia – rhag difrod y Fandal ar ei hynt felltigaid. Ac yng ngwyll y cefn y mae hen adfail eglwys, megys Eglwys Llanidan ym Mon; a thybia'r dychymyg weld o hono wyneb drylliedig Goronwy Mon yn cil-edrych rhwng y parwydydd tywyll a'r dagrau'n llif ar ei ruddiau am gladdu gobaith y genedl yn "llawr estron" – fel yntau.[19]

Lluniodd Eifion Wyn englyn i gof-gerdyn J. Kelt Edwards:

> Wedi'i weled, rhaid wylo – dirioned
> Yw'r wyneb sydd arno;
> Y fun wen uwch ei faen o,
> Â gwedd drist y gwŷdd drosto.[20]

Anfonodd Bob Owen Croesor yntau lythyr at y teulu, ar Fedi 20, 1917:

> Ni raid i mi ddweyd fy mod yn cydymdeimlo yn ddwys a chwi yn eich profedigaeth lem, oblegid mae gwlad gyfan yn galaru ar ôl un mor athrylithgar. Braint i chwi ydoedd cael rhoddi magwraeth i un o'i fath.
> Yn rhyfedd iawn!! Wythnos cyn i mi dderbyn y newydd o'i gwymp, dywedais wrth gyfaill i mi mewn geiriau tebyg i hyn:
> "Gobeithio na ddigwydd dim i Hedd Wyn, ac y caiff ei arbed. Gwell fuasai genyf pe cawsai ei glwyfo; hwyrach y gallasai farddoni wedi hyny."
> Lleithiodd fy llygaid pan dderbyniais y newydd. A methwn yn lan a chredu y si ddaeth i'r wlad am ei gwymp. Yr wyf o hyd fel pe yn disgwyl clywed ei fod yn

fyw. Pa beth wyf yn siarad. Y mae Hedd Wyn yn fyw!! A phery i fyw am byth yn ei weithiau godidog.[21]

Noson ddrycinog iawn oedd noson y cyfarfod coffa. Rhuai'r gwynt, pistylliai'r glaw a gorlifodd afon Prysor ei glannau nes troi'r meysydd ŷd yn llynnoedd o ddŵr. Er gwaethaf y tywydd, roedd y neuadd dan ei sang. Llywyddwyd y cyfarfod gan J. D. Richards, a pharhaodd am dair awr a rhagor, hyd at un ar ddeg o'r gloch. Dywedodd mai amcan y cyfarfod oedd coffáu Hedd Wyn y bardd ac nid Hedd Wyn y milwr. Yr oedd y Gadair wedi ei gosod ar ganol y llwyfan, a hugan ddu yn ei gorchuddio. Erfyniodd Bryfdir ar yr ardalwyr i gasglu gweithiau Hedd Wyn ynghyd i'w cyhoeddi'n gyfrol, ac argymhellodd y dylid codi cofeb iddo mewn lle amlwg ym mhentref Trawsfynydd, cofeb a fyddai'n ysbrydoliaeth i genedlaethau'r dyfodol, ac yn enwedig i fechgyn Trawsfynydd. Ar hynny, hysbyswyd y gynulleidfa gan J. D. Richards fod pwyllgor eisoes wedi'i ffurfio i gasglu cynhyrchion Hedd Wyn ynghyd, a chynigiodd J. R. Jones, prifathro Ysgol y Cyngor, yn ffurfiol fod y cyfarfod coffa yn cymeradwyo awgrym y pwyllgor hwnnw y dylid codi cofeb arhosol i'r bardd yn y pentref. Derbyniwyd y cynnig yn frwd ac yn unfrydol, ac roedd y ddau englyn a luniwyd gan Gwilym Deudraeth ar gyfer y noson yn cyd-fynd â'r awgrym:

> Digarreg ydyw gweryd – ein Hedd Wyn
>   Oedd awenydd hyfryd;
>   Na foed arwyl anwylyd
>   Yr Ysgwrn yn fwrn ar fyd.

> Gwnawn dŵr i filwr o fardd – yn ei Lan
>   Eleni heb wahardd;
>   Pwy warafun i'n Prifardd
>   Fu yn y rheng fynor hardd?[22]

Anfonodd Eifion Wyn lythyr a cherdd i'w darllen ar y noson. Dyma bennill o'r gerdd:

Yn hedd y mynydd clybu gorn y gad,
Pan yn bugeilio praidd ei dad;
Gwelodd hen faner Cymru yn y gwynt,
Draw ei gymrodyr aent yn gynt:
Cefnodd yntau ar y moelydd mawr,
Ac yng ngwisg ei Frenin y daeth i lawr;
Canodd ffarwel hir i'w dir a'i dref –
Cofia Cymru fach am ei ffarwel ef![23]

Cafwyd sawl anerchiad barddonol yn ystod y noson. Adroddodd un o gyfeillion Hedd Wyn, Glan Edog, nifer o englynion o'i waith ei hun yn y cyfarfod:

Torrwyd y bardd naturiol – yn gynnar,
Gwanwyd y rheng farddol;
Ond amheuthun fwyd maethol
Ydyw'r ŷd edy ar ôl ...

Yn ei frodir byw'n frawdol – y bu'n rhydd,
Heb un rhaid gormesol;
A sedd iachus heddychol
Yn fyw o gân fu ei gôl.

Ei addfwynder oedd fendith – gyfriniol
Gyfrannai'n ddiragrith,
A threuliodd ei athrylith
Yn un o'n plant yn ein plith.

Pwy warafun gŵyn profiad – am Hedd Wyn
Ym medd oer estronwlad?
Anfon coron fyn cariad
Ar ei lwch o aur ei wlad.

Os yn gynnar bu farw, – ei delyn
A'i dalent oedd loyw;
Hedd y Nef fo iddyn nhw,
A Hedd Wyn oedd ei enw.[24]

Yn ystod y cyfarfod, clodforwyd Hedd Wyn gan rai am ei wladgarwch, ac am ei barodrwydd i ateb galwad y fyddin, ond syrthiodd canmoliaeth ffuantus o'r fath ar glustiau oer. Pan ddywedodd J. D. Richards mai mab heddwch oedd Hedd Wyn, derbyniodd gymeradwyaeth frwd. Nid oedd mam Hedd Wyn yn bresennol yn y cyfarfod, ond eisteddai'r tad y tu ôl i'r Gadair drwy gydol yr amser. Mynegwyd cydymdeimlad dwys â theulu'r Ysgwrn, a chofiwyd hefyd am deuluoedd bechgyn eraill o Drawsfynydd a oedd wedi cwympo yn y rhyfel. Ychydig wedi un ar ddeg o'r gloch, troes y pentrefwyr drwy'r ddrycin arw yn ôl i'w cartrefi drachefn.

Dechreuodd teyrngedau i Hedd Wyn ymddangos ym mhapurau a chyfnodolion y cyfnod, ysgrifau yn trafod ei waith ac yn rhoi enghreifftiau o'i gerddi, a chyfeillion yn croniclo'u hatgofion amdano. Trowyd cartref diarffordd Evan a Mary Evans yn gyrchfan pererinion. Ym mis Medi 1917 bu gohebwyr y *Daily Sketch* yno yn tynnu llun ohonynt hwy ac un o'r merched yn sefyll y tu ôl i gadeiriau eisteddfodol Hedd Wyn, a'r Ysgwrn yn y cefndir. Yn yr un mis ymwelodd gohebwyr *Yr Herald Cymraeg* â'r Ysgwrn:

> Dyma ni yn cyfeirio'n camrau dros bont Dolwen ac yn troi yn sydyn ar y chwith yn
> ol y cyfarwyddyd a gawsom. Toc, daethom at lidiart cyffredin oedd yn arwain i dir
> yr Ysgwrn. Meddianwyd ni gan rhyw ddifrifwch dwys wrth ymaflyd yn y llidiart.
> Tybed fod ein llaw ddiawen yn ymaflyd yn yr un man ag y bu ei law awenyddol ef.[25]

Erbyn hyn, yr oedd Hedd Wyn wedi troi'n arwr cenedlaethol, a bu bron i'r gohebwyr hyn ei ddyrchafu'n sant. Yr oedd gwrthrychau a gysylltid ag ef yn dechrau troi'n greiriau, a'i gartref yn dechrau troi'n gyrchfan i bererinion.

Cafodd y newyddiadurwyr hyn sgwrs ag Evan a Mary Evans am Hedd Wyn. Dywedwyd y byddai Hedd Wyn yn barddoni yn y nos ac yn breuddwydio yn ystod y dydd, ac mai '[d]yn ieuanc yn caru'r encilion oedd', ac 'ni fyddai yn hapus ond yng nghwmni ei awen'.[26] Soniodd y fam amdano'n llunio'i awdl ar gyfer Prifwyl 1917:

> Meddai yn sydyn rhyw ddydd, "Mam, ddeuwch chwi gyda mi i Birkenhead?"
> Druan o honi, ni fu hi yno, ac ni fu yntau ychwaith ... Tra yn Litherland ni
> chafodd gwmni ei awen o gwbl. Pan ddaeth yn ol i gynorthwyo gyda llafurio, ail-
> ymaflodd yn y cyfansoddiad. Gartref yr oedd yr awen ac yntau yn eu helfen.[27]

Dywedodd ei fam nad bugail mohono o gwbl, ac adroddodd stori'r defaid yn yr egin ŷd wrth yr holwyr:

"Beth pe gadewsid ef i ffarmio wrtho ei hun" meddem wrth ei fam.

"Buasai wedi newynu," meddai hithau. "Yn wir, bum yn dweyd wrtho, 'Beth pe buaset yn priodi, machgen i, buasai dy wraig yn newynnu genyt,' ond o ran hyny," meddai wedyn "nid oedd Ellis yn meddwl am hyny. Ei awen oedd ei gymhar bywyd ef."[28]

Soniodd y tad am ei esgeulustod ynglŷn â'i waith:

"Go ddifater oedd Ellis. Pan oedd gartref ddiweddaf gwelais ddwy ddalen ar y bwrdd yma wedi dod yn rhydd o'i gynyrchion, ac meddwn wrtho, 'Rhaid i ti fod yn fwy gofalus, machgen i, fe fydd rhywun yn chwilio am y dail hyn ar ol i ti fyn'd."

"Dim perygl wir, nhad," meddai y llanc awenyddgar, y mwyaf diymhongar yn y byd.[29]

Cyflwynwyd gan y newyddiadurwyr hyn ddarlun o fam a thad a alarai ac a hiraethai'n dyner am eu mab, cannwyll eu llygaid. Aethant ymaith gan ddymuno nawdd y nef i rieni Hedd Wyn, gan fynnu 'fod Hedd Wyn yn fyw, yn fyw'.[30]

Ar y pryd, ac am flynyddoedd wedyn, lluniwyd toreth o gerddi er cof amdano. Lluniodd ei gyfaill William Morris englynion coffa iddo yn weddol fuan ar ôl ei farwolaeth a'i fuddugoliaeth:

Trengodd ar lawnt yr Angau – a dloda
Aelwydydd o'u blodau:
Bedd milwr i'r gŵr fu'n gwau
Nwyd ei enaid i'w donau.

Ar delyn aur dialwyd, – enwog rym
Awen gref a loriwyd;
Yn nerth ei hanorthrech nwyd
Hi a'i dyri a dorrwyd.

Yn sŵn hudol sonedau – yr anial
    Meithrinodd ei ddoniau;
  Fel y grug ar foel greigiau
  Y bu ef yn ei hen bau.

I'w fro hen, i fri ei hiaith, – y canodd
    Acenion diweniaith;
  Canodd, a'i ddawn yn oddaith,
  I'r ŵyl fawr ei olaf waith.

Y werin gofia'i harwr – wedi rhwysg
    Y drin erch ei dwndwr;
  Fe gofia hi ei gyfwr
  Uwch ei fedd, yn uchaf ŵr!

Er na wena'i brynhawnol – athrylith
    Ar Walia farddonol,
  Aros wna i'r oesau'n ôl
  Yn ei fore'n anfarwol.[31]

Canodd ei gyfaill mawr J. W. Jones, Tanygrisiau, yntau, ei gerdd 'Er Cof Annwyl am Hedd Wyn', ond darlun rhamantus braidd a gafwyd ganddo:

Fe garai fynyddau Trawsfynydd i gyd,
Bugeiliai ei braidd hyd eu llethrau o hyd;
Yr awen gâi'n gwmni wrth fyned i'w hynt,
A charai yn felys 'organau y gwynt'.[32]

Tueddu i ramantu a delfrydu Hedd Wyn y mae'r cerddi hyn gan ei gyfeillion. Ychwanegiad arall at y darlun rhamantaidd ohono a gafwyd gan J. D. Richards:

... Tyrd am dro i lannau'r Brysor,
  Tyrd i sŵn y ffrydlif rydd,
Pan fo'r 'deryn du'n telori
  Yng ngallt yr Ysgwrn gyda'r dydd;

Pan fo cawod fêl y mynydd –
   Mêl y grug yn dod i lawr –
Lle bu'r Bardd yn llenwi'i gostrel
   Hyd yr ymyl, lawer awr ...

Tyrd am dro i lannau'r Brysor,
   Pan fo'r ŵyn yn gwisgo'r ddôl:
Gyda'r hwyr fe'u gweli'n huno
   Fel babanod yn ei chôl;
Mae'r Bugeilfardd mwyn a alwai
   Breiddiau'r Ysgwrn tua thref?
'Chlyw mo afon loyw'i draserch
   Mwy ei lafar arab ef.[33]

    'Hedd Wyn ... will rank with the finest of the young idealists of all countries sacrificed in the cause of modern materialism,' meddai T. Gwynn Jones wrth adolygu *Cerddi'r Bugail* yn *The Welsh Outlook*.[34] Y tu ôl i'r geiriau yr oedd llawer iawn o lid a llawer o gyhuddo ac o gondemnio. A dyna oedd y patrwm cyffredinol. Daeth condemniad i ddisodli cydymdeimlad, a throwyd galar yn gynddaredd. Un o effeithiau amlwg y Gadair Ddu oedd troi'r Cymry fwyfwy yn erbyn y rhyfel yn hytrach nag ennill cefnogaeth i'r rhyfel. Buddugoliaeth Hedd Wyn yn Eisteddfod Genedlaethol Birkenhead, yn anad dim, a amlygodd anferthedd y golled i Gymru oherwydd y rhyfel. Cadeiriau gwag aelwydydd Cymru oedd Cadair wag Birkenhead – ac nid Cymru yn unig. Hunanladdiad ar raddfa anhygoel ac annirnadwy o fawr oedd y rhyfel.

    A daeth y Rhyfel Mawr i'r Eisteddfod Genedlaethol; daeth y lladdfa i'r ddinas noddfa. Yn ôl 'Y Golofn Gymraeg' yn y *Cambrian News*, dan y pennawd 'Y Gadair Ddu':

Rhyw ddigwyddiad o'r math hwn sy'n agor ein llygaid i waith ofnadwy rhyfel ymhob oes. Y mae Lloegr eisoes wedi colli nifer o'i beirdd a'i llenorion mwyaf addawol, ac y mae rhestr llenorion ieuainc Cymru hithau er ys tro wedi dioddef yn yr un modd. Ym marw Hedd Wyn o Drawsfynydd y mae'r genedl wedi colli addewid fawr arall ym myd llen. Hwyrach mai y llynedd y clybu'r wlad gyntaf am dano, pan hysbyswyd mai efe oedd yn ail yng nghystadleuaeth y gadair yn Aberystwyth – ac yn gyntaf yn ol dedfryd un o'r beirniaid; ond gwyddai'r llengarwyr am dano ymhell cyn hynny, ac yr oedd aml i lygad disgwylgar yn gwylio ei yrfa.[35]

Un o gamweddau pennaf y rhyfel oedd amddifadu'r dyfodol o feirdd a llenorion disglair, ac nid byd y celfyddydau yn unig a fyddai'n dioddef. Er iddo adael nifer o englynion cwbl arbennig a rhai cerddi rhagorol ar ei ôl, addewid o fardd oedd Hedd Wyn. Cyflawnodd lawer cyn ei gwymp, ond ni chafodd gyfle i droi addewid yn wir gyflawniad ac yn wir gyfraniad. 'Dyma gost y rhyfel, ond y mae llawer o bobl yn y wlad eto yn medru bod yn ddibris iawn o fywydau pobl eraill,' meddai E. Morgan Humphreys yn *Y Goleuad.*[36]

Digon tebyg oedd agwedd *Seren Cymru*, wythnos ar ôl Eisteddfod Birkenhead:

> Mae y Rhyfel wedi dod i'r Eisteddfod er tair blynedd bellach. Dair blynedd yn ol, ym Mangor, y peidiodd yr Archdderwydd am y tro cyntaf ynghof neb byw rhoi'r waedd a'r adwaedd "A oes heddwch?" Dyna'r amser y daeth y rhyfel gyntaf i'r Eisteddfod. Mae wedi aros yno hyd heddyw. Eleni yn Birkenhead daeth yn nes. Cysgod y rhyfel oedd ym Mangor; y cysgod hwnnw yn dduach yn Aberystwyth. Ond y rhyfel ei hun yn ysgyrnygu ei ddannedd yngwydd y dorf a welwyd yn Birkenhead! Dygwyd erchyllder y rhyfel mor agos i feddwl a chalon torf yr Eisteddfod ymron a phe bae Zepelin yn yr awyr uwchben yn bwrw tân a dinystr ar y babell.[37]

Bron i dair wythnos ar ôl Eisteddfod y Gadair Ddu, ac wedi i'r Swyddfa gyhoeddi enw Ellis Humphrey Evans, rhif 61117, fel un o laddedigion mwyaf diweddar y rhyfel, ymddangosodd teyrnged weddol faith i Hedd Wyn yn *Y Tyst*, ond buan y trodd y deyrnged yn ymosodiad ar ryfel, ar ryfelgwn ac ar ryfelgarwch:

> I'r awdurdodau nid oedd ond un o'r miloedd hoelion sy'n torri beunydd beunos ym mheiriant anferth y fyddin – dernyn di-sylw a syrthiodd ymaith ym mhoethder yr heldrin fawr, dyna i gyd. Syrth miloedd bob wythnos yn debyg, ac o safbwynt y Swyddfa, maent oll yr un fath; nid ydynt ond *numbers*, a'u lle yn fylchau i'w llanw gan rai tebyg. Dyna ryfel, ac ofer yw disgwyl iddi fod yn wahanol. Mae tuhwnt i allu unrhyw swyddfa i sylwi ar unigolion pan mae miliynau yn mynd trwy ei dwylo, a thua mil yn cwympo bob dydd. Yn yr ystyr hon nid oedd Ellis Evans yn ddim ond preifat, a chofnodiad am gwymp preifat yw'r cyfan geir gan swyddfa a

swyddogion. Y gwir yw, nid yw'r unigol yn cyfrif o gwbl yn y fyddin – darn o'r
machine yn unig ydyw. A hyn a bâr i'n calonnau dristau wrth weled blodau'r oes a
gobaith y dyfodol yn cael eu hysgubo wrth y miloedd bob dydd i'r peiriant – efallai
i dorri a marw fel Ellis Evans ym mwg a thân y frwydr. Y fath felltith ofnadwy yw
rhyfel a militariaeth, a'r fath fendith annhraethol fyddai gweld terfyn bythol ar y
ddau.[38]

Ar ôl i *Cerddi'r Bugail* ymddangos ac ar ôl i Gwmni Hugh Evans a'i
Feibion argraffu 'cof-gardiau' o ddarlun Kelt Edwards, 'Hiraeth Cymru
am Hedd Wyn', ailagorwyd y graith. Trawyd un o lythyrwyr *Y Brython*,
'Derwydd Mawddach', â syndod pan welodd Hedd Wyn yn gwisgo'i wisg
filwrol yn y llun, a haerodd nad 'am Hedd Wyn fel milwr yr hiraetha
Cymru'.[39] A beiodd bwerau mawrion y byd am daflu bechgyn diniwed i
ganol y meysydd gwaed:

Dangosed ddrygioni militariaeth, yn hyrddio bechgyn diniwed o ganol hedd byd
y delfrydau tragwyddol, a'r gyfriniaeth nefol, i ganol cymhelri uffernol a grëir gan
freniniaethau ac ymerodraethau anwerinol y byd.[40]

Yr oedd yn gwbl amlwg, hyd yn oed yn gynnar iawn ar ôl ei farwolaeth,
mai cynyddu yn hytrach na gwanhau a wnâi'r diddordeb ynddo ef a'i waith, ac
anochel, felly, oedd yr awydd i sicrhau rhywbeth mwy parhaol nag edmygedd
y lliaws ohono ac atgofion cyfeillion amdano.

Cyfrol a Chofeb

Cyfrifoldeb cyntaf y Pwyllgor Coffa oedd cyhoeddi gwaith Hedd Wyn ar ffurf cyfrol. Bwriadai'r pwyllgor lleol hwn, a elwid hefyd yn Bwyllgor Trawsfynydd, godi arian i goffáu Hedd Wyn mewn modd teilwng trwy alw o dŷ i dŷ yn Nhrawsfynydd a'r cyffiniau, ond roedd pwyllgor arall wedi cael ei sefydlu eisoes i'r diben hwnnw. Prif gyfrifoldeb y pwyllgor lleol, mewn gwirionedd, oedd cyhoeddi'r gyfrol, a phrif gyfrifoldeb y pwyllgor arall, y Pwyllgor Coffa Cenedlaethol, oedd coffáu Hedd Wyn mewn modd llawer mwy uchelgeisiol a pharhaol. Cychwynnwyd y ddau fudiad ar wahân, yn gwbl annibynnol ar ei gilydd. Yn Eisteddfod Birkenhead y cychwynnwyd mudiad y gofeb, gan y Cadfridog David Davies, A.S., ac yn ddiweddarach fe'i penodwyd yn Llywydd y Pwyllgor Coffa yn swyddogol. Câi ei gynrychioli ar y pwyllgor hwnnw gan filwriad arall, y Capten Harri Williams, Llundain. Ar ôl y cyfarfod coffa a gynhaliwyd yn Nhrawsfynydd ar Fedi 13 y ffurfiwyd y Pwyllgor Coffa Cenedlaethol yn derfynol. Penodwyd Syr E. Vincent Evans, Ysgrifennydd yr Eisteddfod Genedlaethol ac un o blant Trawsfynydd, yn Drysorydd, ac R. Silyn Roberts yn Ysgrifennydd. Ni allai cylch Trawsfynydd ei hun fyth gasglu digon o arian i godi cofeb deilwng i Hedd Wyn, a rhaid oedd cael gwŷr o ddylanwad eang, cenedlaethol i sicrhau llwyddiant i fenter o'r fath. Nid gweithio ar wahân a wnâi'r ddau bwyllgor hyn ond cydweithio a chydgyfarfod yn hytrach, a'r brif ddolen gyswllt rhwng y ddau bwyllgor oedd J. R. Jones. Ef a fwydai'r wasg â gwybodaeth am yr arian a gesglid ac am bob cynnydd a wneid gan y ddau bwyllgor. J. R. Jones oedd y gŵr a lafuriodd fwyaf ynglŷn â'r gyfrol goffa, a'r bwriad o'r dechrau oedd trosglwyddo'r elw a wneid arni i gronfa'r gofeb. Anfonodd y gŵr diwyd hwn doreth o lythyrau at y papurau newydd yn apelio am gopïau o gerddi o eiddo Hedd Wyn a oedd ym meddiant cyfeillion a chydnabod iddo, a hefyd ym meddiant ysgrifenyddion eisteddfodau a chyfarfodydd llenyddol lleol.

Apeliodd J. R. Jones yn fwyaf penodol at ysgrifenyddion eisteddfodau Corwen, y Bala, Pwllheli, Llan Ffestiniog a Blaenau Ffestiniog, a Dolgellau, a hefyd at ysgrifenyddion cyfarfodydd llenyddol Penystryd, Blaenau Ffestiniog a Llan Ffestiniog, a Maentwrog. Erfyniwyd yn arbennig am rai cerddi colledig o eiddo'r bardd, fel ei awdl i 'Dr Griffith John', y cenhadwr, a'r pryddestau 'Tynerwch' a 'Fy Ffiol Sydd Lawn'. Gan fod Hedd Wyn mor esgeulus o'i waith, aeth llawer o gerddi eraill o'i eiddo ar gyfeiliorn am byth, fel ei gywydd 'Y Dyddiau Blin' (a ddyfarnwyd yn fuddugol mewn cystadleuaeth yn Nhrawsfynydd), ac mae'n debyg, yn ôl amryw byd o gyfeiriadau ato, ei fod yn gywydd rhagorol, 'campus; anhawdd i feirdd y colegau na beirdd y pulpud wneyd ei well,' yn ôl J. W. Jones.[1] Ar goll hefyd yr aeth 'Y Gadair Freichiau', cywydd arall, awdl 'y Gwynt' a llawer o gerddi eraill. Cyfeiria Meida Pugh at un arall o gerddi coll y bardd yn ei hysgrif ar Hedd Wyn yn *Y Ford Gron*:

> Yr oedd wedi gwneud awdl 400 llinell ar "Y Drws Byth-agored" i Eisteddfod Corwen, ac aeth ati'r noson olaf i'w hail sgrifennu, ond cysgodd heb yn wybod iddo'i hun. Uwchben ei dasg yr oedd pan ddeffroes ei fam ef. Ond yr oedd yn rhy hwyr, ac felly gadawodd hi. "Heb os," meddai un o'n prifeirdd, wrth edrych drosti, "llawn deilynga hon unrhyw gadair."[2]

Efallai nad yw'r stori'n wir, ond yn sicr mae'r holl fanylion yn gyson â chymeriad Hedd Wyn. Fodd bynnag, daeth yr awdl hon i'r fei yn ddiweddarach, fel y nodwyd yn y bennod ar yrfa eisteddfodol y bardd.

Rhoddodd dau o brif gasglwyr y cyfnod, Carneddog (Richard Griffith) a J. W. Jones, lawer o gymorth i J. R. Jones gyda'r gwaith o gasglu cerddi Hedd Wyn ynghyd, ac eraill hefyd. Un o'r rhai hyn oedd Mary Catherine Hughes, ac yn ôl Trebor Lloyd Evans, awdur 'Y Cathedral Anghydffurfiol Cymraeg': *Stori'r Tabernacl, Treforys*, haeddai fwy o glod am gasglu cerddi Hedd Wyn ar gyfer cyhoeddi'r gyfrol na hyd yn oed J. R. Jones ei hun:

> Y wraig a ddylasai fod wedi cael ei chydnabod ac sy'n haeddu'r rhan fwyaf o'r clod am gasglu deunydd *Cerddi'r Bugail* (1918) yw Mrs. M. C. Davies, a fu'n wraig

gweinidog ac Ynad Heddwch yn Abercraf. Ar ddiwedd y Rhyfel Mawr yr oedd hi'n *pupil-teacher* yn ysgol J. R. Jones yn Nhrawsfynydd, a threuliodd lawer gyda'r nos yn copïo gwaith 'Hedd Wyn'. Bu'n gyfrwng hefyd i achub amryw o ddarnau o ganol hen bapurau yr oedd rhyw siopwr yn Llan Ffestiniog am eu taflu i'r sbwriel. Ar ddamwain adnabu Miss Hughes (ei henw morwynol) lawysgrif 'Hedd Wyn' a gofynnodd am ganiatâd i'w cymryd i Drawsfynydd.[3]

Ond go brin iddi weithio'n fwy dygn na J. R. Jones. Yn fuan ar ôl Eisteddfod Birkenhead, rhoes Mary Catherine Hughes ar wybod i J. R. Jones ei bod yn bwriadu ymadael ag Ysgol y Cyngor. Ceir yn Llyfr Cofnodion yr ysgol y nodyn hwn yn llawysgrifen J. R. Jones ei hun:

> Received notification that Miss May Williams of Penrhyn, S.T. 17 years of age has been appointed in place of Miss M. C. Hughes (who will be going to Gellilydan on the 1st pro.)[4]

Dyddiad y cofnod yw Hydref 19, 1917. Ei diwrnod olaf yn ei swydd oedd Tachwedd 1, 1917, ond rhaid ei bod wedi cadw cysylltiad â'i phennaeth ar ôl ymadael â'i swydd, oherwydd y misoedd hyd at Ragfyr 1917 oedd y misoedd prysuraf o safbwynt y gwaith o gasglu.

Nodweddiadol o lythyrau J. R. Jones i'r wasg oedd y llythyr hwn a gyhoeddwyd yn *Y Seren*:

> Anwyl Sir – Gwyddoch ein bod yn prysur gasglu gweithiau y Prifardd er dwyn allan Gyfrol Goffa brydferth. Yr ydym hefyd yn casglu trwy Gymru, Lloegr, America, a Phatagonia, er cael Cofeb Genedlaethol arhosol iddo yn ei ardal enedigol. Pasiodd y Pwyllgor i ofyn i nifer o'i edmygwyr a'i gyd-ardalwyr gylch y byd gasglu yn eu rhanau arbenig eu hunain at y Gofeb hon. Penderfynir ar ffurf y Gofeb hon pan geir rhyw amcangyfrif o gyfanswm y Tanysgrifiadau. Yn ôl y llythyrau dderbynir yn ddyddiol mae Cymru gyfan ar dân ymhlaid y mudiad. Hydera y pwyllgor y bydd pawb ofynir iddynt yn barod i wneyd eu rhan. Mae y bardd wedi anfarwoli ei hun, ei ardal, a'i dras. "Da y gwnaethoch hyn iddo" fydd cri Cymru gyfan a'r oesau a ddel.[5]

Gwahoddwyd J. J. Williams gan y Pwyllgor Coffa i olygu'r gyfrol, ac anfonodd J. R. Jones doreth o ddeunydd ato wedi iddo dderbyn y gwahoddiad. Tybiai aelodau'r Pwyllgor fod J. J. Williams yn ddewis addas iawn gan mai

ef a bleidiai gadeirio Hedd Wyn ym 1916 yn Eisteddfod Genedlaethol
Aberystwyth, a chan fod ei awdl 'Y Lloer' yn un o hoff awdlau Hedd Wyn.
Yn ôl J. J. Williams:

> Anfonodd yr ysgrifennydd, ysgol-feistr Hedd Wyn, y llwyth rhyfeddaf o bob math
> o ddarnau, nes yr oedd yn anodd cael lle iddynt yn y tŷ, heb sôn am le yn y *study*.[6]

Erbyn Chwefror 8, 1918, yr oedd J. J. Williams wedi dod i ben â'r gwaith o
ddidol a threfnu'r 'llwyth rhyfeddaf' hwn o ddeunydd. Tua chanol mis Mawrth
yr oedd y gyfrol yn y wasg, a 600 o bobl wedi ei harchebu ymlaen llaw.
Disgwylid gweld ei chyhoeddi ym mis Mai, ond nid felly y bu. Gofynnwyd i
Silyn, T. Gwynn Jones a John Lloyd, M.A., y Bermo, ddarllen y proflenni, a
chydsyniodd y tri.

Yr oedd sawl problem yn wynebu J. J. Williams fel golygydd. Rhaid
oedd iddo gywiro gramadeg a sillafu Hedd Wyn yn aml, a bu'n rhaid iddo
ymyrryd â sawl cerdd, gan gynnwys un o benillion enwocaf y bardd. Fel hyn
y lluniwyd y delyneg fer 'Atgo' yn wreiddiol:

> Dim ond gwenlloer borffor
>   Ar fin y mynydd llwm;
> A sŵn yr Afon Prysor
>   Yn canu yn y cwm.[7]

Newidiwyd y pennill er gwell. Mae'n debyg y tybiai J. J. Williams fod
y ddeuliw yn 'gwenlloer borffor' yn taro'n chwithig yn erbyn ei gilydd,
a disodlwyd anghywirdeb gosod y fannod o flaen enw'r afon gan yr
ansoddair 'hen'. Problem arall oedd y dyblygu penillion a'r amrywiadau
a geid ar rai penillion mewn mwy nag un o'i gerddi eisteddfodol. Er
enghraifft, yr oedd rhai o benillion 'Cyfrinach Duw' a 'Myfi Yw', dwy
bryddest a luniwyd ym 1915, yn cyfateb neu'n lled-gyfateb i'w gilydd.
Gellir cymharu fersiwn gwreiddiol 'Cyfrinach Duw' â'r fersiwn a geir yn
Cerddi'r Bugail o'r bryddest oherwydd i Swyddfa'r 'Sylwedydd' ei hargraffu
ar ffurf pamffledyn bychan ym 1915 ar ôl Eisteddfod Pontardawe. Dyma'r
pamffledyn y cyfeiriodd Gwenallt ato yn ei ragymadrodd i *Llygad y Drws:
Sonedau'r Carchar*, T. E. Nicholas, ond iddo enwi'r bryddest anghywir

wrth drafod ei dylanwad ar feirdd Cwm Tawe yn y cyfnod a ddilynodd flynyddoedd y Rhyfel Mawr.

Y mae pennill cyntaf 'Cyfrinach Duw' ym mhamffled 1915 yn bennill agoriadol 'Myfi Yw' yn *Cerddi'r Bugail*. Trydydd pennill caniad cyntaf 'Cyfrinach Duw', 'Y Deml Gyfareddol', yn y pamffledyn yw:

> Eilwaith mi glywais ei islais fel soned,
>   Fin cangell borphor yr yd yn y nawn,
> A milwaith chwarddodd fy enaid o'i glywed
> Yng ngherddi y ffion, a mor y fioled, –
>   Bo'r eglwys berorol y tonnog rawn.

Trydydd pennill caniad cyntaf 'Myfi Yw', 'Y Llais Cyfareddol', yn *Cerddi'r Bugail* yw:

> A chlywais wedyn ei islais fel soned
>   Yng nghangell borffor yr ŷd yn y nawn;
> Mynych y chwarddodd fy enaid o'i glywed,
> Yng ngherddi'r ffion a môr y fioled, –
>   Bôr eglwys berorol y tonnog rawn.[8]

Ceir enghreifftiau eraill hefyd.

Gwaith J. J. Williams oedd adrannu'r gyfrol: (1) Yr Eisteddfod; (2) Trawsfynydd; (3) Y Rhyfel. Mynegodd T. Gwynn Jones ei wrthwynebiad i'r adrannu hwn mewn llythyr at Silyn Roberts, a hynny mewn geiriau chwyrn:

> O'm rhan fy hun, ni ddodwn 'Y Rhyfel' yn deitl adran, canys nid oes odid ddim a'i cyfiawnha yn natur y cerddi, a salw yw ceisio plesio'r cigyddion diawl tros fedd un o'i hebyrth.[9]

Cyhoeddwyd mil o gopïau o'r gyfrol yn Awst 1918, a gwerthwyd pob copi mewn pum niwrnod. Aethpwyd ati ar unwaith i argraffu mil arall. Cyflwynwyd y gyfrol 'I Ferch y Drycinoedd, anwylyd calon Hedd Wyn, heddyw yn gwaedu mewn cadwyn dan orthrech y duwiau ... yn ernes o'r Dyrchafael a'r Oes Aur'. Yn ei Ragair dywedodd J. J. Williams mai cynnyrch bardd ieuanc a oedd 'yn ymberffeithio'n gyflym' oedd y cerddi, ac felly 'nid rhyfedd os gwelir ynddi arwyddion o anaeddfedrwydd yma a thraw'. Lluniwyd yr wynebddalen gan Kelt Edwards, a chynhwyswyd yn y gyfrol yn ogystal luniau, o Hedd Wyn, o'r Gadair Ddu, yr Ysgwrn a 'Rhyfel' yn llawysgrifen Hedd Wyn ei hun. Erbyn Awst 23, 1919, pan luniwyd mantolen y gyfrol flwyddyn ar ôl ei chyhoeddi, yr oedd wedi gwerthu 2,675 o gopïau.

Fe ellid dadlau i drefnwyr a golygydd *Cerddi'r Bugail*, yn eu hawydd i gyhoeddi'r gyfrol tra oedd y diddordeb yn Hedd Wyn a'i waith yn eirias fyw, frysio'n ormodol gyda'r gwaith. Pe baent wedi oedi a'i chyhoeddi ymhen rhai blynyddoedd ar ôl ei farwolaeth, byddai'n bur wahanol o ran ei chynnwys i'r hyn ydoedd pan gyhoeddwyd hi. Dôi cerddi o eiddo Hedd Wyn i'r fei am flynyddoedd ar ôl cyhoeddi'r gyfrol, a llawer o'r cerddi hyn yn llwyr deilyngu eu lle ynddi. Pan ailargraffwyd *Cerddi'r Bugail* ym 1931 gan Hughes a'i Fab, cafwyd cyfle gwych i ychwanegu cerddi eraill at y casgliad, ond ni fanteisiwyd yn llawn ar y cyfle. Fe gynhwyswyd rhai cerddi newydd, fel 'I Wyneb y Ddrycin', y gerdd a luniwyd ganddo pan oedd yn 14 oed, a'i farwnad i Griff Llewelyn, ond dylid bod wedi cynnwys rhagor. Cynrychiolwyd Hedd Wyn y bardd eisteddfodol yn helaeth yn y gyfrol, ond, ac eithrio'i englynion coffa i rai o'i gyd-ardalwyr, anwybyddwyd Hedd Wyn y prydydd gwlad. Priodolwyd un englyn ar gam iddo yn argraffiad 1918, yn y rhuthr mawr i gyhoeddi'r gyfrol, sef yr englyn 'Y Ferch Anynad'. Awdur yr englyn hwnnw oedd William Phylip, Minffordd, Talsarnau, ac ymddangosodd yn *Y Geninen Eisteddfodol* ym 1903. Ond eto, gan gofio am esgeulustod cynhenid Hedd Wyn a bod ei waith ar wasgar ymhobman, cyflawnwyd gorchest gan y casglwyr a'r golygydd.

Croesawyd y gyfrol yn eiddgar. Bu'n rhaid i Carneddog roi popeth arall o'r neilltu i'w darllen:

> Er fod gennyf beth gwair yn barod i'w gario yr oedd swyn y llyfr mor fawr fel yr eisteddais ar glogwyn i'w fras-ddarllen drwyddo.[10]

Anochel oedd y gymhariaeth rhwng Hedd Wyn a Keats, ac ni ellid gwrthsefyll, ychwaith, y demtasiwn i briodoli'r rhinweddau Groegaidd clasurol iddo. Meddai adolygydd *Y Cymro*:

> Fel John Keats gan' mlynedd o'i flaen ni wyddai iaith fawr yr hen Roegiaid; ond

fel Keats hefyd meddai synnwyr hen feirdd Groeg i ganfod gwir harddwch a'i ddisgrifio mewn iaith firain.[11]

Trafododd T. Gwynn Jones ei brif nodweddion fel bardd, gan nodi ei thema bwysicaf:

> Not without deep and fervid emotion, he is yet a poet of the intellect, and his one theme is really the destiny of man. Over and over again, his poems show that he was particularly susceptible to the beauty of nature, yet is it [sic] a fact that he has hardly a single developed description of a natural scene in these poems. He has seen a beauty beyond that of visible things, he will suffer for it and die for it, but will never forget or deny it. His faith is a fine frenzy, but his defence of it is intellectual and clear, even when most passionate. This is the Greek quality in him.[12]

Bu cwynion hefyd, ond nid cwynion ynghylch y cynnwys, fel y cyfryw. Cwynwyd bod y teitl yn rhamantaidd gamarweiniol, a bod rhagair y golygydd yn rhy fyr. Cwyn gan lawer, yn enwedig trigolion Trawsfynydd, oedd y dylid bod wedi nodi pwy oedd gwrthrychau'r cerddi a'r englynion a luniwyd am bobl. Dyma un o gŵynion Carneddog wrth adolygu'r gyfrol. Dywedodd, gan ddyfynnu ymateb siomedig un o gyd-ardalwyr y bardd i'r gyfrol, y 'lladdwyd y diddordeb lleol' trwy beidio â nodi i bwy y canwyd y cerddi.[13] Cwynodd Carneddog hefyd am yr absenoldeb cydnabyddiaeth i J. W. Jones, ac, mewn modd digon cyfrwys, mynegodd ei siom ef ei hun am na chafodd yntau ychwaith unrhyw gydnabyddiaeth am ei ran yn y gyfrol:

> Mae Mr. Jones yn haeddu gwir ddiolchgarwch pob Cymro am y llafurwaith cariad a wnaeth. Ni fynwn dynu dim oddiwrth werth ei gymwynasgarwch, ond yn fy myw nid allaf beidio a sylwi yma y dylasai hen ffrynd pur i Hedd Wyn (dau hen gyfaill boddlon, difyr, braf) gael ei enwi, hwnnw yw Mr. J. W. Jones, Tan y Grisiau. Casglodd lawer o waith Hedd i Mr. Jones ar gyfer y gyfrol hon. Daeth o hyd i'r "Wynfa Go[l]l," "Wedi'r Frwydr," a['r] rhan fwyaf o'r englynion iddo. Wel, onid oedd yn deg mynegi hyn? Ond y mae llawer o weithwyr distaw ac yn gwneyd help i eraill heb unrhyw sylw. Yr wyf fi wedi bod mor ddiniwed a helpu eraill o ddyddiau Charles Ashton i lawr. Rhoddais "fy mhapyrau" at lyfrau pwysig (y gallaf enwi) a chydag un neu ddau yn neilltuol, ni roddwyd gair o grybwylliad am fy enw. Onid oedd hyn yn ddigwyleidd-dra? Onid wyf yn "hogyn gwlad" gwirion? Ond yr wyf am "droi y tu min" at ffeilsion o hyn allan![14]

Cwynodd hefyd nad oedd englynion a chân Eifion Wyn, ei gyfaill, wedi eu cynnwys. Nododd yn ogystal fod teitl un englyn a theitl un gyfres o englynion yn gamarweiniol o anghywir:

> ... ceir nifer o englynion gyda'r penawd "Marw yn y Gad." Dylasid dweyd mai ar ôl Rolant, cefnder i'r Bardd, y maent, ac nid "Marw yn y Gad" a wnaeth, ond o dan y pneumonia (neu "y llid") ar lafar y wlad, yn Salop. Gyda'r R.A.M.C. yr oedd Rolant, ac ni fu yn agos i'r gad. Eto yn nhudalen 123 ceir englyn gyda'r penawd "Ar Fedd Gwraig Weddw." Nid gwraig weddw mohoni, ond gwraig ifanc newydd briodi. Dyna ddau ddrwg o newid y penawdau.[15]

Gwrthrych 'Marw yn y Gad' oedd Rowland Edwards, Summer Hill, Blaenau Ffestiniog, nai i Rolant Wyn, ac y mae amgylchiadau ei farwolaeth fel y'u rhoir gan Carneddog yn gywir. Ynglŷn â'r englyn, fe'i lluniwyd er cof am Katie Jones, priod J. R. Jones, Blaenau Ffestiniog. Bu farw yn 32 oed, ar Hydref 16, 1916, a'i chladdu ym mynwent Llanedwen ym Môn ar Hydref 19. Bwriad gwreiddiol hyrwyddwyr y gyfrol oedd rhoi enwau'r gwahanol bobl y canwyd iddynt yn deitlau i'r cerddi, ond ni ellid ar y pryd gael rhestr gyflawn o'r enwau hyn na rhestr gyson ychwaith. Nid oedd rhestr J. W. Jones a rhestr J. R. Jones yn llwyr gyfateb i'w gilydd drwodd a thro, a bu'n rhaid hepgor y syniad, yn enwedig gan fod amser gymaint yn eu herbyn.

Fe dybir gan rai mai amgylchiad trist ei farwolaeth ac achlysur cyffrous a dagreuol seremoni'r Gadair Ddu a sicrhaodd anfarwoldeb o ryw fath i Hedd Wyn, ac nid ei allu fel bardd na safon ei farddoniaeth. Honnir y byddai'r diddordeb ynddo ef ac yn ei farddoniaeth wedi hen ballu oni bai am ei gwymp a'i gamp. Yr hyn a wnaeth ei farwolaeth a'i fuddugoliaeth yn y Brifwyl, mewn gwirionedd, oedd dod ag ef i amlygrwydd cenedlaethol, yn hytrach na bod yn gyfan gwbl gyfrifol am y diddordeb ynddo ef a'i waith. I'w gyfoedion a'i gyd-ardalwyr, tipyn o ryfeddod oedd Hedd Wyn, bachgen ifanc cyffredin â rhyw athrylith aruthrol yn llosgi drwyddo. Pe bai Hedd Wyn wedi bod yn bresennol ym mhabell fawr Birkenhead ddydd Iau'r cadeirio, byddai pobl wedi rhyfeddu at y ffaith fod bachgen mor gyffredin, gŵr ifanc cymharol ddiaddysg a difanteision, wedi cyrraedd pinacl mor uchel. Camp Hedd Wyn oedd bod yn gyfrannog o fraint nad oedd yn perthyn i rywun o'i ddosbarth ef nac o'i gefndir ef, a chymylwyd y gamp honno gan y digwyddiad syfrdanol hwnnw yn Birkenhead brynhawn Iau'r cadeirio. Ystyrier, er enghraifft, ei gamp yn Eisteddfod Aberystwyth ym 1916. Rhoddwyd y gadair i ŵr a fu'n fyfyriwr yng Ngholeg y Brifysgol ym Mangor, disgybl i John Morris-Jones, un o'r beirniaid, mewn gwirionedd. Ac eto, bu o fewn dim i'r bardd digoleg hwn ei drechu. Dywedodd J. J. Williams fel y byddai'n tynnu coes John Morris-Jones trwy 'ofyn iddo beth a ddaethai o'r awdl fuddugol yn Aberystwyth, ac yn gofyn a wyddai ymlaen llaw mai un o'i ddisgyblion ef yn ei ddosbarth ym Mangor a barodd iddo ei rhoddi iddo?'.[16] Y farn gyffredinol ynghylch y ddwy awdl yw fod 'Ystrad Fflur' Hedd Wyn yn tra rhagori ar yr 'Ystrad Fflur' arobryn. Llithrodd awdl John Ellis Williams i wyll ebargofiant yn fuan iawn ar ôl ei chyhoeddi, ond parhaodd y diddordeb yn 'Ystrad Fflur' Hedd Wyn, ac y mae llawer o'i llinellau wedi aros a goroesi hyd y dydd heddiw. Dyna un o gampau mawr Hedd Wyn: heriai feirdd y colegau ar eu tir hwy eu hunain, ac enillai. Bardd ydoedd, o'i gorun i'w sawdl; bardd o'i grud, a bardd yn ôl greddf. Barddoniaeth oedd ei bopeth, ac ni allai fod yn ddim byd arall ond bardd. Roedd ei gydnabod a'i gyfoedion yn disgwyl iddo gyflawni gorchestion. Mewn llythyr a gynhwyswyd yng ngholofn Carneddog, 'Manion o'r Mynydd', yn *Yr Herald Cymraeg* ym mis Medi 1916, cyflwynodd J. W. Jones ei gyfaill Hedd Wyn i gynulleidfa ehangach, gan ddweud:

> Bachgen ifanc 29ain oed ydyw ef, yn gweithio yn galed ar y fferm, ac heb gael fawr o fanteision addysg, ond mae yn gallu barddoni mor rhwydd ag anadlu ... Disgwyliaf yn fawr y cawn ei weled yn eistedd yn ei Gadair Genedlaethol rai o'r blynyddoedd nesaf yma.[17]

Nid oedd ganddo na'i lyfrgell na'i fyfyrgell ef ei hun, a byddai'n rhaid iddo aros i weddill y teulu fynd i'w gwlâu cyn y gallai farddoni. Ac eto y mae ganddo doreth enfawr o gerddi, digon i lenwi cyfrol drwchus iawn o ryw 500 o dudalennau pe cyhoeddid popeth a luniwyd ganddo erioed, gan gynnwys y cerddi a aeth ar goll. Prynodd gyfrol o weithiau Byron ar un o'i wibdeithiau i Lerpwl, ac arni ysgrifennodd 'Lived and died a poet' a 'Pererin wyf ar daith'. Pererindod ysbrydol, a phererindod oes, oedd barddoni i'r mab fferm cyffredin hwn, a hynny, ynghyd â'i ddeallusrwydd mawr a'i doreth o awen, oedd y rhyfeddod mawr yn ei gylch.

Amlygwyd y rhyfeddod hwnnw gan adolygwyr *Cerddi'r Bugail* unwaith yr oedd Eisteddfod y Gadair Ddu wedi llwyr ymsefydlu yng nghof a chwedloniaeth y genedl. Meddai T. Gwynn Jones:

> To an age which assumes that a man can only be educated at school or college, the literary attainment of Hedd Wyn must be wonderful – how could a mere shepherd have acquired what is supposed to be an academic privilege! He possesses an extensive vocabulary, a mastery of language and a sense of style and idiom.[18]

Anochel hefyd oedd dwyn cymhariaeth rhyngddo a Rupert Brooke, ond nododd E. Morgan Humphreys y gwahaniaeth rhwng y ddau hefyd:

> Y mae llawer o debygrwydd rhwng tynged Rupert Brooke a Hedd Wyn, er y buasai, ar un olwg, yn anodd meddwl am ddwy yrfa mwy anhebyg. Yr oedd un wedi cael gyrfa ddisglaer yng Nghaergrawnt ac wedi deffro serch a gobeithion uchel cylch dylanwadol. Cafodd deithio o amgylch y byd, ymddangosodd ei ysgrifau a'i farddoniaeth yn rhai o bapurau mwyaf adnabyddus y deyrnas, yr oedd pob mantais cymdeithas a diwylliant yn agor o'i flaen.[19]

Adolygwyd y gyfrol yn *Y Seren* gan 'Clwydydd', a gofynnodd yntau hefyd:

> Pa gyfrif sydd i'w roddi dros fod bugail y defaid mân ar fannau Trawsfynydd eisoes wedi meistroli'r Gymraeg yn ôl ei safonnau diweddaraf, mor helaeth a chlasurol ei wybodaeth, mor braff a threiddgar ei feddwl, mor fedrus ei grebwyll a'i ddarfelydd, ag y datguddir ef trwy'r dalennau hyn?[20]

Crybwyllwyd treiddgarwch ei feddwl a dyfnder ei fyfyrdodau gan Gwynn Jones ac E. Morgan Humphreys hefyd, ac er i T. Gwynn Jones ac un neu ddau o rai eraill dynnu sylw at yr elfen efelychiadol yn ei gerddi, ac at ei ddiffygion iaith a gramadeg yn ogystal, croeso digymysg o hael a charedig a estynnwyd i *Cerddi'r Bugail*.

Gyda'r gyfrol wedi'i chyhoeddi, gallai'r Pwyllgor Coffa Cenedlaethol yn awr ganolbwyntio ar y gwaith mwy dyrys ac uchelgeisiol o sicrhau coffadwriaeth barhaol iddo. Nid heb lawer o drafod a chydgyfarfod y penderfynwyd codi cofeb ar ffurf cerflun iddo yn Nhrawsfynydd. Ystyriwyd sawl awgrym a sawl posibiliad gan y Pwyllgor Coffa, ac nid cerflun o'r bardd oedd y dewis mwyaf amlwg ychwaith:

In consultation with the local Committee at Trawsfynydd, it has been decided that the Memorial should take the form of a village library and reading room, to be known as "Darllenfa Hedd Wyn" (The Hedd Wyn Library), with a statue or bust of the young poet by a good sculptor. His comrades in arms have also expressed a strong desire to see a suitable monument erected over his dust on Pilkem Ridge after the War, with the names of the large number of Welshmen who fell with him carved on its base.[21]

Er hynny, yr oedd y syniad o godi cofeb iddo yn Nhrawsfynydd yn flaenllaw ym meddyliau hyrwyddwyr y mudiad yn gynnar iawn ar ôl ei gwymp a'i fuddugoliaeth yn y Brifwyl.

Fodd bynnag, ni ellid penderfynu'n union pa ffurf a gymerai'r gofeb hyd nes y gwelid pa mor llwyddiannus oedd yr apêl am arian, a threuliwyd tair blynedd a rhagor yn casglu cyfraniadau ariannol. Roedd cyhoeddi'r gyfrol goffa yn llwyddiant amlwg, a rhoddodd yr elw a wnaethpwyd arni, tua £50, gychwyn da i'r gronfa.

Apeliwyd drwy'r wasg am gyfraniadau ariannol. Llifai'r arian i mewn o bob cyfeiriad, a chyhoeddid enwau'r cyfranwyr ynghyd â'r swm o arian a roddwyd ganddynt yn gyson ym mhapurau a chyfnodolion y cyfnod. Erbyn diwedd 1918 yr oedd £227.6s.8d. yn y gronfa. Cesglid arian gan gymdeithasau llenyddol ac eglwysig, gan ysgolion a chan unigolion. Hysbysebwyd y bwriad i godi arian ar gyfer cofeb i'r bardd yn *Y Drych*, papur Cymry America, a phenodwyd pedwar gŵr i fod yn gyfrifol am gasglu arian yn yr Unol Daleithiau. Erbyn Hydref 18, 1920, roedd £736 yn y gronfa. Caewyd y gronfa ar Ionawr 21, 1921, a'r cam mawr nesaf oedd penderfynu ar ffurf y gofeb ac ar ei gwneuthurwr.

Cyfarfu aelodau'r Pwyllgor Coffa yn gyson â'i gilydd o ddechrau 1921 ymlaen, a bu llawer o lythyru rhyngddynt. Roedd aelodau'r pwyllgor yn awyddus iawn erbyn hynny i symud ymlaen, gan fod tair blynedd eisoes wedi dirwyn heibio er pan laddwyd Hedd Wyn. Penderfynwyd y dylid defnyddio'r rhan fwyaf o'r arian i godi cofeb i'r bardd yn Nhrawsfynydd, a'r gweddill ohono i'w ddefnyddio i sefydlu ysgoloriaeth i fechgyn a merched disglair, ond di-gefn, Trawsfynydd, i'w galluogi i dderbyn addysg uwch. Rhoddwyd heibio'r syniad o adeiladu 'Darllenfa Hedd Wyn', gan nad oedd digon o arian wedi cyrraedd ar gyfer menter o'r fath. Bu llawer o bendroni ynglŷn ag union ffurf y gofeb. Un awgrym oedd y dylid codi cofeb i Hedd Wyn, a'i gosod yn rhywle yng nghanol y pentref, a phrif ddewis y Pwyllgor i lunio'r gofeb oedd Syr W. Goscombe John, y cerflunydd o Gaerdydd, cynllunydd nifer o fedalau i'r Eisteddfod Genedlaethol a lluniwr y gofeb i Evan a James James, cyfansoddwyr 'Hen Wlad fy Nhadau', a osodwyd ym Mharc Ynysangharad ym Mhontypridd. Anfonodd E. Vincent Evans lythyr at Silyn Roberts ar Fedi 22, 1921, yn amlinellu rhai o'i syniadau ynghylch y gofeb arfaethedig:

> Fy syniad presennol i am y gofadail yw ymgynghori a Syr Goscombe i ddechreu.
> Nid yw'n debig y gwna ef ddim am y pris sydd gennym i'w gynyg, ond hwyrach y
> gallai berswadio ei ddisgybl Merrifield (cerflunydd y Pantycelyn yng Nghaerdydd)
> i ymroi i wneyd Village Memorial teilwng gyda relief portrait o Hedd Wyn yn
> rhywle ... Am y scholarship rwyn [*sic*] credu'n sicr fod yn rhaid cyfyngu hono i
> Fangor ac Aberystwyth ac y dylid ei chysylltu rywfodd a Llenyddiaeth Gymraeg.[22]

L. S. Merrifield a gomisiynwyd yn y pen draw i lunio'r gofeb, y cerflunydd ifanc o Lundain a oedd wedi ennill llawer o glod am ei gerflun o William Williams Pantycelyn, yr emynydd, o farmor y Rhondda, a osodwyd yn Neuadd y Ddinas yng Nghaerdydd. Arwyddodd Merrifield y cytundeb ynghylch y gofeb ar Orffennaf 11, 1922. Eisoes, oddi ar fis Hydref 1921, yr oedd aelodau'r Pwyllgor Coffa wedi sicrhau safle addas iawn i'r gofeb, sef darn o dir yn ymyl y swyddfa bost, yng nghanol y pentref ac nid nepell o Ben–lan, lle roedd y tŷ y ganed Hedd Wyn ynddo.

Bu llawer o drafod a gohebu yn ôl ac ymlaen rhwng Merrifield ac aelodau'r Pwyllgor Coffa ynglŷn â ffurf a deunydd y gofeb. Nid oedd Vincent Evans o blaid cerflun o efydd na marmor, ac nid oedd ychwaith yn gwbl fodlon fod Merrifield am godi £650 am y gwaith. Cysylltodd Silyn Roberts â Merrifield ar Chwefror 28, 1922, yn gofyn iddo, ar gais Vincent Evans, am frasluniau o'r math o gofeb y gellid ei llunio, a dyfynnodd o lythyr Vincent Evans, dyddiedig Chwefror 25, ato, yn mynegi ei anniddigrwydd ynglŷn â chael cerflun o efydd neu farmor:

> ... I wonder whether it would be possible for you to let Sir Vincent have two
> sketches, one of what he calls a simple village memorial, and the other a sketch of
> a statue of rough unhewn stone such as I mentioned. Sir Vincent is the Treasurer
> and quite a number of the Committee will follow his lead. On the other hand I do

not agree with him at all as to the undesirability of having a bronze statue in the open air.[23]

Ni dderbyniwyd ateb gan Merrifield tan Fawrth 9. Bu'n wael drwy aeaf 1922, a hynny'n llestair iddo rhag gweithio. Yn ei ateb i Silyn Roberts, dywedodd ei fod ef ei hun yn bersonol yn ffafrio 'the statue & do think it is entirely suitable to the surroundings'.[24] Ac ar gerflun o efydd y penderfynwyd yn y diwedd. Ar Ebrill 10, 1922, anfonodd J. R. Jones lythyr at Silyn yn ei hysbysu fod y ddwy goeden a dyfai ar y llecyn lle y bwriedid gosod y gofeb wedi eu torri ymaith, a bod 'y llywodraeth wedi symud y polyn', sef y polyn telegraff yn ymyl y wal o flaen y darn tir.[25] Dywedodd hefyd iddo gael addewid 'gan wraig yr Ysgwrn eu bod hwy yno yn barod i symud y pridd – hynny fydd eisieu'.[26] Yn ogystal, ceisiwyd cael hawl a chaniatâd gan un teulu penodol i ddefnyddio carreg fawr a welwyd gan Merrifield ac aelodau'r Pwyllgor Coffa mewn cae yn Nhrawsfynydd fel sylfaen i'r cerflun, ond gan fod y teulu hwn yn drafferthus o luosog, dewiswyd, yn y pen draw, ddarn o garreg arw o Garreg yr Ogof, ar gwr y pentref.

Bu'n rhaid i Merrifield lunio'r cerflun dan gryn anfantais. Nid oedd ganddo wrthrych byw i'w bortreadu. Rhoddwyd iddo luniau o Hedd Wyn, a bu'n astudio nodweddion corfforol gwahanol aelodau o deulu'r Ysgwrn yn ogystal. Ac ar ôl blwyddyn o weithio ar y cerflun, yr oedd popeth yn barod ar gyfer defod dadorchuddio'r gofeb, ar Awst 11, 1923.

Diwrnod mawr yn Nhrawsfynydd oedd y dydd Sadwrn hwnnw, a channoedd o bobl wedi tyrru i'r pentref i fod yn bresennol yn seremoni'r dadorchuddio. Arweiniwyd y cyfarfod gan Bryfdir, ac yn ei araith agoriadol dywedodd cadeirydd y cyfarfod, E. Vincent Evans, mai teyrnged cenedl oedd y gofeb i un o'r bechgyn mwyaf athrylithgar a fagodd Cymru erioed, ac y byddai hanes Hedd Wyn yn ysbrydoliaeth i genedlaethau'r dyfodol, yn enwedig o gofio am yr addysg annigonol a gawsai. Olrheiniwyd hanes y mudiad i godi cofeb i Hedd Wyn gan Silyn Roberts, a thalodd deyrnged uchel i J. R. Jones am ei lafur diflino, yntau hefyd yn bresennol yn y cyfarfod. Silyn hefyd a gyflwynodd y cerflunydd i'r gynulleidfa. Gofidiai L. S. Merrifield na allai ddeall iaith y cyfarfod, a dywedodd wrth y gynulleidfa fel yr oedd hanes Hedd Wyn, yn enwedig ei oruchafiaeth ar ei addysg anghyflawn, wedi ei gyfareddu. Credai fod ei gerflun o Hedd Wyn yn rhagori ar ei gerflun o Bantycelyn. Yn bresennol hefyd yr oedd Mair Taliesin, merch prifardd Cadair Ddu 1876, ac fe'i cyflwynwyd i'r dorf gan Vincent Evans.

Darllenwyd brys-neges oddi wrth Rolant Wyn yn llongyfarch Hedd Wyn ar ddychwelyd i'w gynefin mewn efydd. Dadorchuddiwyd y gofeb gan fam Hedd Wyn ar ran teulu'r Ysgwrn, yr oedd y rhan fwyaf o'i aelodau, gan gynnwys y tad, yn bresennol. Synnwyd y dorf gan y tebygrwydd rhwng y ddelw a Hedd Wyn ei hunan, er i lawer o bobl feirniadu'r cerflun o 1923 ymlaen am iddo greu darlun rhamantus o'r gwrthrych. Cofnod ffeithiol syml oedd yr arysgrif a roddwyd yn y gwenithfaen a gynhaliai'r ddelw:

HEDD WYN

Prifardd Eisteddfod Genedlaethol 1917.

Ganwyd ef yn mhlwyf Trawsfynydd a syrthiodd ar Esgair Pilkem yn Fflandrys

Gorffennaf 31, 1917, yn 30 oed.

Ac o dan y cofnod, ceir yr englyn enwog 'Nid Â'n Ango'.

Bu miloedd o Gymry yn sefyll yn ymyl y gofeb hon drwy'r blynyddoedd a ddilynodd 1923. Dyma bellach gyrchfan arall i'r pererinion hynny a fynnai dalu gwrogaeth i'r bardd. Nid ei waith ynglŷn â'r gofeb oedd yr unig waith a wnaeth Silyn Roberts i sicrhau coffâd parhaol i Hedd Wyn. Claddwyd Hedd Wyn wedi iddo gwympo yn ymyl Trum y Groes Haearn, ar lechwedd ddeheuol Cefn Pilkem, yn ymyl *chateau* maluriedig a ddefnyddid yn ystod y rhyfel fel ysbyty dros dro, ynghyd â deg o gyrff eraill. Ar ôl y rhyfel symudwyd cyrff y milwyr o'u beddau dros dro i fynwentydd parhaol. Gosodid croesau pren uwchben y beddau gwreiddiol, ac ar bob croes rhoddid enw, rhif, bataliwn a dyddiad marwolaeth y sawl a orweddai dani, er mwyn galluogi'r awdurdodau i adnabod y cyrff yn y dyfodol. Ond nid oedd hynny'n bosibl bob tro. Dinistriwyd llawer o'r croesau pren garw hyn gan y gynnau mawr yn ystod y rhyfel ei hun, a diflannodd sawl cofnod i ebargofiant. Yn ogystal, nid peth hawdd oedd adnabod cyrff y rhai a leddid ar y pryd: roedd rhai wedi eu chwalu a'u malu'n ddarnau, y tu hwnt i unrhyw adnabyddiaeth bosibl.

Y gŵr a lafuriodd fwyaf ynglŷn â chofrestru pob marwolaeth a nodi gorweddfan pob milwr (hyd yr oedd hynny'n bosibl), a chynorthwyo teuluoedd galarus i ddod o hyd i union orweddle'u hanwyliaid, oedd Fabian Ware, a gafodd y glasenw iasoer 'Lord Wargraves'. Ceisiodd ef a'i gyd-weithwyr gofrestru a chofnodi pob marwolaeth, a phob bedd, er mai i raddau'n unig y llwyddwyd yn hyn o beth. Ar ôl y rhyfel cynlluniwyd a chodwyd llawer iawn o fynwentydd newydd sbon yn Ffrainc a Fflandrys, a symudwyd cyrff y milwyr i'r mynwentydd hyn. Gosodwyd beddfeini unffurf yn lle'r croesau pren uwchben y beddau, a phlannwyd planhigion o bob math yn y mynwentydd. Codwyd y fynwent gyntaf o'r fath ym 1920, ac erbyn 1923 fe gludid dros 4,000 o feddfeini ar y llongau bob wythnos i Ffrainc a Gwlad Belg. Costiodd y mynwentydd a'r beddfeini hyn oddeutu wyth miliwn o bunnoedd. Cyfrifoldeb y Comisiwn Beddau Rhyfel Ymerodrol oedd y gwaith hwn o godi mynwentydd a gosod beddfeini uwch y beddau.

Symudwyd corff Hedd Wyn i un o'r mynwentydd hyn, sef mynwent Artillery Wood, Boesinghe, nid nepell o Gefn Pilkem, ac fe'i gosodwyd yn 'Plot 2, Row F'. Ym mis Medi 1923, cysylltodd Silyn Roberts â'r Comisiwn Beddau Rhyfel Ymerodrol ar ran teulu'r Ysgwrn gyda'r bwriad o gael y geiriau 'Y Prifardd Hedd Wyn' ar y garreg fedd. Yn ôl rheolau'r Comisiwn, câi teuluoedd y bechgyn a laddwyd gynnwys arysgrif o'u dewis eu hunain yn ychwanegol at y manylion arferol a roid ar garreg fedd, sef arwyddlun cenedlaethol, bathodyn y gatrawd, enw, rheng, dyddiad marwolaeth, oedran ac arwyddlun crefyddol. Dyma ran o'r llythyr a luniwyd gan Silyn ond a anfonwyd yn enw Evan Evans:

> ... My son was a peasant farmer like myself and only thirty years of age when he fell, but he had won a national reputation as a poet of great merit. The inscription suggested by the National Committee, namely,
>
> Y PRIFARDD HEDD WYN
>
> is simple and most appropriate.[27]

Bu'r cais yn llwyddiannus, a thorrwyd y geiriau ar y garreg. Anfonwyd y groes wreiddiol at Silyn Roberts, ac fe'i cyflwynodd yn rhodd i Ysgol y Cyngor yn Nhrawsfynydd.

Yn ychwanegol at yr Ysgwrn a'r gofeb yn Nhrawsfynydd, dyma gyrchfan pererindod arall i barhau chwedloniaeth Hedd Wyn. O 1920 ymlaen, bu miloedd o drigolion Prydain yn Ffrainc a Fflandrys yn chwilio am feddau eu hanwyliaid. Bu i gannoedd o Gymry, yn eu tro, ymweld â bedd Hedd Wyn yn Artillery Wood. Un o'r rhai cyntaf oedd Silyn Roberts ei hun, a fu yno

ar Fedi 12, 1923. Bu eraill hefyd. Trefnwyd pererindod o Gymru i ymweld
â bedd Hedd Wyn yn Artillery Wood ym 1934, gan rai o aelodau mwyaf
blaenllaw'r Orsedd a'r Eisteddfod ar y pryd, a chafwyd anerchiadau gan Cynan
ac O. E. Roberts, sef Caerwyn, yr arweinydd eisteddfodau adnabyddus yn ei
ddydd.

Yng nghwrs ei araith soniodd Cynan am y tro cyntaf y bu iddo gyfarfod
â Hedd Wyn. Daeth Hedd Wyn i gwrdd ag ef ar orsaf Trawsfynydd pan
oedd Cynan ar wahoddiad i bregethu yno un tro, a chynigiodd ei arwain i'w
lety, gan fod y tywydd mor ddrwg. Gadawodd y bardd ifanc gryn argraff ar
Cynan:

> Cymerais ato ar unwaith ... Yr oedd rhywbeth mor addfwyn a hoffus yn ei ffordd.
> Yr oedd yn hollol ddiymhongar, ac eto'n gwbl sicr ohoni'i [sic] hunan fel bardd.
> Anghofiwyd y ddrycin gan felysed yr ymgom, a dyna ni wrth ddrws y llety.
> Er crefu a chrefu ni ddeuai i mewn; ond gwelwn yng ngolau'r ffenestr wyneb
> gwr ifanc tua saith ar hugain oed, wyneb cryf a garw braidd, ond yn yr wyneb
> tywynnai'r llygaid mwynaf ac eto treiddgaraf a welais i fawr erioed.[28]

Melltithiodd Cynan y gyfundrefn a fu'n gyfrifol am ddifa Hedd Wyn a'i
gymrodyr ifainc yn y Rhyfel Mawr:

> Cwynir mai prin yw arweinwyr o welediad ac athrylith heddiw mewn
> llenyddiaeth, fel mewn gwleidyddiaeth, trwy wledydd Ewrob. A ellwch chwi
> synnu, a'r gwledydd wedi tywallt eu gwaed ifanc mwyaf addawol i lawr gwter y
> Rhyfel yn gwbl ddiarbed am dros bedair blynedd. Os oedd rhywbeth yn eisiau
> i'n hargyhoeddi ni o wallgofrwydd rhyfel, gallwn feddwl nad arhosai neb heb ei
> argyhoeddi ar ôl pererindod fel hon o fynwent i fynwent sy'n orlawn o wyr ieuainc
> a dorrwyd i lawr ym mlodau eu dyddiau. Fe ddywedir wrthym weithiau am eu
> haberth; ond teg imi gyfaddef na welais i ddim byd eto ym Mhrydain ar ôl 1918
> yn werth y filfed ran o'r aberth a gynrychiolir gan y beddau hyn. A thywyll yw'r
> dyfodol hefyd.[29]

Ar ôl yr areithio, gosodwyd blodeudorch ar fedd Hedd Wyn, ac ar feddau
dau Gymro arall a orweddai yn ei ymyl, Henry Evans o Lanybydder ac O.
Evans o Ddinorwig, gosodwyd dau dusw o flodau yn yr un modd. Yr oedd
Bob, brawd Hedd Wyn, yn bresennol yn y gwasanaeth coffa hwn. Un arall a

oedd yno oedd Simon Jones, un o'r milwyr a welodd Hedd Wyn yn cwympo. Soniodd am fam o Lanybydder a oedd wedi dod yno gyda'i merch i weld bedd ei mab, ac iddi ddweud yn ei dagrau ar ôl ei ganfod: "'Machgen annwyl i, fan hyn rwyt ti!" Straeon dwys, torcalonnus fel y stori hon sy'n ergydio trasiedi'r Rhyfel Mawr i mewn i'n heneidiau. Mae'n bur sicr mai Mary Evans oedd enw'r fam hon, sef, yn eironig ddigon, yr un enw â mam Hedd Wyn; ac mae'n rhaid mai Henry Evans oedd ei mab. Ceir y cofnod hwn ynghylch bedd Henry Evans yng nghofnodion y *Commonwealth War Graves Commission, Artillery Wood Cemetery Boesinghe: Cemetery Index Number B. 106*:

> EVANS, Pte. Henry, 55453. 16th Bn. Royal Welch Fusiliers, 31st July, 1917. Age 24. Son of Evan and Mary Evans, of Penrhiw, Llanllwni, Llanybyther, Carmarthenshire. II. F. 20.

Nid Evan a Mary Evans yr Ysgwrn oedd yr unig Evan a Mary Evans i alaru a hiraethu ar ôl lladdfa fawr diwrnod agoriadol Brwydr Passchendaele.

Ym mynwent Artillery Wood yn Boesinghe, pentref a chymuned yn Nhalaith Gorllewin Fflandrys, i'r gogledd o Ypres, y gorwedd Hedd Wyn hyd y dydd hwn. Y mae Camlas Yser yn rhedeg drwy ganol y gymuned hon, gyda phentref Boesinghe ei hunan ar yr ochr orllewinol i'r gamlas. Hyd at ddiwedd Gorffennaf 1917, wynebid y pentref yn uniongyrchol gan linell flaen yr Almaenwyr ar yr ochr ddwyreiniol. Y mae'r llwyn o goed a gafodd yr enw Artillery Wood, Coed y Magnelau, ar ochr ogleddol y rheilffordd i Thourout, tua milltir a hanner i'r dwyrain o'r gamlas. Y mae mynwent Artillery Wood ychydig i gyfeiriad y gogledd o'r coed, tua milltir o gyrraedd gorsaf Boesinghe. Dechreuwyd troi'r darn hwn o dir yn fynwent gan Adran y Gwarchodlu ar ôl y diwrnod cyntaf hwnnw o ymladd ddiwedd Gorffennaf 1917. Ceid ynddi 141 o feddau ar ddiwrnod y Cadoediad, ond chwyddwyd y fynwent gan feddau eraill ar ôl 1918. Ceir ynddi'n awr 1,243 o filwyr Prydeinig wedi eu claddu, 30 o Ganada, deg o Newfoundland, pump o Awstralia, dau o Seland Newydd, un o Dde Affrica a phedwar arall na wyddys i ba unedau o fewn y fyddin y perthynent. Yn ogystal, ceir 506 o feddau anhysbys; a'r bedd mwyaf hysbys yn y fynwent, yn enwedig i'r Cymry, yw bedd Hedd Wyn.

Nid trwy gyfrwng cyfrol, cofeb a charreg fedd yn unig y coffawyd Hedd Wyn ychwaith. Cyfeiriodd William Morris at y garreg goffa a godwyd 'ar y llecyn lle'r oedd Meini'r Orsedd, yng ngolwg y lle'r oedd y Pafiliwn gynt' yn Birkenhead.[30] Colofn gref chwe throedfedd o uchder oedd hon, a thrwy ymdrechion David Evans, y gŵr a roddodd y gadair i Eisteddfod 1917, y codwyd y garreg. Hefyd, ym 1932 codwyd sedd goffadwriaethol i 14eg Bataliwn y Ffiwsilwyr Brenhinol Cymreig ym mynwent Brydeinig Dantzig Alley, yn ymyl Coed Mametz yn Ffrainc. Rhan o frwydr erchyll y Somme, a ddechreuwyd ar Orffennaf 1, 1916, oedd y cyrch i ennill Coed Mametz, a oedd yng ngafael yr Almaenwyr. Rhwng Gorffennaf 10 a Gorffennaf 11 bu brwydro diarbed rhwng yr Almaenwyr a sawl bataliwn Cymreig, ac erbyn cyfnos Gorffennaf 11 yr oedd y Cymry'n fuddugoliaethus a Choed Mametz yn eu dwylo. Ceir yr arysgrif ganlynol ar y sedd goffa: 'Codwyd y sedd hon gan Swyddogion, Is-Swyddogion, a Milwyr y Royal Welsh Fusiliers Battalion 14, rhan o'r 38ain Adran (Y Gymreig), er cof annwyl am eu Cymrodyr ac am bob Cymro arall a gwympodd yn Ffrainc', a hefyd ceir pennill o waith Hedd Wyn, o'i gerdd 'Plant Trawsfynydd, 1915', rhwng yr arysgrif Gymraeg a'r arysgrif Saesneg:

> Ni all pellterau eich gyrru yn ango',
>   Blant y bryniau glân;
> Calon wrth galon sy'n aros eto,
>   Er ar wahân.

Ddiwedd ei hoes daeth awydd angerddol ar Mary Evans i weld bedd ei mab yn Artillery Wood, ond yr oedd yn rhy hen erbyn hynny i allu wynebu'r daith. Am nad oedd hynny'n bosibl, dymunai gael gweld darlun o'i fedd, ac apeliodd J. W. Jones ar ei rhan yn ei golofn 'Y Fainc 'Sglodion' yn Y Cymro am lun gan rywun. Bu farw Mary Evans ar Ionawr 2, 1950, wedi goroesi saith o'i phlant, os cynhwysir y ddau blentyn marw-anedig. Bu farw ei gŵr rai blynyddoedd o'i blaen, ar Fai 20, 1942. Cawsant oes faith ill dau, ond oes flinderus, drist. Yng ngeiriau William Morris:

> Medi'r ystorm drist o hyd – i'r ddau oedd
>   Rhoi Hedd Wyn mewn gweryd;
>   Rhyfedd eu cysur hefyd
>   O eni bardd i boen byd.[31]

Claddwyd y ddau yn yr un bedd ym mynwent Pen-y-cefn, Trawsfynydd, a cheir englyn gan Geufronydd ar y garreg:

> Hwy 'rôl oes dan 'run croesau – ailunwyd
> Dan lenni'r priddellau,
> Rhyng'ynt ag ango'r angau
> Bydd Hedd Wyn uwch bedd y ddau.

Yn ôl tystiolaeth y teulu, cafodd mam Hedd Wyn drafferth i ddygymod â gweld y cerflun o'i mab yng nghanol y pentref, a'r hiraeth amdano yn llosgi yn ei chalon, ond fe ddaeth, gan bwyll, i gynefino â'r gofeb. Bu'n rhaid i Jini Owen hithau gynefino â'r gofeb hefyd, ac amdani hi a'i theimladau y meddyliai Gwilym Deudraeth ar achlysur y dadorchuddio:

> I lên a chân ei ail ni chwyd – yn serch
> Hynaws un a siomwyd;
> At ei 'Helis' ataliwyd
> Pwyntio'i llaw wna Siân Pant Llwyd.

> Hawlia Siân ei 'Helis' o hyd – wrthi;
> Pan syrthiodd i weryd
> Roedd gan y bardd, gwyn ei byd,
> Ryw ddidwyll air i'w ddwedyd.

> Oes, mae cynnes amcanion – a chŵyn serch
> Yn ei salm hiraethlon;
> Eglured yw y glaer dôn,
> Dirgel ydyw'r gwaelodion.[32]

Ac mae'r gofeb honno yn gofeb i unigolyn ac i genhedlaeth.

Barddoniaeth Hedd Wyn

Hedd Wyn, o bosibl, oedd y bardd rhamantaidd mawr olaf i ganu yn Gymraeg. Etifeddodd ddelfrydau a thueddiadau Mudiad Rhamantaidd dechrau'r ugeinfed ganrif yng Nghymru, ac y mae'r mudiad hwnnw yn cyrraedd ei anterth yn awdl 'Yr Arwr', y portread mwyaf cyflawn a gafwyd erioed yn y Gymraeg o'r Arwr Rhamantaidd. Chwalwyd y rhamant a'r lledrith gan erchyllter y Rhyfel Mawr, a gosodwyd Cymru yng nghanol y byd modern, yng nghanol yr 'oes ddideimlad, greulon', chwedl Hedd Wyn yn 'Yr Arwr'. Troes R. Williams Parry ei gefn ar facwyaid a rhianedd, a dechreuodd ganu i'r 'dwthwn hwn'. Sylweddolodd W. J. Gruffydd mai rhith oedd yr ynys hud y bu ef a'i gymheiriaid yn chwilio amdani, ac er i Gwynn Jones arddel y meddylfryd rhamantaidd hyd yn oed wedi i'r rhyfel ddirwyn i ben, sobrodd a chwerwodd yntau yn y pen draw, a daeth sinigiaeth, dadrith ac amheuaeth i mewn i'w ganu yn y 1930au. Erbyn 1919 yr oedd T. H. Parry-Williams wedi dechrau holi am le ac ystyr dyn yn y cyfanfyd, a chefnodd ar y gynghanedd yn sgil ffarwelio â Rhamantiaeth. Ym 1921, bedair blynedd ar ôl i Hedd Wyn gwblhau 'Yr Arwr', rhoddodd Cynan ysgytwad i'r parchusion, ac yn enwedig i'r hynafgwyr hynny a fu'n frwd o blaid y rhyfel, gyda'i ddisgrifiadau cignoeth ac arswydus o ffosydd Ffrainc yn 'Mab y Bwthyn'. Dyma ddechreuadau'r mudiad modern ym marddoniaeth Cymru, ac yr oedd y rhyfel yn gyfrifol i raddau helaeth iawn am wthio llenyddiaeth Cymru i'r cyfeiriad hwnnw. Y mae 'Rhyfel' Hedd Wyn, a rhai darnau eraill o'i eiddo, yn awgrymu'n gryf y byddai yntau hefyd wedi cefnu ar Ramantiaeth yn y pen draw, pe bai wedi goroesi'r gyflafan fawr. Yr oedd Hedd Wyn yn ddeallus effro i bob cyfnewidiad ym myd llên, ac y mae'n sicr y byddai wedi dilyn ôl troed y modernwyr yn y pen draw.

Serch hynny, delwedd ramantaidd ohono'i hun, ac o'r bardd yn gyffredinol, oedd y ddelwedd a gyflwynai yn ei gerddi. Ceir englyn o'i eiddo nad yw i'w gael yn *Cerddi'r Bugail* sy'n portreadu'r bardd rhamantaidd yn gyffredinol, ef ei hun yn fwy na neb, efallai:

> Gŵyr swyn pob dengar seiniau – ac emyn
> Digymar y duwiau,
> A gwêl ar bell ddisglair bau
> Deml hud ei sant deimladau.[1]

Yma, mae'n synio am y bardd fel plentyn y duwiau, gŵr a eneiniwyd ag awen oruwchnaturiol, megis yr eneiniwyd yr Arwr yn yr awdl gan y 'duwiau cerdd a dyhewyd', ac y mae'r '[d]eml hud' yn y 'ddisglair bau' yn cyfateb i'r '[d]eml ysblennydd' yn y 'bau loyw' yn 'Yr Arwr'.[2] Y mae'n englyn pwysig a diddorol am ei fod yn crisialu agwedd Hedd Wyn tuag at natur a swyddogaeth barddoniaeth. Yn ei ganu eisteddfodol uchelgeisiol y coleddai'r meddylfryd hwn yn bennaf, gan mai'r eisteddfod oedd gwir noddfa canu o'r fath yn ei gyfnod ef. Bardd gwlad ydoedd yn ei ganu cymdeithasol, ac etifedd y traddodiad Cymraeg yn ei farwnadau. Yn rhai o'i gerddi rhyfel dechreuodd ymagweddu fel bardd modern hefyd.

Un agwedd ar ei Ramantiaeth yw ei ganu natur. Synhwyrai bresenoldeb rhyw rym neu ysbryd aflonydd ac anweledig ym myd natur, fel Shelley yntau, ac fel Wordsworth hefyd o ran hynny, ond, yn wahanol i Shelley, nid daioni cynhenid y cread mo'r grym hwn iddo; yn hytrach, cysyllta Hedd Wyn y presenoldeb anwel hwn yn uniongyrchol â Duw. Ymchwil yw llawer iawn o'i farddoniaeth am ystyr dyn yn y cread, a thrwy fyfyrio ar fawredd ac aruthredd y byd o'i amgylch y cais dreiddio i'r dirgelwch. Y mae'r agwedd hon, llais Duw o fewn natur a phresenoldeb Duw yn y byd allanol, yn thema gyson yn ei waith, yn enwedig yn ei gerddi crefyddol.

Yr un elfennau, i bob diben, a geir yn y pryddestau ysgrythurol. Ceir ynddynt chwilio am Dduw o fewn natur, a brwydro cyson rhwng ffydd ac amheuaeth, credu a gwadu. Yn 'Cyfrinach Duw', er enghraifft, ymdeimlir â phresenoldeb Duw ym myd natur ('Y Deml Gyfareddol'); gresynir yn ail ran y gerdd fod y ddynoliaeth yn analluog i ymdeimlo â'r presenoldeb hwn, oherwydd bod gwaeau'r oes, tlodi yn fwyaf arbennig, wedi peri i bobl golli eu ffydd yn Nuw. Y cwestiwn mawr a ofynnir yn y rhan hon o'r gerdd yw: sut y gallwn ymroi i fyfyrio'n ysbrydol ar Dduw a ninnau'n dioddef yn gorfforol? Nid atebir y cwestiwn hwn yn foddhaol. Yn yr ail ran hon, cynrychiolir amheuaeth a dadrith pobl gan 'hynafgwr'. 'Teml yr Adfyd' yw'r pennawd a roddwyd i'r ail ganiad hwn. Yn y drydedd ran ceisir dirnad dirgelwch Duw drwy gyfrwng y deall, ac y mae'r gŵr ifanc yn y rhan hon o'r gerdd yn symbol o'r sawl a gais chwilio am Dduw drwy gyfrwng deallusrwydd, dysg a gwybodaeth. Dywed y llefarydd yn y gerdd nad rhyfedd iddo fethu gan mai annigonol yw'r deall o safbwynt ceisio dirnad Duw – 'Pand bregus fel niwl yw deall yr awron?' ac 'ofer y ceisia'r gwyddorau gloywon/Gyfieithu bwriadau'r anneall lef'.[3] Cyngor y llefarydd i'r gŵr ifanc hwn yw 'gad ymaith dy reswm materol/A phlyg megis plentyn i'r dwyfol hud'.[4] Fe welir mai personoli haniaethau a wna Hedd Wyn; yma y mae'r hen ŵr yn cynrychioli amheuaeth neu anffyddiaeth, a'r gŵr ifanc yn cynrychioli'r ymchwil am Dduw drwy gyfrwng dysg, deallusrwydd, athroniaeth a gwybodaeth. Ymddengys hefyd ei fod yn dweud mai trwy gyfrwng y synhwyrau, ac nid trwy gyfrwng gallu dyn i ymresymu, y canfyddir Duw. Y mae llawer o ymagor synhwyrus yn y darnau sy'n ymateb i bresenoldeb Duw ym myd natur. Yn nwy ran olaf y gerdd, 'Tinc y Cariad' ac 'Y Deml Ddihenydd', mynegir ffydd y llefarydd yn Nuwdod Crist, a'r casgliad y doir iddo yw nad trwy'r deall y tywysir dyn at Dduw, ac nid trwy ddisgwyl iddo leddfu ein hesmwythyd corfforol ychwaith y down o hyd iddo, ond trwy ffydd yn hytrach, a thrwy ymdeimlo'n ysbrydol-synhwyrus â chariad tragwyddol Crist. Braidd yn wan yw'r diweddglo, oherwydd nid yw'n ein hargyhoeddi mai trwy ffydd y canfyddir Duw.

Patrwm tebyg sydd i 'Myfi Yw'. Presenoldeb a Llais Duw yn natur a geir yn y rhan gyntaf ('Y Llais Cyfareddol'); adnabod Duw yng Nghrist a geir yn yr ail ran ('Llais y Brawd'); ymdeimlo â phresenoldeb achubol Crist yn y drydedd ran ('Cyffes y Diddanydd'); gwadu a chroeshoelio Crist, gan amau ei Dduwdod, yn y bedwaredd ran ('Y Gyffes Ddrud'); adnabod Crist ar y ffordd i Emaus yn y bumed ran ('Y Llais Cyfrin'); a darlun o'r Crist buddugoliaethus fel gorchfygwr angau yn rhan olaf ('Y Llef Ddihenydd'). Fel 'Cyfrinach Duw', y mae 'Myfi Yw' yn symud o sicrwydd ffydd drwy gyfres o ddadleuon yn erbyn credu, a thrwy argyfyngau a dioddefiannau, yn ôl at sicrwydd ffydd drachefn.

Ceir patrwm cyffelyb yn 'Crist ar Binacl y Deml'. Ar ôl rhagarweiniad ('Y Grisiau') sy'n sôn am y frwydr dragwyddol rhwng Drwg a Da, ac awydd Drygioni i orchfygu Daioni, ceir pum teml yn y gerdd, a'r temlau hyn yn cynrychioli ffydd a gwahanol agweddau ar fywyd y Cristion. Y mae 'Teml Hanes' yn rhoi cefndir ysgrythurol y gerdd i'r darllenydd, sef temtiad Crist yn yr anialwch. Yn yr ail deml, 'Teml Deall', ceir adran sy'n cyfateb i 'Deml y Deall' yn 'Cyfrinach Duw'. Yn y deml hon ceir y sawl nad yw'n llwyr dderbyn honiad Crist mai Mab Duw ydyw, y gŵr y mae'i reswm a'i ddeall yn gwrthod derbyn dwyfoldeb Crist drwy ffydd yn unig. Rhaid i'r Crist hwn foddhau'r rheswm a digoni'r deall:

> Ac o lluniaist ti ddeddfau'r môr a'r tir
>   A hynt anneall pob byd,
> Teg weithian yng ngwyddfod fy rheswm clir
>   Fai prawf o'th honiadau drud ...
>
> Gan hynny rho brawf i'r ddaear i gyd
>   Modd delych uwchlaw pob gwarth,
> Rhag gweld ohonom mai damwain yw'r byd
>   A bywyd yn ddim ond tarth.[5]

Y mae'r drydedd deml yn y gerdd yn cyfateb i 'Deml yr Adfyd' yn 'Cyfrinach Duw', sef 'Teml Adfyd'. Ceir llefarydd sy'n dwyn i gof yr hynafgwr yn 'Cyfrinach Duw' yn y Deml Adfyd hon. Mae'r llefarydd yn y rhan hon o'r gerdd yn beio Duw am ei anesmwythyd materol a'i aflwyddiant a'i fethiant ef ei hun, ac yn herio Crist i ymarfer ei dosturi:

> Pa raid imi ddioddef penyd a chlwy
>   A chennyt Ti ras mor fawr?
> Di, Deyrn pob addfwynder, ar f'archiad mwy
>   Bwrw o'th gariad i lawr.[6]

Ym mhumed caniad y gerdd ceir 'Teml Proffes'. Yn hon ceir y crefyddwr rhagrithiol, y Pharisead hunangyfiawn a hunangar:

Gofynnodd i'r Nefoedd fendithio hynt
  Ei eglwys bob Sul heb daw;
A hithau yn marw fel mwg yn y gwynt
  O dan gyffyrddiad ei law.

Fe ganodd am rinwedd y Dwyfol Waed,
  A thafod moliannus fflam,
Eithr sathrodd y tlodion o'tan ei draed
  Rhag mor ddidostur ei gam.[7]

Y mae'r ymosod ar un agwedd ar grefydd gyfundrefnol a geir yn yr adran hon yn dwyn i gof ymosodiadau Shelley ar grefyddwyr. I gloi'r gerdd ceir dau bennill am 'Y Deml Bur', sy'n rhoi Crist yn ôl 'ar y pinacl 'rôl ympryd a chlwy' i 'arwain y byd' drachefn.[8]

Oherwydd ei fod yn synhwyro presenoldeb Duw yng ngwrthrychau'r byd naturiol, daethpwyd i synio am Hedd Wyn fel cyfrinydd. Ef oedd 'un o'r "Mystics" pennaf a welodd Cymru hyd yma' yn ôl J. T. Jones, a dywedodd hefyd mai ei ddwyster cyfriniol a'i gwahaniaethai oddi wrth bob bardd arall o Gymro.[9] Gan ddyfynnu'r pennill canlynol, o 'Myfi Yw', dywedodd 'mai'r elfen fwyaf hanfodol mewn Cyfriniaeth – yr elfen sy'n nodweddu profiad *pob* math ar Fystic – yw'r dyhead am undeb a Duw':[10]

Di, Unben y cread a'r oed hudolus,
  Sydd yn y pellter anghyffwrdd yn byw,
Dyred i gymun â'm calon ystormus,
Dyred a dwed wrth fy enaid blinderus –
  Nac ofna di, alltud trist, – Myfi Yw.[11]

Crybwyllwyd yr elfen gyfriniol yn ei waith gan J. Iorwerth Williams yn *Y Llenor* yn ogystal, gan nodi mai un o brif nodweddion cyfriniaeth oedd 'difodiad hollol y byd allanol i synhwyrau'r corff'.[12] Fel enghraifft o'r nodwedd hon dyfynnir ganddo dair llinell o 'Fy Ngwynfa Goll':

Fel y teimlwyf y llanw, ei furmur a'i ewyn
Yn dod ar fy enaid, a'r huan mawr melyn
  Yng ngorwel ar encil i'r prydferth, pell fyd.[13]

Thema amlwg yn ei farddoniaeth yw'r ymdeimlad o alltudiaeth a geir ynddi. Fel pererin Pantycelyn, y mae'n synhwyro'r anweledig yn ei gerddi ond ni all gael gafael lawn ar y presenoldeb dwyfol. Cipluniau, argraffiadau gwibiog, yn unig a gaiff o'r presenoldeb hwn, ac y mae ei anallu i gymuno'n llawn â'r ysbryd aflonydd, y Grym dwyfol, sy'n bodoli yn y cread yn rhoi ymdeimlad o alltudiaeth iddo. Fel y dywed J. Iorwerth Williams:

> ... wedi gweled a chlywed y pethau hyn fe deimla fod ynddo ef ei hun rywbeth yn ateb iddynt; a gŵyr y daw ryw dro i gyffyrddiad â'r ysbryd dirgel sydd yn symud y tu ôl i bopeth gweledig. Ond am nad ydyw eto wedi cyffwrdd yn agos â'r ysbryd hwnnw fe deimla mai alltud ydyw yn crwydro i geisio'r prydferthwch y cafodd gip arno.[14]

Sylwodd J. T. Jones hefyd ar y thema hon yn ei waith:

> Dysga mai Duw ydyw ein gwir gartref; ac ynghanol ein halltudiaeth bresennol, medd y bardd, daw atco inni am dano Ef, a hiraethwn am ddychwelyd.[15]

Felly, yn 'Myfi Yw', 'alltud trist' yw dyn. Meddai yn 'Fy Ngwynfa Goll':

> Tragywydd fy ing am y wenfro nas cefais,
> Ac alltud digartref wyf byth hebddi hi.[16]

Yn 'Ceisio Gloywach Nen' ceir y pennill canlynol:

> Y myrddiwn blodau wylofus prudd
> Sua dan awel yr hwyr a'r wawr
> Alaw alltud rhyw fore mawr
> Wrida'n dyner atgof ar eu grudd.[17]

Meddai J. Iorwerth Williams am y pennill uchod:

> Yn ei ddull cyfriniol o feddwl y rheswm a ddyry am y tristwch hwn ydyw fod popeth, hyd yn oed Natur fel y dywed mewn un pennill, wedi crwydro o ryw wynfa y bu ynddi; ac nes ennill honno'n ôl, a pheth i'r ysbryd ydyw, fe dybia'r

bardd na bydd ond cysgod yn cuddio'r gorwelion lle y mae cartref breuddwydion dyn.[18]

Ceir yr un syniad fod hyd yn oed natur wedi crwydro oddi wrth ei gwir gartref yn y gerdd fer 'Nos o Ragfyr':

> Heno clyw gri aflonydd – o leddf ing
> Ymladdfeydd fforestydd;
> Hyawdl sain y dymestl sydd
> Fel alltud ar foel elltydd.[19]

Y mae Hedd Wyn yn ymdeimlo â phresenoldeb Duw yn y cread heb fod yn un â'r presenoldeb hwnnw, ac eto, y mae'n rhan ohono, yn rhan ohono heb fod yn un ag ef, a dyna pam y ceir argraff o anniddigrwydd ac ansefydlogrwydd yn y cerddi, gyda'r ddelwedd o storm yn aml yn diriaethu'r tryblith emosiynol mewnol, fel ym marddoniaeth Shelley, unwaith yn rhagor.

Rhan o'i alltudiaeth oddi wrth Dduw yw'r dyhead hwn am fyd gwell ac am oes well. Os caiff giplun ar wynfyd, y cam naturiol nesaf yw chwennych cyrraedd y gwynfyd hwnnw. Gellir cyplysu Rhamantiaeth Hedd Wyn â'i Gristnogaeth. Un agwedd ar yr ymdeimlad rhamantaidd yw dyheu am ysblander y gorffennol, gan gyferbynnu'n anffafriol rhwng yr ysblander hwnnw a llwydni'r presennol. Mae'r ymdeimlad hwn yn gryf ym marddoniaeth Hedd Wyn. Yn 'Cyfrinach Duw' mae'r 'dolurus dderi' yn hiraethu '[f]el enaid ymhoen am yr amser gynt'.[20] Cyferbynnir rhwng y presennol di-lun a diwerth a gogoniant y gorffennol yn y gerdd honno:

> Cofiwn am ysbryd yr anwel rhosynnog,
> A melys gyfaredd ei gyfrin fyd,
> Wylais o weled agendor dymhestlog
> Rhyngddo a goror y bywyd newynog
> Sy beunydd yn ymladd â thynged ddrud.[21]

Cerdd sy'n dyrchafu ysblander a mawredd y gorffennol yw 'Ystrad Fflur', ac yn hiraethu am ddydd ei 'llachar gynnar ogoniant'.[22] Y mae'n dilorni'r presennol ac yn dyheu am gyfnod gwell yn 'Ceisio Gloywach Nen' yn ogystal:

Och! blant y mynydd, a phlant y dref,
  Mae lliwiau cysgod haul yn eich trem;
  Gwewyr ac afar tymestl lem
Sy'n pylu llygad eich oes ddi-nef;
Barrau haearn rhyw ormeswr sydd
  Yn bwyta twf eich adenydd aur,
  Gan gadw y gorwelion claer
Yn freuddwyd ing i'ch calon brudd.

Och! drueni a thlodi fy oes!
  Ddued anobaith llawer mil!
  Lawned o boen ac ing yw'm hil
Anghofia'i gwynfyd dan bwys ei chroes!
Cerddwn fel cerdda'r perorol lif
  O ororau'r mynyddoedd mawr,
  Gan ymdaith at dynerach gwawr
Dyffrynnoedd esmwyth o ros di-rif.[23]

Mewn darnau o'r fath y mae'n mynegi'r sosialaeth honno a broffesai, yn ôl J. D. Richards. Sylwodd J. Iorwerth Williams ar ei bryder dros ei gyd-ddyn:

Un peth sydd yn eglur trwy ei holl weithiau ydyw ei gydymdeimlad â'i gyd-ddynion; fe wêl nad yw pethau fel y dylent fod, ac fe'i llenwir ag eiddigedd bod rhywbeth yn gormesu ar welediad a thwf dynion.[24]

A dyfynna'r pennill canlynol o 'Wedi'r Frwydr':

Crwydraf yr heol noson o aeaf,
  A hudlath haf ers misoedd ymhell;
Welwed yw deurudd llawer un welaf,
  Waeled eu gwisg yn y storom hell;
Drueiniaid unig athrist heolydd!
  Ymladdwyr di-fri fy oes annedwydd!
Wedi'r frwydr cewch chwithau lawenydd
  Oriau hirfelyn mewn euroes well.[25]

Y mae byd natur, wrth gwrs, yn ganolog i'r canu, gan mai trwy natur yr ymdeimla â phresenoldeb Duw, a chan fod harddwch dilychwin natur yn symbol o'r pur a'r goruchel-berffaith iddo. Arwyddlun allanol o ymdeimlad mewnol yw byd natur iddo, er ei fod, mewn rhai cerddi, yn ymhyfrydu yn natur er ei mwyn ei hun, ac oherwydd ei phrydferthwch gweledol. Ond, fel arfer, fel y sylwodd J. Iorwerth Williams:

> Bryd bynnag y sonia Hedd Wyn am Natur, yn fewnol neu bersonol y gwna hynny, canys y byd allanol hwn ydyw'r cyfrwng sydd yn dangos iddo ef y byd sydd oddimewn iddo ef ei hun, a'r byd allanol hwn sydd yn gwneuthur iddo deimlo bod rhywbeth o hyd yn gorwedd y tu ôl i bethau gweledig, rhywbeth a ddeuai'n un â'i fyd mewnol ef pe caffai afael arno.[26]

Ac fel y dywedodd J. T. Jones, 'ymddengys y byd materol i Hedd Wyn fel pe'n arwyddlun o wirionedd tragwyddol'.[27] Nid natur ei hun yw'r weledigaeth, ond yn hytrach yr hyn sydd wedi'i ymgorffori o fewn natur. Fel y dywed J. Iorwerth Williams eto:

> ... y mae'r bardd yn teimlo bod rhywbeth yn cuddio y tu ôl i Natur, ac na all dyn ei weled am fod rhywbeth fel cysgod rhyngddo ag ef. Trwy waith y bardd fe geir hanes ei ymchwil ef am y dirgelwch hwn; a'i ymdrechion i symud ymaith y cysgod sydd yn tywyllu'i lygaid. A dengys y dull a gymer i chwilio am y dirgelwch, a'r modd y daw o hyd iddo, fel yr edrydd yn Awdl yr *Arwr* ac yn *Myfi Yw*, fod Hedd Wyn o ran tuedd ei feddwl a'i ysbryd yn perthyn i'r dosbarth hwnnw a elwir yn gyfrinwyr. Fel cyfrinwyr pob oes a chenedl sylweddola yntau mai "dirgelwch i rai i'w ddeall ac i eraill i'w watwar" ydyw; ac mai mater ysbrydol yw. Felly, er mai Natur sydd yn cynhyrfu ei synhwyrau a'i ysbryd trwyddynt i'w geisio, fe ŵyr mai y tu ôl i hyn i gyd y mae'r undeb a gais ef, ac mai yn nyfnder ei ysbryd ef ei hun y teimlir.[28]

Y mae gan Hedd Wyn ei gyfundrefn ddelweddau ef ei hun, ac o fyd natur y deillia'r prif ddelweddau oll. Y ddelwedd amlycaf o ddigon yw'r ddelwedd neu'r cysyniad o wynt. Fe'i ceir yn dryfrith drwy ei gerddi. Fel arfer, y mae'r ddelwedd hon yn cyfateb i naws ac awyrgylch y sefyllfa neu'r ymdeimlad a grëir, ac yn amrywio yn ei harwyddocâd a'i hemosiwn, gan gydasio â'r emosiwn a fynegir ar y pryd. Felly, er enghraifft, yn 'Cyfrinach Duw', a'r bardd yn ymdeimlo â phresenoldeb Duw ym myd natur, y mae'r 'hesg chwerthingar' yn ymgrymu 'dan bwys yr addolgar wynt'.[29] Y mae iddo awyrgylch defosiwn o'r fath mewn sawl man. Yn yr englyn i 'Adfeilion Hen Eglwys', ni chlywir un dim

Namyn dyfngor y corwynt
Ac isel gri gweddi'r gwynt.[30]

Yn 'Ystrad Fflur' ceir sawl cyfeiriad tebyg. Y mae'r adfail lle bu'r mynachod yn addoli erbyn hyn yn 'ddolurus/Gŵyn ar wefus holl wynt y canrifau'.[31] Ceir gwynt addolgar hefyd yn y cwpled:

Ei llaswyr oedd yr hwyrwynt
A'i gweddi oedd gweddi'r gwynt ...[32]

wrth sôn am '[y]r adail lliw marwydos',[33] a dyma un o'r darnau hyfrytaf oll am y gwynt yn ei ganu:

A than dangnef y nefoedd,
Isel lais eu sisial oedd
Megis peraidd, hafaidd hynt
Soniarus awen hwyrwynt.[34]

Weithiau mae'r gwynt yn gennad gwae, dro arall yn lladmerydd llawenydd. Gwae, er enghraifft, a ddygir ganddo pan gerdd y bardd 'heolydd prydwelw gan dlodi' yn 'Cyfrinach Duw' – 'A nwyd ddolefus yr hwyr yn y gwynt'.[35] Enghraifft arall o'r gwynt yn cydfynegi ing a chyni yw'r ddau bennill hyn yn 'Myfi Yw':

A gwelwn ar lu o benrhynnau duon
    Dorf o rai tlodion prydwelw a llesg;
'Roedd llewych y storm yn eu llygaid llwydion,
A chrynai o'u parabl ofid digalon,
    Fel wylo a griddfan gwynt yn yr hesg.

Ddued y gwelwn i ddaear a nefoedd,
    A dued oedd lliw calonnau y byd!
Crwydrai anobaith a phechod yr oesoedd
Fel gwynt digartref ar wyneb y dyfroedd,
    A lludw'r allorau ar ei adain ddrud.[36]

Yn y cerddi rhyfel, cludwr gwae, hiraeth a galar yw'r gwynt. Cyd-hiraetha
â'r ardalwyr am y bechgyn a ymadawodd â'u cynefin i gyrchu maes y gad; ac
y mae'r 'awel fyth yn wylo,/wylo nos a dydd' uwch beddau'r bechgyn hyn y
mae eu gwaedd 'lond y gwynt'.[37] Yn 'Llwybrau'r Drin', y mae Ewrop 'dan ei
gwaed/Yn y gwynt yn griddfan', a cheir enghreifftiau eraill, ddigonedd.[38]

Yn agos gysylltiedig â'r gwynt y mae'r ddelwedd o storm neu ddrycin.
Sonia am '[d]dirmyg yr ystormus wyntoedd', 'murmur clwyfus hwyrol
wynt' ac am y '[c]orwynt croch' a chwyth uwch bryniau Trawsfynydd.[39]
Fel yr awgrymwyd eisoes, mae'r ddelwedd o storm yn cynrychioli'r dymestl
o amheuaeth, ing ac anniddigrwydd o fewn ei enaid ymrwyfus ef ei hun,
ac mae'n sicr mai dylanwad Shelley arno a welir yn hyn o beth. Yn wir,
gellid cymharu pennill o eiddo'r naill â phennill o waith y llall, a chanfod
tebygrwydd rhyngddynt. Ceir y pennill hwn yn 'Wedi'r Frwydr':

> Gwelais y dymestl brynhawnddydd tywyll,
>   A'r awel wylai fel lleian brudd;
> Rhaeadrai'r daran tros gwmwl candryll,
>   Fel cread o ing yn ffoi yn rhydd.
> Wedi'r frwydyr, dymestl y nawnddydd,
> Gwelais yr haul ar lawnt yr wybrennydd,
> A dydd yn llifo o'i aur adenydd;
>   Felysed eto lesni y dydd![40]

Cymharer â'r pennill hwn a geir yn *The Revolt of Islam*, Shelley:

> For, where the irresistible storm had cloven
>   That fearful darkness, the blue sky was seen
> Fretted with many a fair cloud interwoven
>   Most delicately, and the ocean green,
>   Beneath that opening spot of blue serene,
>   Quivered like burning emerald; calm was spread
>   On all below; but far on high, between
>   Earth and the upper air, the vast clouds fled,
> Countless and swift as leaves on autumn's tempest shed.

Delwedd gyffredin arall yn ei ganu yw'r ddelwedd o niwl. Yn aml iawn, mynegir drwy gyfrwng y ddelwedd emosiynau ac ymdeimladau negyddol, fel amheuaeth ac ansicrwydd. Y niwl yw'r rhith a ddaw rhwng dyn a'i wynfyd. Dyfynnwyd eisoes y llinell 'Pand bregus fel niwl yw deall yr awron'. Mewn man arall cysylltir y niwl ag adfyd – 'ni ddoi hyd ataf eithr niwl ac adfyd'[41] – a daw'r ddwy enghraifft ganlynol o'r bryddest 'Cyfrinach Duw':

> Pe chwythai y corwynt fi'n fil o ddarnau
>   Fel niwl trwy gangau y deri a'r yw,
> Ni phallai fy ffydd ...

> Gwelaf bob deall a golau yn methu,
> A'r dryswaith anghyffwrdd yn eu gwasgaru,
>   Fel niwl ar fynyddoedd digariad fyd.[42]

Delweddau cyffredin hefyd yw delweddau fel moroedd, mynyddoedd, gorwelion, yn y lluosog. Bardd y lluosog ydyw i raddau helaeth, nid bardd yr unigol. Er mwyn cyfleu aruthredd ac ehangder natur a'r cread o'i amgylch, yn enwedig pan gais gyferbynnu rhwng bychandra dyn a'r aruthredd hwn o fewn y cread, cais roi'r argraff o feithder. Unwaith yn rhagor, y mae'n ymdebygu i Shelley yn y nodwedd hon o'i eiddo. Ceir llinellau fel 'Tros wendonnau'r moroedd a'r meithder mawr' ganddo, ac ymadroddion fel 'Am orwelion disglair', 'y tiroedd maith pell'.[43] Un o'r rhai cyntaf i sylwi ar yr elfen hon yn ei waith oedd J. T. Jones:

> Hoffai baentio, fel rheol, ar gynfas ëang. Dychymyg beiddgar oedd yr eiddo ef, a charai nofio'n ddi-lyffethair yn yr ehangder diderfyn.[44]

Sylwodd T. H. Parry-Williams ar y duedd hefyd:

> Sylwer yn arbennig ar ei hoffter o'r rhif lluosog – *hafau, heulwenau, tawchiau, tarthiau*, etc. – peth sy'n rhoi rhyw fath ar ehangder a chwmpas i'w arddull.[45]

Cyfeiria T. H. Parry-Williams hefyd at 'yr ymhyfrydu mewn pellterau diamlinell, yr ymgolli syn mewn edrych i'r entrychion annelwig' yn ei waith,[46] ac meddai Gwyn Thomas, gan gytuno â T. H. Parry-Williams:

Mae ei ddychymyg o'n sgubo'n fawr yn hytrach na chyfyngu a gweithio'n fân. Hynny ydi, mae yna ryw ymgolli mewn pellterau ac eangderau drwy lawer o'i ffigurau.[47]

Y mae un thema lywodraethol arall yn ei ganu y dylid tynnu sylw ati, sef ei safbwynt mai trwy boen yn unig y cyrhaeddir ac yr enillir y fro hud. Nid heb ymdrech ac aberth y daw gwynfyd. Ceir y thema hon yn 'Yr Arwr', ond y mae'n gred sy'n bodoli yn ei farddoniaeth ymhell cyn hynny. Fel y dywedodd J. T. Jones:

... y mae dyn yn rhy amherffaith i agoshau at yr Hanfod Dwyfol heb ymdrech faith a chaled. Ni ddaw dyn i feddiant o'r perl gwerthfawr os nad yw'n fodlon i dalu'r pris.[48]

Mynegir y safbwynt, er enghraifft, yn 'Crist ar Binacl y Deml':

A chreithiog gan olion llawer brwydr lem
  Yw'r fraich sy'n deffro y byd.

Na thybia mai cymorth i chwerthin yw
  Y Nef i'th fyd ac i ti;
Ar briffordd ei wynfyd fe enfyn Duw
  I bobman ei Galfari.[49]

Ceir yr un thema hefyd yn 'Fy Ngwynfa Goll', sef yn y pennill adnabyddus hwn:

Ni'm temti, O ddrycin, cans prynaf y wenfro
  A thelyn ysgyrion a chleddyf fo ddellt;
Mi a wn mai chwerw yw ffordd Eldorado,
A gwybydd fy enaid yn llwydni y brwydro,
  Nad Prometheus neb un onis prawf y mellt.[50]

Ac eto, yn ddiamwys yn 'Wedi'r Frwydr':

Frwydrau'r ddaear, gloywch fy enaid,
  Creithiwch fy nghorff, heneiddiwch fy nhrem,

Cyd yr agorwch ddorau'r byd euraid
  I fab y dymestl a'r frwydr lem.
Aerwyr y brwydrau yw plant pob gwynfyd, –
Ar fedd y gelyn tyf nef bob bywyd;
  Bydd lawen f'enaid yn dy frwydr faith,
Ac ymladd heddyw ymysg y rhengoedd, –
Gwybydd 'does ran i neb yn y gwleddoedd
  Oni bydd filwr ac arno graith.[51]

Anghytbwys, gwasgarog ac ailadroddus braidd yw ei bryddestau, er y ceir ynddynt ddarnau angerddol yma a thraw. Gellir dweud yn ddibetrus mai ar gynghanedd y lluniwyd ei bethau gorau, ac afraid dweud ei fod yn feistr mawr arni. Y mae rhai o'i englynion wedi gloywi'r iaith Gymraeg. Un o'r rheini yw'r englyn twyllodrus o syml hwnnw, 'Dymuniad':

Dymunwn fod yn flodyn – a'r awel
  Garuaidd yn disgyn
  Arnaf fi yn genlli gwyn
Oddi ar foelydd eurfelyn.[52]

Yma mae'n edrych ar y blodyn o'r tu allan iddo ac o'r tu mewn iddo, ac mae'r englyn yn enghraifft arall o'r modd yr oedd gwrthrychau byd natur wedi treiddio i'w enaid nes dod yn rhan ohono. Soniodd J. T. Jones am 'y symudiad brysiog a didor sydd ynddo, fel disgyniad chwim yr awel o'r mynydd',[53] a J. Iorwerth Williams am yr 'ymdeimlad o dawelwch yr awel a gynhyrchir ynom' gan yr englyn, 'lle y dyry'r cydseiniaid meddal yr effaith a ddymunir'.[54] Ceir cymar i'r englyn hwn, na chyhoeddwyd mohono yn *Cerddi'r Bugail*:

Dymunwn fyd mwyn yn fawr – a'i wyneb
  Dan rosynau persawr –
  Ei nen fel pabell enfawr
O fanaur dwfn wrid y wawr.[55]

Ceir yn yr englyn 'Dymuniad' enghraifft arall o un o nodweddion Hedd Wyn fel bardd, sef y defnydd mynych o liw a wna yn ei farddoniaeth. Yn 'Dymuniad' odlir 'gwyn' ac 'eurfelyn', ac y mae defnyddio lliwiau, a'u chwarae yn erbyn ei gilydd, yn un o'i hoff ddyfeisiau. Sonnir am 'y lleuad borffor', am 'dir y fioled, yr oren a'r lotus' ac am 'orwelion disglair a thymhestloedd lliw'.[56] Y mae'r darn canlynol, o 'Oedfa Hud', yn dibynnu llawer ar liwiau am yr effaith a grëir:

> Ha! ddifyr goedd fore gwyn,
> Is yr awyr oes rhywun
> Wylai pan byddo melyn
> Firagl haul ar ddwfr y glyn?
> Acw bun ieuanc bennoeth
> I'r waun â ar fore noeth
> Sydd megis pêr leufer li
> Hyd ei heurwallt yn torri.
> Ei llygaid unlliw eigion
> A'r bore hardd ar ei bron;
> Ac ar ei min dyfnlliw'r gwinoedd
> Neu ewyn aur yn chwerthin oedd.[57]

Englyn enwog arall yw 'Haul ar Fynydd', englyn perffaith yn sicr:

> Cerddais fin pêr aberoedd – yn nhwrf swil
>   Nerfus wynt y ffriddoedd;
>   A braich wen yr heulwen oedd
>   Am hen wddw'r mynyddoedd.[58]

Mae'r ansoddeiriau sy'n disgrifio'r gwynt yn ddewinol: 'swil', am ei fod mor guddiedig a di-ddal; 'nerfus', am ei fod yn crynu, a hefyd yn rhy ofnus i ymddangos o'n blaenau. Wedyn ceir delwedd berffaith yn yr esgyll. Yn ei gerddi natur disgrifiadol, mae Hedd Wyn yn weledol synhwyrus. Ceir chwimder a nerfusrwydd di-ddal yn y paladr, ac, mewn cyferbyniad hollol, sefydlogrwydd a thangnefedd yn yr esgyll. Ceir delweddu tebyg i ddelwedd yr esgyll yn ei englyn i'r lleuad yn 'Nos Olau Leuad':

> A chwery ei braich arian
> Am yddfau cymylau mân.[59]

Nid ar chwarae bach y lluniwyd y fath gampwaith o englyn. Yn ffodus, y mae fersiynau eraill ohono ar gael, a gallwn gael cip drwyddynt ar y modd y byddai Hedd Wyn yn newid ac yn diwygio'i gerddi. Dyma'r paladr gwreiddiol yn ôl J. D. Davies:

> Llifai o'r perl bellafoedd – araf salm
> Nerfus wynt y ffriddoedd ...[60]

Y mae'r fersiwn a gyhoeddwyd yn rhifyn Medi 18, 1917, o'r *Herald Cymraeg* yn debycach i'r paladr gorffenedig, cyfarwydd, ond nid yw'r ansoddair trawiadol 'swil' ynddo:

> Crwydrasom hyd ber aberoedd – yn nhwrf
> Nerfus wynt y ffriddoedd ...[61]

Hyd yn oed os oedd Hedd Wyn yn flêr gyda'i gynhyrchion unwaith y cwblhâi hwy, cymerai lawer o ofal yn ystod y broses o greu. Englyn arall y ceir amrywiadau arno yw'r englyn i'r 'Ehedydd', englyn arall na chynhwyswyd mohono yn *Cerddi'r Bugail*:

> I gwrdd â chymyl gwawrddydd – adeinia
> O'r gwndynnoedd llonydd;
> Ac ar ei aden ysblennydd
> Tery'i dant wrth ffenestri'r dydd.[62]

Newidiwyd y mesur yn yr ail fersiwn:

> Ym mro'r ser neu darddle'r dydd – rhydd gan ber
> A'r wawr dyner ar ei ir adenydd.[63]

Cyfeiriwyd at ddewiniaeth yr ansoddeiriau uchod, ac y mae hon yn nodwedd ac yn egwyddor fwriadol yn ei waith. Dewinol yw 'lleuad dromgalon', a hefyd 'y wenlloer oedrannus'.[64] Sonia yn un o'i gerddi rhyfel, 'Gorffen Crwydro', am y 'fataliwn ddi-hysbydd/Sy'n cysgu'n ddi-freuddwyd yn Ffrainc', ac y mae camp anhygoel ar yr ansoddair 'dihysbydd' o gofio am y miloedd a laddwyd yn y Rhyfel Mawr.[65] Y mae camp ar yr ansoddair 'swil' ganddo mewn man arall hefyd, sef mewn englyn yn y gerdd 'Oedfa Hud', ac mae hwn hefyd yn englyn gweledol gryf:

> Swil, unig, bell, las lynnoedd – a loywai
> Dan lewych y nefoedd;
> Gwaed y wawr drwy'u llygaid oedd,
> A'u hewynnau fel gwinoedd.[66]

Dylid sylwi hefyd ar yr enghreifftiau niferus sydd ganddo o ddefnyddio ansoddeiriau â'r terfyniad *-us* ynddynt – 'yr hesg chwerthingar, wylofus', 'nwyd ddolefus yr hwyr', 'dolurus dderi', 'calon ystormus', ac yn y blaen – a defnyddir ansoddeiriau o'r fath mewn cyd-destunau trist a phruddglwyfus.[67]

Y mae'r beirniaid a fu'n trafod gwaith Hedd Wyn drwy'r blynyddoedd yn weddol gytûn mai 'Yr Arwr' yw ei gerdd fwyaf. Y gerdd hon oedd pinacl a diweddglo ei yrfa fel bardd, y ddau ar yr un pryd. Hi, yn ôl Gwyn Thomas, yw cerdd fwyaf Hedd Wyn, oherwydd

> ... y mae patrwm y gerdd yn cyrraedd lefel ddyfnach na'r un arferol yng ngherddi hir y bardd. Cerdd sy'n gyfanwaith a hwnnw'n tyfu o'r naill ran i'r llall ydi hi a'r gwahanol rannau'n dwysáu arwyddocâd ei gilydd.[68]

Dywedodd William Morris yntau 'mai ei gân olaf ydyw'r orau a gyfansoddodd', a rhaid cytuno, i raddau helaeth: er bod llawer o'i englynion a'i gerddi byrrach yn berffeithiach ac yn fwy o gyfanweithiau, yr awdl hon oedd uchafbwynt ei holl ganu, a'i gerdd fwyaf uchelgeisiol.[69] Ond pe bai Hedd Wyn wedi cael byw, yna, yn sicr, nid uchafbwynt ei yrfa farddonol a geid ynddi, ond trobwynt o ryw fath.

Yng nghaniad cyntaf yr awdl, dyheu am ei hanwylyd, 'Tywysog meibion gwlad desog mebyd', a wna Merch y Drycinoedd.[70] Mae hi'n wylo ac yn udo'i hiraeth trwy'r cread i gyd:

> Wylo anniddig dwfn fy mlynyddoedd
> A'm gwewyr glyw-wyd ar lwm greigleoedd,
> Canys Merch y Drycinoedd – oeddwn gynt:
> Criwn ym mawrwynt ac oerni moroedd.[71]

Y tywysog hwn yw'r Arwr. Gadawodd ei gynefin ac aeth i chwilio am fröydd hud ac am well byd:

> Un hwyr pan heliodd niwl i'r panylau
> Rwydi o wead dieithr y duwiau,
>   Mi wybum weld y mab mau – yn troi'n rhydd
> O hen fagwyrydd dedwydd ei dadau.

> Y llanc a welwn trwy'r gwyll yn cilio
> I ddeildre hudol werdd Eldorado,
>   O'i ôl bu'r coed yn wylo, – a nentydd
> Yn nhawch annedwydd yn ucheneidio.[72]

Yn ei hiraeth amdano, mae Merch y Drycinoedd yn mynd i chwilio am ei hanwylyd:

> Minnau o'i ôl yng nghymun awelon,
> Troais i gwfert drysi ag afon,
>   A churiwyd rhychau oerion – i'm deurudd,
> Is tawch cywilydd a thristwch calon.[73]

Un noson, y mae hi'n syrthio i gysgu ac yn breuddwydio am ei chariad. Yn ei breuddwyd mae hi'n cerdded 'I bau hir-ddedwydd ym mraich breuddwydion', ac yn y wlad ledrithiol hon y mae teml, ac yn y deml, gwêl y mab yn cael ei urddo gan y duwiau:

> Yn y bau loyw hon 'roedd teml ysblennydd
> O liwiau breuddwyd a haul boreddydd;
>   Ac ar ei rhosliw geyrydd – 'roedd hwyliau
> O wyn lumannau fel niwl y mynydd.

> Oddi fewn gwelwn orsedd o fynor
> Ac arni ogonaid ddi-gryn gynnor;
>   Ei lais mwyn fel su y môr, – a'i dalaith
> O wneuthuriad perffaith rhyw hud porffor.

Yno 'roedd duwiau cerdd a dyhewyd
A hoen ac asbri pob ieuanc ysbryd;
    Nid oedd ŵr annedwydd hyd – y wenfro,
Ac ni bu yno o'r drwg na'i benyd ...

Cans rhyw dduw â rhin ei fedr dewinol
I'w ganaid wefus roes egni dwyfol;
    A rhoed lliw disglair hudol – i'w enaid
O hafau euraid yr oes anfarwol.[74]

Mae un o dduwiau anfarwol y deml yn bwrw'r mab i 'faddon o dân rhyfeddol', a thrwy hynny, fe roir iddo alluoedd goruwchnaturiol:

Codwyd y macwy, ac ymhen ennyd
Doi nodau hudol y duw'n dywedyd:
    Y mab hwn fydd grym y byd, – a'i eiriau
Yn win y duwiau, yn dân dyhewyd.[75]

Wedi i'r duwiau ei godi uwchlaw meidrolion cyffredin a rhoi iddo nerthoedd cudd, arweinydd, diwygiwr a chwyldroadwr yw'r mab bellach. Proffwydir y daw anawsterau a gofidiau i'w ran wrth iddo frwydro i ddiwygio'r byd, a thrwy hynny, achub y ddynoliaeth:

Gwn y bydd creulon droeon i'w drywydd,
A du iawn adwyth a byd annedwydd;
    Eithr efe athro a fydd, – yn nysg gêl
Y dyddiau anwel a'r oed ddihenydd.[76]

Bydd y mab yn ailsefydlu oes aur newydd, neu 'oes wen', ar y ddaear, trwy drechu drygioni a diddymu gorthrymder a thrais:

Geilw ar fywyd o'i benyd a'i boenau
I fyd didranc yr ieuanc foreau,
    A'r oes wen liw rhosynnau – ddaw yn ôl
Ar li anfarwol ei nwyf a'i eiriau.[77]

Trigai Merch y Drycinoedd a'i hanwylyd mewn rhyw oes aur bellennig: oes o heddwch a ffyniant, ac oes lachar ym myd llenyddiaeth, cerddoriaeth, gwyddoniaeth ac athroniaeth. Honno oedd 'gwlad desog mebyd'. Roedd yr uniad rhwng Merch y Drycinoedd a'r mab yn hanfodol i ffyniant a pharhad y wlad berffaith honno, ond bellach mae'r mab, yr Arwr, wedi cefnu ar y wlad berffaith a'i hoes aur, ac wedi gadael Merch y Drycinoedd ar ei phen ei hun ar yr un pryd. Daeth oes farbaraidd i ddisodli'r oes aur, a gwaith yr Arwr fydd ailsefydlu neu ail-greu'r oes honno. Bydd yn rhaid iddo wynebu sawl brwydr a goresgyn sawl anhawster i gyrraedd yr oes aur newydd ac i sefydlu byd gwell yn sgil hynny:

> Er i helynt y gerrynt ei guro,
> A bwrw ei hirnych o'r wybyr arno,
>   Ni wêl hwn ddim a'i blino, – canys bydd
> Awen y gwynddydd pellennig ynddo.[78]

'Awen y gwynddydd pellennig' sy'n ei ysbrydoli ac yn ei yrru ymlaen. Fe'i gorfodir i chwilio am yr oes awenus bell honno o heddwch a harddwch, a llawenydd a rhagoriaeth ym myd y celfyddydau.

Yn yr ail ganiad, 'Y Gŵr Gofidus', y mae'r Arwr bellach wedi gorfod ymladd sawl brwydr ac y mae ôl y brwydrau hynny yn drwm arno. Prin y gall Merch y Drycinoedd ei adnabod bellach:

> Rhyw welw rwyg rywelwr oedd
> Ar hyn yn dod o'r trinoedd:
> Nid oedd hud na golud gwyn
> I'w grwm olwg, ŵr melyn.
> Yn ei wallt 'roedd chwaon hwyr
> A nos enaid i'w synnwyr.
> A thrwy'r fro oedd yno'n wen
> Gan eira, freugaen oerwen,
> Nid oedd ŵr na channaid ddyn
> I'w arddel, ledfyw furddun.
> Lliw drysau llwyd yr oesoedd
> Hyd y trwm gardotwr oedd;
> A chan ei dristed, dwedyd
> Bwy oedd nid allai y byd;

I'w wedd 'roedd agwedd dreigiau
Welodd fil o ymladdfâu;
A thwrf alaeth rhyfeloedd
Yn y chwa o'i amgylch oedd.[79]

Bu'r Arwr yn crwydro'r byd yn ei ymdrech i ddod o hyd i'r oes aur
newydd:

Daear anghyffwrdd duwiau
Ac aml bell ddigwmwl bau
Lle na bu y gwyll yn bod
Diriais o'm mebyd erod:
Erwau Valhala'r arwyr
A'r deg Eldorado ŵyr.[80]

Er mwyn Merch y Drycinoedd, bu'r Arwr yn chwilio am y gwerthoedd
gwâr, y gwerthoedd hynny sy'n dyrchafu dyn ac yn gogoneddu bywyd:

Sgrifennais a welais i
A phwyntil haul a phaent lili;
Gwisgais bob traith ag iaith gêl
Cewri'r pellterau cwrel,
A byd hardd pob gwybod hen
Dramwyais i drwy'm hawen;
A thrwy fil o athrofâu
Heliais i ti feddyliau;
Erod pob rhyw wybod ros
Anwyd o'm deall dinos.
Enwau'r sêr a'u niferoedd
A'u lliw yn nail fy llên oedd;
A thrwy drwm a dieithr drais
Erod pob gwyddor huriais.

Fy nerthoedd tymestl oeddynt
Yn huodl gerdd Handel gynt;
Cenais drom oerlom hirlef
Uffern, a hoff eiriau nef ...

A'm hewyd fu'n fflam awen
Mewn llawer i Homer hen;
Gwisgais bob cân â manaur
O geyrydd yr hwyrddydd aur;
Ac yn hedd y nos cawn wau
Soned o wrid rhosynnau;
Ac yn honno atgo hen
Holl hiraeth mŷr y lloerwen.[81]

Ond er iddo ymdrechu i ailorseddu'r oes aur, y tâl iddo am wneud hynny 'fu treisiau trwm/Eiddig warthrudd a gorthrwm', ac eto:

A'r wobr fau fu treisiau trwm
A diarlwy fyd hirlwm.[82]

Pwysleisia mai er mwyn Merch y Drycinoedd y bu'r Arwr yn ymladd yn erbyn lluoedd y tywyllwch ac yn gyrru 'crin, ffeils frenhinoedd' ar ffo:

Od ymleddais ymgais oedd
Er ennill i ti rinoedd;
A'th ennill o byrth unig
Y nos ddofn a'i theyrnas ddig ...

Er dy fwyn bu'r crwydrad, ferch,
Trosot bu trinoedd traserch;
A throsot ti gweddïais
A haenau llosg yn fy llais.[83]

Ond gwrthod yr ymladdwr carpiog a chreithiog a wna Merch y Drycinoedd. Ymhonnwr ydyw yn ei golwg:

"Ffo, ŵr crin", ebe finnau,
"I rwyg fyd yr ogofâu ...
Wr di-wawr, o'th garu di
Amarch fy mro f'ai imi."[84]

Ac yna mae'r 'gŵr brau garw ei bryd' yn cilio 'fel cwmwl gwywlyd' i'r nos.[85] Arwr gwrthodedig yw'r Arwr bellach, ac y mae'n wrthodedig gan yr union un y ceisiodd ei hachub a'i dyrchafu.

Yn y trydydd caniad, 'Y Merthyr', y mae Merch y Drycinoedd yn sylweddoli ei bod wedi cyflawni camwedd trwy wrthod ei hanwylyd:

> Yng nghwm fy ngwyll a 'nghamwedd – oedais i
> Ar rawd swrth amhuredd;
> Ogylch doi wynt fy nrygedd
> O ddinas ddu nos ddi-hedd.[86]

Yn y cwm tywyll hwn, gwêl Merch y Drycinoedd '[w]ynebau du creulon' yn dod heibio, ac ymhlith y rhain, drigolion y tywyllwch, y mae'r Arwr, yn garcharor:

> Yr ymhonnwr crwm yno – a welwn
> Mewn hualau'n rhodio;
> Ac olion ing ac wylo
> Oedd ar ei ddwys ddeurudd o.[87]

Mae hithau'n holi rhyw 'fab o'r niwloedd' ynghylch y carcharor hwn, ac yntau'n ei hateb trwy ddweud mai gŵr a ddaeth '[a]r daith gêl o'r deau' oedd y carcharor.[88] Bu'r carcharor yntau yn holi am ei anwylyd gynt, Merch y Drycinoedd, a phwysleisir unwaith yn rhagor mai er ei mwyn hi y bu'n crwydro'r ddaear ac yn ceisio gorchfygu'r rhai a fynnai reoli'r byd trwy orthrymder a thrais, a'i chadw hi mewn caethiwed:

> Holai am ryw anwylyd – garodd gynt
> Is gwerdd gaer ei febyd;
> Er ei mwyn crwydrai 'mhenyd
> A duoer boen tlodi'r byd ...
>
> Ei fun aethus fynnai weithion – o deml
> Oes ddideimlad greulon
> I'w diroedd di-bryderon,
> I'w wlad deg tros emrald don.[89]

Achub y byd ac achub y ddynoliaeth oedd nod yr un sydd bellach yn garcharor. Galwodd 'wreng/Gwelw rudd y mynyddoedd' ato, i ymuno ag ef yn y frwydr o blaid rhyddid a chyfiawnder ac yn erbyn gormes a thraha:

> A'r gŵr tros dduoer geyrydd – a orug
>   Eu harwain o'u tywydd,
>   Drwy chwyldro wen ysblennydd,
>   I ryddid oes werdd ei dydd.[90]

Felly, chwyldroadwr oedd yr Arwr hwn, ond cododd ei elynion yn ei erbyn, a'i drechu:

> Ond diarbed i'w erbyn – y duwiau
>   Duon a godesyn';
>   Heno bydd salm y bedd syn
>   Yn torri trwy'i wallt hirwyn.[91]

Mae'r mab o'r niwloedd wedyn yn diflannu, ac ar ôl iddi gerdded 'heibio oer/Aberoedd du tristlais', mae Merch y Drycinoedd yn dod ar draws y gŵr a wawdiodd gynt wedi cael ei groeshoelio:

> Ar ei grog draw yn crogi – yn ei waed
>   Gwelwn ef ar drengi;
>   A'r awel oer a'i phêr li
>   Hyd ei hirwallt yn torri.[92]

Yna y mae'n marw, ond nid cyn proffwydo y ceir ailuniad rhyngddo ef a Merch y Drycinoedd, a hynny mewn bro ddelfrydol ac mewn byd perffaith:

> Wele, ferch, dyrchafael fydd, – yno tau
>   Pob rhyw storm annedwydd;
>   Ac i'r oed is y coedydd
>   Cariad rhos o'i dranc hir drydd ...
>
> Cyn hir fe'n hunir ninnau – ym mhaladr
>   Y melyn foreau;
>   Eisys mae llewych oesau
>   Y deyrnas hud ar nesháu.[93]

Yn y pedwerydd caniad, 'Y Dyrchafael', gwireddir proffwydoliaeth y merthyr ar ddiwedd y trydydd caniad. Ailunir y ddau, yr Arwr a Merch y Drycinoedd. Wrth i'r haul fachlud un noson, a Merch y Drycinoedd yn crwydro 'traeth y bau', daw llong i'w chyrchu ymaith i wlad well, ac ar y llong

> 'roedd gŵr o bryd
> Rhoslwyn, ag hirwallt dryslyd;
> Ataf ei dremyn ytoedd,
> A f'enw i ar ei fin oedd.[94]

Caiff hithau ei chludo 'gan hud' o'r lan i'r llong, ac wrth hwylio ymaith, gwêl y byd maluriedig ac adfeiliedig yn cilio i'r pellter yn raddol. Ac yna:

> Cyn hir y llong a diries
> Wrth ryw bau liw tonnau tes;
> A swyn haf glas ei nefoedd
> Dros ei thir fel dryswaith oedd,
> A thremyn teml ddi-seml sud,
> Wele, is coediog olud
> Ac iddi o'r gellïoedd
> Diri' dorf ar grwydrad oedd.[95]

Llong ar batrwm y llong sy'n cludo Arthur i Ynys Afallon yn awdl T. Gwynn Jones, 'Ymadawiad Arthur', yw'r llong sy'n cludo'r Arwr a'i anwylyd ymaith o fyd rhyfelgar dynion, ac mewn Ynys Afallon o le y mae'r ddau yn trigo bellach. Meddai'r Arwr:

> I'm gwlad fwyn ddiallwynin
> Ni ddaw trais na chwerwedd trin;
> Canys ysbrydion cynnydd
> Elwir i oed fy nheml rydd;
> Yno tanllyd ysbryd wyf
> A thad pob campwaith ydwyf;
> A chyrch llongau'n dyrfâu fil
> O dranc y duoer encil
> I borth llawen dadeni
> Ar amnaid fy enaid i.[96]

'Tad pob campwaith' yw'r Arwr. Crëwr ydyw, nid dinistriwr. Ef yw awen y dyfodol, ac ef yw hyrwyddwr yr oes well – ond gyda'i anwylyd, Merch y Drycinoedd, yn un ag ef, nid ar wahân iddi:

> Pob cân anfarwol ganwyd
> Ar wefus pob nerfus nwyd,
> A brud hen ddiwygwyr bro,
> A'u gwronwaith geir yno,
> A phob gwae cudd ddatguddir
> Yng ngwrid haf di-angred hir.

> Teyrn i'r bau er angau wyf,
> A'i godidog hud ydwyf;
> Awen ei llên dragywydd,
> A'i hoesau aur ynof sydd;
> Miliynau'r mellt melynion
> I'r bys mau'n fodrwyau drôn';
> Ac fel duw di-fraw, llawen,
> Adeiniaf fyd y nef wen.[97]

Ffigwr Prometheaidd yw'r Arwr, a ffigwr Cristaidd hefyd. Trwy ymladd mynych frwydrau, trwy ferthyrdod a thrwy ei aduniad ef a Merch y Drycinoedd y llwyddodd yr Arwr, yn y diwedd, i greu oes well. Yr Arwr yw Prometheus pob oes, a sefydlwr pob oes aur:

> Er maith sen Prometheus wyf,
> Awdur pob deffro ydwyf,
> A'r oes well wrth wawrio sydd
> Ar dân o'm bri dihenydd.[98]

Achosodd yr awdl broblemau o'r cychwyn, yn enwedig y ddau brif gymeriad a geir ynddi, sef 'Merch y Drycinoedd' a'r Arwr ei hun. Merch y Drycinoedd sy'n llefaru drwy'r awdl; hyd yn oed pan lefara'r Arwr ei hun, Merch y Drycinoedd sy'n ailadrodd ei eiriau. A dyna ddwy broblem fawr yr awdl. Pwy'n union yw Merch y Drycinoedd, a phwy yw'r Arwr? 'Dyna fai pennaf yr awdl, – aneglurder; a chyfaddefwn bod darnau ohoni eto yn aros yn y niwl,' meddai J. J. Williams yn ei feirniadaeth ef, gan ychwanegu: 'Ni buom nemor waith erioed yn dymuno'n daerach am gwmni'r awdur wrth ein penelin' – sylw eironig iawn, gan fod yr awdur yn ei fedd pan ysgrifennai J. J. Williams y geiriau hyn.[99] Ceisiodd T. Gwynn Jones ddehongli arwyddocâd y ddau brif gymeriad:

> ... wrth ei gyffelybu ei hun i Prometheus, awgryma'r Arwr mai arwyddlun yw o bob Arwr a ymdrechodd dros gynnydd a gwellhad, rhyddid, gwybodaeth, daioni a rhinwedd. Gweddai hynny. Pwy, ynteu, yw "Merch y Drycinoedd"? ... Y deongliad tebycaf, hyd y gwelaf fi, yw mai dros y Fenyw y saif hi – y Ferch, a sarnwyd dan draed nwyd a thrachwant ar hyd yr oesau ac y gwrthodir iddi ryddid a chydraddoldeb hyd heddyw.[100]

Y mae dehongliad T. Gwynn Jones o'r Arwr ei hun yn gywir, ond mae'n gwbl anghywir yn ei ddehongliad o Ferch y Drycinoedd. Lliwiwyd barn Gwynn Jones gan amgylchiadau'r cyfnod. Yr oedd y mudiad dros gydraddoldeb i wragedd, mudiad y *suffragettes*, yn ei anterth yn ystod y cyfnod hwn, er i aelodau'r mudiad laesu dwylo yn ystod y Rhyfel Mawr, i gynorthwyo gyda'r ymdrech ryfel. Yn ôl J. J. Williams wedyn:

> Dichon mai dynoliaeth a olygai'r awdur wrth honno, neu gallai olygu'r werin. O leiaf, hyhi yw gwrthrych serch yr Arwr, a'i hachub hi yw nôd ei fywyd.[101]

Tebyg yw esboniad Dyfed:

> 'Merch y Drycinoedd' a'r Arwr, neu y werin a'i gwaredwr, sydd yn yr awdl o'i dechreu i'r diwedd.[102]

Er bod y tri beirniad swyddogol yn weddol gytûn yn eu dehongliad o'r Arwr, ceid peth anghytundeb rhyngddynt ynghylch arwyddocâd Merch y Drycinoedd: T. Gwynn Jones yn mynnu mai'r Fenyw a ormeswyd ydyw, a'r ddau feirniad arall o'r farn mai'r werin neu'r ddynoliaeth ydyw. Nid yw'r naill ddamcaniaeth na'r llall yn llwyr argyhoeddi. Beth bynnag am hynny, damcaniaeth J. J. Williams a Dyfed oedd y ffefryn am flynyddoedd i ddod. Yn wir, ni wyrwyd oddi wrth y ddamcaniaeth hon erioed.

Un o'r rhai cyntaf, y tu allan i'r beirniaid swyddogol, i roi cynnig ar esbonio'r awdl oedd 'Ap Ioan' yn rhifyn Gorffennaf 1919 o'r *Geninen*. Dyma ddehongliad 'Ap Ioan':

> Ymdrinia yn bennaf â'r Werin a'i anhawsterau; a diau mai y galanastr ofnadwy a oresgynodd Ewrob oedd achos y dewisiad. Daw'r Werin i'r amlwg fel rhianedd; ac yn bur briodol gelwir hi yn "Ferch y Drycinoedd" ... Arwr yr awdl yw gwaredwr y Werin, yn bersonoliaeth o Ryddid a Chyfiawnder.[103]

Yn sicr, mae dehongliad 'Ap Ioan' o'r Arwr yn weddol agos ati, neu o leiaf y mae wedi nodi dau o briodoleddau a nodweddion yr Arwr rhamantaidd delfrydol, sef Rhyddid a Chyfiawnder, ond y mae Arwr Hedd Wyn yn ehangach na hynny. Rhoddodd 'Ap Ioan' yr awdl yn blwmp yn ei chyfnod:

> Diau mai gwerin Ewrob heddyw feddylir yma; ac y mae y desgrifiad ohoni yn gywir iawn o'r hyn welai prydydd ieuanc o werinwr ar fin cael ei gaethgludo yn aberth i filwriaeth.[104]

Felly, arddel damcaniaeth Dyfed a J. J. Williams ynghylch arwyddocâd Merch y Drycinoedd, a'r Arwr hefyd i bob pwrpas, a wnaeth 'Ap Ioan'.

Dilynwyd yr un ddamcaniaeth, mwy neu lai, gan Silyn, un o'r rhai nesaf i roi cynnig arni:

> ... sold to captivity, betrayed and crushed, she is sustained by the memory of the youth who loved her and the hope that he will one day return and set her free. Thus the beginning suggests an idyll of a maiden in distress rescued by a romantic hero. But very soon one realises that the daughter of the tempests is no mortal woman; in her you have the whole tragedy of enslaved humanity. And the hero has in him something of Prometheus and the Man of Nazareth, the energy that makes for kindliness and beauty. His struggle is against the rulers of the darkness of this world. In the final scene the old castles are smoking ruins and the day of the people has dawned. The deliverer is no youth of noble mien, but a man scarred, battered, and weatherbeaten.[105]

Dyma'r dehongliad a goleddid gan William Morris yntau. 'Cytunaf yn llwyr â dehongliad Silyn; adwaenem, ein dau, Hedd Wyn yn dda,' meddai, ond ar yr un pryd, y mae'n amlwg na ddatgelodd Hedd Wyn lawer o gyfrinachau'r Arwr i'w gyfaill.[106]

Buwyd yn weddol gyson ynghylch arwyddocâd Merch y Drycinoedd drwy'r blynyddoedd, at ei gilydd, ond fe geir, er hynny, dystiolaeth wahanol gan gyfrannwr dienw yn *Y Ford Gron* ym 1931, ar achlysur ymddangosiad yr ail argraffiad o *Cerddi'r Bugail*. Y mae tôn y cyfrannwr hwn yn hyderus ac yn gadarnhaol:

> Cyfaill dynol ryw ydyw'r "Arwr", – y gŵr a anfonir i'r byd gan y duwiau, weithiau'n athro mawr, weithiau'n gerddor mawr, weithiau'n fardd, weithiau'n broffwyd. "Merch y Drycinoedd" ydyw'r ddaear; ac y mae Hedd Wyn yn ei disgrifio hi'n gwrthod yr Arwr (yn lladd ei phroffwyd), ond yn y diwedd y mae'n ei dderbyn.[107]

Y mae'r disgrifiad o briodoleddau'r Arwr yma yn argyhoeddi, unwaith eto, ac y mae'n amlwg i'r adolygydd ddirnad arwyddocâd yr Arwr; ar ben hynny, mae ei awgrym mai'r ddaear yw Merch y Drycinoedd yn llawer nes ati na'r dehongliad arferol ohoni fel y ddynoliaeth, er nad yw'n ddigon cyflawn.

Ar ôl blynyddoedd o gadw'n weddol gyson at un dehongliad ynghylch arwyddocâd yr Arwr, dechreuwyd cymhlethu pethau trwy gynnig damcaniaethau eraill ynghylch ei arwyddocâd. Y ddamcaniaeth fwyaf poblogaidd yn hyn o beth ydoedd mai Crist ei hun yw Arwr Hedd Wyn. Awgrymwyd hyn i rai o drafodwyr y gerdd gan benawdau'r pedwar caniad: 'Yr Eneiniog', 'Y Gŵr Gofidus', 'Y Merthyr', 'Y Dyrchafael'. Y mae i'r penawdau hyn i gyd gynodiadau ysgrythurol. Y ffurf Roegaidd ar y gair Hebraeg 'Meseia' yw Crist, ac ystyr Meseia yw 'Eneiniog'. Daw pennawd yr ail ganiad â chaneuon Gwas yr Arglwydd yn yr Ail Eseia i gof: 'Dirmygedig yw, a diystyraf o'r gwŷr; gŵr gofidus, a chynefin â dolur', a chan fod yr Ail Eseia yn rhagdybio dyfodiad Crist, nid rhyfedd i rai gredu mai Crist oedd yr Arwr. Yn ogystal, y mae pennawd y trydydd caniad hefyd yn awgrymu Crist, tra bo 'Y Dyrchafael' yn awgrymu'r atgyfodiad yn ogystal â buddugoliaeth Cristnogaeth. Un o'r rhai a goleddai'r ddamcaniaeth mai Crist oedd yr Arwr oedd y Parchedig John Jones:

> Ie, dyna bedwar cam mawr rhawd y Crist, Eneiniog Duw – yr Eneiniog, Y Gŵr Gofidus, y Merthyr, a'r Dyrchafael; a dyna gamau rhawd Arwr Hedd Wyn yn ei awdl.[108]

Gellid dweud mai rhan o'r gwirionedd yn unig yw'r cysylltiad agos sydd rhwng Crist ac Arwr Hedd Wyn, ond ni ellir derbyn mai Crist yn unig yw ei Arwr, a neb arall.

Cymerodd flynyddoedd i drafodwyr y gerdd ddod o hyd i'r trywydd angenrheidiol, sef y ffaith fod Hedd Wyn yn hynod ddyledus i gerdd hir Shelley *Prometheus Unbound* (1820) yn 'Yr Arwr', er i lawer o gyfeillion Hedd Wyn, o 1917 ymlaen, grybwyll ei ddiddordeb ysol ym marddoniaeth Shelley. Yn y 1940au y dechreuwyd dilyn y trywydd angenrheidiol hwn. Meddai John Jones eto:

> Yn yr Arglwydd Iesu Grist, y Gwaredwr, y gwelai Hedd Wyn ei Arwr mawr; gwelai ysbryd y Crist yng "Ngwas yr Arglwydd" Eseia ac ym Mhrometheus Shelley ...[109]

Ym 1946 trafodwyd yr awdl gan Cynan, a seiliodd ei ddamcaniaeth ar y cwpled yn yr awdl sy'n enwi Prometheus. Aeth Cynan yn ôl at y gwreiddiau mytholegol yn ei ddamcaniaeth ef:

> Y mae'r gyfatebiaeth rhwng chwedl y Groegiaid am eu Duw Prometheus, ac yn wir rhwng rhai darnau o ddrama aruchel y bardd Aeschylos, *Prometheus Ynghrog*, a rhai darnau o'r *Arwr*, yn hynod o drawiadol. Yn ôl y chwedl honno, bu rhyfel yn y nef rhwng yr hen dduwiau – "Yr Anarchiaid" – a'r duwiau newydd tan arweiniad Zeus. A Zeus a orfu, trwy gymorth doethineb yr hen dduw Prometheus – tad pob dyfais, a'r unig dduw Groegaidd y gellid canu amdano "Y diwedd o'r dechrau fe'i gwêl." Cymharer *Yr Arwr*:
>
> > 'Minnau, fu gynt ym mhenyd,
> > Yng nghymhelri'r cewri cyd.'
>
> Ond wedi dyfod yn Frenin Nef fe aeth Zeus, fel llawer teyrn arall, yn fympwyol ac yn ormesol. Bu'n edifar ganddo greu dyn, ac fe benderfynodd ddinistrio dynolryw a phoblogi'r ddaear ag amgenach creaduriaid. Tosturiodd Prometheus wrth ddynolryw, a rhag eu trengi fe ddug iddynt ddawn y duwiau, sef Tân o efail y nef.[110]

Gan gymharu rhannau o awdl 'Yr Arwr' â rhannau o ddrama Aeschylus, dadleuodd Cynan mai Prometheus, cyfaill a gwaredwr dynolryw, oedd Arwr

Hedd Wyn, ac os Prometheus oedd yr Arwr, yr oedd yn dilyn yn naturiol mai dynoliaeth oedd Merch y Drycinoedd. Yr hyn a boenai Cynan, fodd bynnag, oedd sut y gallai mab digoleg fel Hedd Wyn ddod o hyd i thema i'w awdl mewn drama Roegaidd glasurol o'r bumed ganrif cyn Crist, heb fod cyfieithiad Cymraeg o'r ddrama honno ar gael? Ac atebodd y cwestiwn fel hyn: 'Oddi wrth y dystiolaeth fewnol tybiaswn rywfodd mai trwy gyfrwng campwaith Shelley, *Prometheus Unbound*, y bu hynny.'[111] Gwyddys bellach fod hynny'n wir. Dywedodd William Morris mai un o hoff feysydd darllen y bardd oedd y bennod ar Shelley yn *Homes and Haunts of the British Poets*, y ceir ynddi, yn ôl William Morris, ddadansoddiad o *Prometheus Unbound*, ond nid gwir mo hynny. Ceir tystiolaeth bellach ganddo ynghylch dylanwad *Prometheus Unbound* ar 'Yr Arwr':

> Y mae atgof byw iawn yn mynd â mi yn ôl i Fedi a Hydref 1916. Gwelais Hedd Wyn droeon yn y dyddiau hynny, a dyna'r sgwrs bob tro – testun yr awdl yn Birkenhead. Bu beirniadaeth yr awdlau yn Aberystwyth yr haf hwnnw yn galondid mawr iddo. Myfyriai ar *Yr Arwr* ddydd a nos; a dau syniad yn arbennig yn apelio ato. Trafod y byddem gyda'n gilydd ganeuon *Prometheus* (Shelley) a chaneuon *Gwas yr Arglwydd* (Yr Ail Eseia). Taniai hynny ei ddychymyg, ac yn araf crisialai'r cwbl yn ei feddwl a'i fwriad.[112]

Fodd bynnag, nid Prometheus yn unig, a neb arall, mo Arwr Hedd Wyn, serch ei enwi. Anghytunwyd â damcaniaeth Cynan yn yr un flwyddyn ag yr ymddangosodd ei ysgrif yn *Lleufer* gan J. R. Morris, Caernarfon, yn *Y Faner*, mewn ysgrif dan y pennawd 'Allweddi Awdl "Yr Arwr"'. Dywedodd, yn un peth, fod Prometheus Hedd Wyn yn amseryddol amhosibl. 'Nid oedd Handel nac Arthur nac Urien wedi eu geni,' meddai, yn amser Prometheus.[113] Bwriodd Cynan amheuaeth ar y ddamcaniaeth a goleddid gan rai mai Crist oedd yr Arwr, ar sail y cwpled canlynol, a oedd yn dramgwyddus i'r fath ddamcaniaeth:

> Heno bydd salm y bedd syn
> Yn torri trwy'i wallt hirwyn.

Nid oedd unrhyw sôn yn yr Efengylau am wallt gwyn y croeshoeliedig, meddai Cynan, ond cyfeiriodd John Morris ef at y modd y gwelodd Ioan Grist ym Mhatmos: 'Ei ben ef a'i wallt oedd wynion fel gwlân', a thynnodd sylw hefyd at eiriau Elfed 'Ei wallt ef oedd mor wyn â'r gwlân/A dyna'r gwallt fu ar y groes'. Yn ôl J. R. Morris:

> Yr oedd llygaid Hedd Wyn ar lawer arwr gan gynnwys Prometheus, sef Arthur, Homer, Urien, Handel ac yn arbennig Gwas yr Arglwydd, er na [*sic*] enwir mohono ef. Deallaf fod Hedd Wyn yn llawer mwy hyddysg yn yr Ysgrythur nag ydoedd yng ngwaith Shelley. O feddwl am bob arwr y dychmygodd ei arwr ei hun.[114]

Er na ellir cytuno â J. R. Morris fod Hedd Wyn yn fwy cyfarwydd â'r Ysgrythur nag ydoedd â gwaith Shelley, cynigiodd sylw gwerthfawr trwy ddweud mai ymgorfforiad o arwriaeth, y syniad o arwriaeth, oedd Arwr Hedd Wyn.

Cafwyd trafodaethau ar 'Yr Arwr', ac ar farddoniaeth Hedd Wyn yn gyffredinol, gan ddau feirniad ym 1979, sef Gwynn ap Gwilym a Gwyn Thomas. Yn ei ysgrif ef, 'Dau Arwr: Pádraig Pearse a Hedd Wyn', tynnodd Gwynn ap Gwilym gymhariaeth rhwng y syniad o aberth gwaed yng ngherddi Pearse a'r un syniad ym marddoniaeth Hedd Wyn ynghylch cwympedigion y Rhyfel Mawr. Gofynnodd:

> O gofio tuedd Hedd Wyn i uniaethu aberth milwyr syrthiedig y Rhyfel ag aberth mawr Crist ei hun, tybed nad yw awdl 'Yr Arwr' yn ymwneud â'r Rhyfel Byd Cyntaf yn uniongyrchol, yn ogystal ag â'r Rhyfel haniaethol rhwng diafol a Christ? Cofier ddarfod darbwyllo milwyr Prydain mai dros "ryddid" yr ymladdent yn y Rhyfel Mawr, a thros gyfiawnder a heddwch i'r ddynoliaeth glwyfedig y gellid yn hawdd ei disgrifio fel 'Merch y Drycinoedd'. Tybed nad oes yn awdl 'Yr Arwr' ddarlun o'r milwr cyffredin yn ei aberthu ei hun ar allor y delfrydau hyn?[115]

Felly, y milwr a oedd yn barod i'w aberthu ei hun er mwyn y ddynoliaeth oedd yr Arwr i bob pwrpas. Yr oedd Hedd Wyn, meddai Gwynn ap Gwilym, 'yn bwriadu inni weld yn awdl "Yr Arwr" bortread o ferthyrdod milwyr Cymraeg y Rhyfel Mawr'.[116] A'r ddynoliaeth yw Merch y Drycinoedd iddo yntau hefyd, fel ag i bawb arall. Hawdd cytuno bod y Rhyfel Mawr yn llercian yng nghefndir 'Yr Arwr', ond nid y milwr o Gymro a aberthwyd er mwyn cynnal delfrydiaeth gelwyddog yw Arwr Hedd Wyn, ac nid y ddynoliaeth yw Merch y Drycinoedd ychwaith, nid yn union. Ac eto, y mae'n sicr fod aberth y milwyr wedi lliwio rhywfaint ar yr awdl.

Gan gydnabod dylanwad cryf *Prometheus Unbound* ar yr awdl, cytuna Gwyn Thomas ag eraill 'mai cynrychioli'r ddynoliaeth y mae hi'.[117] Ond y mae un peth yn ei boeni, ac mae'n rhyfedd na fu i'r beirniaid eraill ganfod yr anghysondeb y sonia Gwyn Thomas amdano. Cyfeirio a wna at 'wreng/Gwelw rudd y mynyddoedd' y sonia Hedd Wyn amdanynt yn nhrydydd caniad yr awdl:

> Os mai'r ddynoliaeth yw Merch y Drycinoedd, yna pwy ydi'r 'gwreng' y sonnir amdanynt yma? Pwy hefyd yw'r 'meirwon' y mae'n sôn amdanynt yn gadael 'trig y duwiau'? Rhyw flaen llinyn heb ei glymu wrth y trosiad mawr o Ferch y Drycinoedd fel y ddynoliaeth sydd yma, hyd y gwelaf fi: dylai dynoliaeth pob oes fod wedi eu cynnwys yn ffigur y Ferch. Y nam hwn a'i 'daearyddiaeth' annelwig yw prif wendidau cynllun yr awdl, yn fy marn i.[118]

Gofyn y mae Gwyn Thomas, os ydyw Merch y Drycinoedd yn cynrychioli'r ddynoliaeth, pwy yw'r gwreng y cyfeirir atynt? Onid y ddynoliaeth? Ie, i bob pwrpas, am nad y ddynoliaeth yw Merch y Drycinoedd. Dyma ddehongliad Gwyn Thomas o arwyddocâd yr Arwr, ac y mae'n ddadansoddiad craff a threiddgar:

> Yr hyn a enillir trwy ddioddefaint yw'r Wynfa, ffrwyth ymdrech ydi hi ac y mae olion yr ymdrech honno ar bob camp ddynol. Arwyddlun o'r ymdrech a'r dioddefaint sy'n ennill gwynfyd ydi Prometheus. Mae'n rym sy'n gweithio trwy hanes – mae cerddoriaeth fawr megis 'hudol gerdd Handel' a fflam awen 'llawer i Homer hen' yn enghreifftiau o ffrwyth yr ymdrech. Fe fyddai deffroadau mawr hanes megis, er enghraifft, y chwyldro yn Rwsia, – y wlad y cyfeiriodd Hedd Wyn, mewn llythyr, at 'ei chaethiwed hen a'i deffro sydyn' – yn enghraifft o'r grym hwn. Y mae Prometheus hefyd yn arwyddlun crefyddol, yn arwyddlun o hen ddyhead dynion am nefoedd y tu draw i derfysgoedd daear. Ei weledigaeth o'r grym aml-ochrog a chynhwysfawr hwn oedd prif weledigaeth Hedd Wyn, ac un y bu'n ymdrechu i'w mynegi yn amryw o'i gerddi (fel y bydd arlunydd yn aml yn ail-weithio thema sy'n llenwi ei fryd). Yn 'Yr Arwr' fe gyrhaeddodd ei weledigaeth uchafbwynt ei mynegiant ganddo.[119]

Trafodwyd llawer ar arwyddocâd yr Arwr ei hun gan Derwyn Jones yn ei ysgrif 'Rhai Sylwadau ar Farddoniaeth Hedd Wyn' yn *Ysgrifau Beirniadol-VI*. Gan gyfeirio at y bryddest 'Hiraeth Enaid', dywed y saif Prometheus ynddi 'dros ryddhawr y ddynoliaeth o'i gormes', a hawdd y gellir cytuno â hynny.[120] Neilltuodd Derwyn Jones gyfran sylweddol o'i ysgrif i drafod yr uniaethu rhwng Crist a Prometheus a geir yn y ddwy gerdd fel ei gilydd.

A dyna, yn fras, y prif ddamcaniaethau ynghylch 'Yr Arwr'. Fe welir y ceir cysondeb, at ei gilydd, yn y gwahanol ddehongliadau o Ferch y Drycinoedd. Y Fenyw ydyw yn ôl un beirniad, y ddaear yn ôl un arall a'r ddynoliaeth yn ôl y mwyafrif helaeth. Gwaredwr y werin neu'r ddynoliaeth yw'r Arwr yn ôl llawer o'r beirniaid, ond y mae hefyd yn Grist, ar y naill law, ac ef hefyd yw Prometheus, ar y llaw arall, ac yn ôl eraill eto, y mae'n gyfuniad o'r ddau. Y mae'r dehongliadau hyn o'r Arwr, hyd yn oed os oes rhai mân wahaniaethau rhyngddynt, yn gywir.

Os oes allwedd o gwbl i'r awdl, barddoniaeth Shelley yw'r allwedd honno, yn enwedig y syniad o'r ffigwr Prometheaidd arwrol yng nghanu Shelley. Yn wir, ni ellir llawn ddeall barddoniaeth Hedd Wyn, 'Yr Arwr' yn enwedig, heb fod yn bur gyfarwydd â barddoniaeth Shelley. Mae *Prometheus Unbound* yn sicr yn ddylanwad amlwg ar awdl 'Yr Arwr', ond o safbwynt athroniaeth, cynllunwaith, rhediad a symboliaeth, y mae cerdd arall o eiddo Shelley wedi dylanwadu'n drymach ar yr awdl, ac y mae barddoniaeth Shelley'n gyffredinol wedi dylanwadu arni hefyd. Unwaith yn unig y crybwyllir Shelley yn ôl ei enw gan Hedd Wyn yn ei farddoniaeth, a hynny yn y bryddest anghyhoeddedig 'Hiraeth Enaid':

> Ti ganet weithiau gyda Virgil ber,
>   A chyda Shelley loew lygad.[121]

Ond y mae'n amlwg iddo ddarllen cerddi Shelley oddi wrth gyfeiriadau eraill yn ei waith. Enwir Prometheus yn 'Hiraeth Enaid', 'Fy Ngwynfa Goll', 'Myfi Yw' ac yn 'Yr Arwr', wrth gwrs. Cyfeirir at un arall o gerddi Shelley yn 'Cyfrinach Duw', sef *Alastor; or the Spirit of Solitude*, ac y mae'r llinellau canlynol, sy'n cynnwys y cyfeiriad, yn profi bod Hedd Wyn yn gyfarwydd iawn â'r gerdd honno:

Ac wedyn crwydro fel ysbryd yn nellni
Ar alwad rhyw freuddwyd anorthrech difri',
Fel athrist Alastor fore a hwyr.[122]

Fel Hedd Wyn yntau, chwilio yr oedd Shelley am fyd delfrydol, am y fro berffaith ac am y ddynoliaeth berffaith; chwilio, mewn gwirionedd, am oes aur arall yn hanes y ddynoliaeth, yn dilyn oes aur Gwlad Groeg y cynfyd. Hyd yn oed yn un o'i gerddi cynharaf, *Queen Mab*, ceir disgrifiadau o'r baradwys honno y chwiliai amdani. Credai y gallai dyn greu paradwys ddaearol o ryw fath iddo'i hun, ac y gellid aileni'r ddynoliaeth ac esgor ar oes aur arall yn ei hanes trwy hynny. Trwy gyfrwng Rheswm y gwneir hyn yn *Queen Mab*, ond disodlwyd Rheswm fel cyfrwng adnewyddol o'r fath gan rymusterau eraill yn ei farddoniaeth wrth iddo aeddfedu, ac un o'r prif gyfryngau adnewyddol hyn oedd Cariad. Rhwystrau rhag cyrraedd a chreu paradwys ddaearol oedd elfennau megis crefydd gyfundrefnol a sefydliadau gwleidyddol, llywodraethau a breniniaethau. Credai hefyd ym modolaeth rhyw Ysbryd neu Rym Dwyfol, sef y Daioni Eithaf yn y greadigaeth, ac ni ddôi dim daioni i ddyn heb iddo ymuniaethu â'r Ysbryd Dwyfol hwn. Bod ar wahân iddo, wedi'i alltudio rhagddo, a dywysai ddyn ar gyfeiliorn. Ymgorfforiad o'r Ysbryd Dwyfol, daionus hwn oedd prydferthwch byd natur iddo, natur heb ei llychwino gan ddyn a'i alluoedd dinistriol a negyddol. Felly mae harddwch natur iddo, fel gyda Hedd Wyn, yn gipolwg ar y byd delfrydol, perffaith hwnnw y chwiliai amdano drwy ei fywyd. Byd o wae oedd byd dynion iddo, 'This dim vast vale of tears, vacant and desolate', chwedl ef yn 'Hymn to Intellectual Beauty'. Roedd natur yn werddon o harddwch yng nghanol y byd hwn o waeau. Meddai yn 'Lines Written Among the Euganean Hills':

Many a green isle needs must be
In the deep wide sea of Misery ...
Ay, many flowering islands lie
In the waters of wide Agony ...

Ac meddai yn un o'i gerddi byrion, 'Song', sy'n cyfarch yr ysbryd daionus a chreadigol hwn, a elwir ganddo yma yn 'Spirit of Delight':

I love snow, and all the forms
   Of the radiant frost;
I love waves, and winds, and storms,
   Everything almost
Which is Nature's, and may be
Untainted by man's misery.

Thema gyson arall ym marddoniaeth Hedd Wyn, fel Shelley yntau, yw'r modd y mae'r fro ddelfrydol yn ymhlyg ym mhrydferthwch natur, am fod natur heb gael ei llychwino gan ddyn. Meddai yn 'Fy Ngwynfa Goll':

Canfyddaf ei llewych hi, dlos Eldorado,
   Ym mwrlwm ffynhonnau yng nghysgod y coed,
Mewn rhwydwaith o fanddail yng ngwyntoedd yn siglo,
Ac yn llewin yr hwyr urddasol ban gilio
   I diroedd anghyffwrdd ynysoedd yr oed.[123]

Ym marddoniaeth Hedd Wyn hefyd y mae natur yn werddon o harddwch ac yn ynys o falm yng nghanol gofidiau a gwaeau dynion, fel y dywed yn 'Ceisio Gloywach Nen':

Trof eto o gylchoedd natur brudd
   I fyd ofnadwy gofid dyn
   Lle mae ystormydd ar ddi-hun
O gynteddau'r wawr hyd derfyn dydd.[124]

Ac eto, yn yr un gerdd:

Och! drueni a thlodi fy oes!
   Ddued anobaith llawer mil!
   Lawned o boen ac ing yw'm hil
Anghofia'i gwynfyd dan bwys ei chroes!
Cerddwn fel cerdda'r perorol lif
   O ororau'r mynyddoedd mawr,
   Gan ymdaith at dynerach gwawr
Dyffrynnoedd esmwyth o ros di-rif.[125]

Gelwir y grym adnewyddol a daionus hwn gan Shelley yn ôl nifer o enwau. Un enw yn unig a geir arno yn 'Song'. Yn honno, dywed nad yn aml y caiff ymgymuno â'r Ysbryd hwn:

> Rarely, rarely, comest thou,
>   Spirit of Delight!
> Wherefore hast thou left me now
>   Many a day and night?
> Many a weary night and day
> 'Tis since thou art fled away.

Yn yr un gerdd, teimla'r bardd fod arwahander rhyngddo a'r Ysbryd hwn:

> How shall ever one like me
>   Win thee back again?
> With the joyous and the free
>   Thou wilt scoff at pain.
> Spirit false! thou hast forgot
> All but those who need thee not.

Nid amherthnasol cofio yma fod Merch y Drycinoedd yn gofidio bod ei hanwylyd wedi ei bradychu a chefnu arni yng nghaniad cyntaf 'Yr Arwr'.

Yr enw a roir ar yr Ysbryd hwn mewn cerdd arall yw 'Intellectual Beauty', ac yn y gerdd 'Hymn to Intellectual Beauty', Ysbryd byrbarhaol, diflanedig ydyw:

> The awful shadow of some unseen Power
>   Floats though unseen among us, – visiting
>   This various world with as inconstant wing
> As summer winds that creep from flower to flower,
> Like moonbeams that behind some piny mountain shower,
>   It visits with inconstant glance
>   Each human heart and countenance;
> Like hues and harmonies of evening –
>   Like clouds in starlight widely spread –
>   Like memory of music fled –
>   Like aught that for its grace may be
> Dear, and yet dearer for its mystery.

Spirit of Beauty, that dost consecrate
  With thine own hues all thou dost shine upon
  Of human thought or form – where art thou gone?
Why dost thou pass away and leave our state,
This dim vast vale of tears, vacant and desolate?
    Ask why the sunlight not for ever
    Weaves rainbows o'er yon mountain-river,
Why aught should fail and fade that once is shown,
  Why fear and dream and death and birth
  Cast on the daylight of this earth
  Such gloom – why man has such a scope
For love and hate, despondency and hope?

Harddwch deallusrwydd, awen y meddwl dynol creadigol, yw'r Ysbryd hwn yn y gerdd:

Thy light alone – like mist o'er mountains driven,
  Or music by the night-wind sent
  Through strings of some still instrument,
  Or moonlight on a midnight stream,
Gives grace and truth to life's unquiet dream.

Y mae'r Ysbryd hwn, Ysbryd Harddwch, yn fiwsig yng ngwynt yr hwyrnos: felly hefyd Merch y Drycinoedd Hedd Wyn, a oedd yn crio 'ym mawrwynt'. Ac ysbryd a grym o fewn natur yw'r Ysbryd hwn. Dywedir mai 'harmony of truth' yw'r Ysbryd hwn o fewn byd natur mewn cerdd arall gan Shelley, *Epipsychidion*, a chyfeirir ato fel 'the truth/Of nature' yn 'Hymn to Intellectual Beauty'. Dyma ddiweddglo'r gerdd honno:

Thus let thy power, which like the truth
  Of nature on my passive youth
Descended, to my onward life supply
  Its calm – to one who worships thee,
  And every form containing thee,
  Whom SPIRIT fair, thy spells did bind
To fear himself, and love all human kind.

Ceir ysbryd tebyg ym marddoniaeth Hedd Wyn. Yn 'Cyfrinach Duw', fe'i gelwir yn 'ysbryd yr anwel rhosynnog', 'yr ysbryd annarfod', 'yr ysbryd tragwyddol', ac fe'i cysylltir â Duw. Nid yw Shelley yn enwi Duw yn uniongyrchol, er mai Ysbryd Dwyfol yn aml yw'r Ysbryd hwn yn ei waith. Y mae Shelley yn ymglywed ac yn ymdeimlo â rhyw rym cyfrin yn anadlu ac yn symud o fewn byd natur, heb ei gysylltu'n uniongyrchol â Duw, ond rhydd Hedd Wyn arwyddocâd mwy uniongyrchol grefyddol i'r ysbryd neu'r bod hwn. Duw, yn aml, yw'r perffeithrwydd a'r daioni hwn o fewn byd natur iddo, fel yn 'Cyfrinach Duw':

> Weithiau fe'i gwelwn yn dringo mynyddoedd
>   Mewn mantell o fordor yr heulwen a'r fflur;
> Weithiau fe'i gwelwn rhwng coed y dyffrynnoedd,
> Gwedyn ar encil am decach ynysoedd
>   Yn sŵn gorohïan y gwynt a'r mŷr.[126]

Ac eto yn 'Myfi Yw':

> Neithiwyr, a'r ddrycin ar lethrau y mynydd,
>   Mi welwn ei fantell fel ridens tarth;
> A chlyw-wn guriad ei galon aflonydd
> Yng nghryndod anorffwys tonnau Iwerydd
>   A chyhwrdd fforestydd briglwyd y parth.
>
> Ac eilwaith y'i gwelais rhwng rhwydi manddail
>   Oriau Gorffennaf yn nhoniad y gwair;
> Gwrandewais ei lais ym maled y gwiail,
> A gwelais ei lun yn crynu yn fiwail
>   Ar y deigr ambrosia ym Mentyll Mair.[127]

Enwir y presenoldeb hwn a geir o fewn natur yn 'Cyfrinach Duw':

> A mi yn syllu ar Dduw yn y deri,
>   Ac eilwaith yn salm a chwerthin yr hesg ...[128]

Clyw Hedd Wyn hefyd, fel Shelley yn *Epipsychidion*, lais rhyw ysbryd aflonydd o fewn byd natur, fel yn 'Ceisio Gloywach Nen':

Onid oes gri anneall o hyd
  Yn codi'n floesg o'r ddrycin erch,
  Fel alaw boenus athrist serch,
Mewn ymchwil am brydferthach byd?
Mae holl leisiau'r cread mawr erioed
  A'u su fel ffrydiau lleddfus pell,
  Yn llawn o fiwsig broydd gwell,
Y gwobrau aur, a'r perorol goed.[129]

Ac eto yn 'Fy Ngwynfa Goll':

Er wylo mewn glynnoedd prydwelw gan dlodi
  Mi glywaf ddyrifau ysbrydion y wawr
Yn canu o lwybrau'r dihenydd felyni,
Yn canu im wybod a swyn digreuloni,
  A'm calon sy'n chwerthin ar y pellter mawr.[130]

Yr hyn a wnaeth Shelley yn ei gerddi hirion mytholegol-alegorïaidd oedd llwytho'i gymeriadau chwedlonol â nodweddion a phriodoleddau'r ysbrydoedd hyn. 'Thou art love and life,' meddai am y 'Spirit of Delight' yn 'Song', a harddwch deallusrwydd, y meddwl dynol goleuedig a chreadigol yn ei ymchwil am harddwch, a geir yn 'Hymn to Intellectual Beauty'. Dyma'r rhinweddau cadarnhaol – cariad, creadigolrwydd, daioni, ac yn y blaen – a allai wrthsefyll y grymusterau negyddol a dinistriol yn holl wead a natur dyn, a throwyd yr haniaethau hyn yn bersonau a oedd yn ymgorffori'r rhinweddau hyn, ac yn cynrychioli'r rhinweddau cadarnhaol, bendithiol ac achubol hyn, ganddo yn ei gerddi hirion.

Cerdd hwyaf Shelley yw *The Revolt of Islam*. Ei theitl gwreiddiol, gan nodi'r ddau brif gymeriad ynddi, oedd *Laon and Cythna; or The Revolution of the Golden City: a Vision of the Nineteenth Century*. Siomwyd Shelley gan yr holl drais ac arllwys gwaed a welwyd yn y Chwyldro Ffrengig ym 1789, a lluniodd *The Revolt of Islam* er mwyn cyfleu'r modd y gellid trechu'r drwg heb ddefnyddio trais. Yn ganolog i'r gerdd y mae'r egwyddor o ryddid, rhyddid rhag gormes a gwanc llywodraethau unbenaethol, treisgar.

Yng ngherdd Shelley, mae Laon a Cythna, brawd a chwaer yn ôl un fersiwn o'r gerdd, yn gymheiriaid bro mebyd. Dônt yn gariadon erbyn diwedd y gerdd. Mae Cythna, yn ogystal â chynrychioli harddwch benywaidd, yn symbol o ddaioni, o ddoethineb a phurdeb. Daw hi hefyd yn ymgorfforiad o'r Grym ac o'r Harddwch sy'n gwrthsefyll grymusterau negyddol a difaol y byd. Mae Cythna yn meddu ar addfwynder a chryfder ar yr un pryd, glendid a glewder; hi hefyd yw athrylith greadigol y ddynoliaeth. Hi yw'r un sy'n ysbrydoli ac yn ysgogi Laon i gyflawni gweithredoedd arwrol, achubol. Meddai Laon amdani:

> In me, communion with this purest being
> > Kindled intenser zeal, and made me wise
> In knowledge, which, in hers mine own mind seeing,
> > Left in the human world few mysteries:
> > How without fear of evil or disguise
> Was Cythna! – what a spirit strong and mild,
> > Which death, or pain or peril could despise,
> Yet melt in tenderness! what genius wild
> Yet mighty, was enclosed within one simple child!

Ar ôl cyflwyno Cythna, dywed Laon fel y gwelai, yn fachgen, ei wlad yn dioddef o gael ei chamreoli a'i gormesu gan unbenaethiaid. Yr unig wrthryfelwyr yn erbyn y gorthrymwyr hyn oedd Laon ei hun a'i gymar Cythna, sy'n rhannu'r un delfrydau ag ef:

> As mine own shadow was this child to me,
> > A second self, far dearer and more fair;
> Which clothed in undissolving radiancy
> > All those steep paths which languor and despair
> > Of human things, had made so dark and bare,
> But which I trod alone – nor, till bereft
> > Of friends, and overcome by lonely care,
> Knew I what solace for that loss was left,
> Though by a bitter wound my trusting heart was cleft.

Yn ifanc, roedd y ddau â'u bryd ar ymladd yn erbyn y Drygioni a ormesai ac a waedai eu gwlad:

This misery was but coldly felt, till she
   Became my only friend, who had endued
My purpose with a wider sympathy;
   Thus, Cythna mourned with me the servitude
   In which the half of humankind were mewed
Victims of lust and hate, the slaves of slaves,
   She mourned that grace and power were thrown as food
To the hyena lust, who, among graves,
Over his loathèd meal, laughing in agony, raves.

And I, still gazing on that glorious child,
   Even as these thoughts flushed o'er her: "Cythna sweet,
Well with the world art thou unreconciled;
   Never will peace and human nature meet
   Till free and equal man and woman greet
Domestic peace; and ere this power can make
   In human hearts its calm and holy seat,
This slavery must be broken" – as I spake,
From Cythna's eyes a light of exultation brake.

She replied earnestly: "It shall be mine,
   This task, mine, Laon! – thou hast much to gain;
Nor wilt thou at poor Cythna's pride repine,
   If she should lead a happy female train
   To meet thee over the rejoicing plain,
When myriads at thy call shall throng around
   The Golden City."

Y mae uniad y ddau yn rym a all achub y byd. Bwriadent achub y ddynoliaeth, a'i rhyddhau o'i chaethiwed, ar y cyd. Ym mhrif gerddi Shelley ceir deuoedd: mab a merch, gwryw a benyw, ac uniad y parau hyn sy'n esgor ar oes aur, ar baradwys ac ar fyd gwell. Laon a Cythna yw'r ddau yn *The Revolt of Islam*; Asia a Prometheus yn *Prometheus Unbound*; Alastor, y bardd, a'r 'veiléd maid' yn *Alastor*; a Shelley ei hun a merch o'r enw Emilia Viviani yn *Epipsychidion*. Yn *Alastor*, nid yw'r uniad hwn rhwng y ddau yn digwydd, oherwydd i'r bardd farw wrth chwilio am y forwyn berffaith a welsai mewn breuddwyd. Dyma ddisgrifiad Shelley ohoni:

He dreamed a veiléd maid
Sate near him, talking in low solemn tones.
Her voice was like the voice of his own soul
Heard in the calm of thought; its music long,
Like woven sounds of streams and breezes, held
His inmost sense suspended in its web
Of many-coloured woof and shifting hues.
Knowledge and truth and virtue were her theme,
And lofty hopes of divine liberty,
Thoughts the most dear to him, and poesy,
Herself a poet.

Hawdd gweld bod y ferch yn cynrychioli'r grymusterau daionus a chreadigol, fel pob un o ferched Shelley. Yn *Epipsychidion*, bydd uniad ysbrydol y bardd ac Emilia Viviani yn creu paradwys ddaearol:

We shall become the same, we shall be one
Spirit within two frames, oh! wherefore two?
One passion in twin-hearts, which grows and grew,
Till like two meteors of expanding flame,
Those spheres instinct with it become the same,
Touch, mingle, are transfigured; ever still
Burning, yet ever inconsumable:
In one another's substance finding food,
Like flames too pure and light and unimbued
To nourish their bright lives with baser prey,
Which point to Heaven and cannot pass away ...

Er mai merch o gig a gwaed yw Emilia Viviani, yr un yw'r egwyddor ag a geir yng ngherddi Shelley am ferched chwedlonol a lledrithiol. Fel y dywed Patricia Hodgart yn *A Preface to Shelley*: 'Emilia, all too human as it turned out, shares some of Asia's divinity but is brought a little nearer to earth as the lady of a tale of courtly love.'[131]

Laon a Cythna, Asia a Prometheus, Alastor a'r forwyn ddelfrydol, Shelley ac Emilia Viviani, a hefyd Merch y Drycinoedd a'r Arwr. Dilyn Shelley a wnaeth Hedd Wyn yn 'Yr Arwr', ac fe ddaw'n hollol amlwg yn y man fod Merch y Drycinoedd yn cyfateb i Cythna ac Asia, a'r Arwr yn cyfateb i Laon a Prometheus. Fel y dywed Donald H. Reiman yn *Percy Bysshe Shelley*:

A major conception of *Prometheus Unbound* – the complementary nature of Prometheus and Asia and the importance of their reunion – is prefigured in the separation and reunion of Laon and Cythna. Cythna, the feminine member, embodies the power of knowledge and reason, whereas Laon embodies forgiving love.[132]

Fel yr awgryma Donald H. Reiman, y cam nesaf yn stori Laon a Cythna yw ymwahaniad y ddau, cyn eu huniad ar ddiwedd y gerdd. Ceir yr un peth yn union yn 'Yr Arwr'. Y mae Merch y Drycinoedd a'r Arwr yn ymwahanu yn y caniad cyntaf; fe'i gwêl yn yr ail ganiad wedi'i weddnewid y tu hwnt i unrhyw adnabyddiaeth ar ôl i 'fil o ymladdfâu' adael eu hôl arno; gwêl ei ferthyru yn y trydydd caniad, ac fe'u hailunir drachefn yn y caniad olaf. Stori hynod o debyg a geir yn *The Revolt of Islam*. Y mae Cythna yn rhag-weld y bydd iddi hi a'i hanwylyd ymwahanu, er mwyn i Laon allu crwydro'r byd i genhadu. Mewn pennill sy'n dwyn i gof Ferch y Drycinoedd hiraethus caniad cyntaf 'Yr Arwr', mae Cythna yn mynegi ei hing wrth feddwl am ei hanwylyd yn ffarwelio â hi:

> Wait yet awhile for the appointed day –
> Thou wilt depart, and I with tears shall stand
> Watching thy dim sail skirt the ocean gray;
> Amid the dwellers of this lonely land
> I shall remain alone – and thy command
> Shall then dissolve the world's unquiet trance,
> And, multitudinous as the desert sand
> Borne on the storm, its millions shall advance,
> Thronging round thee, the light of their deliverance.

Cipir Cythna, fodd bynnag, gan filwyr y teyrn sy'n rheoli'r wlad, i weithio fel caethferch. Cais Laon rwystro'r milwyr hyn rhag ei chipio, ond fe'i trechir ganddynt. Cludir Laon ymaith, ac, fel Prometheus a'r Arwr, fe'i cadwynir wrth golofn ar ben craig. Y mae'r pennill a ganlyn, sy'n disgrifio Laon mewn twymyn yn ei gaethiwed, wedi dylanwadu ar drydydd englyn trydydd caniad 'Yr Arwr', sy'n sôn am yr 'Wynebau du creulon' a'r 'mil ffurfiau moelion':

> The forms which peopled this terrific trance
>   I well remember – like a choir of devils,
> Around me they involved a giddy dance;
>   Legions seemed gathering from the misty levels
>   Of Ocean, to supply those ceaseless revels,
> Foul, ceaseless shadows: thought could not divide
>   The actual world from these entangling evils,
> Which so bemocked themselves, that I descried
> All shapes like mine own self, hideously multiplied.

Achubir Laon, ac yntau erbyn hyn wedi gwallgofi, gan feudwy oedrannus, ac yn ogof y meudwy hwn treulia saith mlynedd yn gwella o'i wallgofrwydd, ac yn ystod y blynyddoedd hyn bu'r meudwy'n addysgu'r bobl trwy ysgrifennu llithiau chwyldroadol. Trwyddo ef, a hefyd drwy bregethu chwyldroadol rhyw ferch ifanc, y mae'r wlad yn barod i gael ei harwain, a'r bobl yn barod i hawlio eu rhyddid, ond mewn modd di-drais. Y ferch ifanc hon, wrth gwrs, yw Cythna. Mae'r gwladgarwyr yn awr yn barod i orymdeithio i mewn i'r Ddinas Euraid, sy'n symbol o'r ddynoliaeth berffaith, dan arweiniad Laon. Yn y Ddinas Euraid, gwêl mai Cythna yw'r offeiriades ifanc sy'n arwain y bobl. Er i Laon a'i ddilynwyr ennill y Ddinas, fe'i cipir drachefn gan filwyr y teyrn, ond mae Cythna yn achub Laon drwy ei gario ymaith ar ei march du enfawr i ganol y mynyddoedd. Trigant yn y mynyddoedd hyn, gan orfoleddu yn eu cariad, tra bo'r gormeswyr yn lladd ac yn difa'r boblogaeth. Gan mai Laon a Cythna oedd ysgogwyr y gwrthryfel yn erbyn y rhai a oedd mewn awdurdod, fe'u merthyrir ar y cyd i dawelu llid y duwiau, sydd wedi codi yn erbyn y bobl a pheri eu bod yn dioddef dan sawdl y gormeswyr. Ar ôl iddynt gael eu merthyru, fe'u cludir i Deml yr Ysbryd. Er mai methiant oedd eu gwrthryfel, ar un ystyr, crëwyd gwell byd ganddynt trwy iddynt geisio trechu'r teyrn, a bydd eu dewrder yn ysbrydoliaeth i'r dyfodol. Dyna, yn fras, rediad gweddill y gerdd. Ceir cyfatebiaethau eraill rhwng *The Revolt of Islam* ac awdl Hedd Wyn. Yn nhrydydd caniad 'Yr Arwr', y mae'r Arwr yn galw gwreng '[g]welw rudd y mynyddoedd' ato, ar gyfer '[r]huthr a chyrch anorthrech' yn erbyn 'y duwiau/Duon', sef gormeswyr ac unbenaethiaid pob oes. Er i'r 'gwreng', y bobl, ymuno â'r Arwr yn ei ymgais i gael gwared â'r gormeswyr, colli'r dydd a wnaethant yn y pen draw, a bu'r 'chwyldro wen ysblennydd' yn fethiant. Dyna hanes Laon hefyd. Y mae'r bobl yn tyrru o'i blaid, ac yn ymuno ag ef i drechu'r gorthrymwyr, ond er llwyddo dros dro, collir y dydd yn y pen draw, a merthyrir Laon. Yn Laon a Cythna, wrth gwrs, y mae'r ferch yr un mor weithredol o blaid Rhyddid, Cydraddoldeb a Heddwch ag ydyw'r gŵr, ac fe'i cyhuddir o fod yn ymhonwraig o ryw fath, yn union fel y cyhuddir yr Arwr o fod yn ymhonnwr, gan y bobl, oherwydd iddi wallgofi pan oedd y teyrn yn ei cham-drin. Dyma bennill sy'n debyg iawn o ran ei gynnwys i'r rhannau hynny sy'n disgrifio'r ymhonnwr yn ail ganiad 'Yr Arwr':

> Some said I was a maniac wild and lost;
> Some, that I scarce had risen from the grave,
> The Prophet's virgin bride, a heavenly ghost:
> Some said, I was a fiend from my weird cave,
> Who had stolen human shape, and o'er the wave,
> The forest, and the mountain, came; some said
> I was the child of God, sent down to save
> Women from bonds and death, and on my head
> The burden of their sins would frightfully be laid.

Cais Laon a Cythna achub y ddynoliaeth ar y cyd. Eu huniad hwy, uniad rhwng Cariad (Laon) a Daioni a Gwybodaeth (Cythna), sy'n esgor ar yr oes aur, er mai cip yn unig a geir ar yr oes aur honno yn *The Revolt of Islam*, oherwydd i wrthryfel y ddau fethu. Bwriad Shelley oedd pwysleisio mai'r rhwystr pennaf rhag creu gwell byd oedd y ddynoliaeth ei hun. Ymosodir ganddo ar duedd oesol y ddynoliaeth i ladd a merthyru ei chymwynaswyr pennaf. Ceir yr un cyhuddiad yn 'Yr Arwr'. Er na lwyddodd Laon a Cythna yn eu brwydr i greu gwell byd, ceir cip ar fyd perffaith ac ar ddynoliaeth berffaith yn yr emyn a genir gan Cythna yn y Ddinas Euraid i ddathlu ei haduniad hi â Laon:

My brethren, we are free! The fruits are glowing
Beneath the stars, and the night winds are flowing
O'er the ripe corn, the birds and beasts are dreaming –
Never again may blood of bird or beast
Stain with its venomous stream a human feast,
To the pure skies in accusation steaming;
Avenging poisons shall have ceased
To feed disease and fear and madness,
The dwellers of the earth and air
Shall throng around our steps in gladness
Seeking their food or refuge there.
Our toil from thought all glorious forms shall cull,
To make this Earth, our home, more beautiful,
And Science, and her sister Poesy,
Shall clothe in light the fields and cities of the free!

I Shelley, yr oedd barddoniaeth a gwyddoniaeth, y ddwy wyddor fel ei gilydd, yn gynnyrch y meddwl dynol creadigol, goleuedig a gwareiddiedig, a byddai'r oes aur yn ailorseddu'r ddwy chwaer hyn, yn union fel y gwnaethpwyd hynny yn ystod yr oes aur gyntaf yn y Wlad Roeg hynafol. Credai Hedd Wyn yr un peth yn union yn 'Yr Arwr' ac felly hefyd Shelley yn *Prometheus Unbound*.

Yn *The Revolt of Islam* y cafodd Hedd Wyn y prif rediad i'w stori yn 'Yr Arwr'. Cafodd elfennau eraill, rhai ohonynt yn elfennau sy'n cyfateb yn y ddwy gerdd gan Shelley, yn *Prometheus Unbound*. Shelley a roddodd i Hedd Wyn y ffigwr Prometheaidd, nid Prometheus, ond yn hytrach y ffigwr arwrol, chwyldroadol a gweithredol sydd â'i fryd ar achub y ddynoliaeth a gwared y byd rhag gorthrwm ac anghyfiawnder: y chwyldroadwr sydd yn llinach Prometheus, ac yn ymgorfforiad o holl rinweddau'r Prometheus chwedlonol. Gwyddys i Shelley seilio'i gerdd ef ar chwedloniaeth Roegaidd, ac ar chwedl Prometheus, a'i seilio hefyd i raddau, ond i raddau'n unig, ar ddrama fawr Aeschylus, *Prometheus yn Rhwym*. Ond nid ailwampio ac ailadrodd drama Aeschylus oedd bwriad Shelley. Fel y dywed ef ei hun yn ei gyflwyniad i *Prometheus Unbound*:

The Greek tragic writers, in selecting as their subject any portion of their national history or mythology, employed in their treatment of it a certain arbitrary discretion. They by no means conceived themselves bound to adhere to the common interpretation or to imitate in story as in title their rivals and predecessors.

Ac eto:

I have presumed to employ a similar licence ... Had I framed my story on this model, I should have done no more than have attempted to restore the lost drama of Aeschylus.

Yn nrama Aeschylus, gwaredwr y ddynoliaeth yw Prometheus. Ef a roddodd iddi fendithion fel tân, meddyginiaeth, y gair ysgrifenedig, ac yn y blaen, gan wareiddio meidrolion yn eu hanwarineb. Oherwydd i'r weithred hon danseilio awdurdod Zeus, pennaeth y duwiau, a chan fod Prometheus wedi cyflwyno i'r ddynoliaeth ragorfreintiau'r duwiau, cosbwyd ef gan Zeus, trwy ei gadwyno wrth graig a pheri i fwltur bigo a bwyta'i iau yn dragywydd. Er bod cryn wahaniaeth rhwng rhediad stori Shelley a stori Aeschylus, mabwysiadodd y bardd y syniad hwn am Prometheus fel arwr a diwylliwr neu wareiddiwr, ac meddai eto yn ei gyflwyniad:

... Prometheus is, as it were, the type of the highest perfection of morals and intellectual nature, impelled by the purest and the truest motives to the best and noblest ends.

Mabwysiadodd Hedd Wyn yntau yr un syniad yn union am Prometheus.

Yn ôl Shelley, ffigwr Prometheaidd oedd y bardd. Chwyldroadwr ydoedd, ffigwr arwrol, gweithredol. Meddai, yn ei linellau enwog: 'Poets are ... the trumpets which sing to battle ... Poets are the unacknowledged legislators of the world.' Nid meudwy yn ei fyfyrgell yw'r bardd, eithr ymladdwr a chwyldroadwr, ac yn y rheng flaenaf ar faes y gad y mae ei briod le. Chwyldroi cymdeithas yw ei waith, a dymchwel a thanseilio gorthrwm awdurdod, anghyfiawnder a thrais, a gwareiddio dynoliaeth trwy gynnig iddi ddelfrydau uwch, mwy anrhydeddus. Nid rhyfedd felly i Shelley ddewis Prometheus fel arwr ei gerdd hir. Shelley, i raddau helaeth, yw Prometheus. Fel Prometheus, fe erlidir y bardd oherwydd ei fod â'i fryd ar ddileu trais a gormes, a gweddnewid cymdeithas er gwell. Meddai Neville Rogers yn ei gyfrol *Shelley at Work*:

Shelley, defying the forces of despotism and institutional religion, is identified
with the tortured Titan, like him suffering liberator and pioneer of scientific
enlightenment ...[133]

Y mae'n sicr fod Shelley yntau yn ei weld ei hun yn olyniaeth y llinach
anrhydeddus honno o feirdd chwyldroadol a gâi eu herlid gan gymdeithas
oherwydd eu gweithredoedd a'u daliadau gwleidyddol, ac oherwydd eu bod
am ymyrryd â'r drefn gymdeithasol, ac am chwyldroi'r byd. Meddai Shelley
yn ei gyflwyniad i *Prometheus Unbound* unwaith yn rhagor:

We owe the great writers of the golden age of our literature to that fervid
awakening of the public mind which shook to dust the oldest and most oppressive
form of the Christian religion. We owe Milton to the progress and development of
the same spirit: the sacred Milton was, let it ever be remembered, a republican, and
a bold inquirer into morals and religion.

Fel Shelley, chwilio yr oedd Hedd Wyn am yr Oes Well, y byd newydd
mwy gwaraidd, mwy ysblennydd a mwy anrhydeddus, byd â'i bwyslais
ar y meddwl goleuedig, ar ddysg, cyfiawnder, heddwch a chytgord, ac ar
ragoriaeth y celfyddydau. Priod orchwyl yr arwr Prometheaidd, yn wir, y
bardd Prometheaidd, yw tywys y ddynolryw i gyfeiriad yr Oes Aur newydd.
Trwy ddioddefaint yn unig y cyrhaeddir ac y crëir yr oes well, trwy ferthyrdod
a hunan-aberth. Trwy ddioddefaint a merthyrdod y gweddnewidiodd
Prometheus y byd, a'i wareiddio a'i ddiwyllio. Trwy ing a hunan-aberth y
llwyddodd Crist i chwyldroi cymdeithas er gwell, a chynnig iddi ddelfryd
uwch, sef byd mwy brawdol, mwy cariadus a gwareiddiedig. Ac i Shelley,
a wadai Dduwdod Crist, ffigwr Prometheaidd oedd Iesu Grist yntau.
Diwygiwr cymdeithasol ydoedd, chwyldroadwr, a gorfu iddo ddioddef am ei
weithredoedd chwyldroadol, fel pob cymwynaswr a therfysgwr cymdeithasol
arall. Yr oedd Prometheus a Christ, felly, o'r un llinach ac o'r un anian. Dyna
paham y dywed Shelley hyn am Grist yn ei gerdd *Hellas*:

A power from the unknown God,
    A Promethean conqueror, came;
Like a triumphal path he trod
    The thorns of death and shame.

Cyfeiria'r 'thorns of death' at y goron ddrain. Y mae Hedd Wyn yntau yn uniaethu Crist â Prometheus; er enghraifft, yn 'Myfi Yw':

O'i flaen 'roedd niwloedd a gwae yn encilio,
  O'i ôl y wawrddydd yn torri ymhell;
Ac meddai fy nghalon wrth edrych arno:
Dyma Brometheus ofnadwy rhyw chwyldro,
  Arweinydd crwsâd y goleuni gwell.[134]

Yr uniaethu hwn rhwng Prometheus a Christ a barodd gymaint o ddryswch ynglŷn â phwy yn union ydyw Arwr Hedd Wyn. Fel Shelley, rhoes i'r naill briodoleddau'r llall, ac fel arall. Y mae Crist yn Brometheus yn union fel y mae Prometheus yn Grist. Yr un yw eu nodweddion, sef nodweddion yr arwr, y merthyr o chwyldroadwr. Cyfunodd Shelley'r ddau yn *Prometheus Unbound* fwy nag unwaith, yn union fel y mae sawl cyfeiriad amwys at Grist a'r Croeshoeliad yn 'Yr Arwr'. Meddai Timothy Webb am yr uniaethu hwn yn *Shelley: A Voice not Understood*: 'Christ's image is sometimes fused with that of Prometheus in *Prometheus Unbound*.'[135] Cyfeirio y mae Timothy Webb at ddarnau fel y darn hwn, a roir yng ngenau Panthea:

A woeful sight: a youth
With patient looks nailed to a crucifix.

A'r darn a ganlyn, a roir yng ngenau Prometheus ei hun:

Remit the anguish of that lighted stare;
Close those wan lips; let that thorn-wounded brow
Stream not with blood; it mingles with thy tears!

'Shelley's first act elaborately identifies Prometheus with Christ ... Shelley's hero is the identity of both these pre-eminent types of superhuman and self-sacrificing resistance to evil,' meddai Neville Rogers am y modd y mae Shelley yn cyfuno Crist a Prometheus.[136] Ond a ydyw Shelley yn ei gysylltu ei hun â'i ddau arwr? Ydyw, yn ddiamau, ac er bod y ffaith iddo'i uniaethu ei hunan â Christ yn ymddangos yn rhyfygus o gableddus, rhaid inni gofio, unwaith yn rhagor, nad oedd Shelley yn derbyn Duwdod y Crist. Meddai Timothy Webb eto:

> Both Christ and the poet, in his role as promulgator of the doctrine of love, can be regarded as the 'unacknowledged legislators of the world'. There is no question here of Shelley's egotism putting him on a level with Christ. What he is suggesting in 'Ode to the West Wind' is an overlapping of experience in so far as the poet, like Christ, is a prophet, a vehicle of the spirit, a voice crying in the wilderness.[137]

Cymharer y sylwadau uchod â geiriau Felix Rabbe yn ei lyfr *Shelley: The Man and the Poet*, wrth drafod Shelley ei hun:

> ... the spirit of Nature becomes incarnate within him; he is like unto a seer and a prophet; at times he is an echo of Job, Isaiah and Christ.[138]

Cyfeiria Hedd Wyn at yr Ail Eseia yn 'Yr Arwr', a gwyddys hefyd oddi wrth lyfr William Morris ei fod yn ddyledus 'i ganeuon yr Ail Eseia' am lawer o ddeunydd ei awdl,[139] ond dylid nodi bod Shelley yntau wedi defnyddio Caneuon Gwas yr Arglwydd yn *Prometheus Unbound*, fel y sylwodd mwy nag un beirniad. Yn union fel y mae William Morris yn datgan bod Hedd Wyn wedi 'tynnu ysbrydiaeth i'w gerddi oddi wrth un o'i broffwydi mawr',[140] y mae Timothy Webb yn dweud hyn: 'Shelley himself read the prophets and found in them outspoken confirmation of his own preconceptions.'[141] Yr oedd Shelley a Hedd Wyn, ill dau, yn hyddysg iawn yn eu Beibl yn ôl pob tystiolaeth, ond y mae'n fwy na thebygol mai Shelley a roddodd i Hedd Wyn y syniad o addasu'r traddodiad am yr Ail Eseia ar gyfer ei awdl. Mae'n sicr, felly, fod Shelley yn edrych arno'i hun fel bardd yn llinach y proffwydi, fel chwyldroadwr ac fel merthyr dros yr 'Oes Well'. Meddai Felix Rabbe eto:

> He possesses in a more marked degree than any other poet of our time a warmth and tenderness of heart, a love of mankind, unequalled in expression save by Shakespeare; it is a love that attains to heroism, to self-sacrifice, to martyrdom ...[142]

Fel y dywedwyd, y mae Hedd Wyn yntau'n cyfeirio'n awgrymog-amwys at Grist yn ei awdl, ac yn cyfuno Prometheus a Christ. Awgrymir y Croeshoeliad yn nhrydydd caniad 'Yr Arwr', er enghraifft:

> Ond ar ei grog draw yn crogi, – yn ei waed
>   Gwelwn ef ar drengi;

Ond, at ei gilydd, ychydig iawn o adleisiau a chyfeiriadau Beiblaidd a geir yn yr awdl, llawer iawn llai nag a geir yng ngweithiau Shelley; er hynny, yn sicr, y mae'r uniaethu hwn rhwng y ddau yn digwydd yn y gerdd. Ac ar y pwynt hwn, dylid nodi un peth diddorol iawn. Y mae'n sicr mai Shelley a roddodd i Hedd Wyn y syniad am uno Prometheus a Christ, ond fe geir yr un gymhariaeth yn y Gymraeg. Ym 1861 cyhoeddwyd *Y Dwyfol Oraclau: Ysprydoliaeth Prophwydoliaethau yr Hen Destament* gan Nicander (Morris Williams). Yn y bumed bennod yn y gyfrol, 'Eschylus. – Y Prometheus Desmotes', dywed Nicander, gan gyfeirio at *Prometheus yn Rhwym* Aeschylus, fod:

> ... cynnifer o amgylchiadau yn nioddefaint Prometheus, fel y portreadir ef yn y Tragedi hwn, yn dwyn tebygolrwydd i ddioddefaint yr Arglwydd Iesu ...[143]

A nododd 30 o'r tebygiaethau hyn; er enghraifft, os cymerir un ar antur:

> 6. Wrth graig, mewn gwlad fynyddig, y dioddefodd Prometheus. Ar fryn Calfaria, mewn gwlad fynyddig, y dioddefodd Crist.[144]

Awgrymodd Nicander fod Aeschylus wedi cael rhyw fath o weledigaeth ddwyfol, 'neu ynte ryw fath o ddatguddiad a gafodd ar y pryd ag yr oedd yn myfyrio ac yn cyfansoddi'r *Prometheus*, datguddiad yn ymylu ar gyffiniau prophwydoliaeth'.[145] Yn awr, efallai fod Hedd Wyn wedi darllen *Dwyfol Oraclau* Nicander yn ogystal â cherdd Shelley, ac i hyn hefyd ddylanwadu arno. Ond wedi crybwyll y posibliad hwn, rhaid ychwanegu ar yr un pryd mai Shelley a fu'r prif ddylanwad arno o safbwynt cyfuno Prometheus a Christ.

Ond aeth Hedd Wyn gam ymhellach na'i ragflaenwyr. Fel y dangosodd William Morris a Derwyn Jones, nid yn unig y bu iddo uno Prometheus a Christ, eithr cyplysodd â'i gilydd yn ogystal gymeriadau chwedlonol arwrol eraill. Yn ei awdl 'Eryri', fe'i ceir yn cyfuno Arthur chwedloniaeth y Cymry â Christ yn y llinell 'Anorthrech reddf Arthur a Christ'; ac yn y bryddest 'Hiraeth Enaid', y cyfeiriwyd ati eisoes, y mae'n cyplysu Prometheus ag Arthur, ac yn cyfeirio hefyd at Foses. Ffigurau meseianaidd yw'r rhain i gyd, Crist, Prometheus, Arthur a Moses, ac y mae'n gwbl amlwg mai ffigwr meseianaidd yw Arwr Hedd Wyn yntau, a'i fod yn dilyn trywydd y rhain.

Cyfuniad, felly, o arwyr yr oesoedd ac o nodweddion arwrol cyffredinol yw Arwr Hedd Wyn. Y mae ei ddyled i Shelley yn oramlwg. Yn ogystal â rhoi i Hedd Wyn yr arwr cyfunol hwn, rhoddodd iddo ambell syniad neu ddelwedd ychwanegol yn ogystal. Disgrifir nerth a gallu'r Arwr fel hyn gan Hedd Wyn:

> Merchyg fel drycin ar flaen y trinoedd,
> A baidd â'i anadl ysgwyd byddinoedd;
>   Ei wŷs a chwâl lynghesoedd, – a'i nerth maith
> Ofwya'n oddaith ar wyllt fynyddoedd.[146]

Cymharer â Shelley:

> Trampling down both flower and weed,
> Man and Beast, and foul and fair,
> Like a tempest through the air.

Gwrthodir a gwawdir y chwyldroadwr Prometheaidd. Meddai Hedd Wyn:

> A'r tâl mau fu treisiau trwm,
> Eiddig warthrudd a gorthrwm.[147]

Dyna'r tâl gan y ddynoliaeth am fod yn gymwynaswr iddi. Meddai Shelley yn *Prometheus Unbound*:

>   ... Evil minds
> Change good to their own nature. I gave all
> He has; and in return he chains me here.

Er hyn, gan yr Arwr y mae'r grym a all ysgwyd 'dur Arthur hen/A chawraidd freichiau Urien'. Yr Arwr yw gelyn twyll, rhagrith a ffalster teyrn a llywodraeth:

Ffoai crin ffeils frenhinedd
Ar gyfyng hynt rhag fy ngwedd.[148]

Mynegir yr un gred gan Shelley:

Why scorns the spirit which informs ye, now
To commune with me? Me alone, who checked,
As one who checks a fiend-drawn charioteer,
The falsehood and the force of him who reigns.

Cwbl allweddol i'r dadansoddiad hwn o Arwr Hedd Wyn yw'r dyfyniad a ganlyn, o lyfr J. M. Cohen, *Poetry of this Age 1908–1958*:

The romantic poet – Shelley, Hugo, Byron – saw himself as a hero, the successor to Prometheus or Hercules. Though society rejected him, he believed that he had been chosen to bring it great benefits, to acquaint it with the powers of inspiration, and even to perform the labours of political leader and prophet. Whatever his doubts about the external world, he unhesitatingly believed in himself as a figure of undivided purpose, capable of decision, criticism and action.[149]

Y mae'n sicr y gwelai Hedd Wyn ei hunan yn olyniaeth y beirdd hyn. Un genadwri fawr yw ei farddoniaeth, sef cyrchu'r oes well a'r byd delfrydol, gyda chysondeb ac angerdd, a hynny'n awgrymu nad themâu cyfleus mo'i themâu, ond gweledigaeth losg yr oedd yn rhaid iddo roi mynegiant iddi. Fel y dywedodd William Morris: 'Nid mynegi rhyw gyfundrefn feddyliol ar gân yr oedd Hedd Wyn ond canu ei weledigaeth ei hun.'[150]

Gellir cyplysu sosialaeth Hedd Wyn â'i weledigaeth. Gallai'r Oes Aur gynnig esmwythyd materol yn ogystal â boddhad ysbrydol. Byddai cael gwared â'r hen gyfundrefn ormesol ac annheg yn dileu tlodi ac yn dyrchafu dyn yn faterol ac yn ysbrydol. Prometheus oedd y symbol o'r Dyn Newydd iddo, y Dyn Newydd a fyddai'n pleidio cyfiawnder ar draul gormes, yn ochri â gwirionedd a daioni yn erbyn anwiredd a drygioni, ac yn ysgogi dynion i fawrygu gwyddoniaeth a'r celfyddydau. Fel y dywed Maurice Bowra am arwyddocâd Prometheus Shelley yn *The Romantic Imagination*:

Prometheus himself is the embodiment, if that is not too strong a word, of something which Shelley greatly valued, and is described in the Preface as "the type of the highest perfection of moral and intellectual nature, impelled by the purest and truest motives to the best and noblest ends." Prometheus is all that. He stands for the desire in the human soul to create harmony through reason and love, and for this he displays an unequalled courage and endurance. He is what Shelley regarded as the noblest force in human self, the desire for the good and the willingness to make any sacrifice for it. Prometheus' ideal nature is both intellectual and moral and devoted equally to truth and to goodness.[151]

Dyna, yn fras, arwyddocâd yr Arwr yn yr awdl. Nodwyd eisoes fod Merch y Drycinoedd wedi ei phatrymu ar Cythna yn *The Revolt of Islam*, ac ar ferched eraill yng nghanu Shelley. Y mae hi wedi ei seilio ar Asia yn *Prometheus Unbound* yn ogystal. Y mae ei henw, yn un peth, yn awgrymu pwy ydyw. Nid 'drycinoedd' mewn unrhyw ystyr drosiadol am helbulon bywyd yn unig a geir yma, ond 'drycinoedd' yn yr ystyr lythrennol, ac y mae hynny'n cysylltu'r Ferch â Natur ac â chynefin y bardd. Hi, fel y dywedwyd eisoes, yw anwylyd mebyd y bardd. Mewn fersiynau eraill o'r awdl, gelwir hi yn 'cymar drycinoedd', ac y mae 'cymar' yma yn golygu bod Merch y Drycinoedd yn un â'r gwynt, yn un â'r storm, yn un â Natur yn y pen draw. Cofier hefyd fod yr Ysbryd daionus, Ysbryd Harddwch, yn 'Hymn to Intellectual Beauty' Shelley, yn un â'r noswynt.

Yng nghaniad cyntaf yr awdl y mae Merch y Drycinoedd yn galaru oherwydd ei bod hi a'i hanwylyd wedi eu hysgaru, ac y mae'n cofio'r dyddiau tangnefeddus hynny pan grwydrent 'wlad desog mebyd' yng nghwmni ei gilydd. Yng nghaniad cyntaf *Prometheus Unbound*, hiraetha Prometheus am Asia ei gariad, gan gofio'r dyddiau hynny a dreuliasant gyda'i gilydd yn eu gwlad desog hwy, cyn i'r ysgariad rhyngddynt ddigwydd:

Oh rock-embosomed lawns, and snow-fed streams ...
Through whose o'ershadowing woods I wandered once
With Asia, drinking life from her loved eyes ...

Y mae Asia hithau yn dyheu ac yn clafychu am Prometheus, yn union fel y mae Merch y Drycinoedd yn dyheu am yr Arwr. Meddai Panthea wrth Prometheus ar ddiwedd yr act gyntaf:

> ... the eastern star looks white,
> And Asia waits in that far Indian Vale,
> The scene of her sad exile; rugged once
> And desolate and frozen, like this ravine;
> But now invested with fair flowers and herbs,
> And haunted by sweet airs and sounds, which flow
> Among the woods and waters, from the aether
> Of her transforming presence, which would fade
> If it were mingled not with thine.

Dyna Ferch y Drycinoedd yn breuddwydio am yr Arwr wedyn. Yn yr un modd yn gymwys, y mae Asia yn breuddwydio am ei Phrometheus alltud. Y mae Panthea yn breuddwydio amdano i gychwyn, ac y mae hithau hefyd yn huno ar fin y môr ac o dan y lleuad ('With our sea-sister at his feet I slept'), yn union fel Merch y Drycinoedd, ac meddai:

> Then two dreams came. One, I remember not.
> But in the other his pale wound-worn limbs
> Fell from Prometheus ...

Ac meddai Asia wrthi:

> As you speak, your words
> Fill, pause by pause, my own forgotten sleep
> With shapes. Methought among these lawns together
> We wandered, underneath the young grey dawn ...

Uchafbwynt *Prometheus Unbound*, ac yn wir holl bwynt y gerdd, yw aduniad Asia a Prometheus, a'r uniad hwnnw yn esgor ar Oes Aur, pan fydd Cariad a Phrydferthwch yn teyrnasu. Meddai Neville Rogers, gan nodi arwyddocâd yr uniad hwn: 'For Prometheus the hour of his triumph is also the hour in which he is united to her.'[152] Yr un arwyddocâd yn union sydd i uniad Merch y Drycinoedd a'r Arwr, sef bod yn gyfrwng i esgor ar yr Oes Aur; ac yn union fel y patrymodd Hedd Wyn ei Arwr ar rai o nodweddion Prometheus Shelley, seiliodd Ferch y Drycinoedd ar Asia hefyd. Ond pwy yw Asia? Beth yw ei harwyddocâd hi? Y mae'r beirniaid a'r arbenigwyr ar waith Shelley i

gyd yn bur gytûn ar y pen hwn. Meddai Desmond King-Hele am uniad Asia
a Prometheus, er enghraifft:

> Now he greets his long-lost Asia. By their mystic union wisdom, gentleness,
> tolerance and forgiveness are married to love and creative power, and Man is
> married to Nature.[153]

Tra bo Prometheus yn ymgorfforiad o rinweddau aruchel fel doethineb,
maddeugarwch a goddefgarwch, y mae Asia yn cynrychioli Cariad, y grym
creadigol, Natur. Yn ôl Donald H. Reiman: 'Shelley suggests mythically that
Asia – the universal, creative force that inspires human imagination – is also the
source of natural creative energy.'[154] Fe welir fod yma, at ei gilydd, gysondeb
ynghylch arwyddocâd Asia. Hi yw Natur, ffynhonnell ysbrydoliaeth y bardd,
y grym creadigol, Cariad. Fe ddywed Desmond King-Hele hyn yn ogystal am
berthynas Asia a Prometheus: 'Love is the main theme of *Prometheus Unbound*
... and it is by his love for Asia that Prometheus shows he is completely fit to
be freed.'[155]

 Yn ôl Shelley, yr oedd natur orthrymus a chreulon ei oes yn lladd ac yn
difodi Cariad, a Chariad oedd un o brif hanfodion ei oes aur ddelfrydol. Trwy
uniad Asia a Prometheus, fe ddôi Cariad eilwaith i deyrnasu. Y mae Hedd Wyn
yn dilyn Shelley yma eto, oherwydd fe gysylltir Cariad â Merch y Drycinoedd
yn y trydydd caniad. Yn union fel y bydd i uniad Asia a Prometheus orchfygu
gorthrymder, creulondeb a thrais y mân dduwiau rhyfelgar, fe fydd Cariad yn
dychwelyd i galon Merch y Drycinoedd trwy 'ryddid oes werdd y dydd', sef
y dydd newydd ysblennydd sydd ar fin gwawrio.[156] Meddai'r Arwr amdani:

> Duwiau'r hwyr o'i mynwes drôn',
> Eilwaith daw serch i'w chalon.[157]

Ac eto:

> Wele, ferch, dyrchafael fydd, – yno tau
> Pob rhyw storm annedwydd;
> Ac i'r oed is y coedydd
> Cariad rhos o'i dranc hir drydd.

Asia yw'r grym deallusol sy'n ysgogi'r meddwl creadigol, grym tebyg i'r 'Intellectual Beauty' yng ngherdd Shelley. Hi yw Cariad, y grym hwnnw sy'n creu gwell byd ac yn dileu'r hen gasinebau a'r hen gyfundrefn dreisiol, ormesol; hi yw ffynhonnell pob ysbrydoliaeth – y 'creative force that inspires human imagination' – a Chariad a grym creadigol yn un: 'love and creative power'. Hi hefyd yw Natur, neu o leiaf y grym anwel creadigol ac adnewyddol hwnnw ym myd natur sydd yn ysbrydoli dynion i greu byd mwy delfrydol a dilychwin. Gellir cysylltu Asia â merched eraill Shelley, wrth gwrs – Emilia Viviani, er enghraifft, y ddelfryd o ferch sy'n ffynhonnell ysbrydoliaeth a chariad i'r bardd, a Cythna, sy'n cynrychioli Gwybodaeth, Rheswm a Deallusrwydd. Y mae merched Shelley i gyd yn gynrychioliadol o'r rhinweddau cadarnhaol, achubol yn y ddynoliaeth: Harddwch, Creadigolrwydd, Delfrydiaeth, Cariad, Ysbrydoliaeth. Trwy gyfuno'r rhinweddau gwâr a gwaredigol hyn â rhinweddau cadarnhaol yr aelodau gwrywaidd o'r deuoedd hyn, rhinweddau fel maddeugarwch, goddefgarwch, cymwynasgarwch, yr awydd i chwyldroi cymdeithas er gwell, y dyhead i drechu'r pwerau drygionus a difaol yn y byd, yr enillir y frwydr yn erbyn anwybodaeth a gormesgarwch. Ni all yr Arwr weithredu ar wahân i'w gymar; nid yw'n gyflawn felly. Rhaid wrth yr aelod benywaidd o'r uniad cyn y gellir ennill goruchafiaeth ar y grymusterau difaol, tywyll. Fe ddywed Shelley pwy yw Asia:

> Asia, thou light of life,
> Shadow of beauty unbeheld ...

Hi yw goleuni bywyd ac ysbryd harddwch, ac i'r un cyfeiriad y symudir eto. Creadigaeth debyg i Asia ac i ferched eraill Shelley yw Merch y Drycinoedd, ac y mae'n ymgorffori'r holl rinweddau hyn y mae merched Shelley yn gyfrannog ohonynt. Cysylltir Merch y Drycinoedd yn bendant â Natur, fel yr awgryma'i henw, ac nid dilyn Shelley yn slafaidd a wna Hedd Wyn, ond ei harddel fel ei eiddo personol ef fel bardd. Hi, ar un ystyr, yw ei awen greadigol, a hi yw cariad a delfrydiaeth. Cafodd Hedd Wyn gyfle delfrydol i fynegi'r modd y caethiwid ac y gwawdid Merch y Drycinoedd gan y ddynoliaeth, gan mai yn ystod y Rhyfel Mawr y lluniwyd yr awdl, a chamgymeriad yw tybio bod Hedd Wyn yn canu mewn gwagle gan anwybyddu'r gyflafan fawr. Helyntion gwleidyddol a rhyfeloedd ei oes a ysgogai Shelley i ganu ei gerddi; er enghraifft, y Chwyldro Ffrengig yw cefndir *The Revolt of Islam*, a'r rhyfel i ryddhau Gwlad Groeg o afael Twrci ym 1821 oedd cefndir un arall o'i gerddi hirion, *Hellas*. Gyda'r Rhyfel Mawr yn difa cenhedlaeth gyfan drwy'r byd i gyd, disodlwyd cariad gan gasineb, delfrydiaeth gan sinigiaeth, yr awen greadigol gan ddinistr diystyr, a deallusrwydd gan ynfydrwydd a gwallgofrwydd. Mewn 'oes mor ddreng' yr oedd mwy o angen i Ferch y Drycinoedd a'r Arwr uno i esgor ar well byd nag erioed.

Ysbryd gwarineb yw Merch y Drycinoedd; hi hefyd yw ysbrydoliaeth Celfyddyd ac awen gwyddoniaeth, enaid Dysg a Chynnydd a'r grym creadigol ac ysgogiadol sydd y tu ôl i bopeth o werth. Yr uniad rhwng Asia a'i hanwylyd, Prometheus, sy'n creu oes well yn *Prometheus Unbound*. Yn ôl Maurice Bowra:

> The moment when Asia realizes her love for Prometheus is the moment when spirits set forth in chariots drawn by winged horses to conquer the sky. This is the crisis to which Shelley gives an almost mystical significance. When love and reason are united, evil is doomed.[158]

Crëir trwy'r uniad hwn yr Oes Aur fawr, a ragwelwyd gan Shelley yn *Hellas* hefyd:

> The world's great age begins anew,
> The golden years return,
> The earth doth like a snake renew
> Her winter weeds outworn ...

Cyfeirir at yr un Oes Aur dro ar ôl tro ym marddoniaeth Hedd Wyn, ac fe'i gelwir wrth sawl enw, er enghraifft, y 'santaidd oes bell', yr 'euroes well', yr 'oes well', 'gwynfa', 'bro undod a hedd', y 'cyfnod gwyn, pell', ac yn y blaen.

Pan ddaw'r Oes Aur honno i fodolaeth, bydd y gwyddorau creadigol, Celfyddyd, Gwyddoniaeth, Cerddoriaeth, yn ennill goruchafiaeth drachefn ar yr elfennau negyddol a difaol yn y natur ddynol. Yn ôl Shelley yn *Prometheus Unbound*, Prometheus a roddodd iaith a gwybodaeth i'r ddynoliaeth; rhoddodd farddoniaeth a cherddoriaeth iddi, a rhoddodd iddi hefyd y gallu gwyddonol, gan gynnwys dealltwriaeth o'r modd y gweithiai'r sêr a'r planedau, a gorchfygodd Angau yn sgil cyflwyno'r bendithion cadarnhaol a chreadigol hyn:

> He gave man speech, and speech created thought,
> Which is the measure of the universe;
> And Science struck the thrones of earth and heaven,
> Which shook, but fell not; and the harmonious mind
> Poured itself forth in all-prophetic song;
> And music lifted up the listening spirit
> Until it walked, exempt from mortal care,
> Godlike, o'er the clear billows of sweet sound;
> And human hands first mimicked and then mocked,
> With moulded limbs more lovely than its own,
> The human form, till marble grew divine;
> And mothers, gazing, drank the love men see
> Reflected in their race, behold, and perish.
> He told the hidden power of herbs and springs,
> And Disease drank and slept. Death grew like sleep.

> He taught the implicated orbits woven
> Of the wide-wandering stars; and how the sun
> Changes his lair, and by what secret spell
> The pale moon is transformed, when her broad eye
> Gazes not on the interlunar sea ...

Dyma'r elfennau a ailorseddir yn ystod yr Oes Aur newydd. Yn *Prometheus Unbound* y mae Corws yr Ysbrydoedd yn dathlu'r byd newydd, ac yn dweud eu bod yn tarddu

> From the temples high
> Of Man's ear and eye,
> Roofed over Sculpture and Poesy;
> From the murmurings
> Of the unsealed springs
> Where Science bedews her Daedal wings.

Yn ôl y Corws hwn, bydd Ysbryd Doethineb yn teyrnasu yn y byd newydd,
a'r Dyn Newydd, y *Promethean*, yn rheoli:

> And our singing shall build
> In the void's loose field
> A world for the Spirit of Wisdom to wield;
> We will take our plan
> From the new world of man,
> And our work shall be called the Promethean.

Yn y nefoedd newydd hon ar y ddaear bydd dyn yn dyrchafu cerfluniaeth,
arluniaeth a barddoniaeth:

> All things confess his strength. Through the cold mass
> Of marble and of colour his dreams pass;
> Bright threads whence mothers weave the robes their children wear;
> Language is a perpetual Orphic song,
> Which rules with Daedal harmony a throng
> Of thoughts and forms, which else senseless and shapeless were.

Ac, wrth gwrs, bydd y Dyn Newydd yn feistr ar yr holl greadigaeth, ac
yn gwybod holl gyfrinachau'r cread, trwy ei feistrolaeth ar wyddoniaeth a
seryddiaeth:

> The lightning is his slave; heaven's utmost deep
> Gives up her stars, and like a flock of sheep
> They pass before his eye, are numbered, and roll on!
> The tempest is his steed, he strides the air;
> And the abyss shouts from her depth laid bare,
> Heaven, hast thou secrets? Man unveils me; I have none.

'The lightning is his slave': lladrataodd Hedd Wyn y syniad a'r ddelwedd
oddi ar Shelley yn 'Yr Arwr', ond y mae ei fynegiant ef yn llawer mwy
trawiadol-ddelweddol:

> Milynau'r mellt melynion
> I'r bys mau'n fodrwyau drôn' ...[159]

Cymharer hefyd y cwpled hwn a leferir gan yr Arwr ei hun:

> Enwau'r sêr a'u niferoedd
> A'u lliw yn nail fy llên oedd ...[160]

Fel *Promethean* Shelley, hyrwyddo ac ailorseddu'r gwyddorau oedd bwriad Arwr Hedd Wyn hefyd; 'Erod pob gwyddor huriais,' meddai, ac y mae'r gwyddorau hyn yn cynnwys dysg, hanes ac athroniaeth ('byd hardd pob gwybod hen', a hefyd 'A thrwy fil o athrofâu/Heliais i ti feddyliau'), gwyddoniaeth a seryddiaeth, wrth gwrs, a cherddoriaeth ('Fy nerthoedd, tymestl oeddynt/Yn huawdl gerdd Handel gynt'), a barddoniaeth ('A'm hewyd fu'n fflam awen/ Mewn llawer i Homer hen', ac yn y blaen). Ceir pennill yn 'Ceisio Gloywach Nen' sy'n adleisio'r dyfyniad uchod o eiddo Shelley ynghylch meistrolaeth a goruchafiaeth dyn ar y greadigaeth:

> Erys dyn ar y mynyddoedd mawr
>   I agor ffyrdd i'r heuliau cudd
>   I ymdaith ar anfarwol ddydd
> Tros y du wybrennau maith di-wawr;
> Cyfeiria'i deyrnwialen i'r glas uwchben;
>   O'i ôl mewn cadwyni mae'r mellt;
>   Tremia oddi ar glogwyni dellt,
> Yng ngwisg concwerwr, am Loywach Nen.[161]

Gellir dweud mai uchafbwynt holl ganu Hedd Wyn oedd 'Yr Arwr'. Bu'n symud yn raddol i gyfeiriad yr awdl hon drwy'i holl farddoniaeth, ac ynddi y ceir y mynegiant llawnaf (ac olaf) ynghylch ei gredoau a'i safbwyntiau fel bardd. Credai drwy ei holl farddoniaeth fod oes newydd oleuedig a gwareiddiedig ar fin gwawrio, a chredai hefyd y gallai dyn, pe bai'n ewyllysio hynny, ei dynnu ei hun o bydew anwybodaeth ac o wyll anwareidd-dra. Mae'n gwbl eironig, ac yn gwbl berthnasol hefyd, mai yn ystod lladdfa'r Rhyfel Mawr y lluniodd yr awdl, pan oedd dyn yn ymddwyn fel gwallgofddyn.

Cyfeiriwyd eisoes at y modd yr uniaethwyd Prometheus â Christ yn 'Myfi Yw'. Ceir sawl cyfeiriad arall at Prometheus yn ei ganu, ac y mae cnewyllyn Merch y Drycinoedd mewn ambell ddarn yn ogystal. Yn 'Fy Ngwynfa Goll' mynegir y gred gyson ganddo nad oes modd ennill yr oes well na chyrraedd y tir pell heb brofi dioddefaint, ac mai trwy frwydro yn unig y cyrhaeddir gwynfyd. Ceir yr un athroniaeth yn 'Yr Arwr', wrth gwrs, ac y mae'r holl awdl yn troi o gylch y safbwynt hwn. Meddai yn 'Fy Ngwynfa Goll':

> Ni'm temti, O ddrycin, cans prynaf y wenfro
> A thelyn ysgyrion a chleddyf fo ddellt;
> Mi a wn mai chwerw yw ffordd Eldorado,
> A gwybydd fy enaid yn llwydni y brwydro,
> Nad Prometheus nebun onis prawf y mellt.[162]

Ac fe ailadroddir yr un syniad yn yr un gerdd:

> Am hynny gwybydd di, nwyd y tymestloedd,
> Mai fi ydwyf Brometheus prydwelw ei fin;
> Fy nghleddyf a dery ddolefau o'r gwyntoedd
> A'm henaid fel marchog adeiniog ar hyntoedd
> A lama yng nghyfwrdd y bore o win.[163]

Prometheus hefyd yw cymeriad canolog 'Hiraeth Enaid':

> O ba wynfydau mae dy ddyeithr daith
> Di Brometheus gwelw dy wyneb
> Mae ol-dywynion pell dlysineb
> Yn nwfn dy lygaid sy gan ddagrau'n llaith.
> Paham y teimlir byd yn garchar.
> Paham y llif i'th delyn gerddgar,
> Dolefau trist ddrychinoedd [sic] trist a maith.[164]

Prometheus alltud a chaeth yw hwn hefyd:

> Gwelaf di heddyw Brometheus nerthol
> Yn crynu dan farrau heirn yr oes ...[165]

O'r carchar hwn a roddodd y ddynoliaeth iddo, caiff gip ar y byd gwell ac ar yr Oes Aur:

Tros fur dy garchar gweli y ddaear
   Fel breuddwyd dan olau gwenlloer y nos.
A gweli afonydd emrallt a cherddgar
   Yn bwrlwm dan fil o blygedig ros.
Dithau yn ol a droaist i wylo –
Tra'r dwfn ysblander heibio'n llifo.
Mae ysbryd yn dy lygadau'n fflamio
   Fel caeth ehedydd bryd gwawrddydd dlos.[166]

Chwilotwr am yr oes well yw Prometheus yn y bryddest hon, er gwaethaf ymgais dynion i'w garcharu:

Ti weithiau a fordwyi ar dy hynt
   I chwilio am ryw emrallt wybrau
   I chwilio am y Gwell ardalau
Ar ddylif teg ac esmwyth cerddgar wynt.

Di weithiau weli y mynyddau mawr
   Fel temlau unig di beroriaeth
   Ddrylliwyd gan ystormydd o farddoniaeth
A gweli y danbeidlas brydferth wawr
   Yn llifo tros y bannau unig
   Fel encil gwynfa anghofiedig
Yn ol i'w chartref pell tros fryniau'r llawr.[167]

Prometheus yw meistr y greadigaeth yma eto:

Ha plygodd byd i angerdd dy ddewiniaeth
   Fel cynt tan delyn Orpheus, Deyrn cerddoriaeth
   Pob peth sy'n plygu i'th anfarwol hiraeth
Anrheithi gestyll meibion y cysgodau ...[168]

Mae 'meibion y cysgodau' yma yn cyfateb i'r 'duwiau duon' yn 'Yr Arwr'. Gan y Prometheus hwn yntau y mae cyfrinachau'r greadigaeth:

A wrthyt heddyw cyfrinachau'r cread
Fel rhianedd atat ddont i siarad ...[169]

Yn y bryddest hon ceir merch sy'n rhagdybio Merch y Drycinoedd hefyd, sef dyweddi Prometheus:

> Ai hiraeth ddodes iti wisg o glai
>> I drigo ynddi'n myd Amseroedd –
>> Gwisg dy briodas di a'r bydoedd?
> Ow! wedyn nid ai'th hiraeth fflam yn llai
>> Gwelaist yn llygaid dy ddyweddi
>> Gysgodau dy wynfaoedd tanlli
> Yn ffoi fel disglair donnau awr y trai.[170]

Ceir creadigaethau sy'n awgrymu Merch y Drycinoedd mewn cerddi eraill hefyd. Yn 'Ystrad Fflur', er enghraifft, y mae bardd a'i gariadferch (Dafydd ap Gwilym a Morfudd) yn 'oedfa eu serch' yn y 'deml o fanwydd', ac meddir am eu huniad:

> Ac oed wen y dadeni
> Dramwya'n hud drwom ni.[171]

Ceir yma adlais o 'borth llawen dadeni' Merch y Drycinoedd a'r Arwr yn yr awdl. Hefyd, y mae Rhiannon yn 'Wedi'r Frwydr', a hithau'n symbol o ryddid, yn rhagdybio Merch y Drycinoedd:

> Cilio wnaeth niwloedd yr ormes a'r dulid;
>> Glas ydyw wybren yr henwlad dlos;
> Cân ganiadau byth-newydd ein rhyddid, –
>> Ferch sydd a'th rudd dan ddistyll y rhos;[172]

Ac yn yr un gerdd, gellir synhwyro presenoldeb Merch y Drycinoedd mewn merch arall, yn enwedig gan fod Merch y Drycinoedd yn ysbrydoliaeth i wyddoniaeth, ymhlith gwyddorau eraill:

> Dithau, wyddoniaeth, ferch y deffroad,
>> Ysgwyd wnâi'th gledd ym mhorth y cyhudd;
> Hired y brwydraist am wawr las-lygad:
>> Heddyw o'th ôl llif dyfnfor o ddydd;[173]

Ac mae gwyddoniaeth fel merch y deffroad yma yn arwyddocáu dyfodiad yr oes well.

Ceir cymeriadau tebyg i'r ymhonnwr yn ail ganiad yr awdl mewn cerddi eraill o eiddo Hedd Wyn yn ogystal. Yn 'Cyfrinach Duw', daw hynafgwr i gwrdd â'r llefarydd, henwr

> Ac ewyn y storm yn wyn yn ei wallt;
> I'w lygaid llwydion 'roedd niwloedd a chynnwr',
> I'w agwedd fregus 'roedd tremyn rhyfelwr
> Brofasai waethaf rhyw drinoedd hallt.[174]

Cymharer â'r 'gwelw rwyg rywelwr' yn yr awdl a'i 'wallt hirwyn'. Gŵr a brofasai stormydd bywyd oedd hwn, a '[g]aledwyd o fynych wynebu'r gwynt', sef un o'r rhai, fel Prometheus, y bu'n rhaid iddo ddioddef i gyrraedd ei ddelfryd. Rhan dyn yn y bywyd hwn yw chwilio am ryw ddelfryd, chwilio am yr oes well a'r tir pell, ac yn 'Myfi Yw', gwêl y bardd yn ei ddychymyg rai eraill fel yntau yn hwylio 'Ac ewyn y môr a'r storm yn eu gwallt', llinell debyg iawn i '[a]c ewyn y storm yn wyn yn ei wallt'. Mewn darn sy'n dod â'r llythyr at y milwr clwyfedig i gof, ceir yn 'Wedi'r Frwydr' ddisgrifiadau tebyg, gan ddwyn i gof, unwaith yn rhagor, ganiad olaf 'Yr Arwr':

> Yn nydd y frwydr cei droi'n hynafgwr,
>   A'th hirwallt unlliw ewyn y don;
> O'th ôl bydd dyddiau'r frwydr a'u cynnwr',
>   O'th flaen bydd glasfor tawel ei fron;
> Dithau a weli ar frig y tonnau
> Fadau rhianedd y teg ororau
>   Yn dod i'th gyrchu fel Arthur gynt
> Dros fin pob glasdon draw i Afallon,
> Ynys ddi-frwydrau yr anfarwolion,
>   Ynys dan lasgoed a cherddgar wynt;
> Yno bydd angof dy glwyfau dyfnion;
> Yno cei londer Llys y Pendragon;
>   A thrigi fyth yn Ynys y Wawrddydd,
>   Ynys a'r glasfor iddi yn geyrydd.[175]

Ceir yn 'Hiraeth Enaid' hefyd ddarn sy'n rhithio Arthur ger ein bron unwaith yn rhagor, ac yn y llinellau canlynol cyplysir Prometheus ag Arthur a hefyd â Bedwyr:

> A gaf fi eto dy alw di
> Yn Fedwyr athrist minion y lli.

> Mae enw rhyw Arthur ar dy fin
> Rhyw Arthur a'th yrodd di'n ol i'r drin.

> Garw yw'r byd a chwerw ei wefus
> Does dim ond adgo a gobaith yn felys.

> Pell yw Afallon ynys y rhyddid
> Agos yw gormes gwaew a gofid
> Trwm ar y byd yw cysgod y dulid.[176]

Mae'r ymhonnwr hefyd yn y farddoniaeth, sef y gŵr a gamfernir ac a wawdir gan gymdeithas am ei fod â'i fryd ar ei hachub. Gelwir Crist yn ymhonnwr gan ddynion yn 'Myfi Yw':

> "Honnodd ei hun yn Etifedd yr Arglwydd,"
>   "Honnodd ei hunan yn frenin y dud":
> Ac yna ni chlyw-wn namyn distawrwydd
> A'r dyrfa yn tramwy is yr olewydd,
>   I geisio'r ymhonnwr â'r wefus hud.[177]

Ac yn 'Crist ar Binacl y Deml' gelwir Crist, eneidfrawd Prometheus, yn 'Ymhonnwr yr uchter mawr'. Asiwyd ynghyd yn 'Yr Arwr' yr holl wahanol elfennau gwasgarog hyn a fu'n corddi ac yn cyniwair ym meddwl y bardd am flynyddoedd.

Diddorol yw astudio'r gwahanol ddrafftiau o'r awdl a gedwir yn Llyfrgell Prifysgol Bangor. Dengys y rhain y gwahanol gamau yn y gwaith o lunio'r awdl. Rhif y llawysgrif ar gyfer dau ddrafft o'r awdl yw 23333, ond cyrhaeddodd trydydd drafft y Llyfrgell rai blynyddoedd yn ôl, trwy deulu William Morris. Dyma'r gwahanol fersiynau o'r awdl a roddwyd i William

Morris gan fam y bardd ym mis Medi 1917. Nid oedd y trydydd copi ar gael pan gyflwynodd Derwyn Jones rai enghreifftiau o'r newidiadau a wnaeth Hedd Wyn i'r awdl pan luniodd ei ysgrif 'Rhai Sylwadau ar Farddoniaeth Hedd Wyn' ar gyfer *Ysgrifau Beirniadol-VI*, ac nid yw, o'r herwydd, yn dyfynnu o'r trydydd fersiwn hwn. Ar un copi mae William Morris wedi ysgrifennu 'Dyma'r copi cyntaf – cyn iddo ymuno a'r fyddin.' Er mwyn cyfleuster (ni roir nodiadau ffynonellol ar gyfer y dyfyniadau canlynol), gelwir y copi hwn y Gopi *A*. Ar y copi arall ysgrifennodd 'Copi diweddarach – mae'n amlwg oddi wrth y tudalennau olaf mai yn y gwanwyn 1917 yr ysgrifennodd y rhain, a'u diwygio wedyn.' Gelwir hwn yn Gopi *B*. Ni cheir nodyn ar y trydydd copi, a elwir yn Gopi *C*. Ni cheir yr awdl yn ei chrynswth yn unrhyw un o'r fersiynau hyn. Yn *A* ceir fersiwn cyfan o'r caniad cyntaf ac o'r ail ganiad yn unig, a cheir llawer o ddyblygu deunydd yn yr ail ganiad. Yn *B* ceir fersiynau o'r trydydd a'r pedwerydd caniad yn unig, gyda llawer o ddyblygu deunydd unwaith eto, yn ogystal â'r ffaith fod yma fwy nag un fersiwn o rai darnau. Awgryma hyn fod Copi *A* a Chopi *B* ar un adeg yn ffurfio rhyw fath o gopi cyflawn, a bod Hedd Wyn yn gweithio ar yr awdl o'i chwr, ganiad wrth ganiad, yn hytrach nag yn wasgarog o un caniad i'r llall. Mae'n bosibl hefyd fod mam y bardd, neu aelod arall o'r teulu, wedi cymysgu'r tudalennau. Y mae Copi *C* yn cynnwys tri phennill o'r caniad cyntaf, darnau o'r ail ganiad, o'r trydydd ac o'r pedwerydd caniad. O'r tri chopi, yn hwn y ceir y fersiwn mwyaf terfynol a'r fersiwn tebycaf i'r awdl orffenedig.

Dyma enghreifftiau o rai o'r newidiadau a wnaeth Hedd Wyn, er mwyn cael cip ar ei ddull o gyfansoddi, ac ar y modd y cyrhaeddodd y fersiwn terfynol. Nid 'Merch y Drycinoedd' ond 'cymar drycinoedd' a geir yn y pennill cyntaf yng Nghopi *A* ac *C*, hyn yn awgrymu, neu, yn hytrach, yn datgan yn ddiamwys fod Merch y Drycinoedd yn un â Natur. Dyma'r ail bennill yn ôl Copi *A*:

Dioer wylwn am na welwn f'anwylyd –
Bonedd y meibion ban oedd ym mebyd.
 Efe y mab oedd fy myd – a'i eiriau
Yn hiraeth duwiau, yn byrth dyhewyd.

Mae'r pennill yng Nghopi *C* yn nes at y fersiwn terfynol:

> Dioer wylwn am na welwn f'anwylyd –
> Bonedd y meibion ban oedd ym mebyd.
>   Nid oedd wae annedwydd hyd y dyddiau,
> I'w rhuddem hafau y chwarddem hefyd.

Y mae'r trydydd pennill yn union yr un fath yn *A* ac *C*:

> Un hwyr pan heliodd gwyll i'r panylau
> Ei ridens dieithr a dawns y duwiau
>   Mi wybum weld y mab mau yn troi'n rhydd
> O hen fagwyrydd dedwydd ei dadau.

Ni cheir rhagor o benillion y caniad cyntaf yng Nghopi *C*.
    Ceir pedwerydd pennill nas cynhwyswyd yn y fersiwn terfynol yn *A*:

> Tano roedd march dihafarch ei dyfiad
> A rhwysg agwrdd i'w ddieithr ysgogiad,
>   A'i arwrol weryriad, megys crynn
> Taranau hwyrwynt ar rhyw waen irad.

Yn y penillion canlynol y gwelwyd y newidiadau mwyaf:

> Y llanc a welais ymhell yn cilio
> O'i lwydwawr oed i'r bell El Dorado
>   O'i ol bu'r coed yn wylo; a thrywydd
> Awel annedwydd mewn niwl yn udo.

> Twrf anniddig y gwynt ar fynyddau
> A du allwynin cringoed a llynnau
>   Udent ymhyrth fy nwydau oni throes
> Gerddi f'einioes yn darth a griddfanau.

>   Hyd fy hirwallt fu oriau, a'r chwa ber
> Yn wylo'n dyner o'r gwelwon donnau.

Yn y bau loew hon roedd teml ysblenydd
O liwiau breuddwyd a niwl boreddydd
    Ag arogl rhos ag irwydd lifai dro
 Oddiyno ar yr awel ddihenydd.

Cans y duw a rhin ei fedr ddewinol
Is gannaid wefus roes egni dwyfol,
    Ag i'w enaid plygeiniol rhoed weithion
Swyn hafau hirion yr oes anfarwol.

Ei law fynoraidd gariai lafn eurad, –
Y llafn a las y diras ei doriad,
    Ag i'w haw'gar ysgogiad, gwelid delw
Un allo farw i enill ei fwriad.

    Eithr efe athro a fydd yn nysg gel
Y duwiau anwel a'r gwir dihenydd.

Dyma dri phennill a hepgorwyd ganddo:

A doi ohoni [sef y deml] swn gorohian
Rhyw wefus araf o osai eirian,
    A'r iaith oedd dyner weithian, mal cerdd war,
Hudolus adar rhwng deilios sidan.

Broydd di noswyl breuddwydion oesoedd
Welwn yno is carbwnwgl nennoedd, –
    Yno 'roedd pob rhyw rinoedd a chelf gain
Yn dannau mirain mewn dyn a moroedd.

Ato'r ofwya hwythau'r tyrfaoedd,
Ail hynt nifwl ar dymestlwynt nefoedd,
    Yn ei angen a'i ingoedd, dring yn ol
I'w oed urddasol uwch dadwrdd oesoedd.

Yr oedd ei reddf artistig yn gywir i wrthod y penillion hyn.

Dechreua'r ail ganiad yn wahanol yn *A* i'r hyn a geir yn y fersiwn gorffenedig:

A'r nos ddu fel teyrnas ddall
Hyd dywyn serch a deall ...

a cheir cwpledi nas cynhwyswyd yn y fersiwn terfynol:

A chludai wyw nychlyd wedd
Aeaf hir digyfaredd ...

Gwelais liw blin edwino
I'w ddwy law wen eiddil o.

Y gwahaniaeth mwyaf trawiadol rhwng yr ail ganiad fel ag y'i ceir yn y copi hwn ac yn y fersiwn terfynol yw'r llinellau canlynol a roir yng ngenau'r 'rhywelwr':

Er ei ing dirfawr yngo
A diwyd iaith doedai o, –
'Ceraist anghofio'th gariad
A throi i fro dieithr frad.
Minnau fum tan fy mhennyd
Yng nghymelri cewri cyd.
Di hedd o'th fwyn ymleddais
Ac erod ferch curiwyd f'ais,
Dithau est a'r oed a thaith
A'r rhwymau cynnar ymaith
Gwnaethost serch yn ddiafl erchyll
A'th fynwes yn gares gwyll.
Heddyw yn oer anniddos
Di wen wyd yn rhwydi nos.
A'r dydd aur o dy ddeur[u]dd
O'i hud sant yn machlud sydd.

Gwrthodwyd rhai cwpledi, fel:

A dioer, meddienais diredd
Eu hengyl aur efo 'nghledd.

> Lle y cwsg holl allu cel
> Henfro wennaf yr anwel.

Ymhlith y cwpledi a hepgorwyd, ceir y cwpled hwn sy'n taflu llawer o oleuni ar natur yr Arwr, ac yn ei gysylltu'n uniongyrchol â Prometheus:

> Ban gerddaf ysbeiliaf bau
> Deall ofnadwy'r duwiau.

Gwrthodwyd y cwpled hwn yn ogystal:

> Cenais waeau oesau hen
> A diwair adfyd awen.

Ceir dwy dudalen o'r ail ganiad yng Nghopi C, ac ychydig iawn o wahaniaeth sydd rhwng y llinellau yn y copi hwn a'r hyn a geir yn y fersiwn terfynol, prawf arall mai drafft diweddar o'r awdl a geir yn C. Dyma bedair llinell lle ceir gwahaniaeth:

> A lluniais hwnt pell lwyni
> Hafod wen i'th fywyd di.
> Tithau wrthodaist weithion
> Unig ri y fangre hon.

Ceir darnau o'r trydydd caniad yn B ac C. Ceir llawer o englynion yn y ddau gopi nas cynhwyswyd yn y fersiwn a anfonwyd i'r Eisteddfod o Ffrainc. Yn B, er enghraifft, ceir yr englyn carbwl hwn:

> "Ba oed brudd-wyneb ydoedd a welais
>   Yn hwylio o'r glynnoedd"
> Ebwn i fab hoenfyw oedd
> Yn tario ar y tiroedd.

Dyma englynion eraill a wrthodwyd:

Rhoes wys trin ar y ffiniau, a goruwch
   Magwyrydd y duwiau:
  Yn nydd ei gyrch mynnodd gau
  Hedd eurllysoedd iarllesau.

Honai'i hun o frenhinoedd, a'u cewri
   Goncweriodd a'i nerthoedd,
  Yn ein byd rhyw adfyd [oedd]
  A dwedai [mai duw ydoedd.]

Yna'r llanc ifanc hoewfin, a giliodd
   O'r golwg i'r ddrycin,
  Tra chludai hynt craswynt crin
  Dywyll henoed allwynin.

Yno y marw mud mirain a dremiai,
   I drumoedd y dwyrain,
  Mal delw gel gwrel gywrain
  O ryddid coll breuddwyd cain.

Yn *B* hefyd ceir sawl amrywiad ar rai o'r englynion a gynhwyswyd yn y fersiwn terfynol, er enghraifft:

Ynghwm fy ngwyll a 'nghamwedd arhoais
   Dan ffrewyll fy nheyrnedd.
  Yno 'roedd plant anhunedd
  Yn byw gan blygu i'r bedd.

Yng nghwm fy ngwyll a 'nghamwedd, oedwn i
   O dan iau fy nheyrnedd,
  Nid oedd haul na dydd o hedd
  I f'enaid di gyfanedd.

Cafodd drafferth, mae'n amlwg, i lunio'r englyn hwn yn y fersiwn terfynol:

Yno, ebr ef, ca'i fanon – ado'i hen
   Anghrediniaeth greulon;
  Duwiau'r hwyr o'i mynwes drôn',
  Eilwaith daw serch i'w chalon.[178]

Dyma'r amrywiadau a geir ar yr englyn uchod:

> Yno ebr ef daw'r fanon ag iddi
>   Liw'r goddaith ar wendon
> Yno caiff pobun hinon
> Ar na cheir briw na chur bron.

> Yno ebr ef daw'r fanon o'i dur hynt
>   Tros ludw'r oes greulon.
> Hithau gaiff yno weithion
> Annisbur hud 'rol nos bron.

Unwaith yn rhagor, mae'r darnau o'r trydydd caniad a geir yn *C* yn agos iawn at y fersiwn terfynol, ond ceir rhai pethau gwahanol hefyd – y ddau englyn canlynol, er enghraifft (ceir yr ail englyn yn *B* yn ogystal):

> Yn y man i'w drist fanon – doedai ef
>   Y doi dydd o swynion.
> A hithau gludir weithion
> I euroes deg dros y don.

> Di werth yw'r duwiau wrthi ebr efe
>   Ar lwybr ei faith dlodi
> Ei angerdd feiddiodd erddi
> A'i wrid oll i'w gwared hi.

Y duwiau yn yr ail englyn yw duwiau rhyfel, y gwladweinwyr a'r unbenaethiaid sy'n gormesu'r ddynoliaeth. Trwy ryddhau Merch y Drycinoedd o hualau'r rhain yr esgorir ar yr 'euroes deg'; hynny yw, trwy barchu a dyrchafu'r elfennau creadigol a gwaraidd mewn bywyd y crëir oes aur arall, nid trwy ildio i'r pwerau dinistriol.

Ceir darnau a wrthodwyd o'r pedwerydd caniad yng Nghopi *B* yn ogystal. Ni chynhwyswyd y llinellau hyn:

> Y brawd hir ei bryderi
> A'i serch a watwerais i

Ddaeth i gof ynof enyd
Fal cerdd ber o bellter byd
Yntau rol cymaint antur
Yn fud iawn tan glwyfau dur ...

Y wawr wen ar fy enaid
Ag ar gorph y gwr a gaid
Ag o'r groes fal llyw'r oesoedd
Ei fraich wen i'r heulwen oedd.
A llef ddiwall faddeuant
Ar ei fud ddigynwr fant.
Oni daeth f'euogrwydd du
Ohonof oll dan ganu.

Gwelir yn y llinell 'Ag o'r groes fal llyw'r oesoedd' enghraifft arall o uniaethu Prometheus â Christ. Ceir yn y cwpled canlynol esgyll a ddefnyddiwyd yn ei englyn 'Y Wawr', na chynhwyswyd mohono yn *Cerddi'r Bugail*:

Ban wel ar orwel arian
Drem y dydd fel drama dan.

Dyma'r englyn:

Hi gwyd o gwsg oed y gân, – hithau'r nos
   O'i thrôn niwl dry allan;
  A gwêl ar oriel arian
  Drem y dydd fel drama dân.[179]

Ceir llinellau a wrthodwyd yn y darn sy'n disgrifio'r deml hefyd:

Am y luniaidd deml yno
Hyd erwau aur rhoddais dro.
Oddifewn gorsedd fynor
Welwn mal ewyn y mor.
A gwelwn yn deg eilwaith
Anwylyd fy mebyd maith.

Ceir hefyd linellau o'r pedwerydd caniad yn *C* nas cynhwyswyd yn y fersiwn terfynol, er enghraifft:

> Eilwaith fy wyneb welir
> Ym mharthau hen mor a thir,
> Llyw'r oesau er angau wyf
> A'u godidog hud ydwyf.
> Ar fy arch y tramawr fyd
> Wrendy wiw rin dyhewyd ...

Yn rhagflaenu'r cwpled 'Canys ysbrydion cynnydd/Elwir i oed fy nheml rydd' ceir:

> Ni ddaw trais i roddi tro
> Na cherdd ddiangerdd yngo ...

ac yn rhan o'r adran sy'n cynnwys y cwpled uchod ceir y llinellau canlynol:

> Yno'r wyf fi yn frenin
> Ar bob rhyw aur bybyr rin
> Yno tanllyd ysbryd wyf
> A thad pob campwaith ydwyf
> Yntau'r byd a gant i'r bau
> O'mlaen gan grymu'i liniau.

Cadwyd yr ail gwpled yn y dyfyniad uchod. Darn anghyfarwydd arall yw hwn:

> Wele yn awr f'anwylyd.
> Trechais gorchfygais fyd.
> Ag ar yr uchel geyrydd
> Y wawr sant yn chwareu sydd.
> Dithau a anwyd weithian
> Yngwrid teg fy nghariad tan.
> A daw clir leisiau diri
> A'r humor i'n neithior ni.

Dyna'r newidiadau pennaf a wnaethpwyd wrth lunio'r awdl, a dengys y gwahanol ddrafftiau y modd y bu iddo ymbalfalu â thema anodd iawn.

A dyna'r awdl ryfeddol a enillodd y Gadair ym 1917. *Bugail Epynt*, o blith y pymtheg awdl, oedd yr ail i Hedd Wyn, i bob pwrpas. Awdur yr awdl honno oedd Sarnicol, sef Thomas Jacob Thomas, a enillodd Gadair Eisteddfod Genedlaethol y Fenni ym 1913 â'i awdl 'Aelwyd y Cymro'. Addysgwyd Sarnicol yng Ngholeg Prifysgol Cymru, Aberystwyth, ac felly roedd Hedd Wyn wedi trechu gŵr graddedig arall ym 1917. Awdl storïol oedd awdl Sarnicol yn y gystadleuaeth, a cheir ynddi lawer iawn mwy o'r Rhyfel Mawr nag a gafwyd yn 'Yr Arwr', er bod drygioni'r oes, camreolaeth y gwleidyddion a'r arweinyddion, a dyhead am fyd mwy heddychlon a gwareiddiedig yn amlwg yn awdl Hedd Wyn, sef yr elfennau ynddi y gellir eu cysylltu'n uniongyrchol â'r rhyfel.

Pan luniodd R. Williams Parry ei englynion coffa enwog i Hedd Wyn, defnyddiodd, yn anfwriadol o bosibl, ond yn eironig, yn sicr, linell a oedd gan Hedd Wyn yn 'Ystrad Fflur', sef 'I'w hedd hir, mi wn na ddaw', yn llinell olaf ei englyn olaf, 'Mewn hedd hir am un ni ddaw'. Hanes yn llawn o eironi o bob math fel yna yw hanes Hedd Wyn, a'r eironi mwyaf, wrth gwrs, oedd iddo ennill Cadair y Brifwyl, a chyflawni uchelgais oes, heb wybod dim byd am y peth. Awdl Sarnicol oedd yr eironi terfynol. Fel yr awgryma'r ffugenw, *Bugail Epynt*, hanes bugail yn ymuno â'r fyddin adeg y Rhyfel Mawr a geir yn yr awdl, a hwnnw'n cael ei ladd yn y gyflafan. Yn ddiarwybod i Sarnicol, adroddwyd yn yr awdl ail-orau hanes awdur yr awdl fuddugol.

Nodiadau

Pennod 1

[1] 'Yr Eisteddfod Genedlaethol/Gwyl Birkenhead', *Y Faner*, Medi 15, 1917, t. 2.

[2] Llew Tegid, 'Wrth Iddo Ef a'i Briod Gefnu ar Fedd Gwilym Arthur, eu Mab, yr Hwn a Syrthiodd yn Fflandrys, Hydref 25, 1917', *Bywgraffiad Llew Tegid gyda Detholiad o'i Weithiau*, Golygydd: W. E. Penllyn Jones, 1931, t. 56.

[3] 'Gwyl Fawr y Genedl', *Y Brython*, Medi 13, 1917, t. 5.

[4] Ibid.

[5] 'Araeth y Prif Weinidog', *Y Faner*, Medi 15, 1917, t. 3.

[6] Ibid., t. 5.

[7] *Cofnodion a Chyfansoddiadau Eisteddfod Genedlaethol 1917 (Birkenhead)*, Golygydd: E. Vincent Evans, t. 9.

[8] Ibid., t. 41. Anghywir yw rhif Hedd Wyn yn y fyddin fel y'i rhoir yma: darllener 61117.

[9] R. Silyn Roberts, 'In Memoriam/Hedd Wyn – Bardd y Gadair Ddu', *The Welsh Outlook*, cyf. 4, rhif 10, Hydref 1917, t. 336.

[10] Dyfynnir yn 'Gwyl Fawr y Genedl', t. 5.

[11] Dyfynnir gan 'Awstin' yn ei golofn 'Ein Hiaith, Ein Gwlad a'n Cenedl', *Cambria Daily Leader*, Medi 11, 1917, t. 4; fe'i cyhoeddwyd mewn papurau eraill yn ogystal.

[12] Cyhoeddwyd penillion Dyfed mewn sawl papur newydd.

[13] 'Y Llawr Dyrnu', *Yr Herald Cymraeg*, Medi 11, 1917, t. 2.

[14] 'Y Ddwy Gadair Ddu', *Y Rhedegydd*, Medi 15, 1917, t. 5.

[15] *Cofnodion a Chyfansoddiadau Eisteddfod Genedlaethol 1917 (Birkenhead)*, t. 41.

[16] 'Y Gadair Ddu', *Y Faner*, Medi 15, 1917, t. 4.

[17] 'Yr Eisteddfod Genedlaethol', *Y Tyst*, Medi 12, 1917, t. 1.

[18] Dyfynnir yn *Y Parchedig John Williams, D.D. Brynsiencyn*, R. R. Hughes, 1929, t. 228.

[19] John Morris-Jones, 'At y Cymry', *Y Brython*, Medi 17, 1914, t. 1.

[20] Ibid.

[21] Dyfynnir yn *Thomas Gwynn Jones*, David Jenkins, 1973, t. 257.

[22] E. Tegla Davies, *Gyda'r Blynyddoedd*, 1951, tt. 201–202.

[23] William Morris, *Hedd Wyn*, 1969, tt. 13, 14.

[24] 'Y Ddwy Gadair Ddu', t. 5.

[25] 'Chaired Bard Dead?/"National" Sensation/"Y Gadair Ddu"', *Cambria Daily Leader*, Medi 6, 1917, t. 1.

[26] Llythyr yng nghasgliad yr Ysgwrn.

27   Ibid.

28   *Y Rhedegydd*, Medi 1, 1917, t. 3.

29   'Wrth Golli Hedd Wyn', *Y Brython*, Awst 16, 1917, t. 5.

30   Llythyr yng nghasgliad yr Ysgwrn.

31   J. B. Thomas, 'Hedd Wyn – a Minnau', *Y Drysorfa*, llyfr CIX, rhif 1238, Rhagfyr 1939, t. 466.

32   'Hedd Wyn a'i Bryder am Dynged ei Awdl', *Y Brython*, Medi 27, 1917, t. 4; cyhoeddwyd y llythyr yn ogystal yn *Y Faner*, Hydref 6, 1917, t. 3.

33   Ibid.

34   J. B. Thomas, 'Hedd Wyn – a Minnau', t. 466.

35   'Hedd Wyn at Litherland Camp' gan Pte. J. B. Thomas (45168) 3/R.W.F., Llsgr. yn Llyfrgell Genedlaethol Cymru.

36   Llythyr yng nghasgliad yr Ysgwrn.

37   'Cerfwaith y Gadair Ddu', *Y Rhedegydd*, Hydref 13, 1917, t. 5.

38   Cafwyd y manylion hyn gan wyres Vanfleteren, Anny Vanfleteren-Humblé, merch Theo Vanfleteren, mewn llythyr a anfonwyd at yr awdur adeg llunio'r cofiant gwreiddiol.

39   'Hedd Wyn a'i Gadair Ddu', *Y Brython*, Medi 20, 1917, t. 2.

40   'Cerfwaith y Gadair Ddu', t. 4.

41   Ibid.

Pennod 2

1   William Morris, 'Hedd Wyn', *Cymru*, cyf. LIV, rhif 318, Ionawr 1918, t. 33.

2   *Y Cronicl*, cyf. XLVI, rhif 540, Ebrill 1888, teyrnged gan 'M.J.', t. 127.

3   Ibid.

4   Ibid., tt. 127–128.

5   Ibid., t. 128.

6   J. D. Richards, 'Hedd Wyn', *Y Geninen*, cyf. XXXV, rhif 1, Ionawr 1918, t. 57.

7   Ibid.

8   E. Isfryn Williams, 'Morgrugyn Eden', *Cymru*, cyf. XXI, rhif 122, Medi 15, 1901, t. 139.

9   Ibid.

10   Morris Davies, 'Y Gof Enwog o'r "Traws"', *Y Cymro*, Ebrill 1, 1944, t. 6.

11   Hedd Wyn, 'Adfeilion Hen Eglwys', *Cerddi'r Bugail*, 1931, t. 22.

12   *Cofeb fy Mrawd*, Rolant Wyn, 1914, t. 7.

13   Hedd Wyn, 'Gwas Diwyd', *Cerddi'r Bugail*, t. 35.

14   *Cofeb fy Mrawd*, t. 5.

15   J. D. Richards, 'Hedd Wyn', t. 57.

16   Ibid.

17   Ibid.

18   Hedd Wyn, 'Eldorado', *Cerddi'r Bugail*, t. 34.

19   William Morris, ibid., t. xi.

20   Mary Puw Rowlands, 'Elis 'Rysgwrn', *Y Cymro*, Awst 11, 1967, t. 14.

21   J. D. Richards, 'Hedd Wyn' (2), *Ceninen* Gŵyl Ddewi, Mawrth 1, 1918, t. 21.

22   William Morris, *Hedd Wyn*, t. 22.

23   Rolant Wyn, Casgliad J. W. Jones (rhif 239) yn Llyfrgell Genedlaethol Cymru.

24   Mary Puw Rowlands, *Hen Bethau Anghofiedig*, 1963, t. 23.

25   Evan Evans, 'Tryweryn', *Barn*, rhif 183, Ebrill 1978, t. 136.

Pennod 3

1   Llsgr. Llyfrgell Genedlaethol Cymru 4628C.

2   Glyn Myfyr, 'Hedd Wyn', *Y Brython*, Gorffennaf 17, 1930, t. 6.

3   William Morris, 'Hedd Wyn', t. 34.

4   Ibid.

5   Bryfdir, 'Hedd Wyn', *Y Cymro Ieuanc*, cyf. I, rhif l, Hydref 1923, t. 4.

6   William Morris, *Hedd Wyn*, t. 25.

7   'Welsh Gossip', *South Wales Daily News*, Medi 11, 1917, t. 4.

8   Ibid.

9   John Jones, 'Hedd Wyn a Thrawsfynydd', *Y Drysorfa*, llyfr CXII, rhif 1277, Mawrth 1943, t. 54.

10   'Llythyr J. W. Jones, Tanygrisiau, a Gwaith Hedd Wyn' yng ngholofn 'Manion o'r Mynydd', Carneddog, *Yr Herald Cymraeg*, Medi 12, 1916, t. 3.

11   J. Dyfnallt Owen, 'Hedd Wyn', *Y Geninen*, cyf. XXXVI, rhif l, Ionawr 1918, t. 52.

12   Ibid., t. 53.

13   J. D. Richards, 'Hedd Wyn' (2), t. 17.

14   Ibid.

15   Ibid.

16   Ibid.

17   Ibid.

18   Casgliad J. W. Jones (rhif 239) yn Llyfrgell Genedlaethol Cymru.

19   J. D. Richards, 'Hedd Wyn' (2), t. 17.

20   Ibid., t. 21.

21   Sgwrs â Jacob Jones a recordiwyd gan Robin Gwyndaf ar Orffennaf 10 a 12, 1965, yng nghasgliad Amgueddfa Werin Cymru.

22   John Morris, 'Rhagor am Hedd Wyn', *Y Brython*, Hydref 4, 1917, t. 4.

23   John Jones, 'Hedd Wyn a Thrawsfynydd', t. 54.

24   Bryfdir, 'Hedd Wyn', t. 4.

25   J. D. Richards, 'Hedd Wyn' (2), tt. 18–19.

26   Bryfdir, 'Hedd Wyn', t. 4.

27   'Gorsedd ac Arwest Llyn y Morwynion', *Y Rhedegydd*, Awst 27, 1910, t. 3.

28   Ibid.

29   Ibid.

30 Ibid.

31 Bryfdir, 'Hedd Wyn', t. 3.

32 J. D. Richards, 'Hedd Wyn' (2), t. 19.

33 'Yr Englyn i'r Shell', *Y Rhedegydd*, Medi 25, 1909, t. 7.

34 J. D. Richards, 'Hedd Wyn' (2), t. 18.

35 Ibid., t. 19.

36 Sgwrs â William Morris a recordiwyd gan Robin Gwyndaf ar Awst 18, 1976, yng nghasgliad Amgueddfa Werin Cymru.

37 J. D. Richards, 'Hedd Wyn' (2), t. 21.

38 Ibid.

39 J. D. Richards, 'Hedd Wyn', t. 56.

40 Ioan Brothen, *Llinell neu Ddwy*, Golygydd: J. W. Jones, 1942, t. 47.

41 Llsgr. Bangor 1547.41.

42 William Morris, 'Hedd Wyn', t. 35.

43 J. Ellis Williams, *Moi Plas*, 1969, t. 11.

44 Ibid., t. 20.

45 Sgwrs â Jacob Jones a recordiwyd gan Robin Gwyndaf.

46 Ibid.

47 Ibid.

48 Ibid.

49 Ibid.

50 Ibid.

51 Dyfynnir yng ngholofn 'Y Fainc Sglodion' yn *Y Cymro*, Mai 3, 1946.

52 Dyfynnir yn *Hedd Wyn*, William Morris, t. 27.

53 Ibid., t. 18.

54 Sgwrs â Jacob Jones a recordiwyd gan Robin Gwyndaf.

55 Ibid.

56 Llsgr. Bangor 11640.

57 Cafwyd gan Derwyn Jones: goroesodd ar lafar yn unig, mae'n debyg.

58 William Morris, 'Hedd Wyn', t. 36.

59 Bryfdir, 'Hedd Wyn', t. 4.

60 J. D. Richards, 'Hedd Wyn' (2), t. 20.

61 D. Tecwyn Lloyd, 'Hedd Wyn a Shakespeare', *Y Casglwr*, rhif 29, Awst 1986, t. 15.

62 Ibid.

63 J. D. Richards, 'Hedd Wyn' (2), t. 20.

64 William Morris, *Hedd Wyn*, t. 38.

65 'Llythyr J. W. Jones, Tanygrisiau, a Gwaith Hedd Wyn', t. 3.

66 Llsgr. Bangor 11640.

67 J. D. Richards, 'Hedd Wyn' (2), t. 20.

68 *Y Rhedegydd*, Mehefin 17, 1916, t. 8.

69   Hedd Wyn, 'Marw yn Ieuanc', *Cerddi'r Bugail*, tt. 18–19.

70   Hedd Wyn, ['Er Cof am Lizzie Roberts'], *Y Glorian*, Mehefin 22, 1916, t. 5.

71   Dyfynnir yn yr ysgrif 'Un doniol a llawen ydoedd Hedd Wyn', *Y Cymro*, Rhagfyr 26, 1957, t. 19. Goroesodd copi o'r englyn yn llawysgrifen Hedd Wyn ei hun.

72   'Cariad y Bardd', *Y Cymro*, Awst 10, 1967, t. 5.

73   Hedd Wyn, 'I Jennie', 'Hedd Wyn a'i Gariad: ei Gerddi Serch i'w Sian', *Yr Herald Cymraeg*, Ionawr 29, 1918, t. 4.

74   Hedd Wyn, 'Yn Swn y Gwynt', ibid.

75   Hedd Wyn, 'Can Serch', ibid.

76   Hedd Wyn, 'Jennie', ibid.

77   Hedd Wyn, 'Cyflwynedig i Miss Jennie Owen, Pant Llwyd', ibid.

78   Hedd Wyn, 'I Miss Jennie Owen, ar ei Phen Blwydd yn 25 oed', ibid.

79   'Hedd Wyn a'i Gariad: ei Gerddi Serch i'w Sian', ibid.

80   Eifion Wyn, ['Cerddi Serch Hedd Wyn i Siân'], ibid.

81   'Llyfr Coffa Hedd Wyn: Hanes a Thraddodiadau Plwyf Trawsfynydd', Llyfr 35, casglwyd gan Morris Davies, 1944, yn Llyfrgell Genedlaethol Cymru, sef Llsgr. 17877D.

Pennod 4

1   *Y Rhedegydd*, Chwefror 14, 1914, t. 5.

2   Meida Pugh, 'Hedd Wyn, y bardd nad â'n hen', *Y Ford Gron*, cyf. III, rhif 2, Rhagfyr 1932, t. 45.

3   Llsgr. Bangor 17206, llythyr dyddiedig Mehefin 19, 1918.

4   Llythyr yng nghasgliad yr Ysgwrn.

5   Mary Puw Rowlands, 'Elis 'Rysgwrn', t. 14.

6   Hedd Wyn, 'Trawsfynydd', *Cerddi'r Bugail* (Atodiad), Golygydd: Alan Llwyd, 1994, t. 119.

7   W. J. Gruffydd, *Y Flodeugerdd Gymraeg*, Rhagymadrodd, 1931, arg. 1946, t. xxiii.

8   J. Dyfnallt Owen, 'Hedd Wyn', t. 51.

9   Ibid.

10   William Morris, *Hedd Wyn*, t. 35.

11   *Y Dydd*, Mawrth 21, 1879, t. 6.

12   J. D. Richards, 'Hedd Wyn' (2), tt. 20–21

13   Llythyr yng nghasgliad yr Ysgwrn.

14   Ibid.

15   Ibid.

16   William Morris, *Hedd Wyn*, tt. 34–35.

17   J. D. Richards, 'Hedd Wyn' (2), t. 17.

18   Ibid.

19   Llsgr. Llyfrgell Genedlaethol Cymru 4628C.

20   Dyfynnir yn *Hedd Wyn*, William Morris, t. 27.

21   Ibid.

22   *Y Rhedegydd*, Tachwedd 18, 1916, t. 5.

23   Llsgr. Llyfrgell Genedlaethol Cymru 4628C.

24   *Y Rhedegydd*, Mawrth 20, 1915, t. 8.

25   Ibid., Ionawr 8, 1916, t. 6.

26   *Y Glorian*, Medi 9, 1916, t. 5; hefyd *Y Geninen*, cyf. XXXVI, rhif 3, Gorffennaf 1918, t. 146.

27   *Y Rhedegydd*, Ionawr 13, 1917, t. 7.

28   Dyfynnir yn 'Un doniol a llawen ydoedd Hedd Wyn', t. 19.

29   Ibid.

30   'Casgliad o gerddi Hedd Wyn nas cyhoeddwyd yng Ngherddi'r Bugail a wnaed gan Morris Davies ym 1959', Llsgr. Bangor 15096.

31   'Gwaith Hedd Wyn', *Yr Herald Cymraeg*, Medi 18, 1917, t. 3.

32   *Y Rhedegydd*, Medi 18, 1915, t. 5.

33   Ibid., Chwefror 2, 1916, t. 3; a hefyd *Y Glorian*, Chwefror 2, 1916, t. 5.

34   Llsgr. Llyfrgell Genedlaethol Cymru 4628C.

35   'Casgliad o Ysgrifau, Barddoniaeth, Darluniau, a Manylion Eraill yn Dwyn Perthynas â'r Prifardd "Hedd Wyn"', J. R. Jones, 1934, Llsgr. Llyfrgell Genedlaethol Cymru 17914C, t. 6.

36   *Y Glorian*, Hydref 30, 1915, t. 3; hefyd 'Adlais am Hedd Wyn', *Cymru*, cyf. LXII, rhif 369, Ebrill 1922, t. 145.

37   'Adlais am Hedd Wyn', t. 145.

38   *Y Rhedegydd*, Gorffennaf 17, 1915, t. 5.

39   Llsgr. Llyfrgell Genedlaethol Cymru 1791C, t. 6.

40   Llsgr. Llyfrgell Genedlaethol Cymru 4628C.

41   *Y Rhedegydd*, Hydref 17, 1914, t. 6.

42   Ibid., Medi 25, 1915, t. 6.

43   Ibid.

44   Hedd Wyn, 'Telyn Fud', *Cerddi'r Bugail*, t. 4.

45   Llsgr. Llyfrgell Genedlaethol Cymru 4628C.

46   *Y Glorian*, Awst 17, 1916, t. 5.

47   J. D. Richards, 'Hedd Wyn', t. 58.

48   Mary Puw Rowlands, 'Elis 'Rysgwrn', t. 14.

49   *Y Rhedegydd*, Mawrth 4, 1911, t. 6.

50   Hedd Wyn, 'Gwennie', *Cerddi'r Bugail*, t. 29.

51   Ibid.

52   Hedd Wyn, 'Tegid Wyn', ibid., t. 30.

53   Hedd Wyn, 'Eirwyn', ibid., t. 34.

54   *Y Rhedegydd*, Gorffennaf 31, 1915, t. 3.

55   Hedd Wyn, 'Sant Ieuanc', *Cerddi'r Bugail*, t. 32.

56   Hedd Wyn, 'Marw Un Fach', ibid., t. 30.

57 Llsgr. Llyfrgell Genedlaethol Cymru 4628C.

58 'Er Cof am John Ivor, mab bychan Mr a Mrs Roberts, Prysor View, Trawsfynydd', *Y Rhedegydd*, Ionawr 20, 1917, t. 7; hefyd *Cymru*, cyf. LXI, rhif 361, Awst 1921, t. 65. Cyhoeddwyd yr englyn i John Ifor yn argraffiad 1918 o *Cerddi'r Bugail*, dan y teitl 'Dan ei Goron', t. 134.

59 *Y Genedl Gymreig*, Awst 24, 1915, t. 8.

60 *Cerddi'r Bugail*, t. x.

61 Peredur Wyn Williams, *Eifion Wyn*, 1980, t. 118.

62 'Adlais am Hedd Wyn', t. 144; hefyd *Yr Herald Cymraeg*, Medi 18, 1917, t. 3.

63 Hedd Wyn, 'Blodwen', *Cerddi'r Bugail*, t. 20.

64 Llsgr. Llyfrgell Genedlaethol Cymru 17969C.

65 *Y Rhedegydd*, Ionawr 2, 1915, t. 6.

66 Ibid., Mawrth 13, 1915, t. 3.

67 Llsgr. Llyfrgell Genedlaethol Cymru 17914C, t. 15.

68 Llsgr. Llyfrgell Genedlaethol Cymru 4628C.

69 Hedd Wyn, 'Gŵr Caredig', *Cerddi'r Bugail*, t. 30.

70 Dyfynnir yn 'Y Meirw Anfarwol', J. D. Davies, *Cymru*, cyf. LVIII, rhif 346, Mai 1920, t. 141.

71 *Y Rhedegydd*, Medi 17, 1910, t. 7.

72 *Cymru*, cyf. LXII, rhif 368, Mawrth 1922, t. 99; hefyd Llsgr. Bangor 15096.

73 *Y Glorian*, Gorffennaf 11, 1914, t. 5.

74 Hedd Wyn, 'Cwympo Blaenor', *Cerddi'r Bugail*, t. 35.

75 Llsgr. Llyfrgell Genedlaethol Cymru 17914C, t. 5.

76 Llsgr. Llyfrgell Genedlaethol Cymru 4628C.

77 Ibid.

78 *Y Rhedegydd*, Tachwedd 19, 1910, t. 5; gweler hefyd 'Ffair y Llan (Hedd Wyn)', J. Ellis Williams, *Yr Herald Cymraeg*, Tachwedd 21, 1960, t. 4.

Pennod 5

1 Hedd Wyn, 'Gwladgarwch', *Cerddi'r Bugail*, t. 46.

2 Llsgr. Llyfrgell Genedlaethol Cymru 17914C, t. 5.

3 J. D. Richards, 'Hedd Wyn', t. 56.

4 *Moi Plas*, tt. 19–20.

5 J. D. Richards, 'Hedd Wyn', t. 57.

6 *Hedd Wyn*, t. 20.

7 Dyfynnir yn 'Un doniol a llawen ydoedd Hedd Wyn', t. 19.

8 Dyfynnir yn *Hedd Wyn*, William Morris, t. 24.

9 Dyfynnir yn ysgrif Derwyn Jones, 'Rhai Sylwadau ar Farddoniaeth Hedd Wyn', *Ysgrifau Beirniadol-VI*, Golygydd: J. E. Caerwyn Williams, 1971, t. 201; ymddangosodd beirniadaeth Dyfnallt yn wreiddiol yn *Y Genedl Gymreig*, Ionawr 8, 1907.

[10] Llsgr. Bangor 23322.

[11] Ibid.

[12] Hedd Wyn, 'Oedfa Hud', *Cerddi'r Bugail*, t. 10.

[13] Llsgr. Bangor 23322.

[14] Ibid.

[15] Ibid.

[16] John Morris, 'Rhagor am Hedd Wyn', t. 4.

[17] Ibid.

[18] William Morris, *Hedd Wyn*, tt. 49–50.

[19] 'Mawrion y Werin', *Y Winllan*, cyf. LXXV, rhif 4, Ebrill 1922, t. 74.

[20] Llsgr. Bangor 23323.

[21] Ibid.

[22] Llsgr. Bangor 23328.

[23] Llsgr. Bangor 23331.

[24] Ibid.

[25] Ibid.

[26] Llsgr. Bangor 23322.

[27] Llsgr. Bangor 23331.

[28] Ibid.

[29] Ibid.

[30] Ibid.

[31] Ibid.

[32] Dyfynnir yn 'Un doniol a llawen ydoedd Hedd Wyn', t. 19.

[33] *Y Rhedegydd*, Chwefror 13, 1909, t. 3.

[34] Llsgr. Bangor 23324.

[35] 'Un doniol a llawen ydoedd Hedd Wyn', t. 19.

[36] Morris Davies yn *Moi Plas*, tt. 21–22.

[37] Llsgr. Bangor 23324; dyfynnir hefyd yn *Hedd Wyn*.

[38] Ibid.

[39] Copi o'r gerdd a gyhoeddwyd fel tudalen ar wahân ym 1911.

[40] *Y Rhedegydd*, Ebrill 15, 1911, t. 6.

[41] Ibid., Mai 17, 1913, t. 5.

[42] Ibid., Awst 9, 1913, t. 5.

[43] Ibid.

[44] Dyfynnir yn *Hedd Wyn*, William Morris, t. 40.

[45] Ibid., t. 43.

[46] Ibid., t. 44.

[47] *Y Rhedegydd*, Hydref 4, 1913, t. 3.

[48] Bryfdir, 'Hedd Wyn', t. 3.

[49] William Morris, *Hedd Wyn*, tt. 30–31.

50   Hedd Wyn, 'Y Moelwyn', *Cerddi'r Bugail*, t. 23.

51   J. D. Richards, 'Hedd Wyn' (2), t. 19.

52   *Cofnodion a Chyfansoddiadau Eisteddfod Genedlaethol 1915 (Bangor)*, Golygydd: E. Vincent Evans, t. 3.

53   Ibid.

54   Ibid.

55   Dyfynnir yn 'Hedd Wyn' (2), J. D. Richards, t. 21.

56   *Cofnodion a Chyfansoddiadau Eisteddfod Genedlaethol 1915 (Bangor)*, t. 7.

57   Ibid.

58   Ibid., t. 10.

59   Ibid.

60   Llsgr. Bangor 23325.

61   Ibid.

62   *Y Rhedegydd*, Awst 14, 1915, t. 4.

63   Dyfynnir yn *Hedd Wyn*, William Morris, t. 46.

64   *Y Rhedegydd*, Mehefin 5, 1915, t. 5.

65   *Cerddi'r Bugail*, 1931, t. xii.

66   'Y Gadair Ddu', *Y Rhedegydd*, Medi 15, 1917, t. 3.

67   *Llais Llafur*, Mehefin 26, 1915, t. 4.

68   D. Gwenallt Jones, Rhagymadrodd, *Llygad y Drws: Sonedau'r Carchar*, T. E. Nicholas, 1941, t. 12. Hysbysebwyd yr eisteddfod, gan nodi rhai o'i phrif gystadlaethau, mewn sawl rhifyn o *Llais Llafur*, sef rhifyn Chwefror 13, 1915, t. 2; rhifyn Chwefror 20, 1915, t. 7; rhifyn Chwefror 27, 1915, t. 3; rhifyn Mawrth 6, 1915, t. 8; rhifyn Mawrth 13, 1915, t. 8; rhifyn Mawrth 20, 1915, t. 8; rhifyn Ebrill 17, 1915, t. 2; rhifyn Mai 1, 1915, t. 7; rhifyn Mai 8, 1915, t. 6. Yr oedd yr eisteddfod i'w chynnal ar ddydd Sadwrn, Mehefin 19, 1915, ac un o'i phrif gystadlaethau oedd 'Pryddest: "Cyfrinach Duw," £2 2s., a Chadair Dderw Gerfiedig'.

69   'Llyfr Coffa Hedd Wyn: Hanes a Thraddodiadau Plwyf Trawsfynydd', Llyfr 35, casglwyd gan Morris Davies, 1944, yn Llyfrgell Genedlaethol Cymru, sef Llsgr. 17877D.

70   *Y Rhedegydd*, Mawrth 11, 1916, t. 6.

71   Llythyr oddi wrth Stephen Jones at awdur y cofiant hwn.

72   *Cofnodion a Chyfansoddiadau Eisteddfod Genedlaethol 1916 (Aberystwyth)*, Golygydd: E. Vincent Evans, t. 2.

73   Ibid.

74   Ibid., t. 4.

75   Ibid.

76   Ibid., t. 5.

77   Ibid.

78   Ibid., t. 4.

79   T. H. Parry-Williams, *Elfennau Barddoniaeth*, 1935, arg. 1952, t. 84.

80   Hedd Wyn, 'Ystrad Fflur', *Cerddi'r Bugail*, t. 95.

81   Ibid., t. 97.

82   Ibid., t. 99.

83   Ibid.

84   Ibid., t. 102.

85   Ibid., t. 109.

86   Ibid., t. 108; t. 110; t. 113; tt. 98, 101, 102, 113.

87   Ibid., t. 104.

88   Ibid., t. 109.

89   Ibid., t. 107.

90   Ibid., t. 103.

91   *Y Rhedegydd*, Chwefror 24, 1917, t. 3.

92   Dyfynnir yn *Hedd Wyn*, William Morris, t. 22.

Pennod 6

1   J. Dyfnallt Owen, 'Hedd Wyn', *Ceninen* Gŵyl Ddewi, Mawrth 1, 1918, t. 16.

2   Ibid.

3   Ibid.

4   Hedd Wyn, 'Gwladgarwch', *Cerddi'r Bugail*, tt. 44, 45.

5   Ibid., t. 47.

6   Hedd Wyn, 'Plant Trawsfynydd, 1914', ibid., tt. 25–26.

7   Hedd Wyn, 'Plant Trawsfynydd, 1915', ibid., tt. 27–28.

8   *Y Rhedegydd*, Rhagfyr 16, 1916, t. 8.

9   Ibid., Chwefror 5, 1916, t. 3.

10   'Bedd yn Ffrainc', *Cerddi'r Bugail*, Golygydd: J. J. Williams, 1918, t. 153.

11   Hedd Wyn, 'Nid Â'n Ango', *Cerddi'r Bugail*, t. 37.

12   'Lieut. D. O. Evans', *Y Genedl Gymreig*, Mawrth 21, 1916, t. 5.

13   Ibid.

14   Ibid.

15   Ibid.

16   *Y Genedl Gymreig*, Mai 9, 1916, t. 7.

17   J. D. Davies, 'Y Meirw Anfarwol', t. 139.

18   *Y Rhedegydd*, Ebrill 22, 1916, t. 8.

19   J. D. Davies, 'Y Meirw Anfarwol', t. 140.

20   'North Wales Poet', *Cambrian News and Merionethshire Standard*, Medi 7, 1917, t. 7.

21   'Y Gadair Ddu', *Y Dydd*, Medi 14, 1917, t. 5.

22   J. D. Davies, 'Y Meirw Anfarwol', t. 140.

23   Ibid., t. 139.

24   Ibid.

25   Dyfynnir yn 'Hedd Wyn', William Morris, t. 318.

26 Copi C o awdl 'Yr Arwr', yn Llyfrgell Prifysgol Bangor.

27 J. D. Davies, 'Y Meirw Anfarwol', t. 140.

28 Hedd Wyn, 'Marw Oddi Cartref', *Cerddi'r Bugail*, tt. 39–40.

29 *Y Rhedegydd*, Ionawr 29, 1916, t. 5.

30 Hedd Wyn, 'Griff Llewelyn', *Cerddi'r Bugail*, t. 37.

31 J. D. Davies, 'Y Meirw Anfarwol', t. 140.

32 *Y Rhedegydd*, Mawrth 25, 1916, t. 5.

33 Llsgr. Llyfrgell Genedlaethol Cymru 4628C.

34 Ibid.

35 *Y Rhedegydd*, Chwefror 19, 1916, t. 5.

36 *Yr Herald Cymraeg*, Medi 12, 1916, t. 5.

37 Hedd Wyn, 'Mewn Albwm', *Cerddi'r Bugail*, t. 2.

38 Hedd Wyn, 'Rhyfel', ibid., t. 1.

39 Hedd Wyn, 'Y Blotyn Du', ibid., t. 5.

40 Dyfynnir yn *Hedd Wyn*, William Morris, tt. 95–96. Cyhoeddwyd y garol yn *Yr Herald Cymraeg*, Rhagfyr 25, 1917, t. 4.

41 Hedd Wyn, 'Llwybrau'r Drin', *Cerddi'r Bugail*, t. 24.

42 J. D. Richards, 'Er Cof: Hedd Wyn', *Y Cymro* (Dolgellau), Medi 5, 1917, t. 11.

43 William Morris, *Hedd Wyn*, t. 96.

44 John Morris, 'Adlodd Hedd Wyn', *Y Brython*, Hydref 11, 1917, t. 3.

45 J. D. Richards, 'Hedd Wyn' (2), t. 17.

46 'Cariad y Bardd', t. 5.

Pennod 7

1 J. D. Richards, 'Hedd Wyn' (2), t. 18.

2 *Y Rhedegydd*, Chwefror 10, 1917, t. 3.

3 Robert Graves, *Goodbye to All That*, 1929, arg. 1985, t. 219.

4 Siegfried Sassoon, *Memoirs of an Infantry Officer*, 1930, arg. 1985, t. 103.

5 J. D. Richards, 'Hedd Wyn' (2), t. 19.

6 J. B. Thomas, 'Hedd Wyn – a Minnau', t. 464.

7 J. B. Thomas, 'Hedd Wyn at Litherland Camp'.

8 Sgwrs â Simon Jones a recordiwyd gan Robin Gwyndaf ar Fedi 26, 1975, yng Nghasgliad Amgueddfa Werin Cymru.

9 *Y Genedl Gymreig*, Hydref 17, 1916, t. 5.

10 Llsgr. Llyfrgell Genedlaethol Cymru 10314B.

11 Ibid.

12 Cofnod byr a gafwyd gan chwaer Mary Catherine Davies (Hughes), sef Mrs Elen Thomas, ym 1991.

13 Griffith R. Williams, *Cofio Canrif*, 1990, tt. 51–52.

14 Dyfynnir gan J. D. Richards yn 'Hedd Wyn' (2), t. 18.

15   Hedd Wyn, 'Gwersyll Litherland', *Cerddi'r Bugail*, t. 24.

16   *Y Rhedegydd*, Mawrth 10, 1917, t. 3.

17   Dyfynnir yn 'Hedd Wyn – a Minnau', J. B. Thomas, tt. 464–465. Ceir adroddiad ar yr eisteddfod yn *Y Brython*, Mawrth 8, 1917, t. 4, lle nodir mai 'Lieut. L. R. Jones a L. Corp. Bowler' a enillodd ar 'Englyn i'r Afr'.

18   Ibid., t. 465.

19   Ibid.

20   William Morris, *Cerddi'r Bugail*, t. xv.

21   William Morris, 'Hedd Wyn', t. 37.

22   J. B. Thomas, 'Hedd Wyn at Litherland Camp'.

23   J. D. Richards, 'Hedd Wyn' (2), t. 18.

24   J. B. Thomas, 'Hedd Wyn at Litherland Camp'.

25   Ibid.

26   J. D. Richards, 'Hedd Wyn' (2), t. 18.

27   Ibid.

28   'Cariad y Bardd', t. 5.

29   J. B. Thomas, 'Hedd Wyn at Litherland Camp'.

30   J. B. Thomas, 'Hedd Wyn – a Minnau', t. 466.

31   J. D. Richards, 'Hedd Wyn' (2), t. 20.

32   Llsgr. Llyfrgell Genedlaethol Cymru 10314B; dyfynnir hefyd yn *Hedd Wyn*, t. 101.

33   Ibid.

34   William Morris, 'Hedd Wyn', t. 37.

35   R. Silyn Roberts, 'Hedd Wyn: the Shepherd Poet', *Y Cymro Ieuanc*, cyf. I, rhif 7, Mehefin 1924, t. 105; ymddangosodd yr ysgrif hefyd yn *New Leader*, Mai 23, 1924.

36   Darganfuwyd y llythyr gwreiddiol yn Archifdy Prifysgol Bangor ym mis Medi 2007. Fe'i cyhoeddwyd yn rhifyn Gorffennaf 7, 1917, o'r *Rhedegydd*, ac fe'i hatgynhyrchwyd gan William Morris yn *Hedd Wyn*, tt. 101–103. Y llythyr gwreiddiol a ddyfynnir yma, nid fersiwn golygedig *Y Rhedegydd*. Newidiwyd rhai llythrennau yn unig er mwyn amlygu'r ystyr a chywiro rhai gwallau gramadegol, ac fe roddwyd y newidiadau hyn rhwng bachau petryal. Cadwyd at orgraff y llythyr gwreiddiol. Am ryw reswm, 'a haen o dristwch yn eu trem' a geir yn fersiwn *Y Rhedegydd* o'r llythyr, wrth sôn am y carcharorion Almaenig, ond 'a haen o euogrwydd yn eu trem' a ysgrifennodd Hedd Wyn.

37   J. D. Richards, 'Hedd Wyn' (2), t. 18.

38   'Golau Newydd ar Awdl a Marw Hedd Wyn', *Y Cymro*, Medi 20, 1941, t. 4.

39   Llsgr. Bangor 17204.

40   Ibid.

41   'Yn Ffrainc (Cyfansoddwyd ychydig ddyddiau cyn cyfarfod a'i ddiwedd)', *Y Seren*, Medi 22, 1917, t. 5.

42   'The Canal Bank at Ypres', *The Welsh Outlook*, cyf. VI, rhif 3, Mawrth 1919, t. 65.

43   Ibid.

44 Ibid.

45 'War Diary, 15th Battalion, Royal Welch Fusiliers': copi teipysgrif yn Amgueddfa'r Ffiwsilwyr Brenhinol Cymreig, Caernarfon.

Pennod 8

1 '113th Infantry Brigade: Operation Order No. 143', Llsgr. Bangor 7060.

2 Dyfynnir yn *In Flanders Fields*, Leon Wolff, 1950, arg. 1987, t. 174.

3 B. H. Liddell Hart, *History of the First World War*, 1930, arg. 1972, t. 330.

4 'Golau Newydd ar Awdl a Marw Hedd Wyn', t. 4.

5 Sgwrs â Simon Jones a recordiwyd gan Robin Gwyndaf.

6 'Dyddiau Olaf Hedd Wyn', *Yr Herald Cymraeg*, Hydref 2, 1917, t. 4.

7 Ibid.

8 Llsgr. Bangor 4903.

9 Ibid.

10 Ibid.

11 'Golau Newydd ar Awdl a Marw Hedd Wyn', t. 4.

12 'Llandudno Resident Who Served with "Hedd Wyn" in World War I', *Llandudno Advertiser*, Gorffennaf 6, 1963, t. 1.

13 'Er Cof: Hedd Wyn', *Y Cymro* (Dolgellau), Medi 5, 1917, t. 11.

14 'Golau Newydd ar Awdl a Marw Hedd Wyn', t. 4.

15 'Notes of the Month: Hedd Wyn', *The Welsh Outlook*, cyf. V, rhif 49, Ionawr 1918, t. 6.

16 'Tynnu'r Tannau ym Mhen Bedw', *Y Cymro*, Gorffennaf 4, 1963, t. 5.

17 'Llandudno Resident Who Served with "Hedd Wyn" in World War I', t. 1.

18 'Hedd Wyn: the Shepherd Poet', t. 105.

19 Llsgr. Bangor 4903.

20 Ibid.

21 Ibid.

22 Ibid.

23 Ibid.

24 'Lle'r Huna Hedd Wyn', *Y Brython*, Tachwedd 22, 1917, t. 4.

25 '14th. (Service) Batt. Royal Welsh Fusiliers: Report on Operations – 30th. July 1917–4th. August 1917', yn Llyfrgell Prifysgol Bangor.

26 Llsgr. Bangor 7060.

27 '14th. (Service) Batt. Royal Welsh Fusiliers: Report on Operations – 30th. July 1917–4th. August 1917'.

28 'War Diary, 15th Battalion, Royal Welch Fusiliers'.

29 'Welshmen and the "Cockchafers"', *Llanelli Star*, Awst 25, 1917, t. 1.

30 'Welsh Fusiliers' Rush at Pilkem', allan o erthygl gan Philip Gibbs, un o ohebwyr *The Daily Chronicle*, *North Wales Chronicle*, Awst 17, 1917, t. 5.

31 J. Dyfnallt Owen, 'Hedd Wyn', *Ceninen* Gŵyl Ddewi, t. 16.

Pennod 9

[1] 'Hedd Wyn a'i Gariad: ei Gerddi Serch i'w Sian', t. 4.

[2] Hedd Wyn, 'I Jennie, ar ei Phen Blwydd yn 27ain oed, Awst, 1917', ibid.; hefyd yn 'Cariad y Bardd', t. 5.

[3] Dyfynnir y dystiolaeth yn *Hanes Bro Trawsfynydd*, Myfanwy Huws, 1973, t. 92.

[4] R. Silyn Roberts, 'Hedd Wyn: The Shepherd Poet', t. 105.

[5] Llythyr yng nghasgliad yr Ysgwrn.

[6] Ibid.

[7] Ibid.

[8] Llsgr. Bangor 23328.

[9] Eifion Wyn, 'Hedd Wyn', *O Drum i Draeth*, Golygydd: Harri Edwards, 1929, tt. 61-62.

[10] Dyfynnir yng ngholofn Carneddog, 'Manion o'r Mynydd', *Yr Herald Cymraeg*, Awst 28, 1917, t. 3.

[11] J. D. Richards, 'Hedd Wyn' (2), t. 20.

[12] John Morris, 'Adlodd Hedd Wyn', t. 3.

[13] Huw Hughes, 'Oriau Gofir a Gefais', *Cyfres y Meistri 1: R. Williams Parry*, Golygydd: Alan Llwyd, 1979, t. 43; ymddangosodd yn wreiddiol yn *Yr Eurgrawn*, cyf. CL, rhif 5, Mai 1950. Dylid cywiro'r 'bore Gwener cyntaf o Awst' ar ddechrau'r dyfyniad: y dydd Gwener cyntaf o Fedi oedd Medi 7, sef y diwrnod ar ôl seremoni'r Gadair Ddu, ac mae'n debyg mai at y diwrnod hwnnw y cyfeirir.

[14] R. Williams Parry, 'In Memoriam/Hedd Wyn – Bardd y Gadair Ddu', *The Welsh Outlook*, cyf. 4, rhif 10, Hydref 1917, t. 336. Ailgyhoeddwyd yr englynion yn *Yr Haf a Cherddi Eraill*, 1924, ond fersiwn *The Welsh Outlook* a ddilynir yma, yn naturiol.

[15] R. Williams Parry, 'Hedd Wyn y Bardd', *Y Cymro* (Dolgellau), Chwefror 6, 1918, t. 6.

[16] J. Ellis Williams, *Moi Plas*, t. 22.

[17] *Y Rhedegydd*, Medi 15, 1917, t. 3.

[18] Llythyr yng nghasgliad yr Ysgwrn.

[19] J. Dyfnallt Owen, 'Hedd Wyn', *Ceninen* Gŵyl Ddewi, t. 16.

[20] Eifion Wyn, 'Cerdyn Hiraeth Hedd Wyn', *O Drum i Draeth*, t. 62.

[21] Llythyr yng nghasgliad yr Ysgwrn.

[22] 'Teyrnged Trawsfynydd', *Y Brython*, Medi 20, 1917, t. 2.

[23] Ibid. Dyfynnir y penillion hefyd yn *Eifion Wyn*, Peredur Wyn Williams, t. 117.

[24] Llsgr. Llyfrgell Genedlaethol Cymru 17969C.

[25] 'Ein Hymweliad a'r "Ysgwrn"', *Yr Herald Cymraeg*, Medi 25, 1917, t. 2.

[26] Ibid.

[27] Ibid.

[28] Ibid.

[29] Ibid.

[30] Ibid.

[31] Llsgr. Llyfrgell Genedlaethol Cymru 17914C, t. 38.

32 Ibid., t. 33.

33 Ibid., Atodiad.

34 T. Gwynn Jones, 'A Mountain Seer', *The Welsh Outlook*, cyf. V, rhif 57, Medi 1918, t. 283.

35 *The Cambrian News*, Medi 14, 1917, t. 6.

36 *Y Goleuad*, Medi 14, 1917, t. 4.

37 *Seren Cymru*, Medi 14, 1917, t. 6.

38 'Hedd Wyn', *Y Tyst*, Medi 26, 1917, t. 6.

39 *Y Brython*, Ionawr 17, 1918, t. 3.

40 Ibid.

Pennod 10

1 'Llythyr J. W. Jones, Tanygrisiau, a Gwaith Hedd Wyn', yng ngholofn Carneddog, 'Manion o'r Mynydd', *Yr Herald Cymraeg*, Medi 12, 1916, t. 3.

2 Meida Pugh, 'Hedd Wyn, y bardd nad â'n hen', t. 45.

3 Dyfynnir yn *'Y Cathedral Anghydffurfiol Cymraeg': Stori'r Tabernacl, Treforys*, Trebor Lloyd Evans, 1972, t. 106.

4 Llyfr Cofnodion Ysgol y Cyngor, Trawsfynydd, yn Archifdy Meirionnydd yn Nolgellau.

5 J. R. Jones, 'Cofeb Hedd Wyn', *Y Seren*, Tachwedd 10, 1917, t. 3.

6 Dyfynnir yn *'Y Cathedral Anghydffurfiol Cymraeg'*, Trebor Lloyd Evans, t. 105.

7 Dyfynnir yn 'Hedd Wyn', J. D. Richards, *Y Geninen*, cyf. XXXVI, rhif 1, Ionawr 1918, t. 56.

8 Hedd Wyn, 'Myfi Yw', *Cerddi'r Bugail*, t. 77.

9 Llsgr. Bangor 19493.

10 Carneddog, 'Cerddi'r Bugail', *Yr Herald Cymraeg*, Medi 3, 1918, t. 3.

11 'O Gorlannau'r Defaid', *Y Cymro* (Dolgellau), Medi 18, 1918, t. 4.

12 T. Gwynn Jones, 'A Mountain Seer', t. 283.

13 Carneddog, 'Cerddi'r Bugail', t. 3.

14 Ibid.

15 Ibid.

16 Dyfynnir yn *'Y Cathedral Anghydffurfiol Cymraeg'*, Trebor Lloyd Evans, t. 105.

17 'Llythyr J. W. Jones, Tanygrisiau, a Gwaith Hedd Wyn', t. 3.

18 T. Gwynn Jones, 'A Mountain Seer', t. 283.

19 E. Morgan Humphreys, 'Toll y Rhyfel', *Y Goleuad*, Awst 9, 1918, t. 4.

20 '"Cerddi'r Bugail": Cyfrol Goffa Hedd Wyn', *Y Seren*, Medi 7, 1918, t. 2.

21 'The Hedd Wyn Memorial', *The Welsh Outlook*, cyf. V, rhif 5, Mai 1918, t. 156.

22 Llsgr. Bangor 19576.

23 Llsgr. Bangor 19579.

24 Llsgr. Bangor 19582.

25 Llsgr. Bangor 19584.

26   Ibid.

27   Llsgr. Bangor 15291.

28   'Hedd Wyn: Pererinion o Gymru uwchben ei Fedd: Anerchiad Cynan', *Y Genedl Gymreig*, Medi 17, 1934, t. 5.

29   Ibid.

30   William Morris, *Hedd Wyn*, t. 115.

31   William Morris, 'Rhieni Hedd Wyn', *Canu Oes*, 1981, t. 170.

32   Gwilym Deudraeth, 'Eto, ar Ddadorchuddio ei Golofn', *'Chydig ar Gof a Chadw*, 1926, t. 32.

Pennod 11

1   Dyfynnir yn 'Y Meirw Anfarwol', J. D. Davies, t. 140.

2   Hedd Wyn, 'Yr Arwr', *Cerddi'r Bugail*, tt. 116, 115.

3   Hedd Wyn, 'Cyfrinach Duw', ibid., t. 75.

4   Ibid.

5   Hedd Wyn, 'Crist ar Binacl y Deml', ibid., t. 58.

6   Ibid., t. 59.

7   Ibid., t. 60.

8   Ibid., t. 62.

9   J. T. Jones, 'Hedd Wyn: y Mystic', *Cymru*, cyf. LXV, rhif 385, Awst 1923, t. 37.

10   Ibid., t. 35.

11   Hedd Wyn, 'Myfi Yw', *Cerddi'r Bugail*, t. 78.

12   J. Iorwerth Williams, 'Barddoniaeth Hedd Wyn', *Y Llenor*, cyf. IV, rhif 2, Haf 1925, t. 91.

13   Hedd Wyn, 'Fy Ngwynfa Goll', *Cerddi'r Bugail*, t. 93.

14   J. Iorwerth Williams, 'Barddoniaeth Hedd Wyn', t. 89.

15   J. T. Jones, 'Hedd Wyn: y Mystic', t. 35.

16   Hedd Wyn, 'Fy Ngwynfa Goll', t. 86.

17   Hedd Wyn, 'Ceisio Gloywach Nen', *Cerddi'r Bugail*, t. 64.

18   J. Iorwerth Williams, 'Barddoniaeth Hedd Wyn', t. 87.

19   Hedd Wyn, 'Nos o Ragfyr', *Cerddi'r Bugail*, t. 22.

20   Hedd Wyn, 'Cyfrinach Duw', t. 72.

21   Ibid.

22   Hedd Wyn, 'Ystrad Fflur', t. 94.

23   Hedd Wyn, 'Ceisio Gloywach Nen', tt. 65–66.

24   J. Iorwerth Williams, 'Barddoniaeth Hedd Wyn', t. 86.

25   Hedd Wyn, 'Wedi'r Frwydr', *Cerddi'r Bugail*, t. 52.

26   J. Iorwerth Williams, 'Barddoniaeth Hedd Wyn', t. 83.

27   J. T. Jones, 'Hedd Wyn: y Mystic', t. 36.

28   J. Iorwerth Williams, 'Barddoniaeth Hedd Wyn', t. 88.

29   Hedd Wyn, 'Cyfrinach Duw', t. 71.

30   Hedd Wyn, 'Adfeilion Hen Eglwys', *Cerddi'r Bugail*, t. 22.

31   Hedd Wyn, 'Ystrad Fflur', t. 97.

32   Ibid., t. 99.

33   Ibid.

34   Ibid., t. 108.

35   Hedd Wyn, 'Cyfrinach Duw', t. 72.

36   Hedd Wyn, 'Myfi Yw', t. 80.

37   Hedd Wyn, 'Mewn Album', *Cerddi'r Bugail*, t. 2; 'Rhyfel', t. 1.

38   Hedd Wyn, 'Llwybrau'r Drin', ibid., t. 24.

39   Hedd Wyn, 'Yr Arwr', t. 125; 'Ceisio Gloywach Nen', t. 63; 'Plant Trawsfynydd, 1914', t. 25.

40   Hedd Wyn, 'Wedi'r Frwydr', t. 50.

41   Hedd Wyn, 'Myfi Yw', t. 79.

42   Hedd Wyn, 'Cyfrinach Duw', tt. 73, 75.

43   Hedd Wyn, 'Fy Ngwynfa Goll', tt. 86, 90; 'Y Gwahodd', ibid., t. 135.

44   J. T. Jones, 'Barddoniaeth Hedd Wyn', *Cymru*, cyf. LXIV, rhif 381, Ebrill 1923, t. 131.

45   T. H. Parry-Williams, 'Hedd Wyn', *Yr Eurgrawn*, cyf. CXXXVI, 1944, t. 280.

46   Ibid., t. 281.

47   Gwyn Thomas, 'Hedd Wyn (Ellis Humphrey Ellis)', *Efrydiau Athronyddol*, cyf. XLII, 1979, t. 68.

48   J. T. Jones, 'Hedd Wyn: y Mystic', t. 37.

49   Hedd Wyn, 'Crist ar Binacl y Deml', tt. 56, 60.

50   Hedd Wyn, 'Fy Ngwynfa Goll', t. 90.

51   Hedd Wyn, 'Wedi'r Frwydr', t. 54.

52   Hedd Wyn, 'Dymuniad', *Cerddi'r Bugail*, t. 20.

53   J. T. Jones, 'Barddoniaeth Hedd Wyn', t. 130.

54   J. Iorwerth Williams, 'Barddoniaeth Hedd Wyn', t. 93.

55   Llsgr. Bangor 23331.

56   Hedd Wyn, 'Atgo', *Cerddi'r Bugail*, t. 136; 'Fy Ngwynfa Goll', t. 88.

57   Hedd Wyn, 'Oedfa Hud', tt. 9–10.

58   Hedd Wyn, 'Haul ar Fynydd', ibid., t. 21.

59   Hedd Wyn, 'Nos Olau Leuad', ibid., t. 21.

60   Dyfynnir yn 'Y Meirw Anfarwol', J. D. Davies, t. 140.

61   *Yr Herald Cymraeg*, Medi 18, 1917, t. 3.

62   Llsgr. Llyfrgell Genedlaethol Cymru 4628C.

63   Ibid.

64   Hedd Wyn, 'Cyfrinach Duw', t. 71.

65   Hedd Wyn, 'Gorffen Crwydro', *Cerddi'r Bugail*, t. 6.

66   Hedd Wyn, 'Oedfa Hud', t. 9.

67   Hedd Wyn, 'Cyfrinach Duw', tt. 71, 72, 72; 'Myfi Yw', t. 78.

68   Gwyn Thomas, 'Hedd Wyn (Ellis Humphrey Evans)', t. 71.

69   William Morris, *Hedd Wyn*, t. 82.

70   Hedd Wyn, 'Yr Arwr', t. 114.

71   Ibid.

72   Ibid.

73   Ibid., t. 115.

74   Ibid., tt. 115–116.

75   Ibid., t. 117.

76   Ibid.

77   Ibid.

78   Ibid., t. 118.

79   Ibid., t. 119.

80   Ibid., t. 120.

81   Ibid., tt. 120–121.

82   Ibid., tt. 121, 122.

83   Ibid., tt. 122, 123.

84   Ibid., t. 124.

85   Ibid.

86   Ibid., t. 125.

87   Ibid.

88   Ibid.

89   Ibid., t. 126.

90   Ibid., t. 127.

91   Ibid.

92   Ibid., t. 128.

93   Ibid., tt. 128, 129.

94   Ibid., t. 130.

95   Ibid., t. 131.

96   Ibid., t. 133.

97   Ibid., tt. 133–134.

98   Ibid., t. 134.

99   *Cofnodion a Chyfansoddiadau Eisteddfod Genedlaethol 1917 (Birkenhead)*, t. 17.

100   Ibid., tt. 8–9.

101   Ibid., t. 17.

102   Ibid., t. 26.

103   "'Yr Arwr:" Awdl Cadair ddu Pen y Bircwy', *Y Geninen*, cyf. XXXVII, rhif 3, Gorffennaf 1919, t. 164.

104   Ibid.

105   R. Silyn Roberts, 'Hedd Wyn: the Shepherd Poet', t. 106.

106   William Morris, 'Hedd Wyn', t. 85.

[107] 'Yr Athro T. Gwynn Jones mewn Chwe Llyfr', *Y Ford Gron*, cyf. I, rhif 8, Mehefin 1931, t. 10.

[108] John Jones, 'Hedd Wyn a Thrawsfynydd', t. 56.

[109] Ibid.

[110] Cynan, 'Yr Allwedd i Awdl "Yr Arwr" Hedd Wyn', *Lleufer*, cyf. II, rhif 1 , 1946, t. 3.

[111] Ibid., t. 5.

[112] William Morris, *Hedd Wyn*, t. 86.

[113] J. R. Morris, 'Allwedd i Awdl "Yr Arwr"', *Y Faner*, Mehefin 12, 1946, t. 5.

[114] Ibid.

[115] Gwynn ap Gwilym, 'Dau Arwr: Pádraig Pearse a Hedd Wyn', *Barn*, rhif 196, Mai 1979, t. 648.

[116] Ibid., t. 649.

[117] Gwyn Thomas, 'Hedd Wyn (Ellis Humphrey Ellis)', t. 75.

[118] Ibid., t. 76.

[119] Ibid.

[120] Derwyn Jones, 'Rhai Sylwadau ar Farddoniaeth Hedd Wyn', t. 213.

[121] Llsgr. Bangor 23329.

[122] Hedd Wyn, 'Cyfrinach Duw', t. 74.

[123] Hedd Wyn, 'Fy Ngwynfa Goll', t. 87.

[124] Hedd Wyn, 'Ceisio Gloywach Nen', t. 65.

[125] Ibid., t. 66.

[126] Hedd Wyn, 'Cyfrinach Duw', t. 71.

[127] Hedd Wyn, 'Myfi Yw', t. 77.

[128] Hedd Wyn, 'Cyfrinach Duw', t. 74.

[129] Hedd Wyn, 'Ceisio Gloywach Nen', t. 63.

[130] Hedd Wyn, 'Fy Ngwynfa Goll', t. 90.

[131] Patricia Hodgart, *A Preface to Shelley*, 1985, t. 91.

[132] Donald H. Reiman, *Percy Bysshe Shelley*, 1969, arg. 1976, t. 60.

[133] Neville Rogers, *Shelley at Work*, 1956, t. 19.

[134] Hedd Wyn, 'Myfi Yw', t. 83.

[135] Timothy Webb, *Shelley: A Voice not Understood*, 1977, t. 39.

[136] Neville Rogers, *Shelley at Work*, t. 398.

[137] Timothy Webb, *Shelley: A Voice not Understood*, t. 39.

[138] Felix Rabbe, *Shelley: The Man and the Poet*, cyf. 1, 1888, t. 5.

[139] William Morris, *Hedd Wyn*, t. 91.

[140] Ibid., t. 22.

[141] Timothy Webb, *Shelley: A Voice not Understood*, t. 158.

[142] Felix Rabbe, *Shelley: The Man and the Poet*, cyf. 1, t. 6.

[143] Nicander (Morris Williams), *Y Dwyfol Oraclau: Ysprydoliaeth Prophwydoliaethau yr Hen Destament*, 1861, t. 30.

144   Ibid., t. 35.

145   Ibid., t. 41.

146   Hedd Wyn, 'Yr Arwr', t. 117.

147   Ibid., t. 121.

148   Ibid., t. 122.

149   J. M. Cohen, *Poetry of this Age 1908–1958*, 1959, tt. 11–12.

150   William Morris, *Hedd Wyn*, t. 70.

151   Maurice Bowra, *The Romantic Imagination*, 1950, arg. 1988, t. 107.

152   Neville Rogers, *Shelley at Work*, t. 129.

153   Desmond King-Hele, *Shelley: His Thought and Work*, 1960, arg. 1971, t. 184.

154   Donald H. Reiman, *Percy Bysshe Shelley*, t. 82.

155   Desmond King-Hele, *Shelley: His Thought and Work*, t. 176.

156   Hedd Wyn, 'Yr Arwr', t. 127.

157   Ibid.

158   Maurice Bowra, *The Romantic Imagination*, t. 114.

159   Hedd Wyn, 'Yr Arwr', t. 134.

160   Ibid., t. 121.

161   Hedd Wyn, 'Ceisio Gloywach Nen', t. 67.

162   Hedd Wyn, 'Fy Ngwynfa Goll', t. 90.

163   Ibid., t. 91.

164   Llsgr. Bangor 23329.

165   Ibid.

166   Ibid.

167   Ibid.

168   Ibid.

169   Ibid.

170   Ibid.

171   Hedd Wyn, 'Ystrad Fflur', t. 110.

172   Hedd Wyn, 'Wedi'r Frwydr', t. 51.

173   Ibid., t. 53.

174   Hedd Wyn, 'Cyfrinach Duw', t. 72.

175   Hedd Wyn, 'Wedi'r Frwydr', t. 55.

176   Llsgr. Bangor 23329.

177   Hedd Wyn, 'Myfi Yw', t. 81.

178   Hedd Wyn, 'Yr Arwr', t. 127.

179   Dyfynnir gan William Morris yn *Hedd Wyn*, t. 53.

Mynegai